VICTOR HUGO
témoin de son siècle

J'AI
LU

J'AI LU L'ESSENTIEL

Paru

LETTRES D'AMOUR
Présentation de Jean-Claude Carrière

A paraître

LES POÈTES DU XVIe SIÈCLE
Présentation de Marc Alyn

TCHÉKHOV
Présentation de Roger Grenier

L'ENCYCLOPÉDIE
Présentation d'Alain Pons

CASANOVA
Présentation de Gilles Perrault

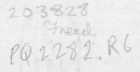

Victor Hugo
témoin de son siècle

PRÉSENTATION DE CLAUDE ROY

Un enfant du siècle. La guerre en Espagne. Waterloo. Les Bourbons s'effacent à l'horizon. Le retour des Cendres. A l'Académie. Aux Tuileries avec Louis-Philippe. L'enterrement de Mademoiselle Mars. Un procès à la Chambre des Pairs. La révolution de 48. Les journées de Juin. Rumeurs de coups d'État. Napoléon le petit. Les barricades du désespoir. La mort de Baudin. Le grand exil. Le siège de Paris. La Commune. Paris retrouvé./. Textes choisis dans *Les misérables, Les châtiments, L'année terrible, Histoire d'un crime, Choses vues* et autres œuvres biographiques.

J'AI LU

INTRODUCTION

Ce siècle est à la barre et je suis son témoin

V. HUGO.

Hugo et l'histoire

Il n'y a qu'une histoire : la nôtre. Écrire l'histoire, si l'histoire était seulement celle des autres, serait une activité aussi anodine que celle du tricot ou de la tapisserie. Les grands historiens peuvent et doivent essayer de prendre avec les événements qu'ils relatent les distances admirables de la science, de l'objectivité, de la méditation, de la sérénité. L'historien aspire à éprouver cette sensation première du « regard de Dieu ». Le Dieu des théologiens et des philosophes voit les choses comme elles vont et les êtres comme ils sont, il entre dans les raisons de celui qui agit selon la raison et dans celles de celui qui est déraisonnable, il sonde les reins et les cœurs, il épouse les motifs contradictoires de tous les protagonistes du drame, il embrasse simultanément tous les aspects de la vérité, il domine comme l'aigle le paysage dont chaque figurant ne saisissait qu'un fragment, il transperce la nuit comme il traverse le jour, il est l'intelligence. Mais ce n'est pas pour rien que les théologiens et les philosophes insistent aussi sur cette autre qualité fondamentale de l'Être Suprême qu'ils conçoivent et révèrent, qui est d'être *tout amour*. Dieu, selon leurs vues, n'est pas objectif parce qu'il est détaché, il est omnivoyant parce qu'il est omni-aimant. Il possède la vérité parce qu'il est habité de la passion primordiale, parce qu'il aime sa création. L'histoire idéale n'est pas celle qu'écrirait du point de vue de Sirius un être imaginaire, délivré de toute solidarité avec ceux dont il observerait, analyserait et rebâtirait les actions : elle est celle d'une pensée à la fois éprise de ce qu'elle considère, et désintéressée de ce qui n'est pas l'essentiel, d'une pensée tout à la fois concernée par le spectacle qu'elle envisage, et capable de le surmonter. Dieu aime sa création, même s'il en mesure les fissures et en constate les faiblesses. Dieu est le seul historien digne de ce nom, parce qu'Il est dans le coup, et hors du coup, engagé dans l'être, et dégagé de l'existence. Il n'y a pas d'autre historien que Dieu. Au reste son existence n'est pas reconnue par tous. Il n'y a pas d'historien parfait.

Mais l'histoire telle que la conçoivent ces êtres imparfaits que sont les hommes n'est jamais plus proche de sa perfection que lorsqu'elle est écrite pour répondre à une nécessité, que lorsque l'esprit humain cherche dans les événements du passé à saisir aujourd'hui et affronter demain. Ce qui est arrivé il y a deux mille ans ne nous devient compréhensible et saisissable que dans la mesure où ce n'est pas l'histoire de Babylone, de Memphis ou d'Athènes qui nous requiert, mais la nôtre. Personne ne cherche jamais à fonder sa généalogie pour le vain travail d'enfiler les générations comme on enfile les perles. Écrire l'histoire, c'est d'abord écrire son histoire. Le passé n'est que la somme des questions que le présent pose à l'avenir.

Tous les vivants ont une histoire, mais l'Histoire est d'abord ce qui arrive aux hommes qui ont le sentiment de l'Histoire. Il est né plusieurs millions d'êtres en l'an

1802, enfants d'un siècle qui avait deux ans. Sur ces millions d'êtres, un nombre incommensurable a traversé, comme Victor Hugo, les guerres de l'Empire, ses victoires, ses désastres, deux révolutions, plusieurs insurrections, un coup d'État, une guerre (encore) européenne, la Commune, des années terribles aux années funestes, la naissance de la civilisation industrielle. Mais l'histoire est, pour la plupart d'entre eux, un destin qu'ils ont subi, avant d'être un élément où ils ont respiré. Ce n'est pas simplement parce que Victor Hugo était un écrivain superbe et un regard perçant qu'il a laissé de sa traversée terrestre un journal de bord qui est à la fois le témoignage d'un mémorialiste et la déposition d'un historien. C'est aussi, c'est surtout parce que, dès qu'il entre dans l'âge de raison, il se sent un habitant du temps, et pas seulement un locataire de l'espace. Son siècle a été pour lui un siècle de légende, parce qu'il se sentait un des figurants innombrables et un des acteurs indomptables de la légende des siècles. Il a laissé des milliers de pages de « choses vues » parce qu'il était possédé par la passion du visionnaire, par la certitude que l'interminable procession des siècles et des générations ne connaît pas de halte ni de répit. Il a vécu le présent de sa vie avec d'autant plus d'intensité, de passion investigatrice, de minutie géniale dans le travail de l'annaliste, qu'il plongeait de toute sa force dans le passé de l'histoire. Il émergeait constamment de Thèbes, de Tyr et de Carthage pour faire irruption à Paris ou Guernesey, à Bruxelles ou Jersey. Poète épique de la couleur historique, il est aussi un journaliste de génie, et pour les mêmes raisons. Il traverse les millénaires avec le même œil pointu et croche-vérité, avec la même gourmandise du petit détail exact, du fait vrai, de la note pittoresque et significative, qu'il apporte à traverser les rues de Paris hérissées de barricades. Il décrit avec la même minutie hallucinée les armures des barons médiévaux et

9

l'uniforme des gardes nationaux, les lacets des chanfreins, les chatons des cuissards, le crible des heaumes, les harnachements d'Éviradnus ou de Rathbert, et les blouses des ouvriers insurgés des faubourgs de Paris. Avec lui l'épopée, l'accent épique ne sont pas l'apanage de ce qui est arrivé *jadis*, une couleur historique comparable à cette couleur locale des écrivains pour lesquels le monde est en noir et blanc tant qu'ils n'ont pas franchi au moins une frontière, mais qui commencent à voir du rouge, du bleu, du vert et de l'or quand ils ont quitté leur pays. La vie quotidienne est pour Hugo un fragment sans déchirure de ce tissu déroulé sans fin, l'histoire. Il sait que les chansons de geste ne s'écrivent pas seulement à l'imparfait ou au passé, qu'elles peuvent, qu'elles doivent se continuer au présent. L'histoire n'est pas pour lui la somme de ce qu'ont fait les hommes d'autrefois, mais ce que continuent de faire ses contemporains. Il n'a pas deux sortes de lunettes, les unes grossissantes, pour les héros antiques, les autres rapetissantes, pour les hommes de 1830. Il voit les cohortes de Xerxès et les combattants du faubourg Saint-Antoine avec la même violence et la même précision. Les Nims, les Sardes, les Mosques, les Gètes et les Bactriens n'ont pas sous sa plume plus de relief ni de couleur que les insurgés des Journées de Juillet : ils en ont tous autant. Les châteaux forts du Moyen Age ne lui apparaissent pas plus pittoresques ou plus puissants que les barricades du coin de la rue, *acropoles des va-nu-pieds*.

Le plus grand, et probablement le seul poète épique de la France moderne, le plus grand romancier d'histoire du XIXe siècle, l'auteur de la *Légende des siècles* et de *Quatre-vingt-treize*, est en même temps le plus grand témoin, le plus fidèle aussi, des événements de son époque. Lui, le grand bûcheron de la poésie, abattant chaque jour des centaines de vers et des douzaines de pages de prose, laissant en marge de son œuvre publiée des milliers de pages inédites, occupé par de grandes amours et des centaines de gourmandises charnelles, attentif aux dictées des tables tournantes et des esprits frappeurs, père et grand-père, amant, mystique, trousseur de cotillons, homme public et homme d'intérieur, il n'est cependant pas un seul événement important de son temps où il n'ait fait, au moins, acte de présence, quand il n'y a pas inscrit la présence de ses actes. Il est à la fois à la tribune des assemblées et sur le pavé des émeutes, mêlé à la foule des rues et disputant avec les princes ou les ministres dans la retraite de leur cabinet. Il note les propos des rois ou de Lamartine, de Napoléon III ou de Thiers, et les saillies de Gavroche ou les rumeurs du trottoir. Il n'écrit pas, comme Saint-Simon, la seule chronique de la Cour, ou comme Bachaumont ou l'Étoile, les potins d'un promeneur ou les propos de la commère. Il est partout à la fois, curieux, ouvert, attentif, sténographe et dessinateur, modèle plus grand que nature de ces « gloutons optiques » (et auditifs) dont parle un humoriste américain.

Mais l'aptitude à saisir les gestes des acteurs de l'histoire, à enregistrer leurs paroles, à suggérer les mouvements des âmes et ceux des foules dans les grands moments de crise, ne repose pas, chez Hugo, sur une simple curiosité de spectateur. Ce flâneur (en apparence) n'est jamais détaché. Il est, au contraire, un témoin d'autant plus complet qu'il est davantage passionné, d'autant plus irrécusable qu'il est plus profondément engagé. Il n'ouvre jamais si bien les yeux que lorsqu'on pourrait imaginer au contraire que la passion et l'emportement de l'esprit devraient l'aveugler. L'indifférence rend insensible aux grandes différences de la réalité et au relief des détails. La bonne vue n'est pas le privilège de la tiédeur. Nous avons tous fait l'expérience de ces spectacles, de ces scènes qui se gravent *en nous* : ce ne sont pas les spectacles et les

scènes devant lesquels nous étions de paisibles contem-
plateurs, que nous regardions avec tranquillité. Ainsi le
jeune Hugo monarchiste et conservateur ne nous offre
que des images assez pâles et falotes des événements dont
il est le témoin. S'il gardera et transmettra, inoubliable-
ment, ses premières impressions de l'aventure napoléo-
nienne, les reflets des feux de bivouac traversés en Espagne, la silhouette tragique de Lahorie traqué, se cachant
aux Feuillantines, il semble en revanche n'avoir
rien conservé d'ineffaçable, de ses rencontres avec
Louis XVIII. Le premier épisode de sa carrière d'homme
public qui soit retracé avec vigueur c'est le sacre de
Charles X, et parce que ce qui l'emporte alors, c'est
l'humeur, c'est la colère, c'est l'indignation — mêlées au
mépris.

L'évolution intérieure de Hugo, le lent passage des
adhésions irréfléchies de sa jeunesse aux convictions
méditées de sa maturité, fait de lui, peu à peu, un chro-
niqueur de plus en plus admirable. *Il y eut une lutte dans
son âme,* écrit-il en parlant de lui-même, *entre la royauté que
lui avait imposée le prêtre catholique et la liberté que lui
avait recommandée le soldat républicain : la liberté a vaincu.*

Sa vie est aussi belle par sa constance que par ses
rebondissements. De son enfance, Hugo a dit les contras-
tes, le sang républicain et le sang vendéen, ce héros de
Stendhal, le général Hugo, qui épouse une héroïne de
Balzac, Sophie Trébuchet, pour donner naissance à un
héros de Victor Hugo : Victor Hugo lui-même. Il a tu les
divisions : les Feuillantines abritant avant son exécution
le général Lahorie, ennemi de Napoléon, et ami de sa
mère (peut-être davantage...), les maîtresses de son père,
dont l'insolence chassera Sophie du palais Masserano.
Mais cette enfance reste une enfance heureuse. L'adolescent prodige prend son départ à la vitesse d'un coureur de
cent mètres. C'est pourtant une longue course qui l'attend,

Les coups de théâtre qui la parsèment ont pour théâtre une âme. *Hugo serait mort en 1848*, écrit excellemment Henri Guillemin, *que l'on citerait son nom dans les dictionnaires, comme celui d'un poète distingué, un peu frondeur autour de 1830, mais qui sut se ranger assez vite pour accomplir une belle carrière de bourgeois juste milieu. Supposons qu'il ait eu par surcroît la chance de tomber sous les balles des insurgés de juin (et il s'en fallut de bien peu), sa mémoire serait honorée de tout le pays réel.*

L'itinéraire de Victor Hugo est celui d'un homme qui s'aperçoit au beau milieu de sa vie qu'il s'est mis la lyre dans l'œil. Mais dans le jaillissement de ce génie qui fait de lui « le lion superbe et généreux » de la jeunesse, une contradiction déjà le tourmente, se fait jour, se précise. Avant d'être emporté par la logique de l'histoire, Hugo est tenaillé par la logique de la création : peut-on être un révolutionnaire de l'art en ayant les idées du *Conservateur littéraire* ? On trouvera après sa mort, dans ses carnets, une note qui marque le terme de ce conflit : *La révolution littéraire et la Révolution politique ont opéré en moi leur jonction.* Se fourvoyer arrive à beaucoup. La plupart ne bronchent pas ; ils font comme si de rien n'était. Le monde est probablement rempli de prêtres qui ont perdu la foi, de financiers qui ne croient plus au capitalisme, de maris qui n'aiment plus leur femme, et d'académiciens qui savent qu'ils n'ont plus de talent. S'il fallait crier sur les toits qu'on s'est trompé, nous vivrions dans une société assourdissante. Et Hugo, en effet, assourdit et abasourdit. Il est pair de France, membre de l'Académie, couvert d'honneurs, enveloppé par la célébrité. La quarantaine, c'est (semble-t-il) le temps de la maturité. La moisson devrait être mûre, et il ne resterait plus qu'à l'engranger. Pourtant, malgré la richesse des œuvres qui s'accumulent, la vraie moisson de Hugo mûrit encore, lentement, dans les coulisses de son destin. Ce quadragénaire, qui mord dans la vie à belles dents, trompe Adèle avec Juliette, et Juliette avec Mme Biard, cet homme sur lequel le destin frappe le premier coup bas (mort de Léopoldine), une grande question sourde chemine en lui, à laquelle la révolution de 1830 n'a pas donné de réponse : la question de la misère...

L'adolescence est l'âge des crises. C'est à quarante-six ans, donc, qu'éclatera l'adolescence de Hugo. Dans ses hésitations, ses contretemps, ses atermoiements devant la Révolution montante, il n'entre rien de bas. S'il est d'abord celui qui veut freiner l'insurrection, pour finir par être celui qui rompt avec la bourgeoisie triomphante, il ne se laisse guider ni par les calculs de l'ambition, ni par les réflexes de la peur, ni par les scrupules de l'amour-propre. Il y a donc dans son attitude autant de courage que de confusion, et dans l'évolution qui va le conduire à siéger sur les bancs de la gauche, plus d'héroïsme d'esprit que de prudence d'homme public. *Ceux qui deviennent jeunes tard le restent longtemps*, écrira-t-il. Il est de ceux-là. Le printemps des peuples révèle à Hugo sa vraie jeunesse, celle qu'il gardera jusqu'à quatre-vingt-trois ans. Ses complices du début ne lui pardonneront jamais d'avoir mangé le morceau. *Quoi, vous serais-je suspect ?* demande Hugo à la droite, lors de son discours sur l'enseignement. La droite en chœur trépigne : *Oui ! Oui !* Quel imbécile, en effet ! S'il s'était tenu tranquille, il était ministre, familier des Tuileries sous l'Empire, second de Thiers à Versailles, et il n'aurait pas fait ni eu d'histoires. Oui. Mais il n'aurait pas fait ni vécu l'Histoire. Il aurait eu également des funérailles nationales, au sens d'*officielles*. La nation n'aurait pas été concernée par sa mort, mais les notables, les badauds et les gardes républicains : après tout, Paul Valéry *aussi* a eu des funérailles nationales.

Le sentiment de s'être *fourvoyé* chemine lentement, sourdement en Hugo. On ne sait ce qui est l'essentiel, de cette série d'ébranlements qui le frappent : est-ce l'entre-vue avec le roi à propos de l'interdiction de *Marion Delorme*, ou bien la rencontre d'une pauvre fille dans les rues de Paris ? Est-ce le spectacle d'ordre et de géné-rosité que donne à Hugo la visite domiciliaire des insur-gés à son logis de la place des Vosges, ou le cynisme des tenants du « parti de l'ordre » ? Tout s'accumule, se mul-tiplie, s'approfondit en lui. Au début de la révolution de 1848, il est l'homme qui va prêcher le calme aux combat-tants des barricades. Il se définit plus tard par une note de *Tas de Pierres-Océan* (intitulée) *Moi en 1848 : Libéral, socialiste* (il anticipe un peu...), *dévoué au peuple, pas encore républicain, ayant encore une foule de préjugés contre la Révolution, mais exécrant l'état de siège, les transpor-tations sans jugement, et Cavaignac avec sa fausse république militaire.* Ce qui saute aux yeux, c'est que de ses change-ments de point de vue, il n'a jamais tiré aucun profit. Il varie à contretemps du succès : hostile à la révolution quand elle semble l'emporter, gagné à elle quand elle succombe. Son passage de la monarchie au socialisme lui apportera seulement les coups, les injures, l'exil.

On suit l'évolution de Hugo dans ses piétinements, ses avancées, son tourment, ses joies, le passage du goût des honneurs à la passion du vrai, de la vanité d'une carrière à l'orgueil d'un destin, de l'ambition d'un con-quérant de la société à l'ivresse raisonnée d'un prophète révolutionnaire, le passage de la notion de juste milieu à l'idée de justice centrale. Les choix de Hugo sont, au fur et à mesure qu'il avance, de plus en plus périlleux.

Cette passion de la liberté qui va dominer désormais le destin de Hugo lui donne aussi cette souveraine liberté du regard que nous admirons dans ses journaux, ses « reportages » et ses récits d'événements contemporains. On a souvent remarqué que si Hugo était mort à quarante ans, en 1842, il occuperait dans l'histoire littéraire une place de second plan : il serait l'auteur de quelques beaux poèmes romantiques, de deux ou trois mélos injouables, de *Ruy Blas*, et d'un roman moyenâgeux assez amusant, *Notre-Dame de Paris*. Mais ce qui fait la grandeur de l'homme et la gloire de l'écrivain s'accomplira en fait de 1845 à sa mort, en 1885 : l'exil exemplaire, *Les misérables*, *Les châtiments*, *La légende des siècles*, *Quatre-vingt-treize*, *Les quatre vents de l'esprit*, *La fin de Satan*, les milliers de pages de journaux, de *reliquiae*, les grands morceaux de prose comme *William Shakespeare*, le *Postscriptum à l'histoire de ma vie*, le génie de Hugo, enfin ne s'imposera souverainement que dans les quarante dernières années de sa carrière. Et c'est aussi dans cette seconde moitié de la vie que le témoin Hugo devient inégalable. Ce n'est pas que Hugo ait *appris* quoi que ce soit dans l'art d'observer et celui de décrire. L'enfant Hugo aux Feuillantines ou sur les routes d'Espagne, le jeune Hugo dans les coulisses d'*Hernani* ou dans les remous des journées de juillet 1830, ont déjà ce sens inné du détail frappant, ce don de l'expression raccourcie, de la formule-flèche, du pittoresque significatif, cet humour objectif qui rendent les documentaires de Hugo si vivants. Mais il leur manque encore cette passion politique, ce feu central qui vont animer le poète jusqu'à son crépuscule, et donner à sa curiosité l'aiguillon du génie.

Passion, oui. Ce n'est pourtant pas celle de soi. Hugo est rempli, certes, d'un immense orgueil, il connaît son génie. Mais il est le contraire de la suffisance, l'opposé de la vanité. Cet homme plein d'idées n'est jamais plein de lui. Le *Journal* de Vigny est rarement objectif ; on y voit l'histoire tourner autour des honneurs, des aigreurs et des rancœurs du comte Alfred de Vigny. Le *Journal* de Hugo, lui, est très peu subjectif. Il a le coup d'œil du clinicien, le sang-froid du reporter, la maîtrise du peintre. Mais il s'efface derrière ce qu'il relate. Même dans l'*His-*

toire d'un Crime, qui apparaît comme une sorte de règle-
ment de comptes sublime, l'affaire personnelle de Victor
Hugo contre Louis-Napoléon, le duel prodigieux d'un
Juvénal homérique avec un César de cotillon, le polé-
miste sait disparaître derrière le mémorialiste, le pam-
phlétaire laisser enregistrer à sa place le « cinéma-regard ».

C'est que la passion de Hugo n'est pas celle d'un individu pour ses intérêts : c'est celle d'une grande intelligence pour la vérité. L'homme n'est pas un saint, il a
ses rancunes et ses ambitions, ses haines et ses tendresses.
Mais ce qui domine en lui, c'est une perspective bien plus
haute, un point de vue qui dépasse infiniment celui de
l'homme politique arriviste ou de l'homme de lettres ambitieux. Dès 1841, Hugo organise tout ce qu'il voit autour
d'une vision centrale. Pour lui, le moteur de l'histoire
depuis trois mille ans, c'est la lutte du malaise contre le
bien-être, des déshérités contre les détenteurs de l'héri-
tage humain. Sur le plan géographique, c'est l'éternelle
invasion du Midi par le Nord, sur le plan social l'inces-
sante revendication des pauvres contre les privilégiés.
*Tantôt l'Europe, tantôt l'État, sont brusquement et violem-
ment attaqués, l'Europe par ceux qui ont froid, l'État par
ceux qui ont faim ; c'est-à-dire l'une par le Nord, l'autre par
le peuple. Le Nord procède par invasions, et le peuple par
révolutions.* Pour Hugo la question fondamentale est : *Combien de temps une portion de l'humanité peut-elle supporter
le froid ? Combien de temps une portion de la société peut-
elle supporter la faim ?* Nous pouvons juger aujourd'hui
en partie périmé ce parallèle entre les démunis du climat
et les démunis de la faim : le Nord, que ce soit celui de
l'U. R. S. S. ou des U. S. A. ne coïncide plus avec la misère, et c'est au contraire dans les climats chauds, de
l'Afrique à l'Asie, que se situent la plupart des peuples du
Tiers-Monde. Il reste que la philosophie de l'histoire de
Hugo est pour l'essentiel vérifiée par les faits et qu'elle

offre une clef universelle. C'est elle qui lui interdira toujours de pratiquer ce qu'il nomme avec dédain *l'histoire courtisane*, l'histoire qui ferme les yeux avec complaisance sur les iniquités et avec horreur sur les misères, l'histoire qu'écrivent les domestiques, lorsque *l'historien n'est plus que le maître des cérémonies des siècles, recevant les mots d'ordre dans l'antichambre, usant les livrées des historiographes, laquais sans le savoir.* Car il a pu arriver à Hugo d'user et d'abuser des antithèses, mais il est une antithèse dont la réalité lui propose sans relâche l'opposition et le heurt, c'est l'antithèse concrète de la faim et de la richesse, des *Misérables* et des privilégiés. Devant la Révolution de 1848, devant le Coup d'État de 1851, devant la Commune, Hugo a un point de vue constant : *L'insurrection*, dit-il, *est l'accès de fureur de la vérité.* Mais devant le spectacle de ces accès de fureur, Hugo garde un sang-froid exemplaire. Il considère froidement la vérité en feu. Il a toutes les ressources de l'indignation, aucune des complaisances du parti-pris. Il ne flatte jamais ses modèles, ni ne farde ou « n'arrange » les visages vers lesquels va sa sympathie. Il voit ce qui est sans oublier ce qu'il hait.

Soixante ans durant, plus de la moitié d'un siècle chargé de désastres et de naissances, de révolutions et d'accomplissements, Victor Hugo a ouvert l'œil, et le bon, celui de l'âme et du génie. Les rôles que d'autres, au Grand Siècle, s'étaient distribués, Corneille et Racine étant la tragédie, Saint-Simon la chronique inspirée, La Fontaine l'humour, Boileau la critique littéraire, Vauban et Fénelon la critique sociale, Victor Hugo au xixe siècle les assume tous à lui seul. Il est à la fois le poète, le penseur et le témoin. C'est à ce dernier que je donne ici la parole.

I

1802-1815
LE TUMULTE IMPÉRIAL

L'unité d'une vie

Un après-midi de l'été 1796, un paysan vendéen court sur la route de Châteaubriant. Les Bleus approchent, pourchassant les Chouans. La « demoiselle » du Petit Auverné, « chaude Vendéenne, en horreur du despotisme de la Convention », revient de la ville à cheval. « Voici les Bleus, lui dit le paysan. Nos prêtres sont tout près. Occupez les patauds. » Les « patauds » ont pour chef un certain capitaine Hugo. Sophie Trébuchet l'occupe, s'en occupe, et si bien que le 15 novembre 1797 elle l'épouse. Leur troisième enfant s'appellera Victor. Enfant de l'amour — et de la guerre civile. Il va grandir sous l'ombre double des Blancs et des Bleus, que celle de Napoléon couvre sans les réconcilier.

Ce siècle avait deux ans! Rome remplaçait Sparte,
Déjà Napoléon perçait sous Bonaparte,
Et du premier consul, déjà, par maint endroit,
Le front de l'empereur brisait le masque étroit.
Alors dans Besançon, vieille ville espagnole,
Jeté comme la graine au gré de l'air qui vole,
Naquit d'un sang breton et lorrain à la fois
Un enfant sans couleur, sans regard et sans voix ;
Si débile qu'il fut, ainsi qu'une chimère,
Abandonné de tous, excepté de sa mère,
Et que son cou ployé comme un frêle roseau

Fit faire en même temps sa bière et son berceau.
Cet enfant que la vie effaçait de son livre,
Et qui n'avait pas même un lendemain à vivre,
C'est moi.

Les feuilles d'automne.

Victor Hugo n'était pas né quand les soldats déguenillés de la République parcouraient l'Europe au chant de la Liberté. Mais ces images héroïques dont fut bercée son enfance devaient le hanter toute sa vie.

O soldats de l'an deux ! ô guerres ! épopées !
Contre les rois tirant ensemble leurs épées,
   Prussiens, Autrichiens,
Contre toutes les Tyrs et toutes les Sodomes,
Contre le czar du nord, contre ce chasseur d'hommes
   Suivi de tous ses chiens,

Contre toute l'Europe avec ses capitaines,
Avec ses fantassins couvrant au loin les plaines,
   Avec ses cavaliers,
Tout entière debout comme une hydre vivante,
Ils chantaient, ils allaient, l'âme sans épouvante
   Et les pieds sans souliers !

Au levant, au couchant, partout, au sud, au pôle,
Avec de vieux fusils sonnant sur leur épaule,
   Passant torrents et monts,
Sans repos, sans sommeil, coudes percés, sans vivres,
Ils allaient, fiers, joyeux, et soufflant dans des cuivres,
   Ainsi que des démons !

La Liberté sublime emplissait leurs pensées.
Flottes prises d'assaut, frontières effacées
   Sous leur pas souverain,
O France, tous les jours, c'était quelque prodige,
Chocs, rencontres, combats ; et Joubert sur l'Adige,
   Et Marceau sur le Rhin !

On battait l'avant-garde, on culbutait le centre ;
Dans la pluie et la neige et de l'eau jusqu'au ventre,
    On allait! en avant!
Et l'un offrait la paix, et l'autre ouvrait ses portes,
Et les trônes, roulant comme des feuilles mortes,
    Se dispersaient au vent!

Oh! que vous étiez grands au milieu des mêlées,
Soldats! L'œil plein d'éclairs, faces échevelées
    Dans le noir tourbillon,
Ils rayonnaient, debout, ardents, dressant la tête ;
Et comme les lions aspirent la tempête
    Quand souffle l'aquilon,

Eux, dans l'emportement de leurs luttes épiques,
Ivres, ils savouraient tous les bruits héroïques,
    Le fer heurtant le fer,
La Marseillaise ailée et volant dans les balles,
Les tambours, les obus, les bombes, les cymbales,
    Et ton rire, ô Kléber!

La Révolution leur criait : — Volontaires,
Mourez pour délivrer tous les peuples vos frères! —
    Contents, ils disaient oui.
— Allez, mes vieux soldats, mes généraux imberbes! —
Et l'on voyait marcher ces va-nu-pieds superbes
    Sur le monde ébloui!

La tristesse et la peur leur étaient inconnues.
Ils eussent, sans nul doute, escaladé les nues
    Si ces audacieux,
En retournant les yeux dans leur course olympique,
Avaient vu derrière eux la grande République
    Montrant du doigt les cieux!

                    Les châtiments.

Bonaparte a entrepris de ramener la paix civile, de conclure et d'arrêter la Révolution (mais en même temps d'en consolider les conquêtes). Quelques mois après la naissance de Victor Hugo, Bonaparte s'est fait élire Consul à vie. Mais malgré l'amnistie qui a été accordée aux émigrés royalistes, malgré le Concordat signé avec le Vatican et la protection que Bonaparte accorde à l'Église (1802 est l'année où Chateaubriand publie le Génie du christianisme), malgré les mesures prises contre les ouvriers (auxquels il est interdit de s'associer entre eux), les luttes civiles ne cessent pas. En mai 1803, la Chouannerie reprend en Vendée. Les royalistes s'appuient sur l'Angleterre pour conspirer contre le Premier Consul, et leurs chefs tentent de rallier à eux des républicains mécontents. Pichegru et Cadoudal complotent. Tous deux seront arrêtés et exécutés. Pour frapper à la tête l'opposition royaliste, Bonaparte fera enlever, condamner et fusiller le duc d'Enghien. Toute la petite enfance de Victor Hugo retentira des échos de la guerre à l'étranger, des exploits de la Grande Armée. — mais il entendra parler bien souvent aussi de cette guerre civile larvée qui se poursuit dans l'ombre. Ses yeux d'enfant s'ouvrent sur une société déchirée, sur une famille divisée. Il va mettre quarante ans à choisir entre les sangs qui se combattent en lui et les principes qui le partagent. La « lutte dans son âme » témoigne de celle qui se poursuit autour de lui.

L'homme que je suis a traversé beaucoup d'erreurs. Il compte, si Dieu lui en accorde le temps, en raconter les péripéties sous ce titre : *Histoire des révolutions intérieures d'une conscience honnête.* Tout homme peut, s'il est sincère, refaire l'itinéraire, variable pour chaque esprit, du chemin de Damas. Lui, comme il l'a dit quelque part, il est fils d'une vendéenne, amie de Mme de la Rochejaquelein, et d'un soldat de la révolution et de l'empire, ami de Desaix, de Jourdan et de Joseph Bonaparte ; il a subi les conséquences d'une éducation solitaire et complexe où un proscrit républicain donnait la réplique à un proscrit prêtre. Il y a toujours eu en lui le patriote sous le vendéen ; il a été napoléonien en 1813, bourbonien en 1814 ; comme presque tous les hommes du commencement de ce siècle, il a été tout ce qu'a été le siècle ;

illogique et probe, légitimiste et voltairien, chrétien littéraire, bonapartiste libéral, socialiste à tâtons dans la royauté ; nuances bizarrement réelles, surprenantes aujourd'hui ; il a été de bonne foi toujours ; il a eu pour effort de rectifier son rayon visuel au milieu de tous ces mirages ; toutes les approximations possibles du vrai ont tenté tour à tour et quelquefois trompé son esprit ; ces aberrations successives, où, disons-le il n'y a jamais eu un pas en arrière, ont laissé trace dans ses œuvres ; on peut en constater ça et là l'influence ; mais il le déclare ici, jamais, dans tout ce qu'il a écrit, même dans ses livres d'enfant et d'adolescent, jamais on ne trouvera une ligne contre la liberté. Il y eut une lutte dans son âme entre la royauté que lui avait imposée le prêtre catholique et la liberté que lui avait recommandée le soldat républicain ; la liberté a vaincu.

Là est l'unité de sa vie.

Avant l'exil.

Le général proscrit

Plus encore que Musset, Hugo est l'enfant du siècle. Il apprend l'histoire à la maison, et la géographie sur les routes des guerres napoléoniennes. A cinq ans, il est en Italie, de Rome et Naples à Avellino, dont le colonel Hugo est gouverneur, après avoir été un enfançon en garnison à Bastia, puis à l'Ile d'Elbe. A sept ans, il entrevoit aux Feuillantines tour à tour le général Hugo, soldat de Napoléon, et Lahorie, qui conspire contre l'Empereur. La mère de Victor a donné asile à ce parent, qu'elle nomme « général », et que la police de Fouché recherche. Pour le petit garçon, il y a donc deux généraux : l'un — son père — qui est comblé d'honneurs et de gloire, qui se bat au service de l'Empereur. Et l'autre, qui est traqué, pourchassé, un hors-la-loi qui combattra l'Empereur jusqu'à son arrestation. Lahorie sera fusillé à Grenelle, avec dix autres conspirateurs.

C'était le temps d'Eylau, d'Ulm, d'Auerstaedt et de Friedland, de l'Elbe forcé, de Spandau, d'Erfurt et de Salzbourg enlevés, des cinquante et un jours de tranchée de Dantzick, des neuf cents bouches à feu vomissant cette victoire énorme, Wagram ; c'était le temps des empereurs sur le Niémen, et du czar saluant le césar ; c'était le temps où il y avait un département du Tibre, Paris chef-lieu de Rome ; c'était l'époque du pape détruit au Vatican, de l'inquisition détruite en Espagne, du moyen âge détruit dans l'agrégation germanique, des sergents faits princes, des postillons faits rois, des archi-duchesses épousant des aventuriers ; c'était l'heure extra-ordinaire ; à Austerlitz la Russie demandait grâce, à Iéna la Prusse s'écroulait, à Essling l'Autriche s'agenouil-lait, la Confédération du Rhin annexait l'Allemagne à la France, le décret de Berlin, formidable, faisait presque succéder à la déroute de la Prusse la faillite de l'Angleterre, la fortune à Potsdam livrait l'épée de Frédéric à Napo-léon qui dédaignait de la prendre, disant : *J'ai la mienne.* Moi, j'ignorais tout cela, j'étais petit.

Je vivais dans les fleurs.

Je vivais dans ce jardin des Feuillantines, j'y rôdais comme un enfant, j'y errais comme un homme, j'y regar-dais le vol des papillons et des abeilles, j'y cueillais des boutons d'or et des liserons, et je n'y voyais jamais per-sonne que ma mère, mes deux frères et le bon vieux prêtre, son livre sous le bras.

Il y avait fête ce jour-là, une de ces vastes fêtes du premier empire. Quelle fête ? je l'ignorais. Je l'ignore encore. C'était un soir d'été ; la nuit tombait, splendide. Canon des Invalides, feu d'artifice, lampions ; une rumeur de triomphe arrivait jusqu'à notre solitude ; la grande ville célébrait la grande armée et le grand chef ; la cité avait une auréole, comme si les victoires étaient une aurore ; le ciel bleu devenait lentement rouge ; la fête im-

périale se réverbérait jusqu'au zénith ; des deux dômes
qui dominaient le jardin des Feuillantines, l'un, tout
près, le Val-de-Grâce, masse noire, dressait une flamme
à son sommet et semblait une tiare qui s'achève en escar-
boucle ; l'autre, lointain, le Panthéon gigantesque et
spectral, avait autour de sa rondeur un cercle d'étoiles,
comme si, pour fêter un génie, il se faisait une couronne
des âmes de tous les grands hommes auxquels il est dédié.

La clarté de la fête, clarté superbe, vermeille, vaguement sanglante, était telle qu'il faisait presque grand
jour dans le jardin.

Tout en se promenant, le groupe qui marchait devant
moi était parvenu, peut-être un peu malgré ma mère, qui
avait des velléités de s'arrêter et qui semblait ne vouloir
pas aller si loin, jusqu'au massif d'arbres où était la chapelle.

Ils causaient, les arbres étaient silencieux, au loin le
canon de la solennité tirait de quart d'heure en quart
d'heure. Ce que je vais dire est pour moi inoubliable.

Comme ils allaient entrer sous les arbres, un des trois
interlocuteurs s'arrêta, et regardant le ciel nocturne plein
de lumière, s'écria :

— N'importe! cet homme est grand.

Une voix sortit de l'ombre et dit :

— Bonjour, Lucotte, bonjour, Drouet, bonjour, Tilly.

Et un homme, de haute stature aussi, lui, apparut dans
le clair-obscur des arbres.

Les trois causeurs levèrent la tête.

— Tiens! s'écria l'un d'eux.

Et il parut prêt à prononcer un nom.

Ma mère, pâle, mit un doigt sur sa bouche.

Ils se turent.

Je regardais, étonné.

L'apparition, c'en était une pour moi, reprit :

— Lucotte, c'est toi qui parlais.

— Oui, dit Lucotte.

— Tu disais : cet homme est grand.

— Oui.

— Eh bien, quelqu'un est plus grand que Napoléon.

— Qui ?

— Bonaparte.

Il y eut un silence. Lucotte le rompit.

— Après Marengo ?

L'inconnu répondit :

— Avant Brumaire.

Le général Lucotte, qui était jeune, riche, beau, heureux, tendit la main à l'inconnu et dit :

— Toi, ici ! je te croyais en Angleterre.

L'inconnu, dont je remarquais la face sévère, l'œil profond et les cheveux grisonnants, repartit :

— Brumaire, c'est la chute.

— De la République, oui.

— Non, de Bonaparte.

Ce mot, Bonaparte, m'étonnait beaucoup. J'entendais toujours dire « l'empereur ». Depuis, j'ai compris ces familiarités hautaines de la vérité. Ce jour-là, j'entendais pour la première fois le grand tutoiement de l'histoire.

Les trois hommes, c'étaient trois généraux, écoutaient stupéfaits et sérieux.

Lucotte s'écria :

— Tu as raison. Pour effacer Brumaire, je ferais tous les sacrifices. La France grande, c'est bien ; la France libre, c'est mieux.

— La France n'est pas grande si elle n'est pas libre.

— C'est encore vrai. Pour revoir la France libre, je donnerais ma fortune. Et toi ?

— Ma vie, dit l'inconnu.

Il y eut encore un silence. On entendait le grand bruit de Paris joyeux, les arbres étaient roses, le reflet de la fête éclairait les visages de ces hommes, les constellations s'effaçaient au-dessus de nos têtes dans le flamboiement de Paris illuminé, la lueur de Napoléon semblait remplir le ciel.

Qui était cet homme?

Un proscrit.

Victor Fanneau de Lahorie était un gentilhomme breton rallié à la République. Il était l'ami de Moreau, breton aussi. En Vendée, Lahorie connut mon père, plus jeune que lui de vingt-cinq ans. Plus tard, il fut son ancien à l'armée du Rhin; il se noua entre eux une de ces fraternités d'armes qui font qu'on donne sa vie l'un pour l'autre. En 1801 Lahorie fut impliqué dans la conspiration de Moreau contre Bonaparte. Il fut proscrit, sa tête fut mise à prix, il n'avait pas d'asile; mon père lui ouvrit sa maison; la vieille chapelle des Feuillantines, ruine, était bonne à protéger cette autre ruine, un vaincu. Lahorie accepta l'asile comme il l'eût offert, simplement; et il vécut dans cette ombre, caché.

J'aurai toujours présent à la mémoire le jour où il me prit sur ses genoux, ouvrit ce Tacite qu'il avait, un in-octavo relié en parchemin, édition Herhan, et me lut cette ligne: *Urbem Romam a principio reges habuere.*

Il s'interrompit et murmura à demi-voix:

— Si Rome eût gardé ses rois, elle n'eût pas été Rome.

Et, me regardant tendrement, il redit cette grande parole:

— Enfant, avant tout, la liberté.

Avant l'exil.

Napoléon prince par le génie

Aux yeux de Victor Hugo, Napoléon restera toujours « l'élu du destin ».

Au commencement de ce siècle, la France était pour les nations un magnifique spectacle. Un homme la remplissait alors et la faisait si grande qu'elle remplissait l'Europe. Cet homme, sorti de l'ombre, fils d'un pauvre gentilhomme corse, produit de deux républiques, par sa famille de la république de Florence, par lui-même de la république française, était arrivé en peu d'années à la plus haute royauté qui jamais peut-être ait étonné l'histoire. Il était prince par le génie, par la destinée et par les actions. Tout en lui indiquait le possesseur légitime d'un pouvoir providentiel. Il avait eu pour lui les trois conditions suprêmes, l'événement, l'acclamation et la consécration. Une révolution l'avait enfanté, un peuple l'avait choisi, un pape l'avait couronné. Des rois et des généraux, marqués eux-mêmes par la fatalité, avaient reconnu en lui, avec l'instinct que leur donnait leur sombre et mystérieux avenir, l'élu du destin. Il était l'homme auquel Alexandre de Russie, qui devait périr à Taganrog, avait dit : *Vous êtes prédestiné du ciel ;* auquel Kléber, qui devait mourir en Égypte, avait dit : *Vous êtes grand comme le monde ;* auquel Desaix, tombé à Marengo, avait dit : *Je suis le soldat et vous êtes le général ;* auquel Valhubert, expirant à Austerlitz, avait dit : *Je vais mourir, mais vous allez régner.* Sa renommée militaire était immense, ses conquêtes étaient colossales.

Chaque année il reculait les frontières de son empire au-delà même des limites majestueuses et nécessaires que Dieu a données à la France. Il avait effacé les Alpes comme Charlemagne, et les Pyrénées comme

Louis XIV ; il avait passé le Rhin comme César, et il avait
failli franchir la Manche comme Guillaume le Conquérant.
Sous cet homme, la France avait cent trente départements ; d'un côté elle touchait aux bouches de l'Elbe, de
l'autre elle atteignait le Tibre. Il était le souverain de
quarante-quatre millions de français et le protecteur de
cent millions d'européens. Dans la composition hardie de
ses frontières, il avait employé comme matériaux deux
grands-duchés souverains, la Savoie et la Toscane, et cinq
anciennes républiques, Gênes, les États romains, les
États vénitiens, le Valais et les Provinces-Unies. Il avait
construit son état au centre de l'Europe comme une citadelle, lui donnant pour bastions et pour ouvrages avancés
dix monarchies qu'il avait fait entrer à la fois dans son
empire et dans sa famille. De tous les enfants, ses cousins
et ses frères, qui avaient joué avec lui dans la petite cour
de la maison natale d'Ajaccio, il avait fait des têtes couronnées. Il avait marié son fils adoptif à une princesse de
Bavière et son plus jeune frère à une princesse de Wurtem-
berg. Quant à lui, après avoir ôté à l'Autriche l'empire
d'Allemagne qu'il s'était à peu près arrogé sous le nom
de Confédération du Rhin, après lui avoir pris le Tyrol
pour l'ajouter à la Bavière et l'Illyrie pour la réunir
à la France, il avait daigné épouser une archiduchesse.
Tout dans cet homme était démesuré et splendide. Il était
au-dessus de l'Europe comme une vision extraordinaire.
Une fois on le vit au milieu de quatorze personnes souve-
raines, sacrées et couronnées, assis entre le césar et le
czar sur un fauteuil plus élevé que le leur. Un jour il
donna à Talma le spectacle d'un parterre de rois. N'étant
encore qu'à l'aube de sa puissance, il lui avait pris fantaisie de toucher au nom de Bourbon dans un coin de
l'Italie et de l'agrandir à sa manière : de Louis, duc de
Parme, il avait fait un roi d'Étrurie. A la même époque, il
avait profité d'une trêve, puissamment imposée par son

influence et par ses armes, pour faire quitter aux rois de la Grande-Bretagne ce titre de *rois de France* qu'ils avaient usurpé quatre cents ans, et qu'ils n'ont pas osé reprendre depuis, tant il leur fut alors bien arraché. La révolution avait effacé les fleurs de lys de l'écusson de France ; lui aussi, il les avait effacées, mais du blason d'Angleterre ; trouvant ainsi moyen de leur faire honneur de la même manière dont on leur avait fait affront. Par décret impérial il divisait la Prusse en quatre départements, il mettait les Iles Britanniques en état de blocus, il déclarait Amsterdam troisième ville de l'empire, — Rome n'était que la seconde — ou bien il affirmait au monde que la maison de Bragance avait cessé de régner. Quand il passait le Rhin, les électeurs d'Allemagne, ces hommes qui avaient fait des empereurs, venaient au-devant de lui jusqu'à leurs frontières dans l'espérance qu'il les ferait peut-être rois. L'antique royaume de Gustave Wasa, manquant d'héritier et cherchant un maître, lui demandait pour prince un de ses maréchaux. Le successeur de Charles-Quint, l'arrière-petit-fils de Louis XIV, le roi des Espagnes et des Indes, lui demandait pour femme une de ses sœurs. Il était compris, grondé et adoré de ses soldats, vieux grenadiers familiers avec leur empereur et avec la mort. Le lendemain des batailles, il avait avec eux de ces grands dialogues qui commentent superbement les grandes actions et qui transforment l'histoire en épopée. Il entrait dans sa puissance comme dans sa majesté quelque chose de simple, de brusque et de formidable. Il n'avait pas, comme les empereurs d'Orient, le doge de Venise pour grand échanson, ou, comme les empereurs d'Allemagne, le duc de Bavière pour grand écuyer ; mais il lui arrivait parfois de mettre aux arrêts le roi qui commandait sa cavalerie. Entre deux guerres, il creusait des canaux, il perçait des routes, il dotait des théâtres, il enrichissait des académies, il provoquait des découvertes, il fondait des monuments grandioses, ou bien il rédigeait des codes dans un salon des Tuileries, et il querellait ses conseillers d'état jusqu'à ce qu'il eût réussi à substituer, dans quelque texte de loi, aux routines de la procédure, la raison suprême et naïve du génie. Enfin, dernier trait qui complète à mon sens la configuration singulière de cette grande gloire, il était entré si avant dans l'histoire par ses actions qu'il pouvait dire et qu'il disait : *Mon prédécesseur l'empereur Charlemagne ;* et il s'était par ses alliances tellement mêlé à la monarchie, qu'il pouvait dire et qu'il disait : *Mon oncle le roi Louis XVI.*

Avant l'exil.

La guerre en Espagne

Napoléon savait qu'il ne pourrait pas respirer tant qu'il n'aurait pas abattu l'Angleterre. Celle-ci de son côté ne pouvait pas accepter que l'Empereur organise et unifie pour elle (et contre elle) l'Europe. Les routes du commerce anglais passaient par la péninsule ibérique et la Grande-Bretagne était étroitement liée à l'Espagne et au Portugal. C'est pour frapper l'Angleterre que Napoléon entreprit de réduire le Portugal et l'Espagne, qui avaient adhéré au Blocus Continental organisé par les Anglais contre la France. On sait que cette expédition d'Espagne commencée par des succès devait se terminer tragiquement pour les armées de Napoléon, et être un des facteurs de sa perte. Mais quand le père de Victor fut nommé en 1811 gouverneur d'Avila et de Ségovie et qu'il fit venir sa femme et ses enfants près de lui, l'annonce du départ fut accueillie aux Feuillantines avec enthousiasme.

Le 10 mars 1811, Mme Hugo et ses enfants prennent la route pour Madrid où ils vont rejoindre le général Hugo. Leur grand carrosse et le convoi qui l'accompagne traversent la France et l'Espagne. C'est une fête pour les enfants, et le petit Victor. Il n'oubliera jamais le golfe de Fontarabie, le village en nid d'aigle nommé Ernani, les églises aux Vierges dorées, ni le Palais Masserano ;

33

Les soldats buvaient des pintes
Et jouaient du domino
Dans les grandes chambres peintes
Du palais Masserano

Le général avait envoyé au-devant de sa femme et de ses enfants un de ses aides de camp.

Mme Hugo n'était pas seule à profiter du convoi. L'Espagne était alors dans un tel état d'effervescence que personne ne se hasardait à y voyager seul. Le nord surtout, par où on y rentrait de France, était possédé par les guérillas, qui n'avaient pas dans la Biscaye la modération que le général Hugo en avait obtenue dans la vieille Castille. On citait des atrocités commises par les bandes de Mina et du Pastor, des actes de sauvagerie qui n'exceptaient ni sexe ni âge ; les insurgés ne se contentaient pas de tuer les femmes et les enfants, ils les torturaient ; ils leur arrachaient les entrailles ; ils les brûlaient vifs. La peur et la haine devaient sans doute grossir la vérité, mais le fait est que la lutte était féroce, et des deux parts.

L'escorte était formée de quinze cents fantassins, de cinq cents chevaux et de quatre canons. Deux canons étaient à l'avant-garde, et les deux autres derrière le trésor. C'était, parmi les voyageurs, à qui serait le plus près possible du trésor, afin d'être protégé avec lui et d'avoir pour compagnon de route ces deux braves canons toujours prêts à ouvrir la grande bouche pour défendre leurs voisins. Chacun voulait être avant les autres ; l'ordre de la marche commença par un immense pêle-mêle d'hommes et de femmes qui se querellaient, de cochers qui s'injuriaient, de voitures qui s'accrochaient, de chevaux qui se mordaient.

Ce fut une joie pour les garçons de se pencher aux portières et de regarder, derrière et devant, cette file qui, malgré le triage, était encore d'une longueur suffisante.

Des deux côtés des voitures marchaient les troupes, bien tenues et bien brossées comme on l'est au départ, gibernes nettes, fusils brillants. On se montrait le colonel Lefebvre, tout jeune, fils du maréchal, et le colonel Montfort, élégant et à la mode. Parmi les cavaliers, on distinguait un groupe d'une vingtaine de jeunes gens, drapés de grands manteaux, coiffés de chapeaux à larges bords et l'épée au côté. Ces Almaviva étaient de simples auditeurs au Conseil d'État que l'empereur envoyait à son frère. Ce convoi nombreux, divers, luisant, roulant et piaffant, s'ébranla avec l'entrain heureux et fier de tout ce qui commence.

Les enfants au cours du voyage virent « toutes sortes de choses curieuses ».

Une de leurs joies fut la rencontre d'un régiment d'éclopés. On faisait de temps en temps une collection des soldats que la guerre avait le plus maltraités et qui ne pouvaient plus servir à rien, et on les rendait à leurs familles. Pour qui réfléchissait, c'était le plus triste des spectacles ; pour des enfants, rien n'était plus drôle. C'était une Cour des Miracles, une gueuserie de Callot ; toutes les infirmités et tous les costumes ; il y en avait de tous les corps et de toutes les nations ; les cavaliers qui avaient perdu leur cheval traînaient le pas ; les fantassins qui avaient perdu leurs jambes montaient gauchement des ânes ou des mulets ; l'aveugle se faisait conduire par le boiteux. Ce qui était plus vraiment comique, c'est que ces pauvres diables, qui n'avaient plus d'épaulettes à leurs uniformes en guenilles, avaient à la place quelque animal qu'ils rapportaient au pays, le plus souvent un perroquet ; quelques-uns avaient les deux épaulettes et joignaient au perroquet un singe.

Le convoi salua d'un immense éclat de rire ce débris d'armée qui était allé en Espagne avec des aigles et qui en revenait avec des perroquets. Les éclopés acceptèrent ce rire de bonne grâce et s'y mêlèrent eux-mêmes. Mais un d'eux dit aux grenadiers : — Voilà comme vous reviendrez! Et un autre ajouta : — Si vous revenez! La gaîté de l'escorte s'apaisa, et un des grenadiers jeta sur un qui n'avait plus qu'un œil et qui n'avait plus de nez un regard qui semblait dire : Est-il heureux!

A Burgos, le bonheur des enfants fut d'abord la cathédrale. Du plus loin qu'ils la virent, ils furent fascinés par l'abondance touffue de son architecture qui accumule les clochetons comme les épis d'une gerbe. A peine arrivés, il fallut la visiter. L'intérieur n'a pas cette prodigalité tumultueuse du dehors qui semble la fête de la pierre ; la richesse y est sérieuse et presque austère ; c'est la majesté après la joie. Les trois frères, Victor surtout, admiraient également ces deux caractères de la cathédrale ; ils ne se lassaient pas de regarder les vitraux, les tableaux, les colonnes ; comme Victor avait le nez en l'air, une porte s'ouvrit dans le mur, un bonhomme bizarrement accoutré, une espèce de figure fantastique, bouffonne et difforme, se montra, fit un signe de croix, frappa trois coups, et disparut.

Victor, ébahi, regarda longtemps la porte refermée.

— *Senorito mio*, lui dit le donneur d'eau bénite qui leur servait de cicerone, *es papamoscas*. (Mon petit seigneur, c'est le gobe-mouches).

Le gobe-mouches était la poupée à ressort d'une horloge. Les trois coups frappés voulaient dire qu'il était trois heures.

Le donneur d'eau bénite expliqua aux enfants pourquoi la poupée s'appelait le gobe-mouches ; mais Victor n'entendit pas sa légende, tant il était encore ému de cette imposante cathédrale qui mêlait brusquement cette caricature à ses statues de pierre et qui faisait dire l'heure aux saints par Polichinelle.

La cathédrale n'en restait pas moins sévère et grande. Cette fantaisie de l'église solennelle retraversa plus d'une fois la pensée de l'auteur de la Préface de Cromwell et l'aida à comprendre qu'on pouvait introduire le grotesque dans le tragique sans diminuer la gravité du drame.

Une apparition qui valut pour les enfants celle du gobe-mouches, ce fut l'apparition d'un parapluie. Le second jour qu'on passa à Burgos, il plut, de la vraie pluie ; on s'était si peu attendu à de la pluie en Espagne que personne n'avait apporté de parapluie. On ne put cependant se refuser à l'évidence, et on fut obligé de convenir qu'on était mouillé jusqu'aux os. Nos quatre voyageurs se mirent donc en quête d'un parapluie, mais ils eurent beau fouiller la ville, le parapluie était inconnu à Burgos. Après avoir longtemps cherché, ils débouchèrent sur une place Louis XIII qui ressemblait à la place Royale de Paris. Comme la place Royale, elle avait, sous ses arcades trapues, des boutiques ; ils y entrèrent. Ils les avaient presque épuisées toutes, quand un vieux marchand leur dit qu'il avait leur affaire. Il les mena dans un hangar, bouscula toute une friperie, et finit par déterrer, de dessous un monceau de vieilles étoffes de rebut, quelque chose de prodigieux et de monumental qu'il ne put ouvrir que dans la cour, un parapluie-monstre, une tente. Les baleines étaient de taille à supporter toutes les cataractes du ciel. Mme Hugo dit que c'était sans doute le parapluie de Noé, et n'en voulut pas ; elle attendit sous les arcades la fin de l'averse, furieuse contre l'Espagne ; mais Victor dit que c'était le plus grand éloge du climat espagnol que les parapluies n'eussent prévu que le déluge.

Autre plaisir. A Valladolid, on alla, pour la première fois, à un théâtre espagnol, et les enfants virent quelque chose d'encore plus beau que la trappe des *Ruines de Baby-lone* ; c'était un personnage qu'on tuait d'un coup de poignard et qui saignait pour de vrai ; la scène en était inondée.

Puis ce fut l'arrivée au palais Masserano

L'intendant du prince Masserano, vêtu de noir, épée au côté, vint recevoir la voyageuse, et dit qu'il allait conduire madame la comtesse à son appartement.

Il la dirigea, par un long vestibule, vers un escalier seigneurial dont la rampe portait à son extrémité un lion de pierre. En face de ce lion héraldique, s'ouvrait sans gêne la cuisine, qui essayait si peu de se dissimuler qu'elle avait son nom écrit sur sa porte : *Cocinas*. Le lion sculpté acceptait le tête-à-tête avec les lapins embrochés, et les armoiries n'avaient pas honte des casseroles.

Au premier étage, on eut l'éblouissement d'un appartement splendide.

Antichambre démesurée ; salle à manger ornée de dessins originaux de Raphaël et de Jules Romain ; salon tendu de damas rouge ; boudoir tendu de damas bleu clair qui avait la lumière de deux rues, une large terrasse — et une cheminée ; chambre à coucher bleue aussi, mais dont le damas était tramé d'argent ; autre chambre de brocatelle moirée fond jaune lamé de rouge ; une immense galerie qui était la pièce de réception et où étaient les portraits des ancêtres du prince ; tout cela d'une opulence et d'un goût incomparables. Ce n'étaient que dorures, sculptures, verres de Bohême, lustres de Venise, vases de Chine et du Japon. Il y avait particulièrement, dans la galerie, deux vases de Chine d'une taille invraisemblable et comme M. Victor Hugo n'en a jamais revu depuis.

La gaîté du palais se complétait par les maisons qui lui faisaient face, toutes sculptées et peintes de ces couleurs tendres qui étaient alors la mode de Madrid.

Les enfants étaient émerveillés, et la mère avouait que l'Espagne pouvait être habitable.

Elle revenait toujours à ce ravissant boudoir bleu ciel si bien situé à l'angle de deux rues pour avoir double jour et qui avait cette belle terrasse. En l'examinant dans tous ses détails, elle souleva une portière pour voir où la porte communiquait. Ses yeux furent aussitôt frappés d'une petite bande de papier blanc cachetée de cire rouge. Ce palais aussi avait les scellés.

Ce fut la rupture du charme. Elle retrouvait l'alcade dans le prince. Ce palais magnifique, rayonnant de soleil et d'or, la traitait comme le hangar sombre et nu. Il lui jetait la même imprécation et la même insulte, en plein Madrid, à elle femme du gouverneur de Madrid, au centre de l'occupation française, en présence du roi.

Au reste, c'était le mot d'ordre de la résistance. Napoléon n'était appelé dans toute l'Espagne que *Napoladron* (Napo-larron).

Mme Hugo, qui se sentait un peu plus chez elle dans le gouvernement de son mari, fit venir l'intendant et lui demanda ce que cela voulait dire. L'intendant répondit que le prince avait cru que madame la générale aurait assez des pièces qu'on lui livrait ; que le général, avant de quitter Madrid, était venu voir l'appartement et l'avait déclaré suffisant ; mais que, si madame la générale s'y trouvait à l'étroit et voulait qu'on levât les scellés, les Français étaient les maîtres.

Mme Hugo dit qu'elle avait plus de logement qu'il ne lui en fallait, et recommanda bien à ses fils de ne jamais toucher aux scellés, mais elle recommença son irritation contre cette Espagne imprenable dont la frontière rompue se refaisait dans chaque maison et qui, après s'être défendue de ville en ville, se défendait de chambre en chambre.

Elle prit pour elle la chambre bleue, et les enfants eurent la chambre jaune.

Mais un jour il fallut songer aux études.

Il y avait six semaines qu'ils étaient à Madrid, menant une vie d'oiseaux, sautillant et chantant depuis le matin jusqu'au moment où ils allaient se blottir dans le duvet de leur jolie chambre de soie jaune. Cela ne faisait pas l'affaire de leurs études, et le général jugea qu'il était grand temps de mettre fin à toutes ces vacances.

Donc, le lundi qui suivit l'arrivée de leur père, Eugène et Victor montèrent dans la voiture du prince, qui leur parut moins rayonnante ce jour-là. Leur mère y monta avec eux ; la voiture alla rue Ortoleza, longea de grands murs gris et s'arrêta devant une lourde porte fermée.

C'était la porte du collège des Nobles.

Un homme à figure sérieuse vint au-devant de Mme Hugo. Cet homme, qui était le majordome du collège, fit traverser à la mère et aux enfants des couloirs peints à la chaux et délabrés dont on ne voyait pas la fin. On n'a-percevait personne ; on s'entendait marcher et la voix faisait écho dans ces profondeurs vides. Un jour rare tombait d'étroites ouvertures pratiquées au haut de la muraille.

Cette morne galerie, qui ne ressemblait guère à la galerie lumineuse du palais Masserano, aboutissait à une cour dans laquelle le majordome montra à Mme Hugo une porte où il y avait écrit : *SEMINARIO*. Il lui dit qu'il ne pouvait l'accompagner plus loin, étant laïque et n'ayant pas le droit de pénétrer dans les bâtiments consacrés. Il sonna à la porte, salua et s'en retourna.

Le collège des Nobles était tenu par des moines. Un moine parut, en grande robe noire rougie par le temps, en rabat blanc et en sombrero. Il avait à peu près cinquante ans, le nez en bec-de-corbin et les yeux très enfoncés. Mais ce qui saisissait le regard, c'était sa maigreur et sa pâleur. Il était immobile de corps et de visage ; ses muscles avaient perdu toute leur élasticité et semblaient s'être ossifiés. On s'étonnait que cette statue d'ivoire jauni pût faire un pas.

Dom Bazile (c'était le nom du moine d'ivoire) fit

visiter la maison à Mme Hugo et à ses deux nouveaux pensionnaires. Tout y était de proportions énormes, excepté les cours pour jouer qui, ensevelies entre de hautes murailles, avaient la moiteur sombre des caves. Bien qu'on fût en plein jour et en été et en Espagne, il n'y avait de lumière qu'à un angle. Les réfectoires, situés au rez-de-chaussée, étaient lugubres, recevant le jour de ces cours qui n'en avaient pas. Les dortoirs, plus élevés et où il y avait alors du soleil, furent trouvés moins tristes par les enfants, peut-être parce que c'était l'endroit où ils oublieraient.

Les pauvres enfants avaient le cœur bien gros de quitter leur palais pour cette prison, et leur mère pour ce moine sinistre ; ils se continrent tant qu'ils purent ; mais, quand leur mère fut partie et que dom Bazile les eut conduits dans la cour en leur disant que leurs études ne commenceraient que le lendemain et qu'ils avaient le reste de la journée pour jouer, le désespoir fut le plus fort et ils se mirent à sangloter.

Ils n'eurent pas faim à souper. Une chose qui n'égayait pas la morosité du réfectoire, c'était le petit nombre des élèves. Il n'y en avait alors que vingt-quatre ; tous les autres avaient été retirés par opposition à Joseph. On juge la solitude que devait faire ce nombre imperceptible dans des constructions calculées pour cinq cents.

Le dortoir ne gagna pas à être vu de nuit. Au lieu de soleil, quelques quinquets fumeux qui éclairaient mal le seul coin habité et qui expiraient au loin dans les ténèbres. C'était le dortoir des petits ; sur cent cinquante lits, il n'y en avait pas dix d'occupés. A la tête de chaque lit était pendu un Christ en croix. Après la chambre soyeuse où les trois frères s'endormaient en bavardant et où le réveil continuait les féeries des rêves, c'était une chambre sévère, ce désert où les deux petits garçons perdus dans l'ombre sentaient sur eux ces cent cinquante gibets.

Le lendemain matin à cinq heures, ils furent réveillés par trois coups frappés sur le bois de leur lit. Ils ouvrirent les yeux et virent un bossu, rouge de visage, les cheveux tortillés, vêtu d'une veste de laine rouge, d'une culotte de peluche bleue, de bas jaunes et de souliers couleur cuir de Russie. Cet arc-en-ciel les fit rire et ils furent presque consolés.

Cet éveilleur était le souffre-douleur des élèves. Lorsqu'ils étaient mécontents de lui, ils l'appelaient durement *Corcova* (bosse). Quand il avait bien fait son service et qu'ils voulaient être bons, ils l'appelaient *Corcovita* (petite bosse). Le pauvre homme riait ; peut-être s'était-il habitué à sa difformité ; peut-être en souffrait-il au fond et n'osait-il pas se fâcher de peur de perdre sa place. Eugène et Victor se mêlèrent bientôt à ces plaisanteries, et, pour remercier leur valet de chambre, lui donnèrent aussi, avec la grâce cruelle de l'enfance, son petit nom. M. Victor Hugo s'en est repenti plus d'une fois depuis, et Corcovita n'a pas été étranger à l'idée qui lui a fait faire Triboulet et Quasimodo.

Ce qui plut aux deux frères, ce fut une grande pièce contiguë au dortoir où il y avait des vasques de pierre avec robinet et avec eau à discrétion. Quand les élèves y eurent fait toutes les ablutions qu'ils voulurent, on alla à la messe. Les élèves la servaient chacun à leur tour. Mme Hugo, je l'ai dit, n'avait accepté du royalisme catholique de son père et de ses sœurs que le royalisme tout seul ; elle était toujours aussi royaliste, malgré son mari, mais elle était toujours aussi voltairienne, malgré son père. Elle avait sa croyance à elle, qu'elle avait prise moitié dans la religion et moitié dans la philosophie. Elle voulait que ses fils eussent aussi leur religion, telle que la leur feraient la vie et la pensée. Elle aimait mieux les confier à la conscience qu'au catéchisme. Aussi, lorsque dom Bazile lui avait parlé de leur faire servir la messe, elle s'y était vivement opposée. Dom Bazile ayant répliqué que c'était une règle absolue pour tous les élèves catholiques, elle avait coupé court à toute discussion en disant que ses fils étaient protestants.

Eugène et Victor ne servirent donc pas la messe, mais ils l'entendaient ; ils se levaient quand les autres se levaient, mais ne faisaient aucun autre simulacre et ne répondaient pas aux prières. Ils n'allaient pas à confesse et ne communiaient pas.

Après la messe, dom Bazile les fit venir chez lui pour voir où ils en étaient de leurs études et dans quelle classe il les mettrait. Ils y trouvèrent un autre religieux, tout aussi jaune que dom Bazile, mais qui n'avait avec lui que ce rapport. Dom Manuel était aussi pansu que dom Bazile était maigre. Le contraste se complétait par l'expression et par l'allure. Dom Manuel était réjoui, bouffi d'aise, souriant, caressant, remuant, et, à côté de l'inflexibilité glacée de dom Bazile, avait l'air d'un bourgeois en compagnie d'un spectre.

Il y avait sur une table des livres latins, les mêmes que ceux des collèges français. Vu l'âge des deux frères, on leur présenta l'*Epitome*, qu'ils traduisirent couramment. On passa au *De Viris* ; ils n'eurent pas besoin de dictionnaire, non plus que pour Justin, ni pour Quinte-Curce. Les deux moines étaient profondément étonnés ; l'étonnement de dom Bazile se trahissait par un froncement de sourcils ; celui de dom Manuel éclatait en exclamations joyeuses et en félicitations bruyantes. De difficulté en difficulté, on vint à Virgile, où ils furent plus attentifs et moins rapides ; ils se tirèrent encore de Lucrèce, quoique péniblement, et n'échouèrent qu'à Plaute.

Dom Bazile, mécontent, leur demanda qu'est-ce donc qu'ils expliquaient à huit ans. Lorsque Victor lui répondit : « Tacite », il le regarda presque avec hostilité.

Il ne savait dans quelle division les mettre. Dom Ma-

nuel était d'avis de les mettre avec les grands. Mais dom
Bazile dit qu'on ne pouvait pas confondre les âges, et
qu'étant petits ils devaient être avec les petits. Dom
Manuel était son inférieur, il ne put qu'obéir et conduisit
les deux frères dans une cellule où cinq autres enfants en
étaient à l'A B C du latin. Outre le latin, on leur ensei-
gnait le dessin et la musique. Le solfège attira médiocre-
ment Victor, mais il avait une aptitude naturelle au
dessin, et là encore il étonna ses maîtres.

On déjeunait d'une tasse de chocolat. Les deux enfants,
qui n'avaient pas soupé la veille, trouvèrent le déjeuner
excellent et ne reprochèrent à la tasse que sa petitesse.

Dom Bazile et dom Manuel mangeaient avec les collé-
giens, chacun à une petite table ajoutée à la grande, et
plus haute, d'où ils dominaient et surveillaient. Tous les
repas débutaient nécessairement par le *Benedicite* et par
le signe de croix espagnol, lequel complique la grande
croix de petites croix sur tous les traits du visage. Les
deux frères étaient dispensés de toutes ces croix par leur
protestantisme.

Le dîner se composait de l'*olla podrida* nationale et
d'un second plat ; tantôt du mouton rôti, qui aurait été
passable si l'on savait rôtir en Espagne, tantôt les restes
du pain de la veille assaisonnés de graisse. Le pain avait
cela de particulier qu'il était sans levain. Pour boisson,
l'abondance classique.

Après le dîner, on faisait la sieste. Religieux, élèves,
domestiques, tout dormait. Eugène et Victor ne purent
jamais se faire à cette habitude de se coucher le jour.
Ce fut leur moment de liberté ; seuls éveillés, ils faisaient
ce qu'ils voulaient, et l'immense collège était à eux.

Victor Hugo raconté par un témoin de sa vie.

L'expiation

Victor Hugo, sa mère et ses frères sont rentrés à Paris en 1812. Napoléon est en proie dès lors à des difficultés croissantes. La conspiration de Malet en 1812, la panique boursière en 1813 sont des signes de l'affaiblissement du régime à l'intérieur. A l'extérieur, la campagne de Russie tourne à la catastrophe. A la fin de 1813, Napoléon a été contraint de se retirer derrière le Rhin, et au début de 1814, la France est envahie par les Alliés, Russes et Autrichiens, contre lesquels le général Hugo défend Thionville. Il est en instance de divorce avec sa femme. Les enfants vont devenir internes sur son ordre, à la Pension Cordier. C'est là que les jeunes Hugo entendront annoncer l'abdication de l'Empereur, son exil à l'Ile d'Elbe, son retour triomphal des Cent Jours, et les batailles qui vont suivre. C'est là que Victor Hugo apprendra en 1815 la défaite de Waterloo. Napoléon a joué sa partie, et l'a perdue. Hugo est à la veille de jouer la sienne, et la gagnera. « Je veux être Chateaubriand ou rien », écrira-t-il en 1816 sur un de ses cahiers d'écolier. Il sera Victor Hugo — et tout.

I

Il neigeait. On était vaincu par sa conquête.
Pour la première fois l'aigle baissait la tête.
Sombres jours! l'empereur revenait lentement,
Laissant derrière lui brûler Moscou fumant.
Il neigeait. L'âpre hiver fondait en avalanche.
Après la plaine blanche une autre plaine blanche.
On ne connaissait plus les chefs ni le drapeau.
Hier la grande armée, et maintenant troupeau.
On ne distinguait plus les ailes ni le centre.
Il neigeait. Les blessés s'abritaient dans le ventre
Des chevaux morts ; au seuil des bivouacs désolés
On voyait des clairons à leur poste gelés,
Restés debout en selle et muets, blancs de givre,
Collant leur bouche en pierre aux trompettes de cuivre.
Boulets, mitraille, obus, mêlés aux flocons blancs,

Pleuvaient ; les grenadiers, surpris d'être tremblants,
Marchaient pensifs, la glace à leur moustache grise.
Il neigeait, il neigeait toujours! La froide bise
Sifflait ; sur le verglas, dans des lieux inconnus,
On n'avait pas de pain et l'on allait pieds nus.
Ce n'étaient plus des cœurs vivants, des gens de guerre,
C'était un rêve errant dans la brume, un mystère,
Une procession d'ombres sous le ciel noir.
La solitude vaste, épouvantable à voir,
Partout apparaissait, muette vengeresse.
Le ciel faisait sans bruit avec la neige épaisse
Pour cette immense armée un immense linceul.
Et, chacun se sentant mourir, on était seul.
— Sortira-t-on jamais de ce funeste empire?
Deux ennemis! le czar, le nord. Le nord est pire.
On jetait les canons pour brûler les affûts.
Qui se couchait, mourait. Groupe morne et confus,
Ils fuyaient ; le désert dévorait le cortège.
On pouvait, à des plis qui soulevaient la neige,
Voir que des régiments s'étaient endormis là.
O chutes d'Annibal! lendemains d'Attila!
Fuyards, blessés, mourants, caissons, brancards, civières,
On s'écrasait aux ponts pour passer les rivières,
On s'endormait dix mille, on se réveillait cent.
Ney, que suivait naguère une armée, à présent
S'évadait, disputant sa montre à trois cosaques.
Toutes les nuits, qui vive! alerte, assauts! attaques!
Ces fantômes prenaient leur fusil, et sur eux
Ils voyaient se ruer, effrayants, ténébreux,
Avec des cris pareils aux voix des vautours chauves,
D'horribles escadrons, tourbillons d'hommes fauves.
Toute une armée ainsi dans la nuit se perdait.
L'empereur était là, debout, qui regardait.
Il était comme un arbre en proie à la cognée.
Sur ce géant, grandeur jusqu'alors épargnée,

Le malheur, bûcheron sinistre, était monté ;
Et lui, chêne vivant, par la hache insulté,
Tressaillant sous le spectre aux lugubres revanches,
Il regardait tomber autour de lui ses branches.
Chefs, soldats, tous mouraient. Chacun avait son tour.
Tandis qu'environnant sa tente avec amour,
Voyant son ombre aller et venir sur la toile,
Ceux qui restaient, croyant toujours à son étoile,
Accusaient le destin de lèse-majesté,
Lui se sentit soudain dans l'âme épouvanté.
Stupéfait du désastre et ne sachant que croire,
L'empereur se tourna vers Dieu ; l'homme de gloire
Trembla ; Napoléon comprit qu'il expiait
Quelque chose peut-être, et, livide, inquiet,
Devant ses légions sur la neige semées :
— Est-ce le châtiment, dit-il, Dieu des armées ? —
Alors il s'entendit appeler par son nom
Et quelqu'un qui parlait dans l'ombre lui dit : Non.

II

Waterloo ! Waterloo ! Waterloo ! morne plaine !
Comme une onde qui bout dans une urne trop pleine,
Dans ton cirque de bois, de coteaux, de vallons,
La pâle mort mêlait les sombres bataillons.
D'un côté c'est l'Europe et de l'autre la France.
Choc sanglant ! des héros Dieu trompait l'espérance ;
Tu désertais, victoire, et le sort était las.
O Waterloo ! je pleure et je m'arrête, hélas !
Car ces derniers soldats de la dernière guerre
Furent grands ; ils avaient vaincu toute la terre,
Chassé vingt rois, passé les Alpes et le Rhin,
Et leur âme chantait dans les clairons d'airain !
Le soir tombait ; la lutte était ardente et noire.
Il avait l'offensive et presque la victoire ;

Il tenait Wellington acculé sur un bois.
Sa lunette à la main, il observait parfois
Le centre du combat, point obscur où tressaille
La mêlée, effroyable et vivante broussaille,
Et parfois l'horizon, sombre comme la mer.
Soudain, joyeux, il dit : Grouchy! — C'était Blücher.
L'espoir changea de camp, le combat changea d'âme,
La mêlée en hurlant grandit comme une flamme.
La batterie anglaise écrasa nos carrés.
La plaine où frissonnaient les drapeaux déchirés,
Ne fut plus, dans les cris des mourants qu'on égorge,
Qu'un gouffre flamboyant, rouge comme une forge ;
Gouffre où les régiments comme des pans de murs
Tombaient, où se couchaient comme des épis mûrs
Les hauts tambours-majors aux panaches énormes,
Où l'on entrevoyait des blessures difformes!
Carnage affreux! moment fatal! L'homme inquiet
Sentit que la bataille entre ses mains pliait.
Derrière un mamelon la garde était massée.
La garde, espoir suprême et suprême pensée!
— Allons! faites donner la garde! — cria-t-il.
Et, lanciers, grenadiers aux guêtres de coutil,
Dragons que Rome eût pris pour des légionnaires,
Cuirassiers, canonniers qui traînaient des tonnerres,
Portant le noir colback ou le casque poli,
Tous, ceux de Friedland et ceux de Rivoli,
Comprenant qu'ils allaient mourir dans cette fête,
Saluèrent leur dieu, debout dans la tempête.
Leur bouche, d'un seul cri, dit : vive l'empereur!
Puis, à pas lents, musique en tête, sans fureur,
Tranquille, souriant à la mitraille anglaise,
La garde impériale entra dans la fournaise.
Hélas! Napoléon, sur sa garde penché,
Regardait, et, sitôt qu'ils avaient débouché
Sous les sombres canons crachant des jets de soufre,

Voyait, l'un après l'autre, en cet horrible gouffre,
Fondre ces régiments de granit et d'acier
Comme fond une cire au souffle d'un brasier.
Ils allaient, l'arme au bras, front haut, graves, stoïques.
Pas un ne recula. Dormez, morts héroïques !
Le reste de l'armée hésitait sur leurs corps
Et regardait mourir la garde. — C'est alors
Qu'élevant tout à coup sa voix désespérée,
La Déroute, géante à la face effarée,
Qui, pâle, épouvantant les plus fiers bataillons,
Changeant subitement les drapeaux en haillons,
A de certains moments, spectre fait de fumées,
Se lève grandissante au milieu des armées,
La Déroute apparut au soldat qui s'émeut,
Et, se tordant les bras, cria : Sauve qui peut !
Sauve qui peut ! — affront ! horreur ! — toutes les bouches
Criaient ; à travers champs, fous, éperdus, farouches,
Comme si quelque souffle avait passé sur eux,
Parmi les lourds caissons et les fourgons poudreux,
Roulant dans les fossés, se cachant dans les seigles,
Jetant shakos, manteaux, fusils, jetant les aigles,
Sous les sabres prussiens, ces vétérans, ô deuil !
Tremblaient, hurlaient, pleuraient, couraient ! — En un
[clin d'œil
Comme s'envole au vent une paille enflammée,
S'évanouit ce bruit qui fut la grande armée,
Et cette plaine, hélas, où l'on rêve aujourd'hui,
Vit fuir ceux devant qui l'univers avait fui !
Quarante ans sont passés, et ce coin de la terre,
Waterloo, ce plateau funèbre et solitaire,
Ce champ sinistre où Dieu mêla tant de néants,
Tremble encor d'avoir vu la fuite des géants !
Napoléon les vit s'écouler comme un fleuve ;
Hommes, chevaux, tambours, drapeaux ; — et dans
[l'épreuve

Sentant confusément revenir son remords,
Levant les mains au ciel, il dit : — Mes soldats morts,
Moi vaincu! mon empire est brisé comme verre,
Est-ce le châtiment cette fois, Dieu sévère ? —
Alors parmi les cris, les rumeurs, le canon,
Il entendit la voix qui lui répondait : Non!

III

Il croula. Dieu changea la chaîne de l'Europe.
Il est, au fond des mers que la brume enveloppe,
Un roc hideux, débris des antiques volcans.
Le Destin prit des clous, un marteau, des carcans,
Saisit, pâle et vivant, ce voleur du tonnerre,
Et, joyeux, s'en alla sur le pic centenaire
Le clouer, excitant par son rire moqueur
Le vautour Angleterre à lui ronger le cœur.
Évanouissement d'une splendeur immense!
Du soleil qui se lève à la nuit qui commence,
Toujours l'isolement, l'abandon, la prison,
Un soldat rouge au seuil, la mer à l'horizon,
Des rochers nus, des bois affreux, l'ennui, l'espace,
Des voiles s'enfuyant comme l'espoir qui passe,
Toujours le bruit des flots, toujours le bruit des vents!
Adieu, tente de pourpre aux panaches mouvants,
Adieu, le cheval blanc que César éperonne!
Plus de tambours battant aux champs, plus de couronne,
Plus de rois prosternés dans l'ombre avec terreur,
Plus de manteau traînant sur eux, plus d'empereur!
Napoléon était retombé Bonaparte.
Comme un romain blessé par la flèche du parthe,
Saignant, morne, il songeait à Moscou qui brûla.
Un caporal anglais lui disait : halte-là!
Son fils aux mains des rois! sa femme aux bras d'un autre!
Plus vil que le pourceau qui dans l'égout se vautre,

Son sénat qui l'avait adoré, l'insultait.
Au bord des mers, à l'heure où la bise se tait,
Sur les escarpements croulant en noirs décembres,
Il marchait, seul, rêveur, captif des vagues sombres.
Sur les monts, sur les flots, sur les cieux, triste et fier,
L'œil encore ébloui des batailles d'hier,
Il laissait sa pensée errer à l'aventure.
Grandeur, gloire, ô néant! calme de la nature!
Les aigles qui passaient ne le connaissaient pas.
Les rois, ses guichetiers, avaient pris un compas
Et l'avaient enfermé dans un cercle inflexible.
Il expirait. La mort de plus en plus visible
Se levait dans sa nuit et croissait à ses yeux
Comme le froid matin d'un jour mystérieux.
Son âme palpitait, déjà presque échappée.
Un jour enfin il mit sur son lit son épée,
Et se coucha près d'elle, et dit : c'est aujourd'hui!
On jeta le manteau de Marengo sur lui.
Ses batailles du Nil, du Danube, du Tibre,
Se penchaient sur son front, il dit : — Me voici libre!
Je suis vainqueur! je vois mes aigles accourir! —
Et, comme il retournait sa tête pour mourir,
Il aperçut, un pied dans la maison déserte,
Hudson Lowe guettant par la porte entr'ouverte.
Alors, géant broyé sous le talon des rois,
Il cria : — La mesure est comble cette fois!
Seigneur! c'est maintenant fini! Dieu que j'implore,
Vous m'avez châtié! — La voix dit : — Pas encore!

Les châtiments

Bien des années après Waterloo, Victor Hugo parcourra le champ de bataille. Et voici ce qu'on lui raconte :

L'an dernier (1861), par une belle matinée de mai, un passant, celui qui raconte cette histoire, arrivait de

Nivelles et se dirigeait vers la Hulpe. Il allait à pied.

Au bout d'une centaine de pas, après avoir longé un mur du xve siècle surmonté d'un pignon aigu à briques contrariées, il se trouva en présence d'une grande porte de pierre cintrée. Le passant se courba et considéra dans la pierre à gauche, au bas du pied-droit de la porte, une assez large excavation circulaire ressemblant à l'alvéole d'une sphère. En ce moment les battants s'écartèrent et une paysanne sortit.

Elle vit le passant et aperçut ce qu'il regardait.

— C'est un boulet français qui a fait ça, lui dit-elle.

Et elle ajouta :

— Ce que vous voyez là, plus haut, dans la porte, près d'un clou, c'est le trou d'un gros biscaïen. Le biscaïen n'a pas traversé le bois.

— Comment s'appelle cet endroit-ci ? demanda le passant.

— Hougomont, dit la paysanne.

La passant se redressa. Il fit quelques pas et s'en alla regarder au-dessus des haies. Il aperçut à l'horizon à travers les arbres une espèce de monticule et sur ce monticule quelque chose qui, de loin, ressemblait à un lion.

Il était dans le champ de bataille de Waterloo.

Esquisser ici l'aspect de Napoléon, à cheval, sa lunette à la main, sur la hauteur de Rossomme, à l'aube du 18 juin 1815, cela est presque de trop. Avant qu'on le montre, tout le monde l'a vu. Ce profil calme sous le petit chapeau de l'école de Brienne, cet uniforme vert, le revers blanc cachant la plaque, la redingote cachant les épaulettes, l'angle du cordon rouge sous le gilet, la culotte de peau, le cheval blanc avec sa housse de velours pourpre ayant aux coins des N couronnés et des aigles, les bottes à l'écuyère sur des bas de soie, les éperons d'argent, l'épée de Marengo, toute cette figure du dernier César est debout dans les imaginations, acclamée des uns, sévèrement regardée par les autres.

On connaît la poignante méprise de Napoléon ; Grouchy espéré, Blücher survenant ; la mort au lieu de la vie.

La destinée a de ces tournants ; on s'attendait au trône du monde ; on aperçoit Sainte-Hélène.

Si le petit pâtre, qui servait de guide à Bülow, lieutenant de Blücher, lui eût conseillé de déboucher de la forêt au-dessus de Frischemont plutôt qu'au-dessous de Plancenoit, la forme du dix-neuvième siècle eût peut-être été différente. Napoléon eût gagné la bataille de Waterloo. Par tout autre chemin qu'au-dessous de Plancenoit, l'armée prussienne aboutissait à un ravin infranchissable à l'artillerie, et Bülow n'arrivait pas.

Or, une heure de retard, c'est le général prussien Muffling qui le déclare, et Blücher n'aurait plus trouvé Wellington debout ; « la bataille était perdue ».

On sait le reste ; l'irruption d'une troisième armée, la bataille disloquée, quatre-vingt-six bouches à feu tonnant tout à coup, Pirch Ier survenant avec Bülow, la cavalerie de Zieten menée par Blücher en personne, les Français refoulés, Marcognet balayé du plateau d'Ohain, Durutte délogé de Papelotte, Donzelot et Quiot reculant, Lobau pris en écharpe, une nouvelle bataille se précipitant à la nuit tombante sur nos régiments démantelés, toute la ligne anglaise reprenant l'offensive et poussée en avant, la gigantesque trouée faite dans l'armée française, la mitraille anglaise et la mitraille prussienne s'entr'aidant, l'extermination, le désastre de front, le désastre en flanc, la garde entrant en ligne sous cet épouvantable écroulement.

Comme elle sentait qu'elle allait mourir, elle cria : Vive l'Empereur! L'histoire n'a rien de plus émouvant que cette agonie éclatant en acclamations.

Le ciel avait été couvert toute la journée. Tout à coup,

en ce moment-là même, il était huit heures du soir, les nuages de l'horizon s'écartèrent et laissèrent passer, à travers les ormes de la route de Nivelles, la grande rougeur sinistre du soleil qui se couchait. On l'avait vu se lever à Austerlitz.

Quelques carrés de la garde, immobiles dans le ruissellement de la déroute comme des rochers dans de l'eau qui coule, tinrent jusqu'à la nuit. La nuit venant, la mort aussi, ils attendirent cette ombre double, et, inébranlables, s'en laissèrent envelopper. Chaque régiment, isolé des autres et n'ayant plus de lien avec l'armée rompue de toutes parts, mourait pour son compte. Ils avaient pris position, pour faire cette dernière action, les uns sur les hauteurs de Rossomme, les autres dans la plaine de Mont-Saint-Jean. Là, abandonnés, vaincus, terribles, ces carrés sombres agonisaient formidablement. Ulm, Wagram, Iéna, Friedland, mouraient en eux.

Au crépuscule, vers neuf heures du soir, au bas du plateau de Mont-Saint-Jean, il en restait un. Dans ce vallon funeste, au pied de cette pente gravie par les cuirassiers, inondée maintenant par les masses anglaises, sous les feux convergents de l'artillerie ennemie victorieuse, sous une effroyable densité de projectiles, ce carré luttait. Il était commandé par un officier obscur, nommé Cambronne. A chaque décharge, le carré diminuait et ripostait. Il répliquait à la mitraille par la fusillade, rétrécissant continuellement ses quatre murs. De loin les fuyards, s'arrêtant par moment, essoufflés, écoutaient dans les ténèbres ce sombre tonnerre décroissant.

Quand cette légion ne fut plus qu'une poignée, quand leur drapeau ne fut plus qu'une loque, quand leurs fusils, épuisés de balles, ne furent plus que des bâtons, quand le tas de cadavres fut plus grand que le groupe vivant, il y eut parmi les vainqueurs une sorte de terreur sacrée autour de ces mourants sublimes, et l'artillerie anglaise, reprenant haleine, fit silence. Ce fut une espèce de répit. Ces combattants avaient autour d'eux comme un fourmillement de spectres, des silhouettes d'hommes à cheval, le profil noir des canons, le ciel blanc aperçu à travers les roues et les affûts ; la colossale tête de mort que les héros entrevoient toujours dans la fumée, au fond de la bataille, s'avançait sur eux et les regardait. Ils purent entendre dans l'ombre crépusculaire qu'on chargeait les pièces ; les mèches allumées, pareilles à des yeux de tigre dans la nuit, firent un cercle autour de leurs têtes ; tous les boutefeu des batteries anglaises s'approchèrent des canons, et alors, ému, tenant la minute suprême suspendue au-dessus de ces hommes, un général anglais, Colville selon les uns, Maitland selon les autres, leur cria : Braves Français, rendez-vous ! Cambronne répondit : « Merde ! »

Le champ de Waterloo aujourd'hui a le calme qui appartient à la terre, support impassible de l'homme, et il ressemble à toutes les plaines.

La nuit pourtant, une espèce de brume visionnaire s'en dégage, et si quelque voyageur s'y promène, s'il regarde, s'il écoute, s'il rêve comme Virgile dans les funestes plaines de Philippes, l'hallucination de la catastrophe le saisit. L'effrayant 18 juin revit ; la fausse colline-monument s'efface, ce lion quelconque se dissipe, le champ de bataille reprend sa réalité ; des lignes d'infanterie ondulent dans la plaine, des galops furieux traversent l'horizon ; le songeur effaré voit l'éclair des sabres, l'étincelle des baïonnettes, le flamboiement des bombes, l'entre-croisement monstrueux des tonnerres ; il entend, comme un râle au fond d'une tombe, la clameur vague de la bataille-fantôme ; ces ombres, ce sont les grenadiers ; ces lueurs, ce sont les cuirassiers ; ce squelette, c'est Napoléon ; ce squelette, c'est Wellington ; tout cela n'est plus et se heurte et combat encore ; et les ravins s'empourprent ; et les arbres frissonnent, et il y a de la furie jusque dans les nuées, et, dans les ténèbres, toutes ces hauteurs farouches, Mont-Saint-Jean, Hougomont, Frischemont, Papelotte, Plancenoit, apparaissent confusément couronnées de tourbillons de spectres s'exterminant.

Les misérables.

II

1815-1830
NOTRE PÈRE DE PARIS

Sous le Paris actuel

Né à Besançon, en Franche-Comté, d'un père lorrain et d'une mère vendéenne, Victor Hugo est d'abord, est surtout le plus grand Parisien de Paris. C'est dans les rues de la capitale, sur les rives de la Seine, qu'il a appris l'histoire de France. C'est dans ses rues et ses places qu'il en vivra les pages que, de 1815 à sa mort, y ajouteront trois révolutions, un coup d'État, deux défaites et tant d'événements dont il sera le témoin passionné.

Sous le Paris actuel, l'ancien Paris est distinct, comme le vieux texte dans les interlignes du nouveau. Otez de la pointe de la Cité la statue de Henri IV, et vous apercevrez le bûcher de Jacques Molay.

Au numéro 14 de la rue de Béthisy meurt Coligny et naît Sophie Arnould, et voilà brusquement rapprochés les deux aspects caractéristiques du passé, le fanatisme sanglant et la jovialité cynique. Les Halles, qui ont vu naître le théâtre (sous Louis XI), voient naître Molière. L'année où meurt Turenne, madame de Maintenon éclôt ; remplacement bizarre ; c'est Paris qui donne à Versailles madame Scarron, reine de France, douce jusqu'à la trahison, pieuse jusqu'à la férocité, chaste jusqu'au calcul, vertueuse jusqu'au vice. Rue des Marais, Racine écrit *Bajazet* et *Britannicus* dans une chambre où, cinquante ans plus tard, la duchesse de Bouillon, empoisonnant Adrienne Lecouvreur, vient faire à son tour une tragédie. Au numéro 23 de la rue du Petit-Lion, dans un élégant hôtel de la Renaissance dont il reste un pan de mur, tout à côté de cette grosse tour à vis de Saint-Gilles où Jean sans Peur, entre le coup de poignard de la rue Barbette et le coup d'épée du pont de Montereau, causait avec son bourreau Capeluche, ont été jouées les comédies de Marivaux. Assez près l'une de l'autre s'ouvrent deux fenêtres tragiques : par celle-ci, Charles IX a fusillé les Parisiens ; par celle-là, on a donné de l'argent au peuple pour l'écarter de l'enterrement de Molière. Qu'est-ce que le peuple voulait à Molière mort ? L'honorer ? Non, l'insulter. On distribua à cette foule quelque monnaie, et les mains qui étaient venues boueuses s'en allèrent payées. O sombre rançon d'un cercueil illustre ! C'est de nos jours qu'a été démolie la tourelle à la croisée de laquelle le dauphin Charles, tremblant devant Paris irrité, se coiffa du chaperon écarlate d'Étienne Marcel, trois cent trente ans avant que Louis XVI se coiffât du bonnet rouge. L'arcade Saint-Jean a vu passer un petit « dix-août », le 10 août 1652, qui esquissa la mise en scène du grand ; il y eut branle du bourdon de Notre-Dame ; et mousqueterie. Cela s'appelle l'*émeute des têtes de papier*. C'est encore en août, la canicule est anarchique, c'est le 23 août 1658 qu'eut lieu, sur le quai de la Vallée, dit autrefois le Val-Misère, la bataille des moines augustins contre les hoquetons du parlement ; le clergé recevait volontiers les arrêts de la magistrature à coups de fusil ; il qualifiait la justice empiétement ; il s'échangea entre le couvent et les archers une grosse arquebusade, ce qui fit accourir La Fontaine, criant sur le Pont-Neuf : *Je vais voir tuer des augustins*. Non loin du collège Fortet, où ont siégé les Seize, est le cloître des Cordeliers, où a surgi Marat. La place Vendôme a servi à Law avant de servir à Napoléon. A l'hôtel Vendôme il y avait une petite cheminée de marbre blanc célèbre par la quantité de suppliques de forçats huguenots qu'y a jetées au feu Campistron, lequel était secrétaire général des galères, en même temps que chevalier de Saint-Jacques et commandeur de Chimène en Espagne, et marquis de Penange en Italie, dignités bien dues au poète qui avait apitoyé la cour et la ville sur Tiridate résistant au mariage d'Érinice avec Abradate. Du lugubre quai de la Ferraille, qui a vu tant d'atrocités juridiques, et qui était aussi le quai des Racoleurs, sont sortis tous ces joyeux types militaires et populaires, Laramée, Laviolette, Vadeboncœur, et ce Fanfan Latulipe mis de nos jours à la scène avec tant de charme et d'éclat par Paul Meurice. Dans un galetas du Louvre est né de Théophraste Renaudot le journalisme ; cette fois ce fut la souris qui accoucha d'une montagne. Dans un autre compartiment du même Louvre a prospéré l'Académie française, laquelle n'a jamais eu un quarante et unième fauteuil qu'une fois pour Pellisson, et n'a jamais porté le deuil qu'une fois, pour Voiture. Une plaque de marbre à lettres d'or, incrustée à l'un des coins de rue du marché des Innocents, a longtemps appelé l'attention des Parisiens sur ces trois gloires de l'année 1685, l'ambassade de Siam, le doge de Gênes à Versailles, et la révocation de l'édit de Nantes. C'est contre le mur de l'édifice appelé Val-de-Grâce que fut jetée une hostie à propos de laquelle on brûla vifs trois hommes. Date : 1688. Six ans plus tard, Voltaire allait naître. Il était temps.

Le magnifique incendie du progrès, c'est Paris qui l'attise. Il y travaille sans relâche. Il y jette ce combustible, les superstitions, les fanatismes, les haines, les sottises, les préjugés.

Paris a sur la terre une influence de centre nerveux. S'il tressaille, on frissonne. Le despotisme est un paradoxe. L'omnipotence militaire monarchique offense le bon goût.

— Sifflons cela, dit Paris. Et il prend sa clef dans sa poche. La clef de la Bastille.

Paris.

III

1830-1848
D'UNE RÉVOLUTION A L'AUTRE

Les Bourbons s'effacent à l'horizon

La Restauration, pour Victor Hugo, c'est d'abord le temps de l'adolescence, l'éveil du génie, les premiers succès d'un nouvel écrivain qui est royaliste comme sa mère, sans se passionner vraiment pour la vie politique et les problèmes sociaux. En 1820 le roi Louis XVIII lui a accordé une gratification pour son Ode sur la mort du duc de Berry, une pension en 1822. Il sera fait Chevalier de la Légion d'Honneur à vingt-trois ans, en 1825. Mais l'écrivain est légitimiste comme le sont la plupart de ses amis du groupe romantique réuni autour de la « Muse française ». Les relations entre le trône et le jeune poète vont se tendre peu à peu. Ce ne sont pas des raisons personnelles qui vont jouer, même si on peut en avoir l'impression. Dès 1820, les « ultras » ont fait voter une loi électorale qui étouffe toute opposition parlementaire, mais qui conduit les libéraux à lutter contre le gouvernement par des moyens de plus en plus violents. L'arrivée sur le trône de Charles X, en 1824, est le signal d'une recrudescence de l'esprit « ultra » : on accorde un milliard aux émigrés, la peine de mort est rétablie contre les « sacrilèges », une loi sur la presse musèle les journaux. Malgré cela, l'opposition libérale se renforce à la Chambre. Charles X appelle au Ministère un homme politique de droite, Polignac, il dissout les Chambres et décide de gouverner par des « Ordonnances ».

« Encore un gouvernement qui se jette du haut des tours de Notre-Dame » dit Chateaubriand, quand Polignac promulgue ses absurdes ordonnances

65

contre les libertés fondamentales. Hugo a senti lui-même, depuis des mois déjà, quelle chape de plomb les Bourbons veulent faire tomber su~ la France. En 1829, le roi a fait interdire Marion Delorme, parce que le portrait de Louis XIII l'y a choqué. Hugo refuse avec hauteur la pension que Charles X lui offre, en compensation. Quand se dressent les barricades de juillet, Hugo le sait : « Mon ancienne conviction royaliste de 1820 s'est écroulée pièce par pièce depuis dix ans, devant l'âge et l'expérience. » Il est pourtant timide encore devant la Révolution de Juillet. « Il nous faut la chose république et le mot monarchie » dira-t-il.

La Restauration avait été une de ces phases intermédiaires difficiles à définir, où il y a de la fatigue, du bourdonnement, des murmures, du sommeil, du tumulte, et qui ne sont autre chose que l'arrivée d'une grande nation à une étape. Ces époques sont singulières et trompent les politiques qui veulent les exploiter. Au début, la nation ne demande que le repos ; on n'a qu'une soif, la paix ; on n'a qu'une ambition, être petit. Ce qui est la traduction de rester tranquille. Les grands événements, les grands hasards, les grandes aventures, les grands hommes, Dieu merci, on en a assez vu, on en a par-dessus la tête. On donnerait César pour Prusias et Napoléon pour le roi d'Yvetot. « Quel bon petit roi c'était là! » On a marché depuis le point du jour, on est au soir d'une longue et rude journée ; on a fait le premier relais avec Mirabeau, le second avec Robespierre, le troisième avec Bonaparte, on est éreinté. Chacun demande un lit.

La famille prédestinée, qui revint en France quand Napoléon s'écroula, eut la simplicité fatale de croire que c'était elle qui donnait, et que ce qu'elle avait donné elle pouvait le reprendre ; que la maison de Bourbon possédait le droit divin, que la France ne possédait rien ; et que le droit politique concédé dans la charte de Louis XVIII n'était autre chose qu'une branche du droit divin, détachée par la maison de Bourbon et gracieusement donnée au peuple jusqu'au jour où il plairait au roi de s'en ressaisir.

Cependant, au déplaisir que le don lui faisait, la maison de Bourbon aurait dû sentir qu'il ne venait pas d'elle.

Elle fut hargneuse au dix-neuvième siècle. Elle fit mauvaise mine à chaque épanouissement de la nation. Pour nous servir du mot trivial, c'est-à-dire populaire et vrai, elle rechigna. Le peuple le vit.

Lorsque l'heure lui sembla venue, la Restauration, se supposant victorieuse de Bonaparte et enracinée dans le pays, c'est-à-dire se croyant forte et se croyant profonde, prit brusquement son parti et risqua son coup. Un matin elle se dressa en face de la France, et, élevant la voix, elle contesta le titre collectif et le titre individuel, à la nation la souveraineté, au citoyen la liberté. En d'autres termes, elle nia à la nation ce qui la faisait nation et au citoyen ce qui le faisait citoyen.

C'est là le fond de ces actes fameux qu'on appelle les ordonnances de juillet.

La Restauration tomba.

La chute des Bourbons fut pleine de grandeur, non de leur côté, mais du côté de la nation. Eux quittèrent le trône avec gravité, mais sans autorité ; leur descente dans la nuit ne fut pas une de ces disparitions solennelles qui laissent une sombre émotion à l'histoire ; ce ne fut ni le calme spectral de Charles Ier, ni le cri d'aigle de Napoléon. Ils s'en allèrent, voilà tout. Ils déposèrent la couronne et ne gardèrent pas d'auréole. Ils furent dignes, mais ils ne furent pas augustes. Ils manquèrent dans une certaine mesure à la majesté de leur malheur. Charles X, pendant le voyage de Cherbourg, faisant couper une table ronde en table carrée, parut plus soucieux de l'étiquette en péril que de la monarchie croulante. Cette diminution attrista les hommes dévoués qui aimaient leurs personnes et les hommes sérieux qui honoraient leur race. Le peuple, lui, fut admirable. La nation attaquée un matin à main armée par une sorte d'insurrection royale, se sentit tant de force qu'elle n'eut pas de colère. Elle se défendit, se contint, remit les choses à leur place, le gouvernement dans la loi, les Bourbons dans l'exil, hélas! et s'arrêta. Elle prit le vieux roi Charles X sous ce dais qui avait abrité Louis XIV, et le posa à terre doucement.

Les Bourbons emportèrent le respect, mais non le regret. Comme nous venons de le dire, leur malheur fut plus grand qu'eux. Ils s'effacèrent à l'horizon.

Les misérables.

Louis-Philippe

Paysagiste et peintre de la nature, peintre d'histoire, Hugo est aussi un superbe portraitiste. Il dresse en pied les rois avec la paisible objectivité d'un Goya. Sur tous les murs de Paris, sous le règne du Roi-Bourgeois, les gamins griffonnent au charbon la Poire Royale. Sur les murailles de la mémoire Hugo a éclairé un Louis-Philippe moins schématique et moins caricatural.

Le « Roi Citoyen » avait cinquante-sept ans lorsque la Révolution de 1830 le place sur le trône. Il est à la fois le monarque qui devant les recours en grâce s'écrie les larmes aux yeux : « Mon père est mort sur l'échafaud » (mais ce père avait voté la mort de Louis XVI) et celui qui se souvient d'avoir été un aristocrate révolutionnaire, du Club des Jacobins à Valmy. Il est aussi ambitieux et intelligent. Il va construire le personnage d'un prince bonhomme et familier. Mais sa prudence et son habileté vont exaspérer à la fois ses adversaires : les ultras le trouveront trop libéral et bien faible, les partisans du « Mouvement » le jugeront rétrograde et timoré. Le roi du « juste milieu » gouvernera sans trouver vraiment la voie droite, sans parvenir à réaliser son équilibre politique.

Victor Hugo a magistralement analysé les contradictions de Louis-Philippe.

Fils d'un père auquel l'histoire accordera certainement les circonstances atténuantes, mais aussi digne d'estime

que ce père avait été digne de blâme ; ayant toutes les
vertus privées et plusieurs des vertus publiques ; soigneux
de sa santé, de sa fortune, de sa personne, de ses affaires,
connaissant le prix d'une minute et pas toujours le prix
d'une année ; sobre, serein, paisible, patient ; bonhomme
et bon prince ; couchant avec sa femme, et ayant dans son
palais des laquais chargés de faire voir le lit conjugal aux
bourgeois, ostentation d'alcôve régulière devenue utile
après les anciens étalages illégitimes de la branche aînée ;
sachant toutes les langues de l'Europe et, ce qui est plus
rare, tous les langages de tous les intérêts, et les parlant ;
admirable représentant de « la classe moyenne », mais la
dépassant, et de toutes les façons plus grand qu'elle ;
ayant l'excellent esprit, tout en appréciant le sang dont
il sortait, de se compter surtout pour sa valeur intrin-
sèque, et, sur la question même de sa race, très particulier, se déclarant Orléans et non Bourbon ; très premier
prince du sang tant qu'il n'avait été qu'altesse sérénis-
sime, mais franc bourgeois le jour où il fut majesté ; sachant
les faits, les détails, les dates, les noms propres, ignorant
les tendances, les passions, les génies divers de la foule,
les aspirations intérieures, les soulèvements cachés et
obscurs des âmes, en un mot, tout ce qu'on pourrait
appeler les courants invisibles des consciences ; accepté
par la surface, mais peu d'accord avec la France de dessous :
s'en tirant par la finesse ; gouvernant trop et ne régnant
pas assez ; son premier ministre à lui-même ; excellent à
faire de la petitesse des réalités un obstacle à l'immensité
des idées ; mêlant à une vraie faculté créatrice de civilisation, d'ordre et d'organisation, on ne sait quel esprit de
procédure et de chicane ; fondateur et procureur d'une
dynastie ; ayant quelque chose de Charlemagne et quelque
chose d'un avoué ; en somme, figure haute et originale,
prince qui sut faire du pouvoir malgré l'inquiétude de la
France, et de la puissance malgré la jalousie de l'Europe.

Louis-Philippe sera classé parmi les hommes éminents de son siècle, et serait rangé parmi les gouvernants les plus illustres de l'histoire, s'il eût un peu aimé la gloire et s'il eût eu le sentiment de ce qui est grand au même degré que le sentiment de ce qui est utile.

Qu'a-t-il contre lui ? Ce trône. Otez de Louis-Philippe le roi, il reste l'homme. Et l'homme est bon. Il est bon parfois jusqu'à être admirable. Souvent, au milieu des plus graves soucis, après une journée de lutte contre toute la diplomatie du continent, il rentrait le soir dans son appartement, et là, épuisé de fatigue, accablé de sommeil, que faisait-il ? Il prenait un dossier, et il passait sa nuit à reviser un procès criminel, trouvant que c'était quelque chose de tenir tête à l'Europe, mais que c'était une plus grande affaire encore d'arracher un homme au bourreau. Il s'opiniâtrait contre son garde des sceaux ; il disputait pied à pied le terrain de la guillotine aux procureurs généraux, *ces bavards de la loi*, comme il les appelait. Quelquefois les dossiers empilés couvraient sa table ; il les examinait tous ; c'était une angoisse pour lui d'abandonner ces misérables têtes condamnées. Un jour il disait au même témoin que nous avons indiqué tout à l'heure : *Cette nuit, j'en ai gagné sept.* Pendant les premières années de son règne, la peine de mort fut comme abolie, et l'échafaud relevé fut une violence faite au roi. La Grève ayant disparu avec la branche aînée, une Grève bourgeoise fut instituée sous le nom de Barrière Saint-Jacques ; les « hommes pratiques » sentirent le besoin d'une guillotine quasi légitime ; et ce fut là une des victoires de Casimir Périer, qui représentait les côtés étroits de la bourgeoisie, sur Louis-Philippe, qui en représentait les côtés libéraux. Louis-Philippe avait annoté de sa main Beccaria. Après la machine Fieschi, il s'écriait : *Quel dommage que je n'aie pas été blessé! J'aurais pu faire grâce.* Une autre fois, faisant allusion aux résistances de ses ministres, il écrivait à propos d'un condamné politique qui est une des plus généreuses figures de notre temps : *Sa grâce est accordée, il ne me reste plus qu'à l'obtenir.* Louis-Philippe était doux comme Louis IX et bon comme Henri IV.

Or, pour nous, dans l'histoire où la bonté est la perle rare, qui a été bon passe presque avant qui a été grand.

Louis-Philippe ayant été apprécié sévèrement par les uns, durement peut-être par les autres, il est tout simple qu'un homme, fantôme lui-même aujourd'hui, qui a connu ce roi, vienne déposer pour lui devant l'Histoire ; cette déposition, quelle qu'elle soit, est évidemment et avant tout désintéressée ; une épitaphe écrite par un mort est sincère ; une ombre peut consoler une autre ombre ; le partage des mêmes ténèbres donne le droit de louange ; et il est peu à craindre qu'on dise jamais de deux tombeaux dans l'exil : « Celui-ci a flatté l'autre. »

Les misérables.

Les Français à Alger

En 1830, on se bat aussi en Algérie, et le poète note dans son Journal les rumeurs qui lui parviennent d'au-delà la Méditerranée.

La conquête de l'Algérie avait été amorcée par le ministre de Charles X, Polignac, qui avait besoin de succès extérieurs pour faire oublier l'impopularité de sa politique intérieure. L'entreprise fut continuée par la Monarchie de Juillet. Elle fut marquée d'abord par de graves revers : en 1836, le général Clauzel qui a attaqué Constantine, bat en retraite, et on compare le désastre à la campagne de Russie de 1812. Constantine ne sera emportée qu'en 1837. Pendant ce temps, Abd-el-Kader, que les Français ont cherché d'abord à utiliser, a soulevé contre eux les tribus des plateaux. Il poursuit la lutte jusqu'en 1847, date de sa reddition définitive. La conquête de l'Algérie aura duré dix-sept ans.

Les deux premiers Français qui mirent le pied dans Alger, en 1830, ont été Éblé, autrefois mon camarade à

Louis-le-Grand en mathématiques spéciales, et Daru, aujourd'hui mon collègue à la Chambre des pairs. Voici comment :

Éblé (fils du général) était premier lieutenant et Daru second lieutenant de la batterie qui ouvrit le feu contre la place. Il est d'usage que, lorsqu'une armée entre dans une ville prise d'assaut, la batterie qui a ouvert la brèche et tiré le premier coup de canon passe en tête et marche avant tout le monde. C'est ainsi qu'Éblé et Daru entrèrent les premiers dans Alger.

Il y avait encore sur la porte par où ils passèrent des têtes de Français fraîchement coupées, reconnaissables à leurs favoris blonds ou roux et à leurs cheveux longs. Les Turcs et les Arabes sont tondus. Le sang de ces têtes ruisselait le long du mur. Les assiégés n'avaient pas eu le temps ou n'avaient pas pris la peine de les enlever. Dernière bravade, peut-être.

Les troupes allèrent se ranger sur la place devant la Casbah. Éblé et Daru y arrivèrent les premiers. Comme ils trouvaient le temps long, ils obtinrent de leur capitaine, vieux troupier et bonhomme, la permission d'entrer dans la Casbah en attendant. « Je n'y vois pas d'inconvénient », dit le vieux soldat, lequel sortait des armées d'un homme qui n'avait *pas vu d'inconvénient* à entrer dans Potsdam, dans Schœnbrunn, dans l'Escurial et dans le Kremlin. Éblé et Daru profitèrent bien vite de la permission.

La Casbah était déserte. Il n'y avait pas deux heures que les dernières femmes du dey l'avaient quittée. C'était un déménagement qui ressemblait à un pillage. Les meubles, les divans, les boîtes, les écrins ouverts et vides étaient jetés pêle-mêle au milieu des chambres. Le palais entier était une collection de niches et de petits compartiments. Il n'y avait pas trois salles grandes comme une de nos salles à manger ordinaires. Une chose qui frappa Daru et Éblé, c'était la quantité d'étoffes de Lyon en

pièces empilées dans les appartements secrets du dey.
Cela, par moment, avait l'air d'un magasin, soit que le dey
en eût la manie, soit qu'il en fît le commerce. Il y en avait
tant que, le soir, les officiers logés à la Casbah les arran-
gèrent sur le carreau de façon à s'en faire des matelas et
des oreillers.

Les soldats, du reste, regorgent de toutes sortes de
choses prises dans la déroute du camp de Hussein-Dey.
Daru acheta un chameau cinq francs.

Abd-el-Kader portait un burnous en poil de chameau
noir, avec des glands rouges et un liséré rouge, et une passementerie d'or sur l'épaule.

Le pacha d'Égypte Méhémet-Ali recevait les visiteurs
européens, le plus souvent le soir, dans un grand salon
éclairé faiblement par de grands flambeaux d'église, en
bois doré, portant chacun un cierge. Il y avait sur une
crédence, dans ce salon, deux vases de cristal, achetés
rue Saint-Denis, qui avaient été donnés au pacha par un
négociant français appelé M. Pierre Andriel.

Journal, 1830-1848.

*Vingt ans plus tard, le vaincu de la campagne d'Algérie, Abd-el-Kader,
recevait, dans sa prison, la visite de Napoléon III.*

Lorsque Abd-el-Kader dans sa geôle
Vit entrer l'homme aux yeux étroits
Que l'histoire appelle — ce drôle, —
Et Troplong — Napoléon trois ; —

Qu'il vit venir, de sa croisée,
Suivi du troupeau qui le sert,
L'homme louche de l'Élysée,
Lui, l'homme fauve du désert ;

Lui, le sultan né sous les palmes,
Le compagnon des lions roux,
Le hadji farouche aux yeux calmes,
L'émir pensif, féroce et doux

Lui, sombre et fatal personnage
Qui, spectre pâle au blanc burnous,
Bondissait, ivre de carnage,
Puis tombait dans l'ombre à genoux ;

Qui, de sa tente ouvrant les toiles,
Et priant au bord du chemin,
Tranquille, montrait aux étoiles
Ses mains teintes de sang humain ;

Qui donnait à boire aux épées,
Et qui, rêveur mystérieux,
Assis sur des têtes coupées,
Contemplait la beauté des cieux ;

Voyant ce regard fourbe et traître,
Ce front bas, de honte obscurci,
Lui, le beau soldat, le beau prêtre,
Il dit : Quel est cet homme-ci ?

Devant ce vil masque à moustaches,
Il hésita ; mais on lui dit :
« Regarde, émir, passer les haches !
Cet homme, c'est César bandit.

« Écoute ces plaintes amères
Et cette clameur qui grandit.
Cet homme est maudit par les mères,
Par les femmes il est maudit ;

« Il les fait veuves, il les navre ;
Il prit la France et la tua,
Il ronge à présent son cadavre. »
Alors le hadji salua.

Mais au fond toutes ses pensées
Méprisaient le sanglant gredin ;
Le tigre aux narines froncées
Flairait ce loup avec dédain.

Les châtiments.

Les funérailles
du général Lamarque et les émeutes

Devant la Révolution de 1830, Louis-Philippe avait présenté la monarchie constitutionnelle et bourgeoise comme « la meilleure des Républiques ». Mais dès mars 1831, il appelle au gouvernement un homme de la « Résistance », le chef du parti de ceux qui veulent résister aux idées nouvelles, à la démocratie : Casimir Périer. Le parti du « Mouvement » devient, par contre-coup, ouvertement républicain. Jusqu'à la fin de 1831, l'émeute est chronique, dont la plus célèbre est la Révolte des Canuts de Lyon. En janvier 1832 les tours de Notre-Dame de Paris sonnent le tocsin, et un mois plus tard on craint un enlèvement du Roi. En mai les obsèques de Casimir Périer, victime d'une épidémie de choléra, deviennent l'occasion d'une manifestation du parti de la Résistance. Un mois plus tard, le 5 juin 1832, les funérailles d'un officier libéral, député de l'opposition, le général Lamarque, donnent au « Parti du Mouvement » l'occasion d'une manifestation de gauche — qui se transforme en insurrection. Celle-ci, mal préparée et mal dirigée, échoue...

Le 5 juin, par une journée mêlée de pluie et de soleil, le convoi du général Lamarque traversa Paris avec la pompe militaire officielle, un peu accrue par les précautions. Deux bataillons, tambours drapés, fusils renversés, dix mille gardes nationaux, le sabre au côté, les batteries

de l'artillerie de la garde nationale, escortaient le cercueil.
Le corbillard était traîné par des jeunes gens. Les officiers des Invalides le suivaient immédiatement, portant
des branches de laurier. Puis venait une multitude innom-
brable agitée, étrange, les sectionnaires des « Amis du
Peuple », l'école de droit, l'école de médecine, les réfugiés de
toutes les nations, drapeaux espagnols, italiens, allemands, polonais, drapeaux tricolores horizontaux, toutes
les bannières possibles, des enfants agitant des branches
vertes, des tailleurs de pierre et des charpentiers qui faisaient grève en ce moment-là même, des imprimeurs reconnaissables à leurs bonnets de papier, marchant deux
par deux, trois par trois, poussant des cris, agitant
presque tous des bâtons, quelques-uns des sabres, sans
ordre et pourtant avec une seule âme, tantôt une cohue,
tantôt une colonne. Des pelotons se choisissaient des
chefs ; un homme , armé d'une paire de pistolets parfaitement visible, semblait en passer d'autres en revue dont les
files s'écartaient devant lui. Sur les contre-allées des boulevards, dans les branches des arbres, aux balcons, aux
fenêtres, sur les toits, les têtes fourmillaient, hommes,
femmes, enfants ; les yeux étaient pleins d'anxiété. Une
foule armée passait, une foule effarée regardait.

De son côté le gouvernement observait. Il observait,
la main sur la poignée de l'épée. On pouvait voir, tout
prêts à marcher, gibernes pleines, fusils et mousquetons
chargés, place Louis XV, quatre escadrons de carabiniers,
en selle et clairons en tête, dans le pays latin et au Jardin
des Plantes, la garde municipale, échelonnée de rue en rue,
à la Halle-aux-Vins un escadron de dragons, à la Grève une
moitié du 12e léger, l'autre moitié à la Bastille, le 6e dragons aux Célestins, de l'artillerie plein la cour du Louvre.
Le reste des troupes était consigné dans les casernes, sans
compter les régiments des environs de Paris. Le pouvoir
inquiet tenait suspendus sur la multitude menaçante

vingt-quatre mille soldats dans la ville et trente mille dans la banlieue.

Le corbillard dépassa la Bastille, suivit le canal, traversa le petit pont et atteignit l'esplanade du pont d'Austerlitz. Là il s'arrêta. En ce moment cette foule vue à vol d'oiseau eût offert l'aspect d'une comète dont la tête était à l'esplanade et dont la queue développée sur le quai Bourdon couvrait la Bastille et se prolongeait sur le boulevard jusqu'à la porte Saint-Martin. Un cercle se traça autour du corbillard. La vaste cohue fit silence. Lafayette parla et dit adieu à Lamarque. Ce fut un instant touchant et auguste, toutes les têtes se découvrirent, tous les cœurs battaient. Tout à coup un homme à cheval, vêtu de noir, parut au milieu du groupe avec un drapeau rouge, d'autres disent avec une pique surmontée d'un bonnet rouge. Lafayette détourna la tête. Exelmans quitta le cortège.

Ce drapeau rouge souleva un orage et y disparut.

Cependant sur la rive gauche la cavalerie municipale s'ébranlait et venait barrer le pont, sur la rive droite les dragons sortaient des Célestins et se déployaient le long du quai Morland. Le peuple qui traînait Lafayette les aperçut brusquement au coude du quai et cria : « Les dragons! » Les dragons s'avançaient au pas, en silence, pistolets dans les fontes, sabres aux fourreaux, mousquetons aux porte-crosses, avec un air d'attente sombre.

A deux cents pas du petit pont, ils firent halte. Le fiacre où était Lafayette chemina jusqu'à eux, ils ouvrirent les rangs, le laissèrent passer, et se refermèrent sur lui. En ce moment les dragons et la foule se touchaient. Les femmes s'enfuyaient avec terreur.

Que se passa-t-il dans cette minute fatale? Personne ne saurait le dire. C'est le moment ténébreux où deux nuées se mêlent. Les uns racontent qu'une fanfare sonnant la charge fut entendue du côté de l'Arsenal, les autres qu'un coup de poignard fut donné par un enfant à un dragon. Le fait est que trois coups de feu partirent subitement, le premier tua le chef d'escadron Cholet, le second tua une vieille sourde qui fermait sa fenêtre rue Contrescarpe, le troisième brûla l'épaulette d'un officier ; une femme cria : « On commence trop tôt! » et tout à coup on vit du côté opposé au quai Morland un escadron de dragons qui était resté dans la caserne déboucher au galop, le sabre nu, par la rue Bassompierre et le boulevard Bourdon, et balayer tout devant lui.

Alors tout est dit, la tempête se déchaîne, les pierres pleuvent, la fusillade éclate, beaucoup se précipitent au bas de la berge et passent le petit bras de la Seine aujourd'hui comblé, les chantiers de l'île Louviers, cette vaste citadelle toute faite, se hérissent de combattants, on arrache les pieux, on tire des coups de pistolet, une barricade s'ébauche, les jeunes gens refoulés passent le pont d'Austerlitz avec le corbillard au pas de course et chargent la garde municipale, les carabiniers accourent, les dragons sabrent, la foule se disperse dans tous les sens, une rumeur de guerre vole aux quatre coins de Paris, on crie : « Aux armes! » on court, on culbute, on fuit, on résiste. La colère emporte l'émeute comme le vent emporte le feu.

En moins d'une heure vingt-sept barricades sortirent de terre dans le seul quartier des Halles. Au centre était cette fameuse maison n° 50, qui fut la forteresse de Jeanne et de ses six cents compagnons, et qui, flanquée d'un côté par une barricade à Saint-Merry, et de l'autre par une barricade à la rue Maubuée, commandait trois rues, la rue des Arcis, la rue Saint-Martin, et la rue Aubry-le-Boucher qu'elle prenait de front. Deux barricades en équerre se repliaient l'une de la rue Montorgueil sur la Grande-Truanderie, l'autre de la rue Geoffroy-Langevin sur la rue Sainte-Avoye. Sans compter d'innombrables barricades dans vingt autres quartiers de Paris, au Marais, à la montagne Sainte-Geneviève ; une rue Ménilmontant, où l'on voyait une porte cochère arrachée de ses gonds ; une autre près du petit pont de l'Hôtel-Dieu faite avec une écossaise dételée et renversée, à trois cents pas de la Préfecture de police.

Ce qui avait réellement pris la direction de l'émeute, c'était une sorte d'impétuosité inconnue qui était dans l'air. L'insurrection, brusquement, avait bâti les barricades d'une main et de l'autre saisi presque tous les postes de la garnison. En moins de trois heures, comme une traînée de poudre qui s'allume, les insurgés avaient envahi et occupé, sur la rive droite, l'Arsenal, la mairie de la place Royale, tout le Marais, la fabrique d'armes Popincourt, la Galiote, le Château-d'Eau, toutes les rues près les Halles ; sur la rive gauche, la caserne des Vétérans, Sainte-Pélagie, la place Maubert, la poudrière des Deux-Moulins, toutes les barrières. A cinq heures du soir, ils étaient maîtres de la Bastille, de la Lingerie, des Blancs-Manteaux ; leurs éclaireurs touchaient la place des Victoires, et menaçaient la Banque, la caserne des Petits-Pères, l'hôtel des Postes. Le tiers de Paris était à l'émeute.

Les misérables.

La bataille d'Hernani

1830 n'est pas seulement une date dans l'histoire de France : c'est aussi une date dans l'histoire de Victor Hugo : celle de la bataille d'Hernani.

7 mars 1830. Minuit.

On joue *Hernani* au Théâtre-Français depuis le 25 février. Cela fait chaque fois cinq mille francs de recette. Le public siffle tous les soirs tous les vers ; c'est un rare vacarme, le parterre hue, les loges éclatent de rire. Les comédiens sont décontenancés et hostiles ; la plupart se moquent de ce qu'ils ont à dire. La presse a été à peu près unanime et continue tous les matins de railler la pièce et l'auteur. Si j'entre dans un cabinet de lecture, je ne puis prendre un journal sans y lire : « Absurde comme *Hernani* ; monstrueux comme *Hernani* ; niais, faux, ampoulé, prétentieux, extravagant et amphigourique comme *Hernani*. » Si je vais au théâtre pendant la représentation, je vois à chaque instant, dans les corridors où je me hasarde, des spectateurs sortir de leur loge et en jeter la porte avec indignation.

Mlle Mars joue son rôle honnêtement et fidèlement, mais en rit, même devant moi. Michelot joue le sien en charge et en rit, derrière moi. Il n'est pas un machiniste, pas un figurant, pas un allumeur de quinquets qui ne me montre au doigt.

Aujourd'hui, j'ai dîné chez Joanny qui m'en avait prié. Joanny joue Ruy Gomez. Il demeure rue du Jardinet, n° 1, avec un séminariste, son neveu. Le dîner a été grave et cordial. Il y avait des journalistes, entre autres M. Merle, le mari de Mme Dorval. Après le dîner, Joanny, qui a des cheveux blancs les plus beaux du monde, s'est levé, a empli son verre, et s'est tourné vers moi. J'étais à sa droite. Voici littéralement ce qu'il m'a dit ; je rentre, et j'écris ses paroles :

— Monsieur Victor Hugo, le vieillard maintenant ignoré qui remplissait, il y a deux cents ans, le rôle de Don Diègue dans *le Cid* n'était pas plus pénétré de respect et d'admiration devant le grand Corneille que le vieillard qui joue Don Ruy Gomez ne l'est aujourd'hui devant vous.

Choses vues.

L'attentat de Fieschi

Devant la montée de l'opposition populaire, le gouvernement de Louis-Philippe a de plus en plus recours à la force. La police et l'armée sont renforcées et la répression devient féroce. Rue Transnonain la troupe massacre les habitants d'un immeuble soupçonnés d'être républicains. On massacre également au cloître Saint-Merri. Devant cette violence de la répression, les attentats se multiplient. Le gouvernement organise un procès gigantesque : 121 républicains comparaissent devant la Chambre des Pairs. Et le 28 juillet 1835, le roi, passant la garde nationale en revue, manque d'être tué par la « machine infernale » de Fieschi, qui fait dix-huit morts autour de Louis-Philippe.

Tant que Fieschi, après son arrestation, crut que ses complices lui portaient intérêt, il garda le silence. Un jour, il apprit par sa maîtresse, Nini Lassave, la fille borgne, que Morey avait dit : « *Quel malheur que l'explosion ne l'ait pas tué!* » A dater de ce moment, la haine s'empara de Fieschi ; il dénonça Pépin et Morey, et mit à les perdre autant d'acharnement qu'il avait mis jusque-là de volonté à les sauver.

Morey et Pépin furent arrêtés. Fieschi devint l'auxiliaire dévoué de l'accusation. Il entra dans les plus minutieux détails, révéla tout, indiqua tout, éclaircit tout, traqua, expliqua, dévoila, démasqua, et ne faillit en rien, et ne mentit jamais, se souciant peu de mettre sa tête sous le couteau, pourvu que les deux autres têtes tombassent.

Un jour, il dit à M. Pasquier : « Ce Pépin est si bête qu'il inscrivait sur son livre l'argent qu'il me donnait pour la machine en indiquant l'emploi. Faites une perquisition chez lui. Prenez son livre des six premiers mois de 1835. Vous trouverez au haut d'une page une mention de cette nature faite de sa main. » On suit ses instructions, la perquisition est ordonnée, le livre est saisi. M. Pasquier examine le livre ; le procureur général examine le livre ; on n'y trouve rien. Cela paraît étrange. Pour la première fois, Fieschi était en défaut. On le lui dit. Il répond : « Cherchez mieux. » Nouvelles recherches, peines perdues. On adjoint aux commissaires de la chambre un ancien juge d'instruction que cette affaire fit conseiller à la cour royale de Paris. (M. Gaschon, que le chancelier Pasquier, en me contant tout cela, appelait Gâcon ou Cachon.) Ce juge, homme expert, prend le registre, l'ouvre, et, en deux minutes, trouve en haut d'une page, en effet, la mention dénoncée par Fieschi. Pépin s'était borné à la barrer négligemment, mais elle était restée fort lisible. Le président de la cour des pairs et le procureur général, par une sorte d'habitude facile à comprendre, n'avaient pas lu les passages barrés, et cette mention leur avait échappé.

La chose trouvée, on amène Fieschi, on amène Pépin, et on les confronte devant le livre. Consternation de Pépin. Joie de Fieschi. Pépin bredouille, pleure, parle de sa femme et de ses trois enfants. Fieschi triomphe. L'interrogatoire fut décisif et perdit Pépin. La séance avait été longue ; M. Pasquier renvoie Pépin, tire sa montre et dit à Fieschi : « Cinq heures. Allons, en voilà assez pour aujourd'hui. Il est temps que vous alliez dîner. » Fieschi fait un bond : « Dîner ! oh ! j'ai dîné aujourd'hui. J'ai coupé le cou à Pépin. »

Je tiens tout ceci du chancelier lui-même.

J'ai dit que Fieschi était exact dans les moindres détails. Il dit un jour qu'au moment de son arrestation il avait un poignard sur lui. Il n'était resté aucune trace de ce poignard dans aucun procès-verbal.

« Fieschi, lui dit M. Pasquier, à quoi bon mentir ? Vous n'aviez pas de poignard. Aucun procès-verbal n'en fait mention.

— Je le crois bien, Monsieur le président, dit Fieschi. En arrivant au corps de garde, j'ai profité d'une minute où les sergents de ville avaient le dos tourné pour jeter le poignard sous le lit de camp où l'on m'avait couché. Il y doit être encore. Faites chercher. Ces gendarmes sont des cochons. Ils ne balayent pas sous leur lit. »

On alla au corps de garde, on déplaça le lit de camp, et l'on trouva le poignard.

J'étais à la cour des pairs, la veille de sa condamnation. Morey était pâle et immobile. Pépin faisait semblant de lire un journal. Fieschi gesticulait, riait. A un certain moment, il se leva et dit : « Messieurs les pairs, dans quelques jours, ma tête sera séparée de mon corps, je serai mort et je pourrirai sous la terre. J'ai commis un crime et je rends un service. Mon crime, je vais l'expier ; vous en recueillerez les fruits. Après moi, plus d'émeutes, plus d'assassinats, plus de troubles. J'aurai essayé de tuer le roi, j'aurai abouti à le sauver. »

Ces paroles, le geste, le son de voix, l'heure, le lieu me frappèrent. Cet homme me parut courageux et résolu. Je dis la chose à M. Pasquier, qui me répondit : « Il ne croyait pas mourir. »

C'était un bravo, un condottiere, rien d'autre chose. Il avait servi et mêlait à son crime je ne sais quelles idées militaires. « Votre action est bien horrible, lui disait M. Pasquier ; mitrailler des inconnus, des gens qui ne vous ont fait aucun mal, des passants! » Fieschi répliqua froidement : « C'est ce que font des soldats en embuscade. »

Choses vues.

Chateaubriand

Héraut de la légitimité, serviteur inébranlable de princes qu'il méprise, de principes qu'il conteste et d'un trône qu'il sait condamné, le vieux Chateaubriand à la fin de sa vie entretient les meilleurs rapports avec ses ad-

versaires politiques. Hugo qui avait décidé à l'orée de son destin d'être
« Chateaubriand ou rien » admire comme tous les intellectuels de tous les
partis le vieux lion des lettres et s'attriste de son déclin.

M. de Chateaubriand vieillit par le caractère plus encore
que par le talent. Le voilà qui devient bougon et hargneux.
Le voilà qui invective, à côté de la monarchie de Louis-
Philippe, les nouvelles écoles d'art et de la poésie, le drame
actuel, les romantiques, tout ce qu'un certain monde est
convenu d'invectiver en certains termes. Le voilà qui
mêle aux passions politiques les passions littéraires, la
jalousie à l'opposition, les petites haines aux grandes.
Triste chose qu'un lion qui aboie.

Journal, 1830-1848

Talleyrand

Il est des hommes dont le destin résume celui d'un siècle. Tel fut Talley-
rand dont la mort a inspiré à Hugo des pages d'une force dont le seul
Saint-Simon a donné, dans la prose historique française, l'équivalent.

19 mai.

Rue Saint-Florentin, il y a un palais et un égout.
Le palais, qui est d'une noble, riche et morne architecture, s'est appelé longtemps : *Hôtel de l'Infantado ;* aujour-
d'hui on lit sur le fronton de sa porte principale : *Hôtel
Talleyrand.* Pendant les quarante années qu'il a habité
cette rue, l'hôte dernier de ce palais n'a peut-être jamais
laissé tomber son regard sur cet égout.
C'était un personnage étrange, redouté et considérable ;
il s'appelait Charles-Maurice de Périgord ; il était noble
comme Machiavel, prêtre comme Gondi, défroqué comme

Fouché, spirituel comme Voltaire et boiteux comme le diable. On pourrait dire que tout en lui boitait comme lui ; la noblesse, qu'il avait faite servante de la république, la prêtrise, qu'il avait traînée au Champ de Mars, puis jetée au ruisseau, le mariage, qu'il avait rompu par vingt scandales et par une séparation volontaire, l'esprit, qu'il déshonorait par la bassesse. Cet homme avait pourtant sa grandeur.

Les splendeurs des deux régimes se confondaient en lui ; il était prince du vieux royaume de France, et prince de l'empire français.

Pendant trente ans, du fond de son palais, du fond de sa pensée, il avait à peu près mené l'Europe. Il s'était laissé tutoyer par la révolution, et lui avait souri, ironiquement, il est vrai ; mais elle ne s'en était pas aperçue. Il avait rapproché, connu, observé, pénétré, remué, retourné, approfondi, raillé, fécondé tous les hommes de son temps, toutes les idées de son siècle, et il y avait eu dans sa vie des minutes où, tenant en sa main les quatre ou cinq fils formidables qui faisaient mouvoir l'univers civilisé, il avait pour pantin Napoléon Ier, empereur des Français, roi d'Italie, protecteur de la Confédération du Rhin, médiateur de la confédération suisse. Voilà à quoi jouait cet homme.

Après la révolution de Juillet, la vieille race, dont il était grand chambellan, étant tombée, il s'était retrouvé debout sur son pied et avait dit au peuple de 1830, assis, bras nus, sur un tas de pavés : « Fais-moi ton ambassadeur. »

Il avait reçu la dernière confession de Mirabeau et la première confidence de Thiers. Il disait de lui-même qu'il était un grand poète et qu'il avait fait une trilogie en trois dynasties : acte Ier, *l'empire de Buonaparte ;* acte II, *la maison de Bourbon ;* acte III, *la maison d'Orléans.*

Il avait fait tout cela dans son palais, et, dans ce palais, comme une araignée dans sa toile, il avait successivement attiré et pris héros, penseurs, grands hommes, conquérants, rois, princes, empereurs, Bonaparte, Sieyès, Mme de Staël, Chateaubriand, Benjamin Constant, Alexandre de Russie, Guillaume de Prusse, François d'Autriche, Louis XVIII, Louis-Philippe, toutes les mouches dorées et rayonnantes qui bourdonnent dans l'histoire de ces quarante dernières années. Tout cet étincelant essaim, fasciné par l'œil profond de cet homme, avait successivement passé sous cette porte sombre qui porte écrit sur son architrave : Hôtel Talleyrand.

Eh bien, avant-hier 17 mai 1838, cet homme est mort. Des médecins sont venus, et ont embaumé le cadavre. Pour cela, à la manière des égyptiens, ils ont retiré les entrailles du ventre et le cerveau du crâne. La chose faite, après avoir transformé le prince de Talleyrand en momie et cloué cette momie dans une bière tapissée de satin blanc, ils se sont retirés, laissant sur une table la cervelle, cette cervelle qui avait pensé tant de choses, inspiré tant d'hommes, construit tant d'édifices, conduit deux révolutions, trompé vingt rois, contenu le monde.

Les médecins partis, un valet est entré, il a vu ce qu'ils avaient laissé : « Tiens! ils ont oublié cela. Qu'en faire ? » Il s'est souvenu qu'il y avait un égout dans la rue, il y est allé, et a jeté ce cerveau dans cet égout.

Finis rerum.

Choses vues.

Paris en 1839

« Enrichissez-vous » a dit Guizot. La France est riche, mais tous les Français ne le sont pas. Certes la bourgeoisie d'affaires ou d'industrie est prospère, les paysans sont paisibles. Louis-Philippe à l'extérieur entend

maintenir la paix à tout prix, mais à l'intérieur la guerre sociale menace lourdement. En mai 1839, Barbès et Blanqui tentent un mouvement insurrectionnel.

Dimanche 12 mai.

M. de Togores sort de chez moi. Nous avons parlé de l'Espagne. A mes yeux, géographiquement depuis la formation des continents, historiquement depuis la conquête des Gaules par les Romains, politiquement depuis le duc d'Anjou, l'Espagne fait partie intégrante de la France. Jose *primero* est le même fait que Felipe *quinto* ; la pensée de Louis XIV a été continuée par Napoléon. Nous ne pouvons donc sans grave imprudence négliger l'Espagne. Malade, elle nous pèse ; saine et forte, elle nous étaie. Nous la traînons ou nous nous appuyons sur elle. C'est un de nos membres, nous ne pouvons l'amputer, il faut le soigner et le guérir. La guerre civile est une gangrène. Malheur à nous si nous la laissons empirer, elle nous gagnera. Le sang français se mêle largement au sang espagnol par le Roussillon, la Navarre et le Béarn. Les Pyrénées ne sont qu'une ligature, efficace seulement pour un temps.

M. de Togores partageait mon avis. C'était également, me disait-il, l'opinion de son oncle le duc de Frias lorsqu'il était président du conseil de la reine Christine.

Nous avons aussi causé de Mlle Rachel qu'il a trouvée médiocre dans Ériphile, et que je n'ai pas encore vue.

A trois heures je rentre dans mon cabinet.

Ma petite fille vient d'ouvrir ma porte tout effarée et m'a dit : — Papa, sais-tu ce qui se passe ? On se bat au pont Saint-Michel.

Je n'en veux rien croire. Nouveaux détails. Un cuisinier de la maison et le marchand de vin voisin ont vu la chose. Je fais monter le cuisinier. En effet, en passant sur le quai des Orfèvres, il a vu un groupe de jeunes gens tirer des coups de fusil sur la préfecture de police. Une balle a frappé le parapet près de lui. De là, les assaillants ont couru place du Châtelet et à l'Hôtel de Ville, tiraillant toujours. Ils sont partis de la Morgue, que le brave homme appelle *la Morne*.

Pauvres jeunes fous! avant vingt-quatre heures, bon nombre de ceux qui sont partis de là seront revenus là.

On entend la fusillade. La maison est en rumeur. Les portes et les croisées s'ouvrent et se ferment avec bruit. Les servantes causent et rient aux fenêtres.

On dit que l'insurrection a gagné la Porte-Saint-Martin. Je sors, je suis les boulevards. Il fait beau. La foule se promène dans ses habits du dimanche. On bat le rappel.

A l'entrée de la rue du Pont-aux-Choux, il y a des groupes qui regardent dans la direction de la rue de l'Oseille. On distingue beaucoup de monde et beaucoup de tumulte autour d'une vieille fontaine qu'on aperçoit du boulevard et qui fait l'angle d'un carrefour dans la Vieille-rue-du-Temple. Au milieu de ce tumulte on voit passer trois ou quatre petits drapeaux tricolores. Commentaires. On reconnaît que ces drapeaux sont tout simplement l'ornement d'une petite charrette à bras où l'on colporte je ne sais quelle drogue à vendre.

A l'entrée de la rue des Filles-du-Calvaire, des groupes regardent dans la même direction. Quelques ouvriers en blouse passent près de moi. J'entends l'un d'eux dire :
— Qu'est-ce que cela me fait ? Je n'ai ni femme, ni enfant, ni maîtresse.

Sur le boulevard du Temple, les cafés se ferment. Le Cirque Olympique se ferme aussi. La Gaîté tient bon, et jouera.

La foule des promeneurs grossit à chaque pas. Beaucoup de femmes et d'enfants. Trois tambours de la garde nationale, vieux soldats, l'air grave, passent en battant le rappel. La fontaine du Château-d'Eau jette bruyamment sa belle gerbe de fête. Derrière, dans la rue basse, la grande grille et la grande porte de la mairie du Ve arrondissement (1) sont fermées l'une sur l'autre. Je remarque dans la porte de petites meurtrières.

Rien à la Porte-Saint-Martin que beaucoup de foule qui circule paisiblement à travers des régiments d'infanterie et de cavalerie stationnés entre les deux portes. Le théâtre de la Porte-Saint-Martin ferme ses bureaux. On enlève les affiches sur lesquelles je lis : *Marie Tudor.* Les omnibus marchent.

Dans tout ce trajet, je n'ai pas entendu de fusillade, mais la foule et les voitures font grand bruit.

Je rentre dans le Marais. Vieille-rue-du-Temple, les commères causent tout effarouchées sur les portes. Voici les détails. L'émeute a traversé le quartier. Vers trois heures, deux ou trois cents jeunes gens mal armés ont brusquement investi la mairie du VIIe arrondissement, ont désarmé le poste et pris les fusils. De là ils ont couru à l'Hôtel de Ville et ont fait la même équipée. En entrant au corps de garde, ils ont gaîment embrassé l'officier. Quand ils ont eu l'Hôtel de Ville, qu'en faire ? Ils s'en sont allés. S'ils avaient la France, en seraient-ils moins embarrassés que de l'Hôtel de Ville ? Il y a parmi eux beaucoup d'enfants de quatorze à quinze ans. Quelques-uns ne savent pas charger leur fusil ; d'autres ne peuvent le porter. Un de ceux qui ont tiré rue de Paradis est tombé sur son derrière après le coup. Deux tambours tués en tête de leurs colonnes sont déposés à l'Imprimerie royale, dont la grande porte est fermée.

En ce moment on fait des barricades rue des Quatre-Fils. Aux angles de toutes les petites rues de Bretagne, de

(1) La numérotation des arrondissements de Paris en 1839 ne correspond pas à l'actuelle.

Poitou, de Touraine, etc., il y a des groupes qui écoutent. Un grenadier de la garde nationale passe en uniforme, le fusil sur le dos, regardant autour de lui d'un air inquiet.

Il est sept heures ; je suis sur mon balcon, place Royale, on entend des feux de peloton.

Huit heures du soir. — Je suis les boulevards jusqu'à la Madeleine. Ils sont couverts de troupes. Quelques gardes nationaux marchent en tête de toutes les patrouilles. Les promeneurs du dimanche sont mêlés à toute cette infanterie, à toute cette cavalerie. De distance en distance un cordon de soldats verse doucement la foule d'un côté du boulevard sur l'autre. Le Vaudeville joue.

Une heure du matin. — Les boulevards sont déserts. Il n'y a plus que les régiments qui bivouaquent de distance en distance. En revenant, je me suis engagé dans les petites rues du Marais. Tout est calme et sinistre. La Vieille-rue-du-Temple est noire comme un four. Les lanternes y ont été brisées.

La place Royale est un camp. Il y a quatre grands feux devant la mairie, autour desquels les soldats causent et rient assis sur leurs sacs. La flamme découpe la silhouette noire des uns et empourpre la face des autres.

Les feuilles vertes et fraîches des arbres de mai s'agitent joyeusement au-dessus des brasiers.

J'avais une lettre à jeter à la poste. J'y ai mis quelques précautions, car tout est suspect à ces braves gardes nationaux. Je me souviens qu'à l'époque des émeutes d'avril 1834 je passais devant un poste de garde nationale ayant sous le bras un volume des œuvres du duc de Saint-Simon. J'ai été signalé comme saint-simonien, et j'ai failli être massacré.

Au moment où je rentrais chez moi, un escadron de

hussards, tenu en réserve toute la journée dans la cour de la mairie, en est sorti brusquement et a défilé devant moi au galop, se dirigeant vers la rue Saint-Antoine. En montant mon escalier, j'entendais s'éloigner les pas des chevaux.

Lundi 13 mai. *Huit heures du matin.*

Plusieurs compagnies de garde nationale sont venues s'ajouter à la troupe de ligne campée place Royale. Beaucoup d'hommes en blouse se promènent parmi les gardes nationaux, regardés et regardant d'un air soucieux. Un omnibus débouche par la rue du Pas-de-la-Mule. On lui fait rebrousser chemin.

Tout à l'heure mon frotteur, appuyé sur son balai, disait : « Pour qui me mettrai-je ? »

Il a ajouté un moment après :

— Quel chien de gouvernement ! on me doit trente francs, et je ne puis rien tirer des gens !

On bat le rappel.

Je déjeune en lisant les journaux. M. Duflot vient. Il était hier soir aux Tuileries. C'était la réception du dimanche ; le roi paraissait fatigué, la reine était triste.

Puis il s'est promené dans Paris. Il a vu rue du Grand-Hurleur un homme tué, un ouvrier, couché à terre, le front percé d'une balle, endimanché. C'était le soir. Il y avait à côté de lui une chandelle allumée. Le mort avait des bagues aux doigts, et sa montre dans son gousset d'où sortait un gros paquet de breloques.

Hier à trois heures et demie, aux premiers coups de fusil, le roi a fait appeler le maréchal Soult et lui a dit :

—Maréchal, l'eau se trouble. Il faut pêcher des ministres.

Une heure après, le maréchal est venu chez le roi et lui a dit, en se frottant les mains, avec son accent méridional : « *Cetté fois, sire, jé crois qué nous férons notré coup.* »

Il y a, en effet, un ministère ce matin dans le *Moniteur*.

Midi. — Je sors. On entend la fusillade rue Saint-Louis. On a fait évacuer la place Royale aux hommes en blouse, et maintenant on ne laisse plus pénétrer dans la place que les personnes qui y demeurent. L'émeute est rue Saint-Louis. On craint que les insurgés ne pénètrent un à un place Royale et ne fusillent la troupe de derrière les piliers des arcades.

Il y a aujourd'hui deux cent douze ans deux mois et deux jours, Beuvron, Bussy d'Amboise et Buquet, d'une part, Boutteville, Deschapelles et La Berthe, d'autre part, se battaient à outrance à l'épée et au poignard, en plein jour, à cette même heure, et dans cette même place Royale. Pierre Corneille avait alors vingt et un ans.

J'entends un garde national regretter la grille qu'on vient de démolir si stupidement, et dont les tronçons sont encore, en ce moment, gisants sur le pavé.

Un autre garde national dit : — Moi, je suis républicain, c'est tout simple, parce que je suis Suisse.

Les abords de la place Royale sont déserts. La fusillade continue, très nourrie et très voisine.

Rue Saint-Gilles, devant la porte de la maison occupée, en 1784, par la fameuse comtesse de La Motte-Valois de l'affaire du collier, un garde municipal m'interdit le passage.

Je gagne la rue Saint-Louis par la rue des Douze-Portes. La rue Saint-Louis a un aspect singulier. On voit à l'un des bouts une compagnie de soldats qui barre toute la rue et s'avance lentement en braquant ses fusils. Je suis enveloppé de gens qui fuient dans toutes les directions. Un jeune homme vient d'être tué au coin de la rue des Douze-Portes.

Impossible d'aller plus loin. Je retourne vers le boulevard.

Au coin de la rue du Harlay il y a un cordon de gardes **nationaux**. L'un d'eux, qui a le ruban bleu de juillet, m'arrête brusquement : — On ne passe pas! — Et sa voix se radoucit tout à coup : — Vraiment, je ne vous conseille pas d'aller par là, monsieur. — Je lève les yeux, c'est mon frotteur.

Je passe outre.

J'arrive à la rue Saint-Claude. A peine y ai-je fait quelques pas que je vois tous les passants se hâter. Une compagnie d'infanterie vient de paraître à l'extrémité de la rue, près de l'église. Deux vieilles femmes, dont l'une porte un matelas, passent près de moi avec des interjections de terreur. Je continue d'avancer vers les soldats qui barrent le bout de la rue. Quelques jeunes drôles en blouse fuient autour de moi.

Tout à coup les soldats abaissent leurs fusils et couchent en joue. Je n'ai que le temps de me jeter derrière une borne qui me garantit du moins les jambes. J'essuie le feu. Personne ne tombe dans la rue. Je m'avance vers les soldats en agitant mon chapeau pour qu'ils ne recommencent pas. Arrivé près d'eux, ils m'ouvrent leurs rangs, je passe, et nous ne nous disons rien.

La rue Saint-Louis est déserte. C'est l'aspect de la rue à quatre heures du matin en été : boutiques fermées, fenêtres fermées, personne, plein jour. Rue du Roi-Doré, les voisins causent sur leurs portes. Deux chevaux, dételés de quelque charrette dont on a fait une barricade, passent rue Saint-Jean-Saint-François, suivis du charretier tout désorienté. Un gros de garde nationale et de troupe de ligne semble embusqué au bout de la rue Saint-Anastase. Je m'informe.

Il y a une demi-heure environ, sept ou huit jeunes ouvriers sont venus là, traînant des fusils qu'ils savaient à peine charger. C'était des adolescents de quatorze à quinze ans. Ils ont préparé leurs armes en silence au milieu des voisins et des passants qui les regardaient faire, puis ils ont envahi une maison où il n'y a qu'une vieille femme et un petit enfant. Là, ils ont soutenu un siège de quelques instants. La fusillade que j'ai essuyée était pour quelques-uns d'entre eux qui s'enfuyaient par la rue Saint-Claude.

Toutes les boutiques sont fermées, excepté celle du marchand de vin où les insurgés ont bu et où les gardes nationaux boivent.

Trois heures. — Je viens d'explorer les boulevards. Ils sont couverts de foule et de troupe. On entend des feux de peloton dans la rue Saint-Martin. Devant la fenêtre de Fieschi, j'ai vu passer un lieutenant général à cheval, en grand uniforme, entouré d'officiers et suivi d'un escadron de fort beaux dragons, le sabre au poing.

Il y a une manière de camp au Château-d'Eau. Les actrices de l'Ambigu sont sur le balcon de leur foyer qui regardent. Aucun théâtre des boulevards ne jouera ce soir.

Tout désordre a disparu rue Saint-Louis. L'émeute est concentrée aux Halles. Un garde national me disait tout à l'heure : — Ils sont là dans les barricades plus de quatre mille. — Je n'ai rien répondu à ce brave homme. Dans des moments comme celui-ci, tous les yeux sont verres grossissants.

Dans une maison en construction, rue des Cultures-Saint-Gervais, les maçons ont repris leurs travaux. On vient de tuer un homme rue de la Perle. Rue des Trois-Pavillons, je vois des jeunes filles qui jouent au volant.

Il y a rue de l'Écharpe un blanchisseur effarouché qui dit avoir vu passer des canons. Il en a compté huit.

Huit heures du soir. — Le Marais continue d'être assez calme. On me dit qu'il y a des canons place de la Bastille. J'y vais, mais je ne puis rien distinguer ; le crépuscule est trop sombre. Plusieurs régiments attendent là, silencieusement, infanterie et cavalerie. Le peuple se fait au spectacle des fourgons, d'où l'on distribue des vivres à la troupe. Les soldats se disposent à bivouaquer. On entend le bruit du bois qu'on décharge sur le pavé pour les feux de la nuit.

Minuit. —Des bataillons entiers font patrouille sur les boulevards. Les bivouacs sont allumés partout, et jettent des reflets d'incendie sur les façades des maisons. Un homme habillé en femme vient de passer rapidement à côté de moi, avec un chapeau blanc et un voile noir très épais, qui lui cache entièrement la figure. Au moment où minuit sonnait aux horloges des églises, j'ai entendu distinctement dans le silence de la ville deux feux de peloton très longs et très soutenus.

J'écoute passer dans la direction de la rue du Temple une longue file de voitures qui fait grand bruit de ferraille. Sont-ce des canons?

Deux heures du matin — Je rentre chez moi. Je remarque de loin que le grand feu de bivouac allumé au coin de la rue Saint-Louis et de la rue de l'Écharpe a disparu.

En approchant, je vois un homme accroupi devant la fontaine qui fait tomber de l'eau du robinet sur quelque chose. Je regarde. L'homme paraît inquiet. Je reconnais qu'il éteint à la fontaine des bûches à demi consumées, puis il les charge sur ses épaules et s'en va. Ce sont les derniers tisons que les troupes ont laissés sur le pavé en quittant leurs bivouacs. En effet, il n'y a plus maintenant que quelques tas de cendre rouge. Les soldats sont rentrés dans leurs casernes. L'émeute est finie. Elle aura du moins servi à chauffer un pauvre diable en hiver.

Choses vues.

Le retour des cendres

Thiers est premier ministre. Il sent que l'opinion publique rêve des fastes et de la gloire de l'Empire. Ce serait une sage politique que d'accorder un dérivatif à cette nostalgie. D'autant plus que Thiers défend, en diplo-matie, une politique anti-anglaise. En 1840 on décide donc de ramener solennellement de Sainte-Hélène les cendres de l'Empereur.

Qui est Victor Hugo en 1840 ? Dans sa vie privée, il est l'homme divisé entre une femme qui reste sa femme et celle qui partage, à côté du foyer officiel, sa vie : Juliette Drouet. Dans sa vie publique, est-il un bonapar-tiste nostalgique, un courtisan sceptique du Roi Bourgeois, un réformateur socialisant, penché sur les misères des Misérables? Il est tout cela à la fois. Mais quand le Ministère décide de ramener en grande pompe à Paris les Cendres de l'Empereur, le fils du général Hugo sent battre en lui un cœur d'enfant — et de grognard. Il sera au premier rang de la foule accourue pour voir le cercueil impérial arriver aux Invalides.

15 décembre 1840

J'ai entendu battre le rappel dans les rues depuis six heures et demie du matin. Je sors à onze heures. Les rues sont désertes, les boutiques fermées ; à peine voit-on passer une vieille femme çà et là. On sent que Paris tout entier s'est versé d'un seul côté de la ville comme un liquide dans un vase qui penche.

Il fait très froid ; un beau soleil, de légères brumes au ciel. — Les ruisseaux sont gelés.

Comme j'arrive au pont Louis-Philippe, une nuée s'a-baisse et quelques flocons de neige poussés par la bise viennent me fouetter le visage. — En passant près de Notre-Dame je remarque que le bourdon ne tinte pas.

Rue Saint-André-des-Arcs, le mouvement fébrile de la fête commence à se faire sentir. — Oui, c'est une fête ; la fête d'un cercueil exilé qui revient en triomphe. —

Trois hommes du peuple, de ces pauvres ouvriers en haillons, qui ont froid et faim tout l'hiver, marchent devant moi tout joyeux. L'un d'eux saute, danse et fait mille folies en criant : « Vive l'empereur! » De jolies grisettes parées passent, menées par leurs étudiants. Des fiacres se hâtent vers les Invalides.

Rue du Four, la neige s'épaissit. Le ciel devient noir. Les flocons de neige le sèment de larmes blanches. Dieu semble vouloir tendre aussi.

Cependant le tourbillon dure peu. Un pâle rayon blanchit l'angle de la rue de Grenelle et de la rue du Bac, et, là, les gardes municipaux arrêtent les voitures. Je passe outre. Deux grands chariots vides menés par des soldats du train viennent à grand bruit derrière moi et rentrent dans leur quartier au bout de la rue de Grenelle au moment où je débouche sur la place des Invalides. Là, je crains un moment que tout ne soit fini et que l'empereur ne soit passé, tant il vient de passants de mon côté, lesquels semblent s'en retourner. C'est tout simplement la foule qui reflue, refoulée par un cordon de gardes municipaux à pied. Je montre mon billet pour la première estrade à gauche, et je franchis la haie.

Ces estrades sont d'immenses échafaudages qui couvrent du quai à la grille du dôme, tous les gazons de l'Esplanade. Il y en a trois de chaque côté.

Au moment où j'arrive, le mur des estrades de droite me cache encore la place. J'entends un bruit formidable et lugubre. On dirait d'innombrables marteaux frappant en cadence sur des planches. Ce sont les cent mille spectateurs entassés sur les échafauds, qui, glacés par la bise, piétinent pour se réchauffer en attendant que le cortège passe.

Je monte sur l'estrade. Le spectacle n'est pas moins étrange. Les femmes, presque toutes bottées de gros chaussons et voilées, disparaissent sous des amas de

97

fourrures et de manteaux ; les hommes promènent des cache-nez extravagants.

La décoration de la place, bien et mal. Le mesquin habillant le grandiose. Des deux côtés de l'avenue deux rangées de figures héroïques, colossales, pâles à ce froid soleil, qui font un assez bel effet. Elles paraissent de marbre blanc. Mais ce marbre est du plâtre. Au fond, vis-à-vis le dôme, la statue de l'empereur, en bronze. Ce bronze aussi est du plâtre. Dans chaque entre-deux des statues, un pilier en toile peinte et dorée d'assez mauvais goût surmonté d'un pot-à-feu, — plein de neige pour le moment. Derrière les statues, les estrades et la foule ; entre les statues, la garde nationale éparse ; au-dessus des estrades, des mâts à la pointe desquels flottent magnifiquement soixante longues flammes tricolores.

Il paraît qu'on n'a pas eu le temps d'achever l'ornementation de la grande entrée de l'hôtel. On a ébauché au-dessus de la grille une façon d'arc de triomphe funèbre en toile peinte et en crêpe, avec lequel le vent joue comme avec les vieux linges pendus à la lucarne d'une masure. Une rangée de mâts tout nus et tout secs se dressent au-dessus des canons et, à distance, ressemblent à ces allumettes que les petits enfants piquent dans du sable. Des nippes et des haillons, qui ont la prétention d'être des tentures noires étoilées d'argent, frissonnent et clapotent pauvrement entre ces mâts.

Au fond, le dôme, avec son pavillon et son crêpe, glacé de reflets métalliques, estompé par la brume sur le ciel lumineux, fait une figure sombre et splendide.

Il est midi.

Le canon de l'hôtel tire de quart d'heure en quart d'heure. La foule piétine et bat la semelle. Des gendarmes déguisés en bourgeois, mais trahis par leurs éperons et leurs cols d'uniforme, se promènent çà et là. En face de moi, un rayon éclaire vivement une assez mauvaise statue de Jeanne d'Arc, qui tient une palme à la main dont elle semble se faire un écran comme si le soleil lui faisait mal aux yeux.

A quelques pas de la statue, un feu, où des gardes nationaux se chauffent les pieds, est allumé dans un tas de sable.

De temps en temps des musiciens militaires envahissent un orchestre dressé entre les deux estrades du côté opposé, y exécutent une fanfare funèbre, puis redescendent en hâte et disparaissent dans la foule, sauf à reparaître le moment d'après. Ils quittent la fanfare pour le cabaret.

Un crieur erre dans l'estrade, vendant des complaintes à un sou et des relations de la cérémonie. J'achète deux de ces papiers.

Tous les yeux sont fixés sur l'angle du quai d'Orsay par où doit déboucher le cortège. Le froid augmente l'impatience. Des fumées blanches et noires montent çà et là à travers le massif brumeux des Champs-Élysées, et l'on entend des détonations lointaines.

Tout à coup les gardes nationaux courent aux armes. Un officier d'ordonnance traverse l'avenue au galop. La haie se forme. Des ouvriers appliquent des échelles aux pilastres et commencent à allumer les pots-à-feu. Une salve de grosse artillerie éclate bruyamment à l'angle est des Invalides ; une épaisse fumée jaune, coupée d'éclairs d'or, remplit tout ce coin. D'où je suis, on voit servir les pièces. Ce sont deux beaux vieux canons sculptés du XVIIe siècle dans le bruit desquels on sent le bronze. — Le cortège approche.

Il est midi et demi.

A l'extrémité de l'Esplanade, vers la rivière, une double rangée de grenadiers à cheval, à buffleteries jaunes, débouche gravement. C'est la gendarmerie de la Seine. C'est la tête du cortège. En ce moment le soleil fait son devoir et apparaît magnifiquement. Nous sommes dans le mois d'Austerlitz.

Après les bonnets à poil de la gendarmerie de la Seine, les casques de cuivre de la garde municipale de Paris, puis les flammes tricolores des lanciers secouées par le vent d'une façon charmante. Fanfares et tambours.

Un homme en blouse bleue grimpe par les charpentes extérieures, au risque de se rompre le cou, dans l'estrade qui me fait face. Personne ne l'aide. Un spectateur en gants blancs le regarde faire et ne lui tend pas la main. L'homme arrive pourtant.

Le cortège, mêlé de généraux et de maréchaux, est d'un admirable aspect. Le soleil, frappant les cuirasses des carabiniers, leur allume à tous sur la poitrine une étoile éblouissante. Les trois écoles militaires passent avec une fière et grave contenance. Puis l'artillerie et l'infanterie, comme si elles allaient au combat ; les caissons ont à leur arrière-train la roue de rechange, les soldats ont le sac sur le dos.

A quelque distance, une grande statue de Louis XIV, largement étoffée, et d'un assez bon style, dorée par le soleil, semble regarder cette pompe avec stupeur.

La garde nationale à cheval paraît. Brouhaha dans la foule. Elle est en assez bon ordre pourtant ; mais c'est une troupe sans gloire, et cela fait un trou dans un pareil cortège. On rit.

J'entends ce dialogue :

— Tiens! ce gros colonel! comme il tient drôlement son sabre! — Qu'est-ce que c'est que ça? — C'est Montalivet.

D'interminables légions de garde nationale à pied défilent maintenant, fusils renversés comme la ligne, dans l'ombre de ce ciel gris. Un garde national à cheval, qui laisse tomber son chapska et galope ainsi quelque temps nu-tête malgré qu'il en ait, amuse fort la galerie, c'est-à-dire cent mille personnes.

De temps en temps le cortège s'arrête, puis il reprend sa marche. On achève d'allumer les pots-à-feu qui fument entre les statues comme de gros bols de punch.

L'attention redouble. Voici la voiture noire à frise d'argent de l'aumônier de la *Belle-Poule*, au fond de laquelle on entrevoit le prêtre en deuil ; puis le grand carrosse de velours noir à panneaux-glaces de la commission de Sainte-Hélène, quatre chevaux à chacun de ces deux carrosses.

Tout à coup le canon éclate à la fois à trois points différents de l'horizon. Ce triple bruit simultané enferme l'oreille dans une sorte de triangle formidable et superbe. Des tambours éloignés battent aux champs.

Le char de l'empereur apparaît.

Le soleil, voilé jusqu'à ce moment, reparaît en même temps. L'effet est prodigieux.

On voit au loin, dans la vapeur et dans le soleil, sur le fond gris et roux des arbres des Champs-Élysées, à travers de grandes statues blanches qui ressemblent à des fantômes, se mouvoir lentement une espèce de montagne d'or. On n'en distingue encore rien qu'une sorte de scintillement lumineux qui fait étinceler sur toute la surface du char tantôt des étoiles, tantôt des éclairs. Une immense rumeur enveloppe cette apparition.

On dirait que ce char traîne après lui l'acclamation de toute la ville comme une torche traîne sa fumée.

Au moment de tourner dans l'avenue de l'Esplanade, il reste quelques instants arrêté par quelque hasard du chemin devant une statue qui fait l'angle de l'avenue et du quai. J'ai vérifié depuis que cette statue était celle du maréchal Ney.

Au moment où le char-catafalque a paru, il était une heure et demie.

Le cortège se remet en marche.

Le char avance lentement. On commence à en distinguer la forme.

Voici les chevaux de selle des maréchaux et des généraux qui tiennent le cordon du poêle impérial.

Voici les quatre-vingt-six sous-officiers légionnaires portant les bannières des quatre-vingt-six départements. Rien de plus beau que ce carré, au-dessus duquel frissonne une forêt de drapeaux. On croirait voir marcher un champ de dahlias gigantesques.

Voici un cheval blanc couvert de la tête aux pieds d'un crêpe violet, accompagné d'un chambellan bleu ciel brodé d'argent et conduit par deux valets de pied vêtus de vert et galonnés d'or. C'est la livrée de l'empereur. Frémissement dans la foule : — *C'est le cheval de bataille de Napoléon!* — La plupart le croyaient fortement. Pour peu que le cheval eût servi deux ans à l'empereur, il aurait trente ans, ce qui est un bel âge de cheval.

Le fait est que ce palefroi est un bon vieux cheval-comparse qui remplit depuis une dizaine d'années l'emploi de cheval de bataille dans tous les enterrements militaires auxquels préside l'administration des pompes funèbres.

Ce coursier de paille porte sur son dos la vraie selle de Bonaparte à Marengo. Une selle de velours cramoisi à double galon d'or, — assez usée.

Après le cheval viennent en lignes sévères et pressées les cinq cents marins de la *Belle-Poule*, jeunes visages pour la plupart, en tenue de combat, en veste ronde, le chapeau rond verni sur la tête, les pistolets à la ceinture, la hache d'abordage à la main et le sabre au côté, un sabre court à large poignée de fer poli.

Les salves continuent.

En ce moment on raconte dans la foule que ce matin

le premier coup de canon tiré aux Invalides a coupé les deux cuisses d'un garde municipal. On avait oublié de déboucher la pièce. On ajoute qu'un homme a glissé, place Louis XV, sous les roues du char et a été écrasé.

Le char est maintenant très près. Il est précédé presque immédiatement de l'état-major de la *Belle-Poule*, commandé par M. le prince de Joinville à cheval. M. le prince de Joinville a le visage couvert de barbe (blonde), ce qui me paraît contraire aux règlements de la marine militaire. Il porte pour la première fois le grand cordon de la Légion d'honneur. Jusqu'ici il ne figurait sur le livre de la Légion que comme simple chevalier.

Arrivé précisément en face de moi, je ne sais quel obstacle momentané se présente. Le char s'arrête. Il fait une station de quelques minutes entre la statue de Jeanne d'Arc et la statue de Charles V.

Je puis le regarder à mon aise. L'ensemble a de la grandeur. C'est une énorme masse, dorée entièrement, dont les étages vont pyramidant au-dessus des quatre grosses roues dorées qui la portent. Sous le crêpe violet semé d'abeilles, qui le recouvre de haut en bas, on distingue d'assez beaux détails : les aigles effarés du soubassement, les quatorze Victoires du couronnement portant sur une table d'or un simulacre de cercueil. Le vrai cercueil est invisible. On l'a déposé dans la cave du soubassement, ce qui diminue l'émotion.

C'est là le grave défaut de ce char. Il cache ce qu'on voudrait voir, ce que la France a réclamé, ce que le peuple attend, ce que tous les yeux cherchent, le cercueil de Napoléon.

Sur le faux sarcophage on a déposé les insignes de l'empereur, la couronne, l'épée, le sceptre et le manteau. Dans la gorge dorée qui sépare les Victoires du faîte des aigles du soubassement, on voit distinctement, malgré la dorure déjà à demi écaillée, les lignes de suture des planches de sapin. Autre défaut. Cet or n'est qu'en apparence. Sapin et carton-pierre, voilà la réalité. J'aurais voulu pour le char de l'empereur une magnificence qui fût sincère.

Du reste, la masse de cette composition sculpturale n'est pas sans style et sans fierté, quoique le parti pris du dessin et de l'ornementation hésite entre la Renaissance et le rococo.

Deux immenses faisceaux de drapeaux pris sur toutes les nations de l'Europe se balancent avec une emphase magnifique à l'avant et à l'arrière du char.

Le char, tout chargé, pèse vingt-six mille livres. Le cercueil seul pèse cinq mille livres.

Rien de plus surprenant et de plus superbe que l'attelage des seize chevaux qui traînent le char. Ce sont d'effrayantes bêtes, empanachées de plumes blanches jusqu'aux reins, et couvertes de la tête aux pieds d'un splendide caparaçon de drap d'or, lequel ne laisse voir que leurs yeux, ce qui leur donne je ne sais quel air terrible de chevaux-fantômes.

Des valets de pied à la livrée impériale conduisent cette cavalcade formidable.

En revanche, les dignes et vénérables généraux qui portent les cordons du poêle ont la mine la moins fantastique qui soit. En tête deux maréchaux, le duc de Reggio, petit et borgne (1), à droite ; à gauche, le comte

(1) M. le duc de Reggio n'est pas réellement borgne. Il y a quelques années, à la suite d'un refroidissement, le maréchal a été atteint d'une paralysie locale qui a envahi la joue et la paupière droites. Depuis cette époque il ne peut ouvrir l'œil. Du reste, dans toute cette cérémonie il a montré un admirable courage. Criblé de blessures, âgé de soixante-quinze ans, il est resté en plein air, par un froid de quatorze degrés, depuis huit heures du matin jusqu'à deux heures de l'après-midi, en grand uniforme et sans manteau, par respect pour son général. Il a fait le trajet de Courbevoie aux Invalides à pied, *sur ses trois jambes cassées,* me disait spirituellement la duchesse de Reggio. Le maréchal, en effet, ayant eu deux fractures

Molitor ; en arrière, à droite, un amiral, le baron Duperré, gros et jovial marin ; à gauche, un lieutenant général, le comte Bertrand, cassé, vieilli, épuisé ; noble et illustre figure. Tous les quatre sont revêtus du cordon rouge.

Le char, soit dit en passant, n'aurait dû avoir que huit chevaux. Huit chevaux, c'est un nombre symbolique qui a un sens dans le cérémonial. Sept chevaux, neuf chevaux, c'est un roulier ; seize chevaux, c'est un fardier ; huit chevaux, c'est un empereur (1).

Les spectateurs des estrades n'ont cessé de battre la semelle qu'au moment où le char-catafalque a passé devant eux. Alors seulement les pieds font silence. On sent qu'une grande pensée traverse cette foule.

Le char s'est remis en marche, les tambours battent aux champs, le canon redouble. Napoléon est devant la grille des Invalides. Il est deux heures moins dix minutes.

Derrière le corbillard viennent en costumes civils tous les survivants parmi les anciens serviteurs de l'empereur, puis tous les survivants parmi les soldats de la garde, vêtus de leurs glorieux uniformes déjà étranges pour nous.

à la jambe droite et une à la jambe gauche, a eu bien véritablement trois jambes cassées.

Après tout, il est remarquable que, sur tant de vieillards exposés pendant si longtemps à ce grand froid, il ne leur soit arrivé malheur à aucun. Chose rare, ces funérailles n'ont enterré personne. (*Note de Victor Hugo.*)

(1) 29 décembre 1840. — On a su, depuis, que les magnifiques housses de brocart d'or qui caparaçonnaient les seize chevaux étaient en tissu de verre. Économie peu digne. Trompe-l'œil inconvenant. Aujourd'hui on lit dans les journaux cette singulière annonce :

« Un grand nombre de personnes venues à l'établissement des tissus de verre, rue de Charonne, 97, pour voir le manteau impérial qui a décoré les côtés du char funèbre de Napoléon, ont désiré garder un souvenir de la grande cérémonie en faisant l'acquisition de quelques aigles de ce manteau. Le directeur de cet établissement, qui, pour exécuter la commande du gouvernement, a été forcé de les leur refuser, se trouve aujourd'hui en mesure de les satisfaire. »

Ainsi, statues de bronze en plâtre, Victoires d'or massif en carton-pierre, manteau impérial en tissu de verre, et, quinze jours après la cérémonie, — aigles à vendre. (*Notes de Victor Hugo.*)

Le reste du cortège, composé des régiments de l'armée et de la garde nationale, occupe, dit-on, le quai d'Orsay, le pont Louis XVI, la place de la Concorde et l'avenue des Champs-Élysées jusqu'à l'arc de l'Étoile.

Le char n'entre pas dans la cour des Invalides, la grille posée par Louis XIV serait trop basse. Il se détourne à droite ; on voit les marins entrer dans le soubassement et ressortir avec le cercueil, puis disparaître sous le porche élevé à l'entrée du palais. Ils sont dans la cour.

C'est fini pour les spectateurs du dehors. Ils descendent à grand bruit et en toute hâte des estrades. Des groupes s'arrêtent de distance en distance devant des affiches collées sur les planches et ainsi conçues : LEROY, LIMONADIER, *rue de la Serpe, près des Invalides. — Vins fins et pâtisseries chaudes.*

Je puis maintenant examiner la décoration de l'avenue. Presque toutes ces statues de plâtre sont mauvaises. Quelques-unes sont ridicules. Le Louis XIV, qui, à distance, avait de la masse, est grotesque de près. Macdonald est ressemblant. Mortier aussi. Ney le serait, si l'on ne lui avait trop haussé le front. Du reste, le sculpteur l'a fait exagéré et risible à force de vouloir être mélancolique. La tête est trop grosse. A ce sujet on raconte que dans la rapidité de cette improvisation de statues les mesures ont été mal données. Le jour de la livraison venu, le statuaire a fourni un maréchal Ney trop grand d'un pied. Qu'ont fait les gens des Beaux-arts ? Ils ont scié à la statue une tranche de ventre de douze pouces de large, et ils ont recollé tant bien que mal les deux morceaux.

Le plâtre badigeonné en bronze de l'empereur est embu et couvert de taches qui font ressembler la robe impériale à de la vieille serge verte rapiécée.

Ceci me rappelle — car la génération des idées est un étrange mystère — que cet été, chez M. Thiers, j'entendis

Marchand, le valet de chambre de l'empereur, raconter que Napoléon aimait les vieux habits et les vieux chapeaux. Je comprends et je partage ce goût. Pour un cerveau qui travaille, la pression d'un chapeau neuf est insupportable.

— L'empereur, disait Marchand, avait emporté de France trois habits, deux redingotes et deux chapeaux ; il a fait avec cette garde-robe ses six ans de Sainte-Hélène ; il ne portait pas d'uniforme.

Marchand ajoutait d'autres détails curieux. L'empereur, aux Tuileries, semblait souvent changer rapidement de costume. En réalité il n'en était rien. L'empereur était habituellement en costume civil, c'est-à-dire une culotte de casimir blanc, bas de soie blancs, souliers à boucles. Mais il y avait toujours là, dans le cabinet voisin, une paire de bottes à l'écuyère doublée en soie blanche jusqu'au-dessus du genou. Quand un incident survenait et qu'il fallait que l'empereur montât à cheval, il ôtait ses souliers, mettait ses bottes, endossait son uniforme, et le voilà militaire. Puis il rentrait, quittait ses bottes, reprenait ses souliers et redevenait civil. La culotte blanche, les bas et les souliers ne servaient jamais qu'un jour. Le lendemain cette défroque impériale appartenait au valet de chambre.

Il est trois heures. Une salve d'artillerie annonce que la cérémonie vient de s'achever aux Invalides. Je rencontre B... Il en sort. La vue du cercueil a produit une émotion inexprimable.

Les paroles dites ont été simples et grandes. M. le prince de Joinville a dit au roi : *Sire, je vous présente le corps de l'empereur Napoléon.* Le roi a répondu : *Je le reçois au nom de la France.*

Puis il a dit à Bertrand : *Général, déposez sur le cercueil la glorieuse épée de l'empereur.* Et à Gourgaud : *Général, déposez sur le cercueil le chapeau de l'empereur.*

Le *Requiem*, de Mozart, a fait peu d'effet. Belle musique, déjà ridée. Hélas! la musique se ride!

Le catafalque n'a été terminé qu'une heure avant l'arrivée du cercueil. B... était dans l'église à huit heures du matin. Elle n'était encore qu'à moitié tendue et les échelles, les outils et les ouvriers l'encombraient. La foule arrivait pendant ce temps-là.

On a essayé de grandes palmes dorées de cinq ou six pieds de haut aux quatre coins du catafalque. Mais, après les avoir posées, on a vu qu'elles faisaient un médiocre effet. On les a ôtées (1).

M. le prince de Joinville, qui n'avait pas vu sa famille depuis six mois, est allé baiser la main de la reine et serrer joyeusement celles de ses frères et sœurs. La reine l'a reçu gravement, sans effusion, en reine plutôt qu'en mère.

Pendant ce temps-là les archevêques, les curés et les prêtres chantaient le *Requiescat in pace* autour du cercueil de Napoléon.

Le cortège a été beau, mais trop exclusivement militaire, suffisant pour Bonaparte, non pour Napoléon. Tous les corps de l'État eussent dû y figurer, au moins par députations. Du reste, l'incurie du gouvernement a été extrême. Il était pressé d'en finir. Philippe de Ségur, qui a suivi le char comme ancien aide de camp de l'empereur, m'a conté qu'à Courbevoie, au bord de la rivière, par un froid de quatorze degrés, ce matin, à huit heures, il n'y avait pas même une salle d'attente chauffée. Ces deux cents vieillards de l'ancienne maison de l'empereur

_____

(1) 23 décembre. — Depuis la translation du cercueil, l'église des Invalides est ouverte à la foule qui la visite. Il y passe, chaque jour, cent mille personnes, de dix heures du matin à quatre heures du soir. L'éclairage de la chapelle coûte à l'État 350 francs par jour. M. Duchâtel, ministre de l'intérieur (qui passe pour fils de l'empereur, soit dit en passant), gémit hautement de cette dépense. (*Note de Victor Hugo.*)

ont dû attendre une heure et demie sous une espèce de temple grec ouvert aux quatre vents.

Même négligence pour les bateaux à vapeur qui ont fait avec le corps le trajet du Havre à Paris, trajet admirable, d'ailleurs, par l'attitude recueillie et grave des populations riveraines. Aucun de ces bateaux n'était convenablement aménagé, les vivres manquaient. Point de lits. Ordre de ne pas descendre à terre.

M. le prince de Joinville était obligé de coucher, lui vingtième, dans une chambre commune, sur une table. D'autres couchaient dessous. On dormait à terre, et les plus heureux sur des banquettes ou des chaises. Il semblait que le pouvoir eût eu de l'humeur. Le prince s'en est plaint tout haut et a dit : « Dans cette affaire, tout ce qui vient du peuple est grand, tout ce qui vient du gouvernement est petit. »

Voulant gagner les Champs-Élysées, j'ai traversé le pont suspendu où j'ai donné mon sou. Générosité véritable, car la foule qui encombre le pont se dispense de payer.

Les légions et les régiments sont encore en bataille dans l'avenue de Neuilly.

L'avenue est décorée ou plutôt déshonorée dans toute sa longueur par d'affreuses statues en plâtre figurant des Renommées et par des colonnes triomphales surmontées d'aigles dorés et posés en porte-à-faux sur des piédestaux en marbre gris. Les gamins se divertissent à faire des trous dans ce marbre qui est en toile.

Sur chaque colonne on lit entre deux faisceaux de drapeaux tricolores le nom et la date d'une des victoires de Bonaparte.

Un médiocre décor d'opéra occupe le sommet de l'arc de triomphe, l'empereur debout sur un char de Renommées, ayant à sa droite la Gloire et à sa gauche la Grandeur. Que signifie une statue de la grandeur? Comment exprimer la grandeur par une statue? Est-ce en la faisant plus grande que les autres? Ceci est du galimatias monumental.

Ce décor, mal doré, regarde Paris. En tournant autour de l'arc, on le voit par derrière. C'est une vraie ferme de théâtre. Du côté de Neuilly l'empereur, les Gloires et les Renommées ne sont plus que des châssis grossièrement chantournés.

A propos de cela, les figures de l'avenue des Invalides ont été étrangement choisies, soit dit en passant. La liste publiée donne des alliances de noms bizarres et hardies. En voici une : *Lobau. Charlemagne. Hugues Capet.*

Il y a quelques mois, je me promenais dans ces mêmes Champs-Élysées avec Thiers, alors premier ministre. Il eût à coup sûr mieux *réussi* cette cérémonie. Il l'eût prise à cœur. Il avait des idées. Il sent et il aime Napoléon. Il me contait des anecdotes sur l'empereur. M. de Rémusat lui a communiqué les mémoires inédits de sa mère. Il y a là cent détails.

L'empereur était bon et taquin. La taquinerie est la méchanceté des bons. Caroline, sa sœur, voulait être reine. Il la fit reine, reine de Naples. Mais la pauvre femme eut beaucoup de soucis dès qu'elle eut un trône et s'y rida et s'y fana quelque peu.

Un jour Talma déjeunait avec Napoléon — l'étiquette n'admettait Talma qu'au déjeuner. — Voici que la reine Caroline arrivant de Naples, pâle et fatiguée, entre chez l'empereur. Il la regarde, puis se tourne vers Talma, fort empêché entre ces deux majestés. — Mon cher Talma, lui dit-il, elles veulent toutes être reines, elles y perdent leur beauté. Regardez Caroline. Elle est reine, elle est laide.

Au moment où je passe, on achève de démolir les innombrables estrades tendues de noir et décorées de banquettes de bal qui ont été élevées par des spéculateurs à l'entrée de l'avenue de Neuilly. Sur l'une d'elles, en face du jardin Beaujon, je lis cet écriteau : — *Places à louer. Tribune d'Austerlitz. S'adresser à M. Berthellemot, confiseur.*

De l'autre côté de l'avenue, sur une baraque de saltimbanques ornée de deux affreuses peintures d'enseigne représentant, l'une, la mort de l'empereur, l'autre, le fait d'armes de Mazagran, je lis cet autre écriteau : Napoléon dans son cercueil. Trois sous.

Des hommes du peuple passent et chantent : *Vive mon grand Napoléon! vive mon vieux Napoléon!*

Des marchands parcourent la foule, criant : Tabac et cigares! D'autres offrent aux passants je ne sais quel liquide chaud et fumant dans une théière de cuivre en forme d'urne et voilée d'un crêpe. Une vieille revendeuse met naïvement son caleçon au milieu du brouhaha.

Vers cinq heures, le char-catafalque, vide maintenant, remonte l'avenue des Champs-Élysées afin d'aller *se remiser* sous l'arc de l'Étoile. Ceci est une belle idée.

Mais les magnifiques chevaux-spectres sont fatigués. Ils ne marchent qu'avec peine, et lentement, au grand effort des cochers. Rien de plus étrange que les hu-ho! et les dia-hu! tombant sur cet attelage à la fois impérial et fantastique.

Je reviens chez moi par les boulevards. La foule y est immense. Tout à coup elle s'écarte et se retourne avec une sorte de respect. Un homme passe fièrement au milieu d'elle. C'est un ancien houzard de la garde impériale : vétéran de haute taille et de ferme allure.

Il est en grand uniforme, pantalon rouge collant, veste blanche à passementerie d'or, dolman bleu ciel, colback à flamme et à torsades, le sabre au côté, la sabretache battant la cuisse, l'aigle sur la gibecière. Autour de lui les petits enfants crient : Vive l'empereur!

Il est certain que toute cette cérémonie a eu un singulier caractère d'escamotage. Le gouvernement semblait avoir peur du fantôme qu'il évoquait. On avait l'air tout à la fois de montrer et de cacher Napoléon. On a laissé dans l'ombre tout ce qui eût été trop grand ou trop touchant. On a dérobé le réel et le grandiose sous des enveloppes plus ou moins splendides, on a escamoté le cortège impérial dans le cortège militaire, on a escamoté l'armée dans la garde nationale, on a escamoté les chambres dans les Invalides, on a escamoté le cercueil dans le cénotaphe.

Il fallait au contraire prendre Napoléon franchement, s'en faire honneur, le traiter royalement et populairement en empereur, et alors on eût trouvé de la force là où l'on a failli chanceler.

Choses vues.

Journal d'un parisien

Là où quelque chose se passe, aussitôt Hugo passe — et il ne fait pas seulement que passer — l'œil aux aguets, les oreilles au guet, le poète regarde, de tous ses yeux regarde, écoute, de toute son attention écoute. Et le soir il décrit ce qu'il a vu et vécu. Un dîner avec Bugeaud...

V. H... fut nommé à l'Académie un mardi. Deux jours après, Mme de Girardin, qui demeurait alors rue Laffitte, l'invita à dîner.

A ce dîner était Bugeaud, qui n'était encore que général, qui venait d'être nommé gouverneur général de l'Algérie et qui allait partir pour son poste.

Bugeaud était alors un homme de soixante-cinq ans, vigoureux, très coloré de visage, marqué de petite vérole. Il avait une certaine brusquerie qui n'était jamais de la grossièreté. C'était un paysan mélangé de l'homme du monde, fruste et rempli d'aisance, n'ayant rien de la lourdeur de la culotte de peau, spirituel et galant.

Mme de Girardin mit le général à sa droite et V. H... à sa gauche. La conversation s'établit entre le poète et le troupier, Mme de Girardin servant de truchement.

Le général était en grande humeur contre l'Algérie. Il prétendait que cette conquête empêchait la France de parler haut à l'Europe ; que, du reste, rien n'était plus facile à conquérir que l'Algérie, qu'on y pouvait sans peine bloquer les troupes, qu'elles seraient prises ainsi que des rats et qu'on n'en ferait qu'une bouchée ; qu'en outre, il était très difficile de coloniser l'Algérie ; que le sol était improductif : il avait inspecté les terrains lui-même, et il avait constaté qu'il y avait un pied et demi de distance entre chaque tige de blé.

« — Comment ! dit V. H..., voilà ce qu'est devenu ce que l'on appelait le grenier des Romains ! Mais, en serait-il ce que vous dites, je crois que notre nouvelle conquête est chose heureuse et grande. C'est la civilisation qui marche sur la barbarie. C'est un peuple éclairé qui va trouver un peuple dans la nuit. Nous sommes les Grecs du monde ; c'est à nous d'illuminer le monde. Notre mission s'accomplit, je ne chante qu'hosanna. Vous pensez autrement que moi, c'est tout simple. Vous parlez en soldat, en homme d'action. Moi, je parle en philosophe et en penseur. »

En 1846 — cinq ans après — l'opinion de Bugeaud était entièrement changée. Il vint trouver Victor Hugo, alors pair de France, pour le prier de parler dans la question du budget. Bugeaud dit qu'après expérience il avait acquis la conviction que l'annexion de l'Algérie à la France avait d'excellents côtés, qu'il avait trouvé un système de colonisation applicable, qu'il peuplerait la Mitidja, grand plateau au milieu de l'Afrique, de colons civils, qu'à côté il élèverait une colonie de troupes. Il prit pour comparaison une lance : — le manche serait un civil, la flèche la troupe ; de façon que les deux colonies se touchassent sans se mêler, etc., etc. — En résumé, le général Bugeaud, que l'Afrique avait fait maréchal et duc d'Isly, était devenu très favorable à l'Afrique. (Note de Victor Hugo).

Choses vues

... des scènes de rues ...

V. H. quitta d'assez bonne heure Mme de Girardin. C'était le 9 janvier. Il neigeait à flocons. Il avait des souliers minces, et, quand il fut dans la rue, il vit l'impossibilité de revenir à pied chez lui. Il descendit la rue Taitbout, sachant qu'il y avait une place de cabriolets sur le boulevard au coin de cette rue. Il n'y en avait aucun. Il attendit qu'il en vînt.

Il faisait ainsi le planton, quand il vit un jeune homme ficelé, et cossu dans sa mise, se baisser, ramasser une grosse poignée de neige et la planter dans le dos d'une fille qui stationnait au coin du boulevard et qui était en robe décolletée.

Cette fille jeta un cri perçant, tomba sur le fashionable, et le battit. Le jeune homme rendit les coups, la fille riposta, la bataille alla crescendo, si fort et si loin que les sergents de ville accoururent.

Ils empoignèrent la fille et ne touchèrent pas à l'homme.

En voyant les sergents de ville mettre la main sur elle, la malheureuse se débattit. Mais, quand elle fut bien empoignée, elle témoigna la plus profonde douleur.

Pendant que deux sergents de ville la faisaient marcher de force, la tenant chacun par le bras, elle s'écriait :

— Je n'ai rien fait de mal, je vous assure, c'est le monsieur qui m'en a fait. Je ne suis pas coupable ; je vous en supplie, laissez-moi. Je n'ai rien fait de mal, bien sûr, bien sûr !

Les sergents de ville lui répliquaient sans l'écouter :
— Allons marche ; tu en as pour tes six mois. — La pauvre

fille à ces mots : *Tu en as pour tes six mois*, recommençait à se justifier et redoublait ses supplices et ses prières. Les sergents de ville, peu touchés de ses larmes, la traînèrent à un poste rue Chaudat, derrière l'Opéra.

V. H., intéressé malgré lui à la malheureuse, les suivait, au milieu de cette cohue de monde qui ne manque jamais en pareille circonstance.

Arrivé près du poste, V. H. eut la pensée d'entrer et de prendre parti pour la fille. Mais il se dit qu'il était bien connu, que justement les journaux étaient pleins de son nom depuis deux jours et que se mêler à une semblable affaire c'était prêter le flanc à toutes sortes de mauvaises plaisanteries. Bref, il n'entra pas.

La salle où l'on avait déposé la fille était au rez-de-chaussée et donnait sur la rue. Il regarda ce qui se passait, à travers les vitres. Il vit la pauvre femme se traîner de désespoir par terre, s'arracher les cheveux ; la compassion le gagna, il se mit à réfléchir, et le résultat de ses réflexions fut qu'il se décida à entrer.

Quand il mit le pied dans la salle, un homme, qui était assis devant une table éclairée par une chandelle et qui écrivait, se retourna et lui dit d'une voix brève et péremptoire :

— Que voulez-vous, Monsieur ?

— Monsieur, j'ai été témoin de ce qui vient de se passer ; je viens déposer ce que de j'ai vu et vous parler en faveur de cette femme.

A ces mots, la femme regarda V. H. muette d'étonnement, et comme étourdie.

— Monsieur, votre déposition, plus ou moins intéressée, ne sera d'aucune valeur. Cette fille est coupable de voies de fait sur la place publique, elle a battu un monsieur. Elle en a pour ses six mois de prison.

La fille recommençait à sangloter, à crier, à se rouler. D'autres filles qui l'avaient rejointe lui disaient : « Nous

irons te voir. Calme-toi. Nous te porterons du linge.
Prends cela en attendant. » Et en même temps elles lui
donnaient de l'argent et des bonbons.

— Monsieur, dit V. H., lorsque vous saurez qui je suis,
vous changerez peut-être de ton et de langage, et vous
m'écouterez.

— Qui êtes-vous donc, monsieur ?

V. H. ne vit aucune raison pour ne pas se nommer. Il se
nomma. Le commissaire de police, car c'était un commissaire de police, se répandit en excuses, devint aussi
poli et aussi déférent qu'il avait été arrogant, lui offrit
une chaise et le pria de vouloir bien prendre la peine de
s'asseoir.

V. H. lui raconta qu'il avait vu, de ses yeux vu, un
monsieur ramasser un paquet de neige et le jeter dans le dos
de cette fille ; que celle-ci, qui ne voyait même pas ce
monsieur, avait poussé un cri témoignant d'une vive
souffrance ; qu'en effet elle s'était jetée sur le monsieur,
mais qu'elle était dans son droit ; qu'outre la grossièreté
du fait, le froid violent et subit causé par cette neige
pouvait, en certain cas, lui faire le plus grand mal ; que,
loin d'ôter à cette fille — qui avait peut-être une mère ou
un enfant — le pain gagné si misérablement, ce serait
plutôt l'homme coupable de cette tentative envers elle
qu'il faudrait condamner à des dommages-intérêts ;
enfin que ce n'était pas la fille qu'on aurait dû arrêter,
mais l'homme.

Pendant ce plaidoyer, la fille, de plus en plus surprise,
rayonnait de joie et d'attendrissement. — Que ce monsieur
est bon ! disait-elle. Mon Dieu, qu'il est bon ! Mais c'est
que je ne l'ai jamais vu, c'est que je ne le connais pas du
tout !

Le commissaire de police dit à V. H. :

— Je crois tout ce que vous avancez, Monsieur ; mais
les sergents de ville ont déposé, il y a un procès-verbal

commencé. Votre déposition entrera dans ce procès-verbal, soyez-en sûr. Mais il faut que la justice ait son cours et je ne puis mettre cette fille en liberté.

— Comment! Monsieur, après ce que je viens de vous dire et qui est la vérité — vérité dont vous ne pouvez pas douter, dont vous ne doutez pas, — vous allez retenir cette fille? Mais cette justice est une horrible injustice.

— Il n'y a qu'un cas, Monsieur, où je pourrais arrêter la chose, ce serait celui où vous signeriez votre déposition ; le voulez-vous?

— Si la liberté de cette femme tient à ma signature, la voici. Et V. H. signa.

La femme ne cessait de dire : Dieu! que ce monsieur est bon! Mon Dieu, qu'il est donc bon!

Ces malheureuses femmes ne sont pas seulement étonnées et reconnaissantes quand on est compatissant envers elles ; elles ne le sont pas moins quand on est juste.

. . . .

Aujourd'hui, 11 mars 1841, après trois mois, j'ai revu l'Esplanade des Invalides.

J'étais allé visiter un vieil officier malade. Il faisait le plus beau temps du monde, un soleil chaud et jeune, une journée plutôt de la fin que du commencement du printemps.

Toute l'Esplanade est bouleversée. Elle est encombrée par la ruine des funérailles. On a enlevé l'échafaudage des estrades, les carrés de gazon qu'elles couvraient ont reparu, hideusement rayés en tous sens par l'ornière profonde des charrettes à plâtras. Des statues qui bordaient l'avenue triomphale, deux seulement sont encore debout : *Marceau* et *Duguesclin*. Çà et là, des tas de pierres, restes des piédestaux.

Des soldats, des invalides, des marchands de pommes errent au milieu de toute cette poésie tombée.

Une foule joyeuse passait rapidement devant les Inva-

lides, allant voir le puits artésien. Dans un coin silencieux
de l'Esplanade stationnaient deux omnibus couleur
chocolat (Béarnaises), portant cette affiche en grosses
lettres :

PUITS DE L'ABATTOIR DE GRENELLE

Il y a trois mois, ils portaient celle-ci :

FUNÉRAILLES DE NAPOLÉON AUX INVALIDES

Dans la cour de l'hôtel, le soleil égayait et réchauffait
une cohue de marmots et de vieillards, la plus charmante
du monde. C'était jour de visite publique. Les curieux
affluaient. Les jardiniers taillaient les charmilles. Les
lilas bourgeonnaient dans les petits jardins des invalides.
Un jeune garçon de quatorze ans chantait à tue-tête,
grimpé sur l'affût du dernier canon à droite, celui-là
même qui a tué un gendarme en tirant la première salve
funèbre, le 15 décembre.

Je note en passant que depuis trois ans on a juché ces
admirables pièces du xvie et xviie siècle sur de hideux
petits affûts en fonte qui sont de l'effet le plus misérable
et le plus mesquin. Les anciens affûts de bois, énormes,
trapus, massifs, supportaient dignement ces bronzes
magnifiques et monstrueux.

Une nuée d'enfants, paresseusement surveillés par leurs
bonnes, penchées chacune vers leur soldat, s'ébattait
parmi les vingt-quatre grosses coulevrines apportées de
Constantine et d'Alger.

On a du moins épargné à ces engins gigantesques
l'affront des affûts d'*uniforme*. Elles gisent couchées à
terre des deux côtés de la porte d'entrée. Le temps en
a peint le bronze d'un vert clair et charmant, et elles sont
couvertes d'arabesques par larges plaques. Quelques-unes,
les moins belles, il faut en convenir, sont de fabrique

française. On lit sur la culasse : *François Durand, fondeur du roi de France à Alger.*

Pendant que je copiais l'inscription, une toute petite fille, jolie et fraîche, vouée au blanc, s'amusait à remplir de sable avec ses petits doigts roses la lumière de l'un de ces gros canons turcs. Un invalide, le sabre nu, debout sur ses deux jambes de bois, et chargé sans doute de garder cette artillerie, la regardait faire en souriant.

Au moment où je quittais l'esplanade, vers trois heures, un petit groupe, marchant lentement, la traversait. C'était un homme vêtu de noir, un crêpe au bras et au chapeau, suivi de trois autres, dont l'un, couvert d'une blouse bleue, tenait un jeune garçon par la main. L'homme au crêpe avait sous le bras une espèce de boîte blanchâtre à demi cachée par un drap noir, qu'il portait comme un musicien porte l'étui dans lequel est renfermé son instrument.

Je me suis approché. L'homme noir, c'était un croque-mort ; la boîte, c'était la bière d'un enfant.

Le trajet que faisait le convoi parallèlement à la façade des Invalides coupait en croix la ligne qu'avait suivie, il y a trois mois, le corbillard de Napoléon.

Aujourd'hui, 8 mai, je suis retourné aux Invalides pour voir la chapelle Saint-Jérôme où l'empereur est provisoirement déposé. Toute trace de la cérémonie du 15 décembre a disparu de l'Esplanade. Les quinconces sont retracés ; le gazon pourtant n'a pas encore repoussé. Il faisait un assez beau soleil mêlé par instant de nuages et de pluie. Les arbres étaient verts et joyeux. Les pauvres vieux invalides causaient doucement avec des tas de marmots et se promenaient dans leurs petits jardins pleins de bouquets. C'est ce charmant moment de l'année où les derniers lilas s'effeuillent, où les premiers faux-ébéniers fleurissent.

Les larges ombres des nuages passaient rapidement

dans la cour d'honneur où il y a, sous une archivolte du premier étage, une statue pédestre en plâtre de Napoléon, assez triste pendant du Louis XIV équestre fièrement sculpté en pierre sur le grand portail.

Tout autour de la cour, au-dessous de la corniche des toits, sont encore collées, derniers vestiges des funérailles, les longues bandes minces de toile noire sur lesquelles on avait peint en lettres d'or, trois par trois, les noms des généraux de la révolution et de l'empire. Le vent commence pourtant à les arracher çà et là. Sur l'une de ces bandes, dont la pointe détachée flottait à l'air, j'ai lu ces trois noms :

SAURET — CHAMBURE — HUG...

La fin du troisième nom avait été déchirée et emportée par le vent. Était-ce *Hugo* ou *Huguet?*

Quelques jeunes soldats entraient dans l'église. J'ai suivi ces *tourlourous*, comme on dit aujourd'hui. Car en temps de guerre le soldat appelle le bourgeois *pékin*, en temps de paix le bourgeois appelle le soldat *tourlourou*.

L'église était nue et froide, presque déserte. Au fond, une grande toile grise tendue du haut en bas masquait l'énorme archivolte du dôme. On entendait derrière cette toile des coups de marteau sourds et presque lugubres.

Je me suis promené quelques instants en lisant sur les piliers les noms de tous les hommes de guerre enterrés là.

Tout le long de la haute nef, au-dessus de nos têtes, les drapeaux conquis sur l'ennemi, ce tas de haillons magnifiques, frissonnaient doucement près de la voûte.

Dans les intervalles des coups de marteau j'entendais un chuchotement dans un coin de l'église. C'était une vieille femme qui se confessait.

Les soldats sont sortis, et moi derrière eux.

Ils ont tourné à droite, par le corridor de Metz, et nous nous sommes mêlés à une foule assez nombreuse et fort parée qui suivait cette direction. Le corridor débouche dans la cour intérieure où est la petite entrée du dôme.

J'ai retrouvé là, dans l'ombre, trois autres statues de plomb, descendues de je ne sais où, que je me rappelle avoir vues, à cette même place, étant tout enfant, en 1815, lors des mutilations d'édifices, de dynasties et de nations qui se firent à cette époque. Ces trois statues, du plus mauvais style de l'empire, froides comme ce qui est allégorique, mornes comme ce qui est médiocre, sont là debout le long du mur, dans l'herbe, parmi des tas de chapiteaux, avec je ne sais quel faux air de tragédies sifflées. L'une d'elles tient un lion attaché à une chaîne et représente la Force. Rien n'a l'air désorienté comme une statue posée à plat sur le sol, sans piédestal ; on dirait un cheval sans cavalier ou un roi sans trône. Il n'y a que deux attitudes pour le soldat, la bataille ou la mort ; il n'y en a que deux pour le roi, l'empire ou le tombeau ; il n'y en a que deux pour la statue, être debout dans le ciel ou couchée sur la terre.

Une statue à pied étonne l'esprit et importune l'œil. On oublie qu'elle est de plâtre ou de bronze et que le bronze ne marche pas plus que le plâtre, et l'on est tenté de dire à ce pauvre personnage à face humaine si gauche et si malheureux dans sa posture d'apparat : — Eh bien ! va donc ! va ! marche ! continue ton chemin ! démène-toi ! La terre est sous tes pieds. Qui te retient ? qui t'empêche ? — Du moins le piédestal explique l'immobilité. Pour les statues comme pour les hommes, un piédestal c'est un petit espace étroit et honorable, avec quatre précipices tout autour.

Après avoir passé les statues, j'ai tourné à droite et je suis entré dans l'église par la grande porte de la façade postérieure qui donne sur le boulevard.

Plusieurs jeunes femmes ont franchi la porte en même temps que moi, en riant et en s'appelant.

La sentinelle nous a laissés passer. C'était un vieux soldat triste et courbé, le sabre au poing, peut-être un ancien grenadier de la garde impériale, — immobile et muet dans l'ombre, et appuyant le bout de sa jambe de bois usée sur une fleur de lys de marbre à demi arrachée du pavé.

Pour arriver à la chapelle où est Napoléon, on marche sur une mosaïque fleurdelysée. La foule, les femmes et les soldats se hâtaient. Je suis entré à pas lents dans l'église.

Un jour d'en haut, blanc et blafard, plutôt un jour d'atelier qu'un jour d'église, éclairait l'intérieur du dôme. Sous la coupole même, à l'endroit où était l'autel et où sera le tombeau, s'élevait, abrité du côté de la nef par l'immense toile grise, le grand échafaudage qui a servi à démolir le baldaquin construit sous Louis XIV. Il ne restait plus de ce baldaquin que les fûts des six grosses colonnes de bois qui en soutenaient le chef. Ces colonnes, sans chapiteaux et sans tailloirs, étaient encore supportées verticalement par six façons de bûches qu'on avait substituées aux piédestaux. Les feuillages d'or, dont les spirales donnaient un faux air de colonnes torses, avaient déjà disparu, laissant une trace noire sur les six fûts dorés. Les ouvriers perchés çà et là dans l'intérieur de l'échafaudage avaient l'air de grands oiseaux dans une cage énorme.

D'autres, en bas, arrachaient le pavé. D'autres allaient et venaient dans l'église, portant leurs échelles, sifflant et causant.

A ma droite, la chapelle de Saint-Augustin était pleine de décombres. De larges pans brisés et amoncelés de cette belle mosaïque où Louis XIV avait enraciné ses fleurs de lys et ses soleils cachaient les pieds de **sainte Monique** et de sainte Alipe, stupéfaites et comme scandalisées dans leurs niches. La Religion de Girardon, debout entre les deux fenêtres, regardait gravement ce désordre.

Au-delà de la chapelle Saint-Augustin, de grandes lames de marbre, qui avaient été le dallage du dôme, posées verticalement les unes contre les autres, masquaient à demi un guerrier blanc couché au bas d'une assez haute pyramide de marbre noir engagée dans le mur. Au-dessous du guerrier un écartement des dalles permettait de lire ces trois lettres :

UBA

C'était le tombeau de *VaUBAn*.

De l'autre côté de l'église, vis-à-vis le tombeau de Vauban, était le tombeau de Turenne. Celui-ci avait été plus respecté que l'autre.

Aucun entassement de ruines ne s'appuyait à cette grande machine de sculpture, plutôt pompeuse que funèbre, plutôt faite pour l'opéra que pour l'église, selon la froide et noble étiquette qui régissait l'art de Louis XIV. Aucune palissade, aucun déblai n'empêchait le passant de voir Turenne vêtu en empereur romain mourir là d'un boulet autrichien, au-dessus du bas-relief en bronze de la bataille de Turckheim, et de lire cette date mémorable : 1675, année où Turenne mourut, où le duc de Saint-Simon naquit et où Louis XIV posa la première pierre de l'Hôtel des Invalides.

A droite, contre l'échafaudage du dôme et le tombeau de Turenne, entre le silence de ce sépulcre et le tapage des ouvriers, dans une petite chapelle barricadée et déserte, j'entrevoyais, derrière une balustrade, par l'ouverture d'une arcade blanche, un groupe de statues dorées, posées là, pêle-mêle, et sans doute arrachées du baldaquin, qui semblaient s'entretenir à voix basse de toute cette dévastation. Elles étaient six, six anges ailés et lumineux, six fantômes d'or sinistrement éclairés d'un pâle rayon de soleil. L'une de ces statues montrait du doigt aux autres la chapelle de Saint-Jérôme sombre et tendue de deuil et semblait prononcer avec terreur ce mot : « Napoléon. » Au-dessus de ces six spectres, sur la corniche du petit dôme de la chapelle, un grand ange de bois doré jouait de la basse, les yeux levés au ciel, presque avec l'attitude que le Véronèse donne au Tintoret dans les Noces de Cana.

Cependant j'étais arrivé au seuil de la chapelle de Saint-Jérôme.

Une grande archivolte avec une haute portière de drap violet assez chétif *imprimé* de grecques et de palmettes d'or ; au sommet de la portière, l'écusson impérial en bois peint ; à gauche, deux faisceaux de drapeaux tricolores surmontés d'aigles qui avaient l'air de coqs retouchés pour la circonstance ; des invalides décorés de la Légion d'honneur, la pique à la main ; la foule silencieuse et recueillie entrant sous la voûte ; au fond, à une profondeur de huit à dix pas, une grille de fer peinte en bronze ; sur la grille, qui est d'une ornementation lourde et molle, des têtes de lion, des N dorées qui ont l'air de clinquant appliqué, les armes de l'empire, la main de justice et le spectre surmonté d'une figurine de Charlemagne assis, la couronne en tête et le globe à la main ; au-delà de la grille, l'intérieur de la chapelle, je ne sais quoi d'auguste, de formidable et de saisissant, un lampadaire allumé, un grand aigle d'or, largement éployé, dont le ventre brillait d'un reflet de lampe funèbre et les ailes d'un reflet de soleil ; au-dessous de l'aigle, sous une vaste et éblouissante gerbe de drapeaux ennemis, le cercueil, dont on voyait les pieds d'ébène et les anneaux d'airain ; sur le cercueil, la grande couronne impériale pareille à celle de Charlemagne, le diadème de laurier d'or pareil à

celui de César, le poêle de velours violet semé d'abeilles ;
en avant du cercueil, sur une crédence, le chapeau de
Sainte-Hélène et l'épée d'Eylau ; sur le mur, à droite du
cercueil, au milieu d'une rondache argentée ce mot :
Wagram ; à gauche au milieu d'une autre rondache,
cet autre mot : *Austerlitz ;* tout autour, sur la muraille,
une tenture de velours violet brodée d'abeilles et d'aigles ;
tout en haut, à la naissance de la voûte, au-dessus de la
lampe, de l'aigle, de la couronne, de l'épée et du cercueil,
une fresque et dans cette fresque l'ange du jugement
sonnant de la trompette sur saint Jérôme endormi, — voilà
ce que j'ai vu d'un coup d'œil, et voilà ce qu'une minute
a gravé dans ma mémoire pour ma vie.

Le chapeau, bas, large des bouts, peu usé, orné d'une
ganse noire, de dessous laquelle sortait une très petite
cocarde tricolore, était posé sur l'épée, dont la poignée
d'or ciselé était tournée vers l'entrée de la chapelle et la
pointe vers le cercueil.

Il y avait de la mesquinerie mêlée à cette grandeur.
Cela était mesquin par le drap violet imprimé et non brodé,
par le carton peint en pierre, par ce fer creux peint en
bronze, par cet écusson de bois, par ces N de paillon, par
ce cippe de toile badigeonné en granit, par ces aigles
quasi-coqs. Cela était grand par le lieu, par l'homme, par
la réalité, par cette épée, par ce chapeau, par cet aigle,
par ces soldats, par ce peuple, par ce cercueil d'ébène,
par ce rayon de soleil.

La foule était là comme devant un autel où le Dieu serait visible. Mais en sortant de la chapelle, après avoir
fait cent pas, elle entrait voir la cuisine et la grande
marmite. La foule est ainsi faite.

C'est avec une profonde émotion que je regardais ce
cercueil. Je me rappelais qu'il n'y a pas encore un an
au mois de juillet, un M*** s'était présenté chez moi et,
après m'avoir dit qu'il était maître ébéniste dans la rue

des Tournelles et mon voisin, m'avait prié de lui donner mon avis sur un objet important et précieux qu'il était chargé de « confectionner » en ce moment. Comme je m'intéresse fort aux progrès que peut faire cette petite architecture intérieure qu'on appelle l'ameublement, j'avais accueilli cette demande et j'avais suivi M*** rue des Tournelles. Là, après m'avoir fait traverser plusieurs grandes salles encombrées et m'avoir montré une foule immense de meubles en chêne et en acajou, chaises gothiques, secrétaire à galerie estampée, tables à pieds tors, parmi lesquels j'avais admiré une vraie vieille armoire de la Renaissance incrustée de nacre et de marbre, fort délabrée et fort charmante, l'ébéniste m'avait introduit dans un grand atelier plein d'activité, de hâte et de bruit, où une vingtaine d'ouvriers travaillaient avec je ne sais quels morceaux de bois noir entre les mains. J'avais aperçu dans un coin de l'atelier une sorte de grande boîte noire en ébène longue d'environ huit pieds, large de trois, garnie à ses extrémités de gros anneaux de cuivre. Je m'étais approché. — C'est là précisément, m'avait dit le maître, ce que je voulais vous montrer. — Cette boîte noire, c'était le cercueil de l'empereur. Je l'avais vue alors, je la revoyais aujourd'hui. Je l'avais vue vide, creuse, toute grande ouverte. Je la revoyais pleine, habitée par un grand souvenir, à jamais fermée.

Je me souviens que j'en considérai longtemps l'intérieur. Je regardai surtout une grande veine blanchâtre dans la planche d'ébène qui forme la paroi latérale gauche et je me disais : — Dans quelques mois le couvercle sera scellé sur cette bière, et mes yeux seront peut-être fermés depuis trois ou quatre mille ans avant qu'il soit donné à d'autres yeux humains de voir ce que je vois en ce moment, le dedans du cercueil de Napoléon.

Je pris alors tous les morceaux de cercueil qui n'étaient pas encore ajustés, je les soulevai et je les pesai dans mes mains. Cette ébène était fort belle et fort lourde. Le maître, voulant me donner une idée de l'ensemble, fit poser par six hommes le couvercle sur le cercueil. Je n'approuvai pas cette forme banale qu'on a donnée à cette bière, forme qu'on donne aujourd'hui à tous les cercueils, à tous les autels et à toutes les corbeilles de noces. J'eusse mieux aimé que Napoléon dormît dans une gaine égyptienne comme Sésostris ou dans un sarcophage roman comme Mérovée. Le simple est aussi du grand.

Sur le couvercle brillait en assez grandes lettres ce nom *Napoléon*. — En quel métal sont ces lettres ? dis-je au maître. Il me répondit : — En cuivre, mais on les dorera. — Il faut, repris-je, que ces lettres soient en or. Avant cent ans, les lettres de cuivre seront oxydées et auront rongé le bois du cercueil. Combien les lettres en or coûteraient-elles à l'État ? — Environ vingt mille francs, monsieur. — Le soir même, j'allai chez M. Thiers, alors président du conseil, et je lui dis la chose. — Vous avez raison, me dit M. Thiers, les lettres seront en or, je vais en donner l'ordre. — Trois jours après, le traité du 15 juillet a éclaté ; je ne sais si M. Thiers a donné les ordres, si on les a exécutés, et si les lettres qui sont aujourd'hui sur le cercueil sont des lettres d'or.

Je sortais de la chapelle Saint-Jérôme comme quatre heures sonnaient et je me disais en m'en allant :

— En apparence, voici un N de clinquant qui brise, éclipse et remplace les L de marbre couronnées et fleurde-lysées de Louis XIV ; mais en réalité cela n'est pas. Si ce dôme est étroit, l'histoire est large. Un jour viendra où l'on rendra son dôme à Louis XIV et où l'on donnera un sépulcre à Napoléon.

29 mai 1841.

Il y a quelques jours, je traversais la rue de Chartres. Une palissade en planches, qui liait deux îles de hautes maisons à six étages, attira mon attention. Elle projetait sur le pavé une ombre que les rayons du soleil, passant entre les planches mal jointes, rayaient de charmants fils d'or parallèles, comme on en voit sur les beaux satins noirs de la Renaissance. Je m'approchai et je regardai à travers les fentes.

Cette palissade enclôt aujourd'hui le terrain sur lequel était bâti le théâtre du Vaudeville, brûlé, il y a deux ans, en juin 1839.

Il était deux heures après midi, le soleil était ardent, la rue était déserte.

Une façon de porte bâtarde peinte en gris, encore ornée de feuillures rococo et qui probablement fermait il y a cent ans quelque boudoir de petite-maîtresse, avait été ajustée à la palissade. Il n'y avait qu'un loquet à soulever. J'entrai dans l'enclos.

Rien de plus triste et de plus désolé. Un sol plâtreux. Çà et là de grosses pierres ébauchées par le maçon, puis abandonnées et attendant, à la fois blanches comme des pierres de sépulcre et moisies comme des pierres de ruine. Personne dans l'enclos. Sur les murs des maisons voisines des traces encore visibles de flamme et de fumée.

Cependant, depuis la catastrophe, deux printemps successifs avaient détrempé cette terre, et dans un coin du trapèze, derrière une énorme pierre verdissante sous laquelle se prolongeaient des cryptes pour les cloportes, les nécrophores et les mille-pieds, un peu d'herbe avait poussé à l'ombre.

Je m'assis sur cette pierre et je me penchai sur cette herbe.

O mon Dieu! il y avait là la plus jolie petite marguerite du monde, autour de laquelle allait et venait coquettement une charmante mouche microscopique.

Cette fleur des prés croissant paisiblement et selon la douce loi de la nature, en pleine terre, au centre de Paris, entre deux rues, à deux pas du Palais-Royal, à quatre pas du Carrousel, au milieu des passants, des boutiques, des fiacres, des omnibus et des carrosses du roi, cette fleur des champs voisine des pavés m'a ouvert un abîme de rêverie.

Qui eût pu prévoir, il y a dix ans, qu'il y aurait là un jour une pâquerette!

S'il n'y avait jamais eu sur cet emplacement, comme sur les terrains d'à côté, que des maisons, c'est-à-dire des propriétaires, des locataires et des portiers, des habitants soigneux éteignant la chandelle et le feu la nuit avant de s'endormir, il n'y aurait jamais eu là de fleur des prés.

Que de choses, que de pièces tombées ou applaudies, que de familles ruinées, que d'incidents, que d'aventures, que de catastrophes résumés par cette fleur! Pour tous ceux qui vivaient de la foule appelée ici tous les soirs, quel spectre que cette fleur, si elle leur était apparue il y a deux ans! Quel labyrinthe que la destinée et que de combinaisons mystérieuses pour aboutir à ce ravissant petit soleil jaune aux rayons blancs!

Il a fallu un théâtre et un incendie, ce qui est la gaîté d'une ville et ce qui en est la terreur, l'une des plus gracieuses inventions de l'homme et l'un des plus redoutables fléaux de Dieu, des éclats de rire pendant trente ans et des tourbillons de flammes pendant trente heures pour produire cette pâquerette, joie de ce moucheron!

Pour qui sait les voir, les plus petites choses sont souvent les plus grandes.

Choses vues.

... l'accident qui coûta la vie au duc d'Orléans,
le fils aîné du roi.

Hier, 13 juillet 1842, M. le duc d'Orléans est mort par accident.

A ce sujet, quand on médite l'histoire des cent cinquante dernières années, une remarque vient à l'esprit. Louis XIV a régné, son fils n'a pas régné ; Louis XV a régné, son fils n'a pas régné ; Louis XVI a régné, son fils n'a pas régné ; Napoléon a régné, son fils n'a pas régné ; Charles X a régné, son fils n'a pas régné ; Louis-Philippe règne, son fils ne régnera pas. Fait extraordinaire ! Six fois de suite la prévoyance humaine désigne dans tout un peuple une tête qui devra régner, et c'est précisément celle-là qui ne règne pas. Six fois de suite la prévoyance humaine est en défaut. Le fait persiste avec une redoutable et mystérieuse obstination. Une révolution survient, un universel tremblement d'idées qui engloutit en quelques années un passé de dix siècles et toute la vie sociale d'une grande nation ; cette commotion formidable renverse tout, excepté le fait que nous venons de signaler ; elle le fait jaillir au contraire du milieu de tout ce qu'elle fait crouler ; un grand empire s'établit, un Charlemagne apparaît, un monde nouveau surgit, le fait persiste ; il semble être du monde nouveau comme il était du monde ancien. L'empire tombe, les vieilles races reviennent, le Charlemagne se dissout, l'exil prend le conquérant et rend les proscrits ; les révolutions se reforment et éclatent, les dynasties changent trois fois, les événements passent sur les événements, les flots passent sur les flots, — toujours le fait surnage, tout entier, sans discontinuité, sans modification, sans rupture. Depuis que les monarchies existent, le droit dit : *Le fils aîné du roi règne toujours,* et voilà que, depuis cent quarante ans, le fait répond : *Le fils du roi ne règne jamais.* Ne semble-t-il pas que c'est une loi qui se révèle, et qui se révèle, dans l'ordre inexplicable des faits humains, avec ce degré de persistance et de précision qui jusqu'à présent n'avait appartenu qu'aux faits matériels ? N'est-il pas temps que la providence intervienne pour déranger elle-même cela, et ne serait-il pas effrayant que certaines lois de l'histoire se manifestassent aux hommes avec la même exactitude, la même rigidité, et pour ainsi dire la même dureté, que les grandes lois de la nature ?

Pour le duc d'Orléans mourant, on jeta en hâte quelques matelas à terre et on fit le chevet d'une vieille chaise-fauteuil de paille qu'on renversa.

Un poêle délabré était derrière la tête du prince. Des casseroles et des marmites et des poteries grossières garnissaient quelques planches le long du mur. De grandes cisailles d'émondeur, un fusil de chasse, quelques images coloriées à deux sous, clouées à quatre clous, représentant Mazagran, le Juif Errant, et l'attentat de Fieschi, un portrait de Napoléon et un portrait du duc d'Orléans (Louis-Philippe) en colonel-général de hussards, complétaient la décoration de la muraille. Le pavé était un carreau de brique rouge non peinte. Deux vieux bahuts-armoires étayaient à gauche le lit de mort du prince.

Le chapelain de la reine, qui assistait le curé de Neuilly au moment de l'extrême-onction, est un fils naturel de Napoléon, l'abbé Guillon, qui ressemble beaucoup à l'empereur, moins l'air de génie.

Le maréchal Gérard assistait à cette agonie en uniforme, le maréchal Soult en habit noir avec sa figure de vieil évêque, M. Guizot en habit noir. Le roi avait un pantalon noir et un habit marron. La reine était en robe de soie violette garnie de dentelles noires.

20 juillet.

Dieu a fait deux dons à l'homme : l'espérance et l'ignorance. L'ignorance est le meilleur des deux.

Chaque fois que M. le duc d'Orléans, prince royal, allait à Villiers, son palais d'été, il passait devant une maison d'aspect chétif, n'ayant que deux étages et une seule fenêtre à chacun de ses deux étages, avec une pauvre boutique peinte en vert à son rez-de-chaussée. Cette boutique, sans fenêtre sur la route, n'avait qu'une porte qui laissait entrevoir dans l'ombre un comptoir, des balances, quelques marchandises vulgaires étalées sur le carreau, et au-dessus de laquelle était peinte en lettres jaune sale cette inscription : COMMERCE D'ÉPICERIE. Il n'est pas bien sûr que M. Le duc d'Orléans, jeune, insouciant, joyeux, heureux, ait jamais remarqué cette porte ; ou, s'il y a parfois jeté les yeux en courant rapidement sur ce chemin de plaisance, il l'aura regardée comme la porte d'une boutique misérable, d'un bouge quelconque, d'une masure. C'était la porte de son tombeau.

Aujourd'hui mercredi, 20 juillet 1842, j'ai visité le lieu où le prince est tombé, il y a précisément à cette heure une semaine. C'est à l'endroit de la chaussée qui est compris entre le vingt-sixième et le vingt-septième arbre à gauche, en comptant les arbres à partir de l'angle que fait le chemin avec le rond-point de la Porte-Maillot. Le dos d'âne de la chaussée a vingt et un pavés de largeur. Le prince s'est brisé le front sur le troisième et le quatrième pavé à gauche, près du bord. S'il eût été lancé dix-huit pouces plus loin, il serait tombé sur la terre.

Le roi a fait enlever les deux pavés tachés de sang, et l'on distinguait encore aujourd'hui, malgré la boue d'une journée pluvieuse, les deux pavés nouveaux fraîchement posés.

En face, sur le mur, entre les deux arbres, les passants ont tracé sur le plâtre une croix avec cette date : *13 juillet 1842* ; à côté est écrit ce mot : *martir (sic)*.

Du lieu où le prince est tombé on aperçoit à droite, dans une éclaircie, entre les maisons et les arbres, l'arc de l'Étoile. Du même côté, et à une portée de pistolet, apparaît un grand mur blanc entouré de hangars et de gravois, bordé d'un fossé et surmonté d'un enchevêtrement de grues, de cabestans et d'échafaudages. Ce sont les fortifications de Paris.

Pendant que je considérais les deux pavés et la croix tracée sur le mur, une bande d'écoliers, tous coiffés de chapeaux de paille, m'a entouré subitement, et ces jeunes, fraîches et riantes figures se sont groupées avec une curiosité insouciante autour du lieu fatal. A quelques pas plus loin, une jeune servante embrassait et caressait un tout petit enfant avec de grands éclats de rire.

La maison où le prince a expiré porte le nº 4 *bis* et est située entre une fabrique de savon et un gargotier-marchand de vin. La boutique du rez-de-chaussée est fermée. Au mur, à droite de la porte, est adossé un banc de bois grossier, sur lequel deux ou trois vieilles femmes se réchauffaient au soleil. Au-dessus de leur tête était collée, sur le fond vert du badigeon, une grande affiche blanche portant ces mots : *Eau minérale de Esprit Putot*. Des rideaux de calicot blanc à la fenêtre du premier semblent indiquer que la maison est encore habitée.

Force buveurs, attablés chez le marchand de vin voisin, riaient et causaient bruyamment. Deux portes au delà, sur la maison nº 6, presque vis-à-vis l'endroit où le prince s'est tué, est peinte cette enseigne en lettres noires : *Chanudet, paveur.*

Chose singulière : le prince est tombé à gauche, et l'autopsie a constaté que le corps était contus et le crâne brisé du côté droit.

M. Villemain (c'est lui-même qui me le disait avant-hier) est arrivé près du prince une demi-heure à peine après l'accident. Toute la famille royale y était déjà. En voyant entrer M. Villemain, le roi vint à lui vivement et lui dit : — C'est une chute cruelle ; il est encore évanoui, mais il n'a aucune fracture, tous les membres sont souples et en bon état.

Le roi avait raison ; tout le corps du prince était sain

et intact, excepté la tête, laquelle sans déchirure ni lésion extérieure, était brisée sous la peau *comme une assiette*, me dit Villemain.

Quoi qu'on en ait dit, le prince n'a ni pleuré ni parlé. Le crâne étant fracassé et le cerveau déchiré, cela était impossible. Il n'y avait plus qu'un reste de vie organique. Le mourant ne voyait pas, ne sentait pas, ne souffrait pas. M. Villemain l'a vu seulement remuer les jambes deux fois.

Le côté gauche du chemin est occupé par des jardins et des maisons de plaisance ; du côté droit, il n'y a que des masures.

Le 13 juillet, quand le prince sortit des Tuileries pour la dernière fois, il rencontra d'abord le monument humain qui éveille le plus puissamment l'idée de la durée, l'obélisque de Rhamsès, mais il put songer qu'à cette même place avait été dressé l'échafaud de Louis XVI. Il rencontra ensuite le monument qui éveille le plus splendidement l'idée de la gloire, l'arc de triomphe de l'Étoile, mais il put se souvenir que sous cette même voûte avait passé le cercueil de Napoléon. Cinq cents pas plus loin, il rencontra un chemin qui doit son nom sinistre à l'insurrection du 6 octobre fomentée par Philippe-Égalité contre Louis XVI. Ce chemin s'appelle la route de la *Révolte*. Au moment où ils y entrèrent, les chevaux qui conduisaient le petit-fils d'Égalité s'emportèrent, *se révoltèrent*, pour ainsi dire, et, aux deux tiers de cette route fatale, le prince tomba.

Le duc d'Orléans s'appelait Ferdinand comme son aïeul de Naples, Philippe comme son père et son aïeul de France, Louis comme Louis XVI, Charles comme Charles X, et Henri conme Henri V. Dans son acte mortuaire, on a omis (est-ce à dessein ?) son nom sicilien de Rosolino.

J'avoue que j'ai regretté ce nom gracieux qui rappelait Palerme et sainte Rosalie. On a craint je ne sais quel ridicule. Rosolino est charmant pour les poètes et bizarre pour les bourgeois.

Comme je m'en revenais vers six heures du soir, j'ai remarqué cette affiche en grosses lettres, collée çà et là sur les murailles : *Fête de Neuilly, le 3 juillet.*

Choses vues.

Un homme arrivé

Depuis 1841, Hugo est membre de l'Académie française. En 1845, il devient pair de France. Il est au faîte des honneurs, de la fortune et de la célébrité. Il fréquente les soirées que donne le Roi, et malgré le scandale que provoque, en 1845, un flagrant délit d'adultère où il est surpris en compagnie de la jolie Léonie Biard, c'est un personnage quasi officiel, puissant et respecté.

A peine rentré d'une séance à l'Académie, le voici qui dicte.

Dicté le 16 juin 1843.

Hier, à l'Académie, la séance n'étant pas encore ouverte, M. Royer-Collard et M. Ballanche sont venus s'asseoir auprès de moi. Nous nous sommes mis à causer. C'était pourtant plutôt une conversation à deux qu'à trois. J'écoutais plus que je ne parlais.

— Voici enfin la chaleur qui vient, a dit M. Royer-Collard.

— Oui, a répondu M. Ballanche, mais il en vient trop. C'est déjà trop pour moi.

— Comment! a repris M. Royer-Collard, vous n'êtes donc pas méridional ?

— Non. Cette chaleur m'accable. Je la subis. Je me résigne.

— Il faut se résigner aux saisons comme aux hommes, a dit M. Royer-Collard.

— La résignation est le fond de tout.

— Si l'on ne savait pas se résigner, a poursuivi M. Royer-Collard, on mourrait de colère.

Puis, après un moment de silence, et en appuyant sur les mots de la façon qui lui est particulière : — Je ne dis pas qu'on mourrait *en* colère, je dis qu'on mourrait *de* colère.

— Moi, a dit M. Ballanche, la colère n'est plus dans mon tempérament. Je n'en ai plus.

— Je n'ai plus de colère, a reparti M. Royer-Collard, parce que je réfléchis qu'une demi-heure après je ne serai plus en colère.

— Et moi, a répliqué M. Ballanche, je n'ai plus de colère parce que j'ai l'esprit troublé.

Après un moment de silence, il a ajouté en souriant : — La dernière fois que je me suis mis en colère, c'est à l'époque de la coalition. La coalition, oui, oui, la coalition a été ma dernière colère.

— Je ne me mettais déjà plus en colère dans ce temps-là, a répondu M. Royer-Collard, je regardais faire. J'ai protesté beaucoup plus en dedans qu'au dehors de moi, comme proteste un homme qui ne parle plus. Depuis lors je suis resté trois ans encore à la Chambre. C'est trois ans de trop. Je suis resté trop longtemps à la Chambre ; j'aurais dû me retirer plus tôt. Pourtant pas à l'époque de la révolution de Juillet, pas à l'époque du refus de serment ; on se serait mépris sur ma pensée.

J'ai dit :

— Vous avez raison, Monsieur, il y avait dans la révolution de Juillet un fond de droit que vous ne pouviez méconnaître ; vous n'étiez pas de ceux qui pouvaient protester contre elle.

— Aussi ne l'ai-je point fait, m'a répondu M. Royer-Collard en souriant. Je ne blâme pas ceux qui ont agi autrement que moi. Chacun a sa conscience, et dans les choses politiques il y a beaucoup de manières d'être honnête. On a l'honnêteté qui résulte des lumières qu'on a.

Il a gardé un moment le silence, comme s'il recueillait ses souvenirs, puis il a repris :

— Eh! mon Dieu! Charles X aussi était honnête.

Puis il s'est tu.

Je l'ai laissé rêver un instant, et, voulant connaître le fond de sa pensée, j'ai repris :

— Quoi qu'on en ait dit, c'était un roi honnête homme, et, quoi qu'on en ait dit encore, il n'est tombé que par sa faute. Les historiens arrangeront cela comme ils voudront, mais cela est. C'est Charles X qui a renversé Charles X.

— Oui, a répondu M. Royer-Collard en me faisant de la tête un grave signe d'assentiment, il s'est précipité, il l'a voulu, c'est vrai! On a dit qu'il était mal conseillé. Erreur! erreur! Personne ne le conseillait. On a prétendu qu'il consultait le cardinal de la Fare, M. de Latil, M. de Polignac, son entourage. Plût au ciel qu'il l'eût fait! Aucun de ceux qui l'entouraient n'était aussi avant que lui dans le vertige ; aucun ne lui eût donné d'aussi mauvais conseils que ceux qu'il se donnait à lui-même. Tous ceux qui entouraient le roi — ce qu'on appelait les courtisans — étaient plus sages que lui.

M. Royer-Collard a gardé un moment le silence, puis a repris avec un sourire triste qu'il a eu souvent pendant cette conversation :

— Plus sages, c'est-à-dire moins fous.

Encore un silence ; puis il a ajouté :

— Non, personne ne le conseillait.

Et après un autre silence :

— Et rien ne le conseillait! Il était depuis sa jeunesse resté identique à lui-même. C'était toujours le comte d'Artois, il n'avait pas changé. N'avoir pas changé, eût-on vécu quatre-vingts ans, c'était la seule qualité qu'il estimât. Il appelait cela avoir *un caractère*. Il disait que, depuis la Révolution, il n'y avait en France et dans le siècle que deux hommes, M. de La Fayette et lui. Il estimait M. de La Fayette.

— En effet, ai-je dit, c'étaient deux cerveaux faits à peu près de la même façon. Seulement ils logeaient une idée différente. Voilà tout.

— Et ils étaient organisés, a repris M. Royer-Collard, pour aller l'un et l'autre au bout de leur idée. Charles X devait faire ce qu'il a fait. C'était fatal. Je le savais, je connaissais le roi, je le voyais de temps en temps ; comme j'avais été royaliste, il m'accueillait bien, il me traitait avec bonté. J'avais prévu sans peine le coup qu'il médi-tait. M. de Chateaubriand pourtant n'y croyait point. Il vint me voir à son retour de son ambassade de Rome et me demanda ce que j'en pensais. Je lui dis la chose. Les avis étaient partagés. Les meilleurs esprits doutaient que tant de démence fût possible. Mais moi, je ne doutais pas. Le jour où je portai au roi l'adresse des deux cent vingt et un, c'était vers la fin de février 1830, je pourrais dire que je lus l'événement de Juillet dans ses regards.

— Comment vous reçut-il? demandai-je.

— Bien. Froidement. Avec gravité. Avec douceur. Je lui lus l'adresse simplement, avec fermeté pourtant, sans appuyer sur les passages et sans les dissimuler. Le roi écouta cela comme autre chose. Quand j'eus fini...
— Ici M. Royer-Collard s'est interrompu et il a ajouté, toujours avec le même triste sourire : — Ce que je vais vous dire là est peu royal... Quand j'eus fini de parler, — le roi était assis sur ce qu'on appelait le trône, — il

tira de dessous sa cuisse un papier qu'il déplia et qu'il
nous lut. C'était sa réponse à notre adresse. D'ailleurs,
il ne manifesta pas de colère. Il en avait montré beaucoup, deux ans auparavant, à l'époque d'une autre
adresse, — vous savez, Monsieur Ballanche, — de celle
qu'avait rédigée M. Delalot. L'usage était de communiquer l'adresse de la Chambre la veille au soir afin que
le roi pût préparer sa réponse. Quand le roi reçut l'adresse
Delalot, les ministres étaient présents, il entra dans une
telle colère qu'on l'entendit crier du Carrousel. Il déclara
tout net qu'il ne recevrait pas l'adresse, qu'il casserait
la Chambre. C'était une vraie fureur, et qui était au
comble. Le moment était périlleux. M. de Portalis, qui
était alors garde des sceaux, se risqua. Vous connaissez
M. de Portalis, Monsieur Victor Hugo, je ne vous le
donne pas pour un héros, mais voyez ce que peut une
parole honnête sur un esprit obstiné. M. de Portalis,
debout devant Charles X, se borna à lui dire : — Si telles
sont les intentions du roi pour demain, il faut que le roi
nous donne dès à présent ses ordres pour après-demain.
—Chose remarquable, ce peu de paroles fit tomber la
colère de Charles X, *exigui pulveris jactu*. Il se tourna
avec dépit vers M. de Martignac et lui dit : — Eh bien,
Martignac, je les recevrai, mais mettez-vous là à cette
table, prenez une plume, et faites-moi une réponse verte
et dure et digne du roi de France. — M. de Martignac
obéit. Pendant qu'il écrivait, la colère du roi tomba
encore ; et quand M. de Martignac eut fini et qu'il lut
au roi le projet de réponse, déjà fort amorti par l'esprit
conciliant de Martignac, Charles X prit vivement la
plume pour en biffer la moitié et adoucir le reste. Voilà
comme passe la colère, même la colère d'un roi, même
la colère d'un obstiné, même la colère de Charles X.

En ce moment, comme la séance était ouverte depuis
quelques instants, le directeur de l'Académie (M. Flou-

rens) a agité la sonnette, et un huissier a crié : A vos places, Messieurs. M. Royer-Collard s'est levé et m'a dit : — Au reste, tous ces détails-là ne seront pas recueillis et ne seront jamais de l'histoire.

— Peut-être, ai-je répondu.

Choses vues.

Un autre jour il rend visite à Villemain, le secrétaire perpétuel de l'Académie.

7 décembre 1845.

Dans les premiers jours de décembre 1845 j'allai voir Villemain. Je ne l'avais pas vu depuis le 3 juillet ; il y avait précisément cinq mois. Villemain avait été atteint dans les derniers jours de décembre 1844 de cette cruelle maladie qui a marqué la fin de sa carrière politique.

Il faisait froid, le temps était sombre, j'étais triste moi-même ; c'était le cas d'aller consoler quelqu'un. Je montai donc chez Villemain.

Il demeurait alors dans le logement attribué au secrétaire perpétuel de l'Académie française, au second étage de l'escalier à droite, au fond de la deuxième cour de l'Institut.

Je montai cet escalier ; je sonnai à la porte, qui est à droite, on ne vint pas ; je sonnai une seconde fois ; la porte s'ouvrit.

C'était Villemain lui-même.

Il était pâle, défait, vêtu d'une longue redingote noire boutonnée en haut d'un seul bouton, ses cheveux gris en désordre. Il me regarda d'un air grave et me dit sans me sourire :

— Tiens, c'est vous, ah! bonjour.

Puis il ajouta : — Je suis seul, je ne sais où sont mes domestiques, entrez donc.

Il me conduisit par un long corridor dans une chambre, et de là dans sa chambre à coucher.

Tout ce logement est triste et a quelque chose qui sent le grenier de couvent. La chambre à coucher, éclairée de deux fenêtres sur la cour, avait pour tout meuble un lit d'acajou sans rideaux et sans couvre-pied ; sur le lit une feuille de papier blanc posée négligemment ; quelques fauteuils de crin ; une commode entre les deux fenêtres et un bureau chargé de papiers, de livres, de journaux et de lettres ouvertes.

Presque toutes ces lettres avaient des en-têtes imprimées comme : *Chambre des pairs, Institut de France, Conseil d'État, Journal des savants*, etc. Sur la cheminée, le *Moniteur* du jour, quelques lettres et quelques livres, parmi lesquels l'*Histoire du Consulat et de l'Empire*, par M. de Lacretelle, qui vient de paraître.

Près du lit il y avait un petit lit d'enfant à balustrade d'acajou avec un couvre-pied vert. Sur le mur, vis-à-vis le lit, trois cadres accrochés, contenant le portrait de Villemain lithographié et les portraits des deux aînées de ses petites filles, peints à l'huile et assez ressemblants. Sur la cheminée une pendule dérangée et qui marquait une autre heure que l'heure qu'il était réellement ; dans la cheminée un feu presque éteint.

Villemain me fit asseoir et me prit les mains. Il avait quelque chose d'égaré, mais de doux et de grave. Il me demanda des nouvelles de mon été, me dit qu'il avait voyagé, me parla de quelques amis communs, des uns avec affection, des autres avec défiance. Puis son air devint plus calme, et il causa pendant un quart d'heure de choses littéraires avec une grande élévation d'esprit, clair, simple, élégant, spirituel, quoique toujours triste et sans sourire une seule fois.

Tout à coup il me dit en me regardant fixement :

— J'ai dans la tête un point douloureux, je souffre,

j'ai des préoccupations pénibles. Si vous saviez quelles machinations il y a contre moi!

— Villemain, lui dis-je, calmez-vous.

— Non, reprit-il, cela est vraiment affreux! — Après un silence, il ajouta, comme se parlant à lui-même : — Ils ont commencé par me séparer de ma femme ; je l'aimais, je l'aime toujours ; elle avait quelque chose dans l'imagination ; cela a pu engendrer des fantômes. Mais ce qui est bien plus certain, c'est qu'on a réussi à créer en elle une antipathie contre moi ; et puis, voilà, on m'a séparé d'elle, ensuite on m'a séparé de mes enfants. Ces pauvres petites filles, elles sont charmantes, vous les avez vues, c'est ma passion. Eh bien! je n'ose pas aller les voir, et, quand je les vois, je me borne à m'assurer qu'elles se portent bien et qu'elles sont roses, gaies et fraîches, et j'ai peur de leur donner un baiser sur le front. Grand Dieu! on se servirait peut-être de mon contact pour leur faire du mal! Est-ce que je sais les inventions qu'ils auraient ? Ainsi on m'a séparé de ma femme, on m'a séparé de mes enfants, maintenant je suis seul.

Après une pause, il continua :

— Non, je ne suis pas seul! je ne suis pas même seul! j'ai des ennemis, j'en ai partout, ici, dehors, autour de moi, chez moi! Tenez, mon ami, j'ai fait une faute, je n'aurais pas dû entrer dans les choses politiques. Pour y réussir, pour y être fort et solide, il m'eût fallu de l'appui ; un appui intérieur, le bonheur ; un appui extérieur... quelqu'un. (Il voulait sans doute désigner le roi.) Ces deux appuis m'ont manqué tous les deux. Je me suis jeté au milieu des haines, ainsi, follement ; j'étais désarmé et nu ; elles se sont acharnées sur moi ; aujourd'hui j'ai fini de toute chose.

Puis tout à coup me regardant avec une sorte d'angoisse :

— Mon ami, quoi qu'on vous dise, quoi qu'on vous raconte, quoi qu'on vous affirme sur moi, mon ami, promettez-moi que vous n'ajouterez foi à aucune calomnie. C'est qu'ils sont si infâmes! Pourtant ma vie est bien sombre, mais elle est bien pure. Si vous saviez ce qu'ils inventent, on ne peut se figurer cela. Oh! quelles indignités! Il y a de quoi devenir fou. Si je n'avais pas mes petites filles, je me tuerais. Savez-vous ce qu'ils ont dit? Oh! je ne veux pas répéter cela!... Ils disent que, la nuit, des maçons montent par cette fenêtre pour coucher avec moi.

J'éclatai de rire. — Et cela vous tourmente! mais cela est niais et bête!

— Oui, me dit-il, je suis au second étage, mais ils ont tant de malice qu'ils mettent la nuit de grandes échelles contre mon mur pour le faire croire. Et quand je songe que ces choses-là, ces turpitudes-là, on les dit en bas et on les croit en haut, et personne pour me défendre! Les uns me font un visage froid, les autres un visage faux. Victor Hugo, jurez-moi que vous ne croirez à aucune calomnie.

Il s'était levé, j'étais profondément ému, je lui dis toutes les paroles douces et cordiales qui peuvent apaiser.

Il poursuivit :

— Oh! les abominables haines! Voici comment ils ont commencé. Quand je sortais, ils s'arrangeaient de façon à ce que tout ce que je voyais eût un aspect sinistre, je ne rencontrais que des hommes boutonnés jusqu'au menton, des gens habillés de rouge, des toilettes extraordinaires, des femmes vêtues moitié en noir, moitié en violet, qui me regardaient avec des cris de joie, et partout des corbillards de petits enfants suivis d'autres petits enfants, les uns en noir, les autres en blanc. Vous me direz : Mais ce ne sont là que des présages, et un esprit sérieux ne se trouble pas pour des présages. Mon

Dieu, je le sais bien ; ce ne sont pas les présages qui m'effrayaient, c'est la pensée qu'on me haïssait au point de se donner tant de peine pour rassembler tant de spectacles lugubres autour de moi. Si un homme me hait assez pour m'envelopper sans cesse d'une volée de corbeaux, ce qui m'épouvante, ce ne sont pas les corbeaux, c'est sa haine.

Ici encore je l'interrompis. — Vous avez des ennemis, lui dis-je, mais vous avez aussi des amis, songez-y.

Il retira vivement ses mains des miennes :

— Tenez, me dit-il, écoutez bien ce que je vais vous dire, Victor Hugo, et vous jugerez ce que j'ai dans l'âme. Vous verrez si je souffre et si mes ennemis ont réussi à ébranler toute confiance et à éteindre toute lumière en moi. Je ne sais plus où j'en suis, ni ce qu'on me veut. Tenez, vous ! vous êtes un homme noble entre tous, vous êtes de sang vendéen, de sang militaire, je dis plus, de sang guerrier, il n'y a rien en vous que de pur et de loyal, vous n'avez besoin de rien ni de personne, je vous connais depuis vingt ans et je ne vous ai jamais vu faire une action qui ne fût honorable et digne. Eh bien, jugez de ma misère, en mon âme et conscience je ne suis pas sûr que vous ne soyez pas envoyé ici par mes ennemis pour m'espionner.

Il souffrait tant que je ne pouvais que le plaindre. Je lui repris la main. Il me regardait d'un air égaré.

— Villemain, lui dis-je, doutez que le ciel soit bleu, mais ne doutez pas que l'ami qui vous parle ici soit loyal.

— Pardon, reprit-il, pardon, oh ! je le sais bien, je disais là des choses folles ; vous ne m'avez jamais manqué, vous, quoique vous ayez eu quelquefois à vous plaindre de moi. Mais j'ai tant d'ennemis ! Si vous saviez ! cette maison en est pleine. Ils sont partout cachés, invisibles, ils m'obsèdent, je sens leurs oreilles qui m'écoutent, je sens leurs regards qui me voient. Quelle anxiété que de vivre ainsi!

En ce moment, par un de ces hasards étranges qui arrivent parfois comme à point nommé, une petite porte masquée dans la boiserie près de la cheminée s'ouvrit brusquement. Il se retourna au bruit.

— Qu'est-ce?

Il alla à la porte, elle donnait sur un petit corridor.

Il regarda dans le corridor.

— Y a-t-il quelqu'un là? demanda-t-il.

Il n'y avait personne.

— C'est le vent, lui dis-je.

Il revint près de moi, mit le doigt sur sa bouche, me regarda fixement et me dit à voix basse avec un accent de terreur inexprimable :

— Oh! non!

Puis il resta quelques instants immobile, silencieux, le doigt sur sa bouche comme quelqu'un qui écoute, et les yeux à demi tournés vers cette porte, qu'il laissa ouverte.

Je sentis qu'il était temps d'essayer de lui parler efficacement. Je le fis rasseoir, je lui pris la main.

— Écoutez, Villemain, lui dis-je, vous avez vos ennemis, des ennemis nombreux, j'en conviens...

Il m'interrompit, son visage s'illumina d'un éclair de triste joie.

— Ah! me dit-il, au moins vous en convenez, vous! tous ces imbéciles me disent que je n'ai pas d'ennemis et que je suis visionnaire.

— Si, repris-je, vous avez vos ennemis, mais qui n'a pas les siens? Guizot a ses ennemis, Thiers a ses ennemis, Lamartine a ses ennemis. Moi qui vous parle, est-ce que je ne lutte pas depuis vingt ans? Est-ce que je ne suis pas depuis vingt ans haï, déchiré, vendu, trahi, conspué, sifflé, raillé, insulté, calomnié? Est-ce qu'on n'a pas parodié mes livres et travesti mes actions? Moi aussi, on m'obsède, on m'espionne, on me tend des pièges, on m'y fait même tomber; qui sait si on ne m'a pas suivi aujourd'hui même pendant que j'allais de chez moi chez vous? Mais qu'est-ce que tout cela me fait? Je dédaigne. C'est une des choses les plus difficiles et les plus nécessaires de la vie que d'apprendre à dédaigner. Le dédain protège et écrase. C'est une cuirasse et une massue. Vous avez des ennemis? Mais c'est l'histoire de tout homme qui a fait une action grande ou créé une idée neuve. C'est la nuée qui bruit autour de tout ce qui brille. Il faut que la renommée ait des ennemis comme il faut que la lumière ait des moucherons. Ne vous en inquiétez pas; dédaignez! Ayez la sérénité dans votre esprit comme vous avez la limpidité dans votre vie. Ne donnez pas à vos ennemis cette joie de penser qu'ils vous affligent et qu'ils vous troublent. Soyez content, soyez joyeux, soyez dédaigneux, soyez fort.

Il hocha la tête tristement :

— Cela vous est facile à dire à vous, Victor Hugo! Moi je suis faible. Oh! je me connais bien. Je sais mes limites. J'ai un certain talent pour écrire, mais je sais jusqu'où il va; j'ai une certaine justesse dans l'esprit, mais je sais jusqu'où elle va. Je me fatigue vite. Je n'ai pas d'haleine. Je suis mou, irrésolu, hésitant. Je n'ai pas fait tout ce que j'aurais pu faire. Dans les régions de la pensée, je n'ai pas tout ce qu'il faut pour créer. Dans la sphère de l'action, je n'ai pas tout ce qu'il faut pour lutter. La force! mais c'est précisément ce qui me manque! Or le dédain est une des formes de la force.

Il resta un moment pensif, puis ajouta, cette fois avec un sourire :

— C'est égal, vous m'avez fait du bien, vous m'avez calmé, je me sens mieux. La sérénité est contagieuse.

Oh! si je pouvais en venir à porter mes ennemis comme vous portez les vôtres!

En ce moment la porte s'ouvrit, deux personnes entrèrent, un M. Fortoul, je crois, et un neveu de Villemain.

Je me levai.

— Vous vous en allez déjà? me dit-il.

Il me conduisit par le corridor jusqu'à l'escalier.

Là, il me dit :

— Mon ami, je crois en vous.

— Eh bien, lui dis-je, je vous ai dit de dédaigner vos ennemis ; faites-le. Mais vous en avez deux dont il faut vous occuper et dont il faut vous défaire. Ces deux ennemis sont la solitude et la rêverie. La solitude amène la tristesse ; la rêverie produit le trouble. Ne soyez pas seul et ne rêvez pas. Allez, sortez, marchez, mêlez vos idées à l'air ambiant, respirez librement et à pleine poitrine, visitez vos amis, venez me voir.

— Mais me recevrez-vous? me dit-il.

— Avec joie.

— Quand?

— Tous les soirs si vous voulez.

Il hésita, puis il dit :

— Eh bien! je viendrai. J'ai besoin de vous voir souvent. Vous m'avez fait du bien. A bientôt.

Il hésita encore, puis il reprit :

— Mais si je ne viens pas?

— Alors, lui dis-je, ce sera moi qui viendrai.

Je lui serrai la main et je descendis l'escalier.

Comme j'étais en bas près de sortir dans la cour, j'entendis sa voix qui disait :

— A bientôt, n'est-ce pas?

Je levai les yeux. Il avait descendu un étage, et il me disait doucement adieu avec un sourire.

Choses vues.

Le Roi lui fait ses confidences.

28 juin 1844.

Conversation avec le roi.

Il me disait à propos de langues : — L'anglais est un squelette allemand vêtu d'habits français.

Il me contait que M. de Talleyrand lui avait dit un jour : — Vous ne ferez jamais rien de Thiers, qui serait pourtant un excellent instrument. Mais c'est un de ces hommes dont on ne peut se servir qu'à la condition de les satisfaire. Or, il ne sera jamais satisfait. Le malheur, pour lui comme pour vous, c'est qu'il ne puisse plus être cardinal.

A propos des fortifications de Paris, le roi me contait comment l'empereur Napoléon apprit la nouvelle de la prise de Paris par les alliés.

L'empereur marchait sur Paris à la tête de sa garde. Près de Juvisy, à un endroit de la forêt de Fontainebleau où il y a un obélisque (que je ne vois jamais sans un serrement de cœur, me disait le roi), un courrier qui venait au-devant de Napoléon lui apporta la nouvelle de la capitulation de Paris. Paris était pris. L'ennemi y était entré. L'empereur devint pâle. Puis il cacha son visage dans ses deux mains, et resta ainsi un quart d'heure immobile. Puis, sans dire une parole, il tourna la bride de son cheval, et reprit la route de Fontainebleau. — Le général Atthelin assistait à cette chose et l'a contée au roi.

4 août 1844.

Hier, le roi m'a dit : — Un de mes embarras en ce moment, dans toute cette affaire de l'université et du clergé, c'est M. Affre.

— Alors, sire, ai-je dit, pourquoi l'avez-vous nommé?

— C'est une faute que j'ai faite, je m'en accuse. J'avais d'abord nommé à l'archevêché de Paris le cardinal d'Arras, M. de la Tour d'Auvergne.

— C'était un bon choix, ai-je repris.

— Oui, bon. Insignifiant. Un vieillard honnête et nul. Un bonhomme. Il était fort entouré de carlistes. Fort circonvenu. Toute sa famille me haïssait. On l'amena à refuser. Ne sachant que faire, et pressé, je nommai M. Affre. J'aurais dû m'en défier. Il n'a pas la figure ouverte ni franche. J'ai pris cet air en dessous pour un air de prêtre, j'ai eu tort. Et puis, vous savez, c'était en 1840. Thiers me le proposait et me poussait. Thiers ne se connaît pas en archevêques. J'ai fait cela légèrement. J'aurais dû me souvenir de ce que M. de Talleyrand m'avait dit un jour : — Il faut toujours que l'archevêque de Paris soit vieux. Le siège est plus tranquille, et vaque plus souvent. — J'ai nommé M. Affre qui était jeune, c'est un tort. Au reste, je vais rétablir le chapitre de Saint-Denis, et en nommer primicier le cardinal de la Tour d'Auvergne. Ceci va faire endiabler mon archevêque. Le nonce du pape, auquel je parlais tout à l'heure de mon projet, en a beaucoup ri, et m'a dit : — L'abbé Affre fera quelque folie. — Au reste il irait à Rome, que le pape le fêterait fort mal. Il a agi comme un pauvre sire dans toute occasion depuis qu'il est archevêque. Un archevêque de Paris, qui a de l'esprit, doit toujours être bien avec le roi ici et avec le pape là-bas.

Août 1844.

L'autre mois, le roi alla à Dreux. C'était l'anniversaire de la mort de M. le duc d'Orléans. Le roi avait choisi ce jour pour mettre en ordre les cercueils des siens dans le caveau de famille.

Il se trouvait dans le nombre un cercueil qui contenait tous les ossements des princes de la maison d'Orléans que Mme la duchesse d'Orléans, mère du roi, avait pu recueillir après la Révolution, où ils furent violés et dispersés. Ce cercueil, placé dans un caveau séparé, avait été défoncé dans ces derniers temps par la chute d'une voûte. Les débris de la voûte, pierres et plâtras, s'y étaient mêlés aux ossements.

Le roi fit apporter ce cercueil devant lui et le fit ouvrir. Il était seul dans le caveau avec le chapelain et deux aides de camp. Un autre cercueil plus grand et plus solide avait été préparé. Le roi prit lui-même et de sa main les ossements de ses aïeux l'un après l'autre dans le cercueil brisé et les rangea avec soin dans le cercueil nouveau. Il ne souffrit pas que personne autre y touchât. De temps en temps il comptait les crânes et disait : — Ceci est M. le duc de Penthièvre. Ceci est M. le comte de Beaujolais. Puis il complétait de son mieux et comme il pouvait chaque groupe d'ossements.

Cette cérémonie dura de neuf heures du matin à sept heures du soir, sans que le roi prît de repos ni de nourriture.

Août 1844.

Hier 15, après avoir dîné chez M. Villemain qui habite une maison de campagne près Neuilly, je suis allé chez le roi.

Le roi n'était pas dans le salon, où il n'y avait que la reine, Madame Adélaïde et quelques dames, parmi lesquelles Mme Firmin Rogier, qui est charmante. Il y avait beaucoup de visiteurs, entre autres M. le duc de Broglie et M. Rossi avec lesquels je venais de dîner, M. de Lesseps qui s'est distingué dans ces derniers temps comme consul à Barcelone, M. Firmin Rogier, le comte d'Argout.

J'ai salué la reine qui m'a beaucoup parlé de Mme la princesse de Joinville accouchée d'avant-hier et dont l'enfant est venu le même jour que la nouvelle du bombardement de Tanger par son père. C'est une petite fille. Mme la princesse de Joinville passe sa journée à la baiser en disant : — Comme elle est gentille! avec son doux accent méridional que les plaisanteries de ses beaux-frères n'ont pu encore lui faire perdre.

Pendant que je parlais à la reine, Madame la duchesse d'Orléans, vêtue de noir, est entrée et s'est assise près de Madame Adélaïde qui lui a dit : — Bonsoir, chère Hélène.

Un moment après, M. Guizot, en noir, une chaîne de décorations et un ruban rouge à la boutonnière, la plaque de la Légion d'honneur à l'habit, pâle et grave, a traversé le salon. Je lui ai pris la main en passant et il m'a dit : — Je vous ai été chercher inutilement ces jours-ci. Venez donc passer une journée à la campagne avec moi. Nous avons à causer. Je suis à Auteuil. Place d'Aguesseau, n° 4. — Je lui ai demandé : — Le roi viendra-t-il ce soir ? — Il m'a répondu : — Je ne crois pas. Il est avec l'amiral de Mackau. Les nouvelles sont sérieuses. Il en a pour toute la soirée. — Puis M. Guizot est parti.

Il était près de dix heures, j'allais en faire autant, j'étais déjà dans l'antichambre, quand une dame d'honneur de Madame Adélaïde, envoyée par la princesse, est venue me dire que le roi désirait causer avec moi et me faisait prier de rester. Je suis rentré dans le salon qui s'était presque vidé.

Un moment après, comme dix heures sonnaient, le roi est venu. Il était sans décorations et avait l'air préoccupé. En passant près de moi, il m'a dit : — Attendez que j'aie fait ma tournée ; nous aurons un peu plus de temps quand on sera parti. Il n'y a plus que quatre personnes et je n'ai à dire que quatre mots. Il ne s'est en effet arrêté un moment qu'auprès de l'ambassadeur de Prusse et de M. de Lesseps qui avait à lui communiquer une lettre d'Alexandrie, relative à l'étrange abdication du pacha d'Égypte.

Tout le monde a pris congé, puis le roi est venu à moi, m'a saisi le bras et m'a mené dans le grand salon d'attente, où il s'est assis et m'a fait asseoir sur un canapé rouge qui est entre deux portes vis-à-vis de la cheminée. Alors il s'est mis à parler vivement, énergiquement, comme si un poids se levait de dessus sa poitrine.

— Monsieur Hugo, je vous vois avec plaisir. Que pensez-vous de tout ceci ? Tout cela est grave et surtout paraît grave. Mais en politique, je le sais, il faut quelquefois tenir compte de ce qui paraît autant que de ce qui est. Nous avons fait une faute en prenant ce chien de protectorat. Nous avons cru faire une chose populaire pour la France, et nous avons fait une chose embarrassante pour le monde. L'effet populaire a été médiocre ; l'effet embarrassant est énorme. Qu'avions-nous besoin de nous empêtrer de Taïti (le roi prononçait Taëte) ? Que nous faisait cette pincée de grains de tabac au milieu de l'Océan ? A quoi bon loger notre honneur à quatre mille lieues de nous dans la guérite d'une sentinelle insultée par un sauvage et par un fou ? En somme, il y a du risible là-dedans. Quoi qu'on dise et quoi qu'on fasse, c'est petit, il n'en sortira rien de gros. Sir Robert Peel a parlé comme un étourdi. Il a fait, lui, une sottise d'écolier. Il a diminué sa considération en Europe. C'est un homme grave, mais capable de légèretés. Et puis il ne sait pas de langues. Un homme qui ne sait pas de langues, à moins d'être un homme de génie, a nécessairement des lacunes dans les idées. Or, sir Robert n'a pas de génie. Croiriez-vous cela ? il ne sait pas le français. Aussi il ne comprend rien à la France. Les idées françaises passent devant lui comme des ombres. Il n'est pas malveillant, non ; il n'est pas ouvert, voilà tout. Il a parlé étourdiment. Je l'avais jugé ce qu'il est, il y a quarante ans. Il y a quarante ans que je l'ai vu pour la première fois. Il était alors jeune homme et secrétaire du comte de... (je n'ai pas bien entendu le nom. Le roi parlait vite). J'allais souvent dans cette maison. J'étais alors en Angleterre. Je pensai en voyant ce jeune Peel qu'il irait loin, mais qu'il s'arrêterait. Me suis-je trompé ?

Il y a des Anglais, et des plus haut placés, qui ne comprennent rien aux Français. Comme ce pauvre duc de Clarence, qui a, depuis, été Guillaume IV. Ce n'était qu'un matelot. Il faut se garer de l'esprit matelot, je le dis souvent à mon fils de Joinville. Qui n'est qu'un marin n'est rien sur terre. Or, ce duc de Clarence me disait : — Duc d'Orléans, il faut une guerre tous les vingt ans entre la France et l'Angleterre. L'histoire le montre. — Je lui répondais : — Mon cher duc de Clarence, à quoi bon les gens d'esprit si on laisse le genre humain refaire toujours les mêmes sottises ? — Le duc de Clarence ne savait pas un mot de français, non plus que Peel.

Quelle différence de ces hommes-là à Huskisson ! Vous savez ? Huskisson qui est mort si fatalement sur les rails d'un chemin de fer ? — Celui-là était un maître homme. Il savait le français et il aimait la France. Il avait été mon camarade au club des Jacobins. Je ne dis pas cela en mauvaise part. Il comprenait tout. S'il y avait en ce moment un homme comme cela en Angleterre, lui et moi ferions la paix du monde. — Monsieur Hugo, nous la ferons sans lui. Je la ferai tout seul. — Sir Robert Peel reviendra sur ce qu'il a dit. Hé mon Dieu ! il a dit cela. Sait-il seulement pourquoi et comment ? Avez-vous vu le parlement d'Angleterre ? On parle de sa place, debout, au milieu des siens, on est entraîné, on dit plus souvent encore ce que pensent les autres que ce qu'on pense soi-même. Il y a une communication magnétique. On la subit. On se lève (ici le roi s'est levé et a imité le geste de l'orateur qui parle au parlement). L'assemblée fermente

tout auprès de vous ; on se laisse aller, on dit ce de côté-
ci : *L'Angleterre a subi une grossière injure*, et de ce
côté-là : *Avec une grossière indignité*. Ce sont tout simplement des applaudissements qu'on cherche des deux côtés.
Rien de plus. Mais cela est mauvais. Cela est dangereux.
Cela est funeste. En France notre tribune qui isole l'orateur a bien ses avantages.

De tous les hommes d'État anglais, je n'en ai connu qu'un
qui sût se soustraire à ces entraînements des assemblées.
Ce n'était pas M. Fox, homme rare pourtant. C'était
M. Pitt. M. Pitt avait de l'esprit, quoiqu'il fût de haute
taille. Il avait l'air gauche et parlait avec embarras. Sa
mâchoire inférieure pesait un quintal. De là une certaine
lenteur qui amenait par force la prudence dans ses
discours. Quel homme d'État d'ailleurs que ce Pitt !
On lui rendra justice un jour, même en France. On en est
encore à Pitt et Cobourg. Mais c'est une niaiserie qui
passera. M. Pitt savait le français. Il faut, pour faire de
bonne politique, des Anglais qui sachent le français et
des Français qui sachent l'anglais.

Tenez, je vais aller en Angleterre le mois prochain.
J'y serai très bien reçu : je parle anglais. Et puis, les
Anglais me savent gré de les avoir étudiés assez à fond
pour ne pas les détester. Car on commence toujours par
détester les Anglais. C'est l'effet de la surface. Moi je les
estime et j'en fais état. Entre nous, j'ai une chose à
craindre en allant en Angleterre, c'est le trop bon accueil.
J'aurai à éluder une ovation. De la popularité là-bas me
ferait de l'impopularité ici. Cependant, il y a une autre
difficulté. Il ne faut pas non plus que je me fasse mal
recevoir. Mal reçu là-bas, raillé ici. Oh ! ce n'est pas facile
de se mouvoir quand on est Louis-Philippe ! n'est-ce pas,
monsieur Hugo !

Je tâcherai pourtant de m'en tirer mieux que ce grand
bêta d'empereur de Russie qui est allé là au grand galop

chercher une chute. Voilà un pauvre sire. Quel niais!
Ce n'est qu'un caporal russe, occupé d'un talon de botte
et d'un bouton de guêtre. Quelle idée! arriver à Londres
la veille du bal des Polonais! Est-ce que j'irais en Angleterre la veille de l'anniversaire de Waterloo? à quoi bon
aller chercher une avanie? Les nations ne dérangent pas
leurs idées pour nous autres princes. Monsieur Hugo!
monsieur Hugo! les princes intelligents sont bien rares.
Voyez ce pacha d'Égypte, qui avait de l'esprit, et qui
abdique, comme Charles-Quint qui avait du génie pourtant et qui a fait la même sottise! Voyez cet imbécile de
roi du Maroc! Quelle misère de gouverner à travers cette
cohue de rois ahuris! On ne me fera pourtant pas faire
la grosse faute! On m'y pousse, on ne m'y précipitera
pas. Écoutez ceci et retenez-le, le secret de maintenir la
paix, c'est de prendre toute chose par le bon côté, aucune
par le mauvais. Oh! sir Robert Peel est un singulier homme
de parler ainsi à tort et à travers! Il ne connaît pas toute
notre force. Il ne réfléchit pas!

Tenez, le prince de Prusse disait cet hiver à ma fille, à
Bruxelles, une chose bien vraie : — Ce que nous envions
à la France, c'est l'Algérie. Non à cause de la terre, mais
à cause de la guerre. C'est un grand et rare honneur qu'a
la France d'avoir là à ses portes une guerre qui ne trouble
pas l'Europe et qui lui fait une armée. Nous, nous n'avons
encore que des soldats de revues et de parades. Le jour
où une collision éclaterait, nous n'aurions que des soldats faits par la paix. La France seule, grâce à Alger,
aurait des soldats faits par la guerre. — Voilà ce que
disait le prince de Prusse et c'était juste.

En attendant, nous faisons aussi des enfants. Le mois
dernier, c'était ma fille de Nemours, ce mois-ci, c'est ma
fille de Joinville. Elle m'a donné une princesse. J'aurais
mieux aimé un prince. Mais bah! dans la position d'isolement qu'on veut faire à ma maison parmi les maisons

royales de l'Europe, il faut songer aux alliances de l'avenir. Eh bien, mes petits-enfants se marieront entre eux. Cette petite, qui est née d'hier, ne manquera pas de cousins, — ni de mari, par conséquent.

Ici le roi s'est mis à rire, et je me suis levé. Il avait parlé presque sans interruption pendant cinq quarts d'heure. Je disais çà et là quelques mots seulement. Pendant cette espèce de long monologue, Madame Adélaïde a passé, se retirant dans ses appartements. Le roi lui a dit : — *Je vais te rejoindre tout à l'heure*, et a continué.

Il était près de onze heures et demie quand j'ai quitté le roi.

C'est dans cette conversation que le roi me dit : — Êtes-vous allé en Angleterre ? — Non, sire. — Eh bien, quand vous irez, — car vous irez, — vous verrez ; c'est étrange, ce n'est plus rien qui ressemble à la France ; c'est l'ordre, l'arrangement, la symétrie, la propreté, l'ennui, des arbres taillés, des chaumières jolies, des pelouses tondues, dans les rues un profond silence. Les passants sérieux et muets comme des spectres. Dès que vous parlez dans la rue, — Français que vous êtes, vivant que vous êtes, — vous voyez ces spectres se retourner et murmurer avec un mélange inexprimable de gravité et de dédain : — *French people!* — Quand j'étais à Londres, je me promenais donnant le bras à ma femme et à ma sœur, nous causions, parlant pas très haut, vous savez, nous sommes des gens comme il faut, — tous les passants se retournaient, bourgeois et hommes du peuple, et nous les entendions grommeler derrière nous :

— *French people! French people!*

5 septembre 1844.

...Le roi s'est levé, a marché quelques instants, comme violemment agité, puis est venu se rasseoir près de moi, et m'a dit :

— Tenez, vous avez dit à Villemain un mot qu'il m'a rapporté. Vous lui avez dit : « Le démêlé entre la France et l'Angleterre à propos de Taïti et de Pritchard me fait l'effet d'une querelle de café entre deux sous-lieutenants, dont l'un a regardé l'autre de travers ; il en résulte un duel à mort. Or deux grandes nations ne doivent pas se comporter comme deux mousquetaires. Et puis, dans le duel à mort, de deux nations comme l'Angleterre et la France, c'est la civilisation qui serait tuée. » Ce sont bien là vos paroles, n'est-ce pas ?

— Oui, sire.

— Elles m'ont frappé, et je les ai écrites le soir même à une personne couronnée, car j'écris souvent toute la nuit. Je passe bien des nuits à refaire ce qu'on a défait. Je ne le dis pas. Loin de m'en savoir gré, on m'en injurierait. Oh! oui, je fais un rude travail. A mon âge, avec mes soixante et onze ans, pas un instant de vrai repos, ni jour, ni nuit. Comment voulez-vous que je ne sois pas toujours inquiet? je sens l'Europe pivoter sur moi.

6 septembre 1844.

Le roi me disait hier : — Ce qui rend la paix difficile, c'est qu'il y a en France deux choses que les rois de l'Europe détestent, la France et moi. Moi plus encore que la France. Je vous parle en toute franchise. Ils me haïssent parce que je suis Orléans ; ils me haïssent parce que je suis moi. Quant à la France, on ne l'aime pas, mais on la tolérerait en d'autres mains. Napoléon leur était à charge ; ils l'ont renversé en le poussant à la guerre qu'il aimait. Je leur suis à charge, ils voudraient me jeter bas, en me poussant hors de la paix que j'aime.

Puis il a mis ses deux mains sur ses yeux et est resté un moment, la tête appuyée en arrière aux coussins du canapé, pensif et comme accablé.

6 septembre 1844.

— Je n'ai jamais vu, me disait le roi, qu'une seule fois Robespierre en chambre (*dans une chambre, de près*, mais je conserve l'expression même du roi). C'était dans un endroit appelé Mignot, près de Poissy, qui existe encore. Cela appartenait alors à un riche fabricant de drap de Louviers appelé M. Decréteau. C'était en quatre-vingt-onze ou douze. M. Decréteau m'invita un jour à venir dîner à Mignot. J'y allai. L'heure venue, on se mit à table. Il y avait Robespierre et Pétion. Je connaissais beaucoup Pétion, mais je n'avais jamais vu Robespierre. C'était bien la figure dont Mirabeau avait fait le portrait d'un mot, *un chat qui boit du vinaigre*. Il fut très maussade et desserra à peine les dents, laissant à regret échapper une parole de temps en temps, et fort âcre. Il paraissait contrarié d'être venu, et que je fusse là. Au milieu du dîner, Pétion s'adressant à M. Decréteau s'écria : — Mon cher amphitryon, mariez-moi donc ce gaillard-là ! — Il montrait Robespierre. Robespierre de s'exclamer : — Qu'est-ce cela et que veux-tu dire, Pétion ? — Pardieu, fit Pétion, je veux dire qu'il faut que tu te maries. Je veux te marier. Tu es plein d'âcreté, d'hypocondrie et de fiel, d'humeur noire, de bile et d'atrabile. J'ai peur de tout cela pour nous. Il faudrait une femme pour fondre toutes ces amertumes et faire de toi un bon homme. — Robespierre hocha la tête et voulut faire un sourire, mais ne parvint qu'à faire une grimace. — C'est la seule fois, reprit le roi, que j'aie vu Robespierre en chambre. Depuis je l'ai retrouvé à la tribune de la Convention. Il était ennuyeux au suprême degré, parlait lentement, longuement et pesamment, et était plus âcre, plus maussade et plus amer que jamais. On voyait bien que Pétion ne l'avait pas marié.

7 septembre 1844.

Le roi me disait jeudi dernier : — M. Guizot a de grandes qualités et d'immenses défauts. (Chose bizarre, M. Guizot m'avait dit précisément la même chose du roi le mardi d'auparavant, — en commençant par les défauts.) M. Guizot a au plus haut degré, et je l'en estime profondément, le courage de l'impopularité chez ses adversaires ; il ne l'a pas parmi ses amis. Il ne sait pas se brouiller momentanément avec ses partisans, ce qui était le grand art de M. Pitt. Dans cette affaire de Taïti, comme dans l'affaire du droit de visite, M. Guizot n'a pas peur de l'opposition, ni de la presse, ni des radicaux, ni des carlistes, ni des dynastiques, ni des cent mille hurleurs des cent mille carrefours de France ; il a peur de Jacques Lefebvre. Que dira Jacques Lefebvre ? Et Jacques Lefebvre a peur du IIe arrondissement. Que dira le IIe arrondissement ? Le IIe arrondissement n'aime pas les Anglais, il faut tenir tête aux Anglais ; mais il n'aime pas la guerre, il faut céder aux Anglais. Tenir tête en cédant. Arrangez cela. Le IIe arrondissement gouverne Jacques Lefebvre, Jacques Lefebvre gouverne Guizot ; un peu plus le IIe arrondissement gouvernerait la France.

Je dis à Guizot : — Mais que craignez-vous ? Ayez donc du courage. Soyez d'un avis. — Ils sont là tous pâles et immobiles et ne répondent pas. Oh! la peur! Monsieur Hugo, c'est une étrange chose que la peur du bruit qui se fera dehors! elle prend celui-ci, puis celui-là, et elle fait le tour de la table. Je ne suis pas ministre, mais, si je l'étais, il me semble que je n'aurais pas peur. Je verrais le bien et j'irais droit devant moi. Et quel plus grand but ? La civilisation par la paix!

Octobre 1844.

M. Guizot sort tous les jours après son déjeuner, à midi, et va passer une heure chez Mme la princesse de

Liéven, rue Saint-Florentin. Le soir il y retourne, et, excepté les jours officiels, il y passe toutes ses soirées.

M. Guizot a cinquante-sept ans, la princesse en a cinquante-huit.

A ce sujet, le roi disait un soir à M. Duchâtel, ministre de l'intérieur :

— Guizot n'a donc pas un ami qui le conseille ? Qu'il prenne garde à ces femmes du nord. Il ne se connaît pas en femmes du nord. Quand une femme du nord est vieille et a affaire à un homme plus jeune qu'elle, elle le suce juqu'à la moelle.

Puis le roi de rire.

M. Duchâtel, qui est gros et gras, qui a des favoris et quarante-cinq ans, rougit très fort.

Novembre.

Le roi, chez lui, le soir, ne porte habituellement aucune décoration. Il est vêtu d'un habit marron, d'un pantalon noir et d'un gilet de satin noir ou de piqué blanc. Il a une cravate blanche, des bas de soie à jour et des souliers vernis. Il porte un toupet gris, peu dissimulé, et coiffé à la mode de la Restauration. Point de gants. Il est gai, bon, affable et causeur.

Son voyage en Angleterre l'a charmé. Il m'en a parlé une heure et demie avec force gestes et imitations de l'accent anglais et des pantomimes anglaises.

— J'ai été fort bien accueilli, me disait-il. La foule, les acclamations, les salves d'artillerie, les banquets, cérémonies, fêtes, visites des corps de ville, harangue de la cité de Londres, rien n'a manqué. Dans tout cela, deux choses surtout m'ont touché. Près de Windsor, à un relais, un homme, qui avait suivi ma voiture en courant, s'est arrêté près de moi à la portière, en criant : — Vive le roi ! vive le roi ! vive le roi ! — en français. Puis il a ajouté, toujours en français : — Sire, soyez le bienvenu chez ce vieux peuple d'Angleterre ; vous êtes dans un pays qui sait vous apprécier. — Cet homme ne m'avait jamais vu et ne me reverra jamais. Il n'attend rien de moi. Il m'a semblé que c'était la voix du peuple. Cela m'a touché plus que tous les compliments. — En France, au relais après Eu, un ivrogne me voyant passer a dit à haute voix : — Voilà le roi de retour. Tout est bien. Les Anglais sont contents, les Français seront tranquilles. — Paix et satisfaction des peuples, c'est en effet mon but.

Oui, j'ai été bien reçu en Angleterre. Et si l'empereur de Russie a comparé son accueil au mien, il a dû souffrir, lui qui est vaniteux. Il est venu en Angleterre avant moi pour m'empêcher de faire mon voyage. C'est une sottise. Il eût mieux fait de venir après moi. On eût été obligé de le traiter de la même façon. Par exemple, il n'est pas aimé à Londres. Je ne sais pas si l'on eût pu obtenir que le corps de ville se dérangeât pour l'aller voir. Ces aldermen sont des blocs.

Louis-Philippe s'amusait fort de M. Dupin aîné, qui, croyant exagérer les raffinements du langage de cour, appelle Madame Adélaïde, sœur du roi, *ma belle demoiselle*.

Saint-Cloud, 16 novembre.

Le roi était hier soucieux et paraissait fatigué. Quand il m'a aperçu, il m'a conduit dans le salon qui est derrière le salon de la reine, et il m'a dit en me montrant un grand canapé de tapisserie où sont figurés des perroquets dans des médaillons : — Asseyons-nous sur ces oiseaux. — Puis il m'a pris la main, et s'est plaint assez amèrement :

— Monsieur Hugo, on me juge mal. On dit que je suis fin. On dit que je suis habile. Cela veut dire que je suis traître. Cela me blesse. Je suis un honnête homme. Tout bonnement. Je vais droit devant moi. Ceux qui me connaissent savent que j'ai de l'ouverture de cœur. Thiers, en travaillant avec moi, me dit, un jour que nous n'étions pas d'accord : — Sire, vous êtes fin, mais je suis plus fin que vous. — La preuve que non, lui répondis-je, c'est que vous me le dites. — Thiers, du reste, a de l'esprit, mais il est trop fier d'être un parvenu. Guizot vaut mieux. C'est un homme solide. Un point d'appui. Espèce rare et que j'estime. Il est supérieur même à Casimir Périer, qui avait l'esprit étroit. C'était une âme de banquier scellée à la terre comme un coffre-fort. Oh! que c'est rare, un vrai ministre! Ils sont tous comme des écoliers. Les heures de conseil les gênent. Les plus grandes affaires se traitent en courant. Ils ont hâte d'être à leurs ministères, à leurs commissions, à leurs bureaux, à leurs bavardages. Dans les temps qui ont suivi 1830, ils avaient l'air humiliés et inquiets quand je les présidais. Et puis, aucun goût vrai du pouvoir. Peu de grandeur au fond, pas de suite dans les projets, pas de persistance dans les volontés. On quitte la partie comme un enfant sort de classe. Le jour de sa sortie du ministère, le duc de Broglie dansait de joie dans la salle du conseil. Le maréchal Maison arrive. — Qu'avez-vous, mon cher duc ? — Maréchal, nous quittons le ministère! — Vous y êtes entré comme un sage, dit le maréchal qui avait de l'esprit, et vous en sortez comme un fou.

Le comte Molé, lui, avait une manière de me céder et de me résister tout à la fois. — Je suis de l'avis du roi quant au fond, disait-il, je n'en suis pas quant à l'opportunité. — M. Humann, qui a été ministre des finances, était bon économiste, mais alsacien et entêté. Quand nous étions en désaccord, notamment pour la conversion des rentes, je lui disais, si c'était en été : — Monsieur Humann, venez avec moi à Eu. Nous prendrons une calèche ou un char à bancs, et nous causerons en nous promenant dans la forêt. Nous partions pour la ville d'Eu, je faisais mettre les chevaux à la voiture, et nous nous en allions par le bois, lui pérorant, moi regardant les arbres, cela durait toute la journée, et je m'en revenais le soir après avoir promené M. Humann.

Je n'aime pas le système des finances en France. Je suis payé pour m'en plaindre. C'est-à-dire pas payé. L'arriéré me doit soixante-quinze millions dont je n'aurai jamais un sou. On me doit pour la principauté de Dombes, pour Gaillon, pour Vernon. On me doit pour Rambouillet. J'en ai fait mon deuil, mais cela m'impatiente d'être accusé quand c'est moi qui devrais réclamer et récriminer. Enfin, n'importe! Ah, Monsieur Hugo, si vous saviez comme les choses se passent quelquefois au conseil! Le traité du droit de visite, ce fameux droit de visite! croiriez-vous cela? n'a pas même été lu en conseil. Le maréchal Sébastiani, alors ministre, disait : — Mais, messieurs, lisez donc le traité. — Je disais : — Mes chers ministres, mais lisez donc le traité. — Bah! nous n'avons pas le temps, nous savons ce que c'est. Que le roi signe! disaient-ils. — Et j'ai signé.

Choses vues.

Le feu qui couve

Mais en Victor Hugo, l'opposition à la politique conservatrice se fait de plus en plus violente. Le 17 novembre 1845 il a entrepris un grand roman, Les Misères.« Les gueux ont fait la Hollande ; la populace a plus d'une fois sauvé Rome; et la canaille suivait Jésus-Christ ». Il entend le peuple gronder.

Hier, 22 février, j'allais à la Chambre des pairs. Il faisait beau et très froid, malgré le soleil et midi. Je vis venir rue de Tournon un homme que deux soldats emmenaient. Cet homme était blond, pâle, maigre, hagard ; trente ans à peu près, un pantalon de grosse toile, les pieds nus et écorchés dans des sabots avec des linges sanglants roulés autour des chevilles pour tenir lieu de bas ; une blouse courte, souillée de boue derrière le dos, ce qui indiquait qu'il couchait habituellement sur le pavé ; la tête nue et hérissée. Il avait sous le bras un pain. Le peuple disait autour de lui qu'il avait volé ce pain et que c'était à cause de cela qu'on l'emmenait. En passant devant la caserne de gendarmerie, un des soldats y entra, et l'homme resta à la porte, gardé par l'autre soldat.

Une voiture était arrêtée devant la porte de la caserne. C'était une berline armoriée portant aux lanternes une couronne ducale, attelée de deux chevaux gris, deux laquais en guêtres derrière. Les glaces étaient levées, mais on distinguait l'intérieur tapissé de damas bouton-d'or. Le regard de l'homme fixé sur cette voiture attira le mien. Il y avait dans la voiture une femme en chapeau rose, en robe de velours noir, fraîche, blanche, belle, éblouissante, qui riait et jouait avec un charmant petit enfant de seize mois enfoui sous les rubans, les dentelles et les fourrures.

Cette femme ne voyait pas l'homme terrible qui la regardait.

Je demeurai pensif.

Cet homme n'était plus pour moi un homme, c'était le spectre de la misère, c'était l'apparition, difforme, lugubre, en plein jour, en plein soleil, d'une révolution encore plongée dans les ténèbres, mais qui vient. Autrefois le pauvre coudoyait le riche, ce spectre rencontrait cette gloire ; mais on ne se regardait pas. On passait. Cela pouvait durer ainsi longtemps. Du moment où cet homme s'aperçoit que cette femme existe, tandis que cette femme ne s'aperçoit pas que cet homme est là, la catastrophe est inévitable.

Choses vues.

Cette misère du peuple face à la « joyeuse vie » des riches, Victor Hugo l'a évoquée aussi en des vers passionnés.

Bien! pillards, intrigants, fourbes, crétins, puissances!
Attablez-vous en hâte autour des jouissances!
                    Accourez! place à tous!
Maîtres, buvez, mangez, car la vie est rapide.
Tout ce peuple conquis, tout ce peuple stupide,
                    Tout ce peuple est à vous!

Vendez l'état! coupez les bois! coupez les bourses!
Videz les réservoirs et tarissez les sources!
                    Les temps sont arrivés.
Prenez le dernier sou! prenez, gais et faciles,
Aux travailleurs des champs, aux travailleurs des villes!
                    Prenez, riez, vivez!

Bombance! allez! c'est bien! vivez! faites ripaille!
La famille du pauvre expire sur la paille,
                    Sans porte ni volet.
Le père en frémissant va mendier dans l'ombre;
La mère n'ayant plus de pain, dénûment sombre,
                    L'enfant n'a plus de lait.

Millions! Millions! châteaux, liste civile!
Un jour je descendis dans les caves de Lille;
                    Je vis ce morne enfer.
Des fantômes sont là sous terre dans des chambres,
Blêmes, courbés, ployés; le rachis tord leurs membres
                    Dans son poignet de fer.

Sous ces voûtes on souffre, et l'air semble un toxique;
L'aveugle en tâtonnant donne à boire au phtisique;
                    L'eau coule à longs ruisseaux;
Presque enfant à vingt ans, déjà vieillard à trente,
Le vivant chaque jour sent la mort pénétrante
                    S'infiltrer dans ses os.

Jamais de feu; la pluie inonde la lucarne;
L'œil en ces souterrains où le malheur s'acharne

Sur vous, ô travailleurs,
Près du rouet qui tourne et du fil qu'on dévide,
Voit des larves errer dans la lueur livide
Du soupirail en pleurs.

Misère! l'homme songe en regardant la femme.
Le père, autour de lui sentant l'angoisse infâme
Etreindre la vertu,
Voit sa fille rentrer sinistre sous la porte,
Et n'ose, l'œil fixé sur le pain qu'elle apporte,
Lui dire : D'où viens-tu?

Là dort le désespoir sur son haillon sordide ;
Là, l'avril de la vie, ailleurs tiède et splendide,
Ressemble au sombre hiver ;
La vierge, rose au jour, dans l'ombre est violette ;
Là, rampent dans l'horreur la maigreur du squelette
La nudité du ver ;

Là frissonnent, plus bas que les égouts des rues,
Familles de la vie et du jour disparues,
Des groupes grelottants ;
Là, quand j'entrai, farouche, aux méduses pareille,
Une petite fille à figure de vieille
Me dit : J'ai dix-huit ans!

Là, n'ayant pas de lit, la mère malheureuse
Met ses petits enfants dans un trou qu'elle creuse,
Tremblants comme l'oiseau ;
Hélas! ces innocents aux regards de colombe
Trouvent en arrivant sur la terre une tombe,
En place d'un berceau!

Caves de Lille, on meurt sous vos plafonds de pierre!
J'ai vu, vu de ces yeux pleurant sous ma paupière,
Râler l'aïeul flétri,
La fille aux yeux hagards de ses cheveux vêtue,

Et l'enfant spectre au sein de la mère statue!
O Dante Alighieri!

C'est de ces douleurs-là que sortent vos richesses,
Princes! ces dénûments nourrissent vos largesses,
O vainqueurs! conquérants!
Votre budget ruisselle et suinte à larges gouttes
Des murs de ces caveaux, des pierres de ces voûtes,
Du cœur de ces mourants.

Sous ce rouage affreux qu'on nomme tyrannie,
Sous cette vis que meut le fisc, hideux génie,
De l'aube jusqu'au soir,
Sans trêve, nuit et jour, dans le siècle où nous sommes,
Ainsi que des raisins on écrase des hommes,
Et l'or sort du pressoir.

C'est de cette détresse et de ces agonies,
De cette ombre, où jamais, dans les âmes ternies,
Espoir, tu ne vibras,
C'est de ces bouges noirs pleins d'angoisses amères,
C'est de ce sombre amas de pères et de mères
Qui se tordent les bras,

Oui, c'est de ce monceau d'indigences terribles
Que les lourds millions, étincelants, horribles,
Semant l'or en chemin,
Rampant vers les palais et les apothéoses,
Sortent, monstres joyeux et couronnés de roses,
Et teints de sang humain!

O paradis! splendeurs! versez à boire aux maîtres!
L'orchestre rit, la fête empourpre les fenêtres,
La table éclate et luit ;
L'ombre est là sous leurs pieds ; les portes sont fermées ;
La prostitution des vierges affamées
Pleure dans cette nuit!

Vous tous qui partagez ces hideuses délices,
Soldats payés, tribuns vendus, juges complices,
             Évêques effrontés,
La misère frémit sous ce Louvre où vous êtes!
C'est de fièvre et de faim et de mort que sont faites
             Toutes vos voluptés !

A Saint-Cloud, effeuillant jasmins et marguerites,
Quand s'ébat sous les fleurs l'essaim des favorites,
             Bras nus et gorge au vent,
Dans le festin qu'égaie un lustre à mille branches
Chacune, en souriant, dans ses belles dents blanches
             Mange un enfant vivant!

Mais qu'importe! riez! Se plaindra-t-on sans cesse?
Serait-on empereur, prélat, prince et princesse,
             Pour ne pas s'amuser?
Ce peuple en larmes, triste, et que la faim déchire,
Doit être satisfait puisqu'il vous entend rire
             Et qu'il vous voit danser !

                              Les   Châtiments

Le procès Lecomte

En 1846, la Cour des Pairs est convoquée pour juger un nouvel attentat sur la personne du roi. C'est le procès Lecomte dont Hugo est l'incomparable témoin.

                                        31 mai 1846.

La Cour des pairs est convoquée pour juger un nouvel attentat sur la personne du roi.

Le 16 avril dernier, le roi faisait dans la forêt de Fontainebleau une promenade en char à bancs. Il avait à côté de lui M. de Montalivet, et, derrière lui, la reine et plusieurs de leurs enfants. On rentrait vers six heures, et on longeait les murs du parquet d'Avon quand deux coups de fusil partirent à gauche, mais n'atteignirent personne.

Gardes forestiers, gendarmes, des officiers de hussards qui escortaient le roi, tous se précipitèrent. Un palefrenier escalada le mur et saisit un homme dont le visage était à demi masqué d'un mouchoir. C'était un ex-garde général des forêts de la couronne, destitué de son emploi dix-huit mois auparavant, pour grave manquement au service.

1er juin, midi un quart.

La tribune et le fauteuil du président ont été enlevés.

L'accusé est assis à la place où est habituellement la tribune, et il est adossé à une draperie de serge verte mise là pour le procès, entre quatre gendarmes à bonnets de grenadiers, buffleteries jaunes, plumets rouges ; devant lui sont assis cinq avocats, rabats blancs et robes noires. Celui du milieu a le ruban de la Légion d'honneur et les cheveux gris. C'est Me Duvergier, la bâtonnier. Derrière l'accusé, des banquettes rouges occupées par des spectateurs remplissent l'hémicycle où siège d'ordinaire M. le chancelier.

L'accusé a quarante-huit ans, il n'en paraît guère que trente-six. Il n'a rien sur la physionomie qui annonce ce qu'il a fait. C'est un des ces visages calmes et presque insignifiants qui disposent plutôt bien que mal. Le général Voirol, mon voisin, me dit : — Il a l'air d'un bon diable. — Cependant, l'expression sombre gagne peu à peu cette figure assez belle, quoique d'un type vulgaire, et il prend l'air d'un mauvais diable. De la place où je suis, ses cheveux et ses moustaches paraissent noirs. Il a le visage allongé, les joues colorées. Il baisse presque toujours les yeux ; quand, par moment, il les relève, c'est jusqu'au plafond. Si c'était un fanatique, je dirais jusqu'au ciel. Il a une cravate noire, une chemise blanche, et une vieille redingote noire à un seul rang de boutons, sans ruban, quoiqu'il soit légionnaire. Le général Berthezène se penche vers moi et me conte qu'hier Lecomte avait été tranquille tout le jour, mais qu'il devint furieux quand on lui refusa *un habit noir neuf* qu'il avait demandé *pour paraître devant la haute cour*. Ceci est un trait de caractère.

Pendant l'appel des pairs, il a promené ses yeux çà et là. Aux questions préliminaires du chancelier, il a répondu à voix basse. Quelques pairs ont crié : *Plus haut*. Le chancelier lui a dit de se tourner vers la cour.

On a introduit les témoins, parmi lesquels quelques femmes fort parées et des paysannes. Ils sont à ma droite, dans le couloir à gauche de la tribune. M. Decazes va et vient parmi les témoins. On introduit M. de Montalivet, premier témoin, avec le cordon rouge et deux plaques, dont une étrangère. Il arrive en boitant, à cause de sa goutte. Un valet, en livrée feuille morte à collet rouge, le soutient.

Un jeune avocat en robe se tient debout derrière l'accusé. On introduit un tout jeune pair qui ne paraît pas plus de dix-huit ans et qui est, je crois, M. d'Aboville.

J'échange un salut avec M. Martinez de la Rosa, ambassadeur d'Espagne, qui est derrière moi dans la tribune diplomatique.

Pendant la suspension de l'audience, j'ai examiné les pièces à conviction qui sont dans le couloir de droite. Le fusil est à deux coups, à canons rubannés, la batterie ornée d'arabesques renaissance ; presque une arme de luxe. La blouse que portait l'assassin est bleue, assez usée. Le foulard dont il s'est caché le visage pour tirer est un foulard de coton, fond café, à raies blanchâtres. A toutes ces pièces pend un petit carton portant les signatures des agents de l'instruction et la signature de *Pierre Lecomte*.

5 juin.

Pendant une suspension d'audience, j'ai vu cet homme de près. Il paraît son âge. Il a le visage hâlé d'un chasseur et flétri d'un prisonnier. Quand il parle, quand il s'anime, quand il se lève debout, son aspect devient étrange. C'est un geste brusque, une attitude farouche. Son sourcil droit se dresse vers l'angle du front et lui donne je ne sais quel air égaré et diabolique. Il parle d'une voix sourde, mais ferme.

Il y a eu un moment où, expliquant son crime, il disait :

— Je m'étais arrêté, le 15 avril, sur la place du Carrousel, il pleuvait, j'étais sous un auvent ; je regardais machinalement des estampes. On causait dans la boutique à côté, trois hommes et une femme ; j'écoutais, machinalement aussi, j'étais triste. Tout à coup, le nom du roi m'a frappé, on parlait du roi, j'ai regardé ces hommes, je les ai reconnus pour des domestiques du château, ils disaient que le roi partirait le lendemain pour Fontainebleau. En ce moment-là, mon idée m'est apparue. Elle m'est apparue clairement, affreusement. La pluie a cessé. J'ai étendu la main en dehors de l'auvent, j'ai vu qu'il ne pleuvait plus, je m'en suis allé. Je suis rentré chez moi, dans ma chambre. Dans ma petite chambre démeublée et misérable. J'y suis resté seul. Trois heures. J'ai songé, j'ai rêvé. J'étais bien malheureux. Mon projet me revenait toujours. Et puis la pluie a recommencé, le temps était sombre, il faisait grand vent, un ciel presque noir. Je me suis senti comme fou. Tout à coup, je me suis levé. C'était fini, je venais de prendre mon parti. — Voilà comment la chose m'est venue.

Dans un autre moment, à une observation de M. le chancelier que le crime était sans motif, il a dit :

— Comment! j'ai écrit au roi. Une fois, deux fois, trois fois. Le roi ne m'a pas répondu. Oh! alors...

Il n'a pas achevé sa pensée ; mais son poing s'est crispé sur la barre. En ce moment il était effrayant. C'est vraiment un homme fauve. Il se rassied. Le voilà au repos. Calme et farouche.

Pendant que le procureur général parlait, il s'agitait comme un loup, et paraissait furieux. Quand son défenseur (Duvergier) a parlé, il lui est venu des larmes aux yeux. Elles coulaient sur ses joues, grosses et visibles.

Dicté par moi, ce 6 juin 1846.

Voici comment cela se passe. A l'appel de son nom fait à haute voix par le greffier, chaque pair se lève et prononce la sentence, également à haute voix.

Les trente-deux pairs qui ont voté avant moi ont tous prononcé la peine des parricides ; quelques-uns, par adoucissement, la peine capitale.

Quand mon tour est venu, je me suis levé. J'ai dit :

— En présence de l'énormité du crime et de la futilité du motif, il m'est impossible de croire que le coupable ait agi dans la pleine possession de sa liberté morale, de sa volonté. Je ne pense pas que ce soit là une créature humaine ayant une perception nette de ses idées ni une conscience claire de ses actions. Je ne puis prononcer contre cet homme d'autre peine que la détention perpétuelle.

J'ai dit ces paroles à très haute voix. Dès les premiers mots tous les pairs se sont retournés et m'ont écouté dans un silence qui semblait m'inviter à poursuivre. Je me suis cependant arrêté là et je me suis rassis. L'appel nominal a continué.

Le marquis de Boissy s'est levé à son tour et a dit :

— Nous venons d'entendre des paroles graves. M. le vicomte Victor Hugo a émis une opinion qui me frappe profondément et à laquelle je me rallie. Je pense, comme lui, que le coupable n'a pas la plénitude de sa raison. Je prononce la détention perpétuelle.

L'appel nominal a continué.

Je ne dois pas oublier de dire que quelques instants avant moi, M. le conseiller Mesnard, appelé à son tour, avait déclaré que sa longue habitude des procès criminels comme ancien magistrat lui donnait peut-être le droit d'affirmer que l'accusé Pierre Lecomte n'offrait aucun signe de la manie, de l'hypocondrie ou de la folie, qu'il devait par conséquent subir la responsabilité de son acte, c'est-à-dire la peine des parricides. A cette observation près, presque aucun pair ne parlait au-delà de son vote qui se faisait d'une façon brève et sans rien ajouter à l'indication de la peine.

L'appel nominal s'est prolongé avec cette lugubre monotonie : *la peine capitale, la peine des parricides*, et est arrivé suivant l'ordre des dates de prise de séance, jusqu'aux plus anciens pairs. Le vicomte Dubouchage, appelé à son tour, a dit :

— Jusqu'ici, dans tous les procès de cette nature, toutes les fois que la vie du roi a été menacée, j'ai voté pour la peine la plus sévère. Cette fois, déjà inquiété pendant le débat par l'attitude de l'accusé, mais pleinement éclairé par les observations de M. Victor Hugo, je déclare que selon mon opinion, le coupable n'est pas sain d'esprit. M. le vicomte Hugo en a indiqué les motifs en peu de mots, mais d'une façon qui me paraît victorieuse. Je me rallie à son vote et je prononce comme lui la détention perpétuelle.

Les autres pairs, il n'en restait plus qu'un très petit nombre, ont voté tous la peine des parricides.

M. le chancelier, appelé le dernier, s'est levé et a dit :

— Je prononce la peine des parricides. Maintenant, un second tour d'opinion va commencer. Le premier vote n'est que provisoire, le deuxième seul est définitif. Chacun est donc libre de se rétracter ou de persister. Une opinion digne d'une profonde attention en elle-même, non moins digne de considération par la bouche dont elle émane, s'est produite avec autorité, quoique en minorité imperceptible, pendant le cours du vote. Je crois devoir déclarer ici que pendant la durée de cette longue instruction, pendant sept semaines, j'ai vu l'accusé tous les jours, je l'ai interrogé, pressé, questionné, et, comme disaient les anciens parlementaires, retourné dans tous les sens. Jamais, jamais un seul instant sa lucidité d'esprit ne s'est troublée. Je l'ai toujours trouvé raisonnant juste avec l'affreuse logique de son action, mais sans déraison comme sans repentir. Ce n'est donc pas un fou, je l'affirme. C'est un homme qui sait ce qu'il a voulu et qui accepte ce qu'il a fait. Qu'il en subisse les conséquences. Je rappelle à la cour, pour achever d'éclairer sa religion, que la peine du parricide ne se complique plus du poing coupé. Le coupable, mené en chemise, pieds nus, la tête couverte d'un voile noir, exposé sur l'échafaud pendant la lecture de l'arrêt, voilà toute l'aggravation. En terminant, je reviens aux idées par lesquelles j'ai commencé, et je serais touché que nos nobles collègues dissidents les prissent en considération.

Le comte Molé qui avait voté la peine capitale s'est levé et a dit :

— J'ignorais que le poing coupé eût été aboli. Du moment où cette torture a été supprimée je n'hésite plus à voter la peine des parricides.

Le marquis de Gabriac, qui s'était abstenu de voter et avait réservé son opinion, a dit :

— Je vote la peine des parricides.

On a commencé le second appel nominal. Le nombre des pairs votant la peine des parricides s'est encore accru.

A l'appel de mon nom, je me suis levé, un profond silence s'est fait. J'ai dit :

— La cour comprendra les scrupules d'une conscience effrayée qui, pour la première fois, sent s'agiter en elle d'aussi redoutables questions. Ce moment, messieurs les pairs, est solennel pour tous ; il ne l'est ici pour personne autant que pour moi. J'ai sur les peines irréparables des idées arrêtées et complètes depuis dix-huit années. Ces idées, vous les connaissez. Simple écrivain, je les ai publiées, homme politique, si Dieu m'aide, je les appliquerai. A la place que j'occupe ici, que nous occupons tous, on est tout à la fois juge et législateur. Ce double caractère est tellement mêlé en nous dans toutes nos fonctions, qu'en présence des nécessités politiques comme en présence des devoirs judiciaires, on peut dire que, chez le pair de France, le législateur se compose du juge et le juge se compose du législateur. A aucun moment de notre vie publique, il ne nous est donné d'abstraire de nous-même et d'oublier l'une ou l'autre de ces deux qualités, législateur et juge, et ces deux qualités ne font qu'une mission. Ainsi, au point de vue général, je répugne aux peines irréparables ; dans le cas particulier, je ne les admets pas. Ce n'est pas que je n'aie point recueilli dans tout ce qui m'intéresse ici plus d'un enseignement utile et sérieux. J'ai écouté avec recueillement les observations présentées par M. le chancelier. Elles sont graves, venant d'un si éminent esprit. Je suis frappé de l'unanimité imposante de cette imposante assemblée. Mais l'opinion de M. le chancelier, l'unanimité de la cour, cela est beaucoup en présence du raisonnement, cela n'est rien devant la conscience. Depuis que le procès est pendant, j'ai médité et je me suis préparé au grand acte que nous accomplissons par un examen sévère. Avant les débats, j'ai lu, relu, étudié toutes les pièces du procès ; pendant les débats, j'ai considéré l'attitude, la physionomie, le geste, j'ai scruté l'âme de l'accusé. Eh bien, je le dis à cette cour composée d'hommes justes, je le dis à M. le chancelier dont l'opinion a tant de poids, je persiste dans mon vote. Le résultat de mes études, c'est une conviction. Cette conviction la voici : l'accusé est un homme solitaire. La solitude est bonne aux grands esprits et mauvaise aux petits. La solitude trouble les cerveaux qu'elle n'illumine pas. Pierre Lecomte, homme solitaire, esprit chétif, devait de toute nécessité devenir un homme farouche et d'un esprit troublé. L'attentat sur le roi, et sur quel roi! sur le prince le plus sage et le plus éminent de l'Europe, l'attentat sur un père, et sur quel père! et à quelle heure! lorsqu'il est entouré de sa famille! l'attentat sur un groupe de femmes et d'enfants, la mort jetée au hasard, vingt crimes possibles ajoutés et mêlés à un crime voulu, voilà l'action. Elle est monstrueuse. Rien n'a arrêté ce misérable. Maintenant, examinons le motif, le voici : une retenue de vingt francs sur une gratification annuelle, une démission acceptée, trois lettres restées sans réponse. Comment ne pas être frappé d'un tel rapprochement et d'un tel abîme! Je le répète en terminant, en présence de ces deux extrêmes, le crime le plus grand, le motif le plus futile, il est évident pour moi que la raison manque, que la pensée qui a fait un tel rapprochement et franchi un tel abîme n'est pas une pensée lucide, et que ce coupable, cet assassin, cet homme sauvage et solitaire, cet être effaré et féroce, est un fou. Ce n'est pas un fou pour un médecin peut-être, c'est un fou à coup sûr pour un moraliste. J'ajoute que la politique est ici d'accord avec la justice, et qu'il est toujours bon de retirer la raison humaine d'un crime qui révolte la nature et qui ébranle la société. Je persiste dans mon vote.

Les pairs m'ont écouté avec une attention profonde et sympathique. MM. de Boissy et Dubouchage ont persisté comme moi, M. de Boissy en disant qu'il eût souhaité que l'arrêt portât : *la détention perpétuelle dans une maison d'aliénés.*

A son tour de voter, le premier président Séguier a dit que *si la peine des parricides n'existait pas, il faudrait l'inventer pour Pierre Lecomte.*

MM. de Broglie, Molé, Portalis, Beugnot, Daru, Montalembert, Cousin, Thénard et Gay-Lussac ont voté la peine des parricides.

MM. d'Harcourt, Pontécoulant, Villemain, de la Moskowa ont voté la peine capitale.

Il y avait 232 votants. Voici comment se sont réparties les voix :

196 pour la peine des parricides ;

33 pour la peine capitale ;

3 pour la détention perpétuelle.

On peut dire que la Chambre des pairs tout entière fut froissée de la mise à mort de Lecomte. Elle avait condamné pour qu'on fît grâce. C'était une occasion de clémence qu'elle offrait au roi. Le roi saisissait volontiers ces occasions, la Chambre le savait. Quand elle apprit que l'exécution venait d'avoir lieu, elle fut surprise, presque blessée.

Immédiatement après la condamnation, M. le chancelier et M. le premier président Franck-Carré avaient été appelés chez le roi. M. Franck-Carré était le pair commissaire qui avait été chargé du rapport de l'instruction. Ils allèrent chez le roi dans la voiture du chancelier. M. Franck-Carré, quoique ayant voté la peine des parricides, était ouvertement favorable à la grâce. M. le chancelier y inclinait également, mais sans vouloir se prononcer. Chemin faisant, il dit au président Franck-Carré :

— J'ai dirigé l'information, j'ai dirigé l'instruction, j'ai dirigé les débats. Je n'ai pas été sans influence sur le vote. Je ne veux pas m'expliquer sur la grâce. Assez de responsabilité comme cela! Ils feront ce qu'ils voudront.

Dans le cabinet du roi, il tint respectueusement le même langage. Il déclina tout parti pris d'opinion sur la question de la grâce. M. le président Franck-Carré fut explicite. Le roi entrevoyait l'opinion du chancelier.

Me Duvergier avait pris son client à gré, comme fait toujours l'avocat qui le défend. C'est un effet naturel. Le procureur général finit par haïr l'accusé, et l'avocat par l'aimer. Lecomte fut condamné le vendredi. Le samedi Me Duvergier alla chez le roi.

Le roi le reçut bien, mais il lui dit : — J'examinerai, je verrai. Le cas est grave. Mon danger est le danger de tous. Ma vie importe à la France, c'est pour cela que je dois la défendre. Savez-vous comment il se fait qu'on tire sur moi? C'est qu'on ne me connaît pas, c'est qu'on me calomnie, on dit partout : — Louis-Philippe est un gueux, Louis-Philippe est un coquin, Louis-Philippe est un avare, Louis-Philippe fait tout le mal. Il veut des dotations pour ses fils, de l'argent pour lui. Il corrompt le pays. Il l'avilit au-dedans et l'abaisse au-dehors. C'est un vieux Anglais. A bas Louis-Philippe! Que diable! il faut bien que je protège un peu ce pauvre Louis-Philippe, maître Duvergier! C'est égal, je réfléchirai. Vous savez que je déteste la peine de mort. Chaque fois qu'il faut signer un rejet de grâce, le supplice commence par moi. Tous mes penchants, tous mes instincts, tous mes principes sont de votre côté. Cependant je suis le roi constitutionnel, j'ai des ministres qui décident. Et puis, que voulez-vous? Il faut bien que je songe aussi un peu à moi.

Me Duvergier sortit navré. Il comprit que le roi ne ferait pas grâce.

Le conseil des ministres fut unanime pour l'exécution de l'arrêt de la Cour des pairs.

Le lendemain dimanche, Me Duvergier reçut par exprès

une lettre de M. le garde des sceaux Martin du Nord, lui annonçant que *le roi avait cru devoir décider que la loi aurait son cours.* Il était encore dans la première émotion de l'espérance définitivement perdue lorsqu'un nouvel exprès arriva.

Nouvelle lettre. Le garde des sceaux informait le bâtonnier que « le roi, voulant donner au condamné Pierre Lecomte un *nouveau gage* de sa bonté, avait décidé que la pension dudit Lecomte serait reversible sur la tête de sa sœur, la vie de cette sœur durant, et que dès à présent Sa Majesté mettait à la disposition de cette sœur une somme de trois mille francs comme secours.

« J'ai pensé, monsieur le bâtonnier, disait le garde des sceaux en terminant, qu'il vous serait agréable de transmettre vous-même à cette malheureuse femme cette marque de la bienveillance royale. »

Mᵉ Duvergier crut avoir mal lu la première lettre. — *Nouveau gage !* dit-il à un de ses amis présent. Je me suis donc trompé. Le roi fait donc grâce ! — Mais il relut la lettre, et vit qu'il n'avait que trop bien lu. *Nouveau gage* demeura inexplicable pour lui. Il refusa la commission dont le garde des sceaux le chargeait.

Quant à la sœur de Lecomte, elle refusa les trois mille francs et la pension. — Elle les refusa avec quelque amertume et aussi avec quelque dignité.

— Dites au roi, dit-elle, que je le remercie. Je l'eusse mieux remercié d'autre chose. Dites-lui que je n'oublie pas mon frère assez vite pour prendre sa dépouille. Ce n'est pas là le bienfait que j'attendais du roi. Je n'ai besoin de rien, je suis bien malheureuse et bien misérable, je meurs de faim à peu près, mais il me convient de mourir ainsi, puisque mon frère meurt comme cela. Qui fait mourir le frère n'a pas le droit de nourrir la sœur.

M. Mérilhou joua dans toute cette affaire un rôle lugubrement actif. Il était l'un des pairs commissaires. Pendant l'instruction, il voulait retirer du dossier la lettre du docteur Gallois qui parlait de Lecomte comme d'un fou. Il fut un moment question de supprimer cette lettre.

Lecomte fut assez courageux au dernier moment. Cependant, la nuit qui précéda l'exécution, il demanda, vers deux heures du matin, le procureur général, M. Hébert ; et M. Hébert, en le quittant après un quart d'heure d'entretien, dit : *Il est battu de l'oiseau ; il n'y a plus personne.*

Choses vues.

1847 : Le retour d'un roi

Hugo collectionne lui aussi, comme Stendhal, ces « petits faits vrais » que le romancier n'oserait pas inventer, et que l'historien n'ose pas toujours utiliser, ces anecdotes shakespeariennes, où le destin des peuples et celui des hommes se confondent, pour faire crépiter l'étincelle électrique du drame — ou de l'ironie. Ainsi, le retour à Paris du Roi Jérôme, le cadet des Napoléonides.

Jérôme était le huitième enfant de Charles et Lætizia Bonaparte, le cinquième et dernier des garçons. Il était né en 1784. Son frère Napoléon en fit le roi de Westphalie. Après la chute de l'Empire, Jérôme alla vivre en exil, et ne revint en France qu'en 1847. Il était le père de la Princesse Mathilde (mariée quelque temps au comte Demidoff), et du Prince Jérôme, qui groupent autour d'eux, sous le second Empire, les intellectuels et les artistes, Mérimée, les Goncourt, etc. Le Roi Jérome mourut en 1850.

Le lendemain du jour où Jérôme, rappelé de l'exil, était rentré à Paris, comme le soir venait et qu'il avait attendu vainement son secrétaire, s'ennuyant et seul, il sortit. C'était la fin de l'été (1847), Jérôme était descendu chez sa fille, la princesse Demidoff, dont l'hôtel touchait aux Champs-Élysées.

Il traversa la place de la Concorde, regardant tout autour de lui ces statues, cet obélisque, ces fontaines, toutes ces choses nouvelles pour l'exilé qui n'avait pas vu Paris depuis trente-deux ans. Il suivit le quai des Tuileries. Je ne sais quelle rêverie lui entrait peu à peu dans l'âme.

Arrivé au pavillon de Flore, il entra sous le guichet, tourna à gauche, prit un escalier sous la voûte et monta. Il avait monté deux ou trois marches, quand il se sentit saisir le bras. C'était le portier qui courait après lui.

— Eh! Monsieur! Monsieur! Où allez-vous donc ?

Jérôme le regarda d'un air surpris et répondit :

— Parbleu! Chez moi.

A peine avait-il prononcé ce mot qu'il se réveilla de son rêve. Le passé l'avait enivré un moment. En me contant cela, il ajoutait : — Je m'en allai tout honteux, en faisant des excuses au portier.

Choses vues.

L'enterrement
de mademoiselle Mars

Victor Hugo suit les obsèques de la grande tragédienne, Mlle Mars. Il enregistre ce qu'il entend autour de lui : on pense à un dessin de Daumier.

21 mars.

Mlle Mars est morte ; dans son mois.

26 mars.

Enterrement de Mlle Mars. Elle est morte à soixante-neuf ans. Elle avait deux ans de plus que Mlle George. Mlle Mars avait cinquante-deux ans lorsqu'elle créa Doña Sol, personnage de dix-sept ans. Elle laisse un fils,

caissier chez le banquier Gonnard(ou Gontard). On n'a pas
envoyé de billets de faire-part à cause de l'embarras de
mettre : « *Mademoiselle Mars* est morte. *Son fils* a l'honneur de vous en faire part. »

26 mars.

J'ai été à l'enterrement de Mlle Mars.

Je suis arrivé à midi. Le corbillard était déjà à la Madeleine. Il y avait une foule immense et le plus beau soleil
du monde. C'était jour de marché aux fleurs sur la place.
J'ai pénétré avec assez de peine jusque sur le perron ;
mais, là, impossible d'aller plus loin. L'unique porte était
encombrée ; personne ne pouvait plus entrer.

J'apercevais dans l'ombre de l'église, à travers la clarté
éblouissante de midi, les étoiles rougeâtres des cierges
rangés autour d'un haut catafalque noir. Les peintures
du dôme faisaient un fond mystérieux.

J'entendais les chants des morts qui venaient jusqu'à
moi, et tout autour de moi les propos et les cris de la foule.
Rien n'est triste comme un enterrement ; on ne voit que
des gens qui rient. Chacun accoste gaiement son voisin
et cause de ses affaires.

L'église et le portail étaient tendus de noir, avec un
écusson en galons d'argent contenant la lettre M. Je me
suis approché du corbillard, qui était en velours noir
galonné d'argent, avec cette lettre M. Quelques touffes
de plumes noires avaient été jetées à l'endroit où l'on
met le cercueil.

Le peuple de Paris est comme le peuple d'Athènes,
léger, mais intelligent. Il y avait là des gens en blouse
et en manches retroussées qui disaient des choses vraies
et vives sur le théâtre, sur l'art, sur les poètes. Ils cher-
chaient et nommaient dans la foule les noms célèbres.
Il faut à ce peuple de la gloire. Quand il n'a pas de Ma-

rengo ni d'Austerlitz, il veut et il aime les Dumas et les Lamartine. Cela est lumineux et ses yeux y courent.

Je suis resté sous le péristyle, abrité du soleil par une colonne. Quelques poètes m'avaient rejoint et m'entouraient, Joseph Autran, Adolphe Dumas, Hippolyte Lucas, Auguste Maquet.

Alexandre Dumas est venu à nous avec son fils. La foule le reconnaissait à sa tête chevelue, et le nommait.

Vers une heure, le corps est sorti de l'église, et tout le monde.

Les propos éclataient parmi les assistants :

« — Ah! voilà Bouffé! — Où est donc Arnal? — Le voici. — Tiens, ceux-ci en noir sont les sociétaires du Théâtre-Français. — Le Théâtre-Français assiste à son propre enterrement. — Voilà des femmes, Mme Volnys, Mme Guyon, Rose Chéri. — Celle-ci c'est Déjazet ; elle n'est plus très jeune ; cela doit lui donner à réfléchir. Etc., etc. »

Le corbillard s'est mis en mouvement et nous avons tous suivi à pied. Derrière nous venaient une douzaine de voitures de deuil et quelques calèches où il y avait des actrices. Il y avait bien dix mille personnes à pied. Cela faisait un flot sombre qui avait l'air de pousser devant lui le corbillard cahotant ses immenses panaches noirs. Des deux côtés du boulevard, il y avait une autre foule qui faisait la haie. Des femmes en chapeaux roses étaient assises, souriantes, sur les espèces de degrés que font les trottoirs. Les balcons étaient encombrés de monde. Vers la porte Saint-Martin, j'ai quitté le convoi, et je m'en suis allé pensif.

27 mars.

J'ai écrit hier quelques pages sur l'enterrement de Mlle Mars. Voici quelques autres détails. Dumas est allé jusqu'au cimetière avec son fils. Frédérick Lemaître s'y trouvait donnant le bras à Mlle Clarisse Miroy. Toutes les actrices du Théâtre-Français étaient là, vêtues de deuil. Mlle Doze (l'élève favorite de Mlle Mars qui l'élevait contre Mlle Plessy), nouvellement mariée à M. Roger de Beauvoir, y était aussi, mais point en deuil. On l'a remarqué. On a remarqué aussi que, pendant les discours, les prêtres sont remontés dans leur voiture pour ne point entendre l'éloge d'une comédienne. La foule était telle qu'on montait sur les tombes et qu'on défonçait les grilles des sépultures. La multitude a piétiné la fosse d'une jeune fille enterrée de la veille, qui se trouvait par malheur près de là.

Toutes les actrices avaient d'énormes bouquets de violettes qu'elles ont jetées sur le cercueil de Mlle Mars. Cela faisait un monceau haut de plus de deux pieds. Les bouquets de Mlle Rachel et de Mme Volnys étaient de vraies bottes de fleurs. Mme Doche donnait le bras à Mlle Rachel. Il y avait aussi quelques chanteurs des Bouffes, entre autres Lablache. Viennet, dans son discours, a appelé Mlle Mars *l'illustre Mars*. On a déposé provisoirement Mlle Mars dans le caveau de sa nièce Georgina Mars, morte il y a quelques années.

Dans sa dernière maladie, Mlle Mars avait souvent le délire. Un soir, le médecin arrive. Elle était en proie à une fièvre ardente et rêvait tout haut ; elle parlait du théâtre, de sa mère, de sa fille, de sa nièce Georgina, de tout ce qu'elle avait aimé ; elle riait, pleurait, criait, poussait de grands soupirs.

Le médecin s'approche de son lit et lui dit : « — Chère dame, calmez-vous, c'est moi. » Elle ne le reconnaît pas et continue de délirer. Il reprend : « — Voyons, montrez-moi votre langue, ouvrez la bouche. » Mlle Mars le regarde, ouvre la bouche et dit : « — Tenez, regardez. Oh! toutes mes dents sont bien à moi! »

Célimène vivait encore.   *Choses vues.*

Scandales et procès

« Qu'est-ce que la Chambre ? » demandait-on à Paris. Réponse : « Un grand bazar où chacun troque sa conscience pour une place. » La corruption; le népotisme, la vénalité, l'affairisme dominent la vie politique. Hugo observe avec dégoût et amusement le débordement des scandales, la montée de l'indignation populaire. Il suivra de très près, comme juré, les scandales célèbres de l'époque, l'affaire Teste-Cubières. La corruption est de plus en plus répandue dans les milieux politiques. « On s'aperçoit maintenant, écrit Henri Heine qui vit à Paris, qu'il y a quelque chose de plus déplorable que le régime des maîtresses, et qu'on peut trouver plus d'honneur dans le boudoir d'une femme galante que dans le comptoir d'un banquier ». Alors que la France souffre d'une grave crise économique, qu'il y a des centaines de milliers de chômeurs dans les chantiers de chemins de fer, les forges, les houillères, on découvre la concussion dont s'est rendu coupable un ancien ministre, Teste, avec la complicité de Cubières. Le Ministre des Travaux Publics a pu vendre cent mille francs la concession d'une mine de sel! C'est l'ancien ministre de la guerre qui a servi d'intermédiaire dans l'affaire! Le scandale est énorme.

6 mai. — Le nouveau garde des sceaux, M. Hébert, a apporté aujourd'hui à la Chambre l'ordonnance qui la constitue cour de justice pour juger le général Cubières à propos de l'affaire Parmentier. Le général assistait à la séance. Il était à sa place assis au bureau comme secrétaire de la Chambre qu'il est en ce moment. Le chancelier présidait. Le général paraissait calme et regardait de temps en temps avec une lorgnette d'ivoire les tribunes où il y avait beaucoup de femmes. Personne n'est allé lui parler, ni lui prendre la main. La Chambre était nombreuse et triste. Il a deux ou trois fois adressé la parole à M. de Ségur-Lamoignon, assis à côté de lui, qui lui répondait avec une répugnance visible. Chacun se

demandait : — Comment est-il là ? pourquoi est-il venu ? —Cousin, assis à côté de moi, me disait : — Il n'est donc pas allé consulter son vertueux ami M. de Passy qui lui eût dit crûment son fait!

Le comte Daru a lu l'ordonnance. Puis le général Cubières a demandé la parole. Le chancelier a dit : — La parole est à M. Despans-Cubières. On a remarqué cette forme. Le général est monté à la tribune, assez pâle, et a parlé dix minutes environ, pour ne dire ni oui, ni non, sans faiblesse et sans fermeté. Il expliquera, a-t-il dit. Puis il est retourné à sa place de secrétaire, à la grande stupeur de tous. La séance législative a commencé, et le chancelier a appelé le comte Beugnot à la tribune. Vingt minutes après le général a quitté la Chambre. Pas un ne lui a dit un mot. Cousin me disait : — J'ai été ministre avec lui, nous sommes presque amis. Eh bien! s'il passait là, je ne lui donnerais pas la main. Je ne suis pas assez brave pour cela.

Comme le général descendait le grand escalier, Viennet qui montait l'a rencontré. Viennet est allé à lui et lui a dit : — Insensé! (style Viennet) comment avez-vous écrit de telles lettres! — C'est là mon seul tort, a répondu Cubières. Je n'en ai pas eu d'autres.

Du reste, il ne paraît pas comprendre la gravité de sa situation. Il y a quinze jours, il était au concert du ministre de l'intérieur où a chanté Mlle de Santa-Colonna. Il était fort gai, cet affreux procès devait éclater le lendemain. Ce hideux Parmentier le tenait. On ne s'en serait pas douté. Il riait. Il avait de l'esprit, du vrai esprit libre et heureux. Philippe de Ségur lui disait ce soir-là : — Que dites-vous des recommandations que fait le roi de Prusse à son peuple en lui donnant une constitution ? — Il me fait l'effet, répondit Cubières, d'Arlequin qui donne des tambours et des trompettes à ses enfants et qui leur dit : Amusez-vous bien, mais ne faites pas de bruit. — Et tous de rire. — Il était mardi à la soirée de M. Guizot.

Au moment où il est sorti de la Chambre, le comte de Pontécoulant est monté à mon banc avec son air de vieux sénateur de quatre-vingt-cinq ans. Il s'est penché sur mon fauteuil et m'a dit : — Que pensez-vous de cela ? — J'ai levé les yeux au ciel. Il a ajouté : — Un pair de France accusé d'escroquerie! nous revenons au temps du cardinal Dubois et de la princesse de Guéménée. J'ai trop vécu.

M. Cubières était un homme aimable et cordial. C'était lui qui m'avait fait les honneurs de la Chambre, le jour où j'y siégeai pour la première fois. Il me montra tout, les salons, la bibliothèque, la buvette, le vestiaire, le jardin. Il me fit admirer « nos roses et nos oiseaux ». Je le connaissais depuis son ministère de 1840. A cette époque, nous nous rencontrâmes dans un coucou allant tous deux à Saint-Prix où nos femmes étaient à la campagne. Le général Cubières avait de l'esprit, de l'indécision, point d'éloquence, des manières faciles. Il était brave, et avait servi avec mon oncle Louis.

Je m'aperçois que je viens d'en parler comme s'il était mort. — Que n'a-t-il tué quelqu'un! disais-je à Lagrenée, que n'est-il traduit devant la cour des pairs pour haute trahison, ou pour attentat à la sûreté de l'État! je voudrais qu'il m'eût tiré un coup de pistolet et être au lit de la blessure ! — Vous seriez, me dit Lagrenée, le Grangeneuve de la chambre des pairs.

Les vieux généraux étaient particulièrement consternés.

25 juin. — La cour des pairs a statué en chambre du conseil sur le président Teste dans l'affaire Cubières. A midi et demi précis, appel nominal. M. le chancelier a été d'avis d'intervertir l'ordre du réquisitoire du procureur général et de commencer par Teste. Ainsi fait. M. de Pontois, appelé le premier, a réservé son vote. M. de Ponthon appelé le second, a dit non pour la mise en accusation.

Jusqu'à M. Troplong, presque tous ont dit non. M. Troplong a parlé et bien parlé pour la mise en accusation.
Seulement il a justifié son nom. M. de Malleville aussi a
trop longuement parlé dans le même sens. M. Renouard
a opiné assez éloquemment pour l'accusation. Mon tour
venu, je me suis levé et j'ai dit : — A mon avis, retirer
M. Teste de l'affaire, ce serait la juger d'avance ; ce serait
en retirer le fait de corruption ; ce serait condamner
M. le général Cubières à se débattre uniquement désormais sous cette affreuse accusation d'escroquerie que je
souhaite passionnément voir écarter. Je maintiens M. Teste
dans l'accusation. — Ceci a été particulièrement au cœur
des vieux généraux qui ont applaudi. On a fait deux
tours de scrutin. Au premier, 188 votants ; il y a eu
148 *oui*, 40 *non* ; au deuxième, 181 votants, il y a eu
142 *oui*, 39 *non*. M. Teste a été mis en accusation. La
séance, ouverte à midi et demi, a été levée à six heures.

26 juin. — Suite de la délibération. — Il y avait 187
pairs. La mise en accusation :

1º Pour le fait de corruption, a été votée : contre Cubières,
au premier tour, par 163 *oui* contre 24 *non* ; au deuxième,
par 160 *oui* contre 26 *non* ; — contre Parmentier, au premier tour, par 162 *oui* contre 25 *non* ; le second tour,
n'ayant pas été réclamé, n'a pas eu lieu ; — contre Pellapra, aux deux tours, par 162 *oui* contre 25 *non* ;

2º Pour le fait d'escroquerie : contre Cubières, au premier et au second tour par 134 *oui* contre 53 *non* ; contre
Pellapra, au premier tour, par 137 *oui* contre 50 *non*, au
deuxième tour qui a eu lieu sur la demande formelle du
duc de Coigny, par 136 *oui* contre 50 *non*. Au premier tour,
sur la question d'escroquerie, j'ai dit : — L'affaire est
en ce moment obscure pour tout le monde, pour le public
et pour nous, juges ; elle ne se compose encore à l'heure
qu'il est que de vraisemblances et d'invraisemblances. Eh

bien! toutes les vraisemblances sont du côté de la corruption, toutes les invraisemblances du côté de l'escroquerie. Ceci me frappe. Aucune pièce dans ces deux volumes de 800 pages ne tend à établir réellement l'escroquerie. En cet état, je ne puis me résigner à porter une accusation, qui est déjà une dégradation, contre un pair de France, contre un lieutenant général, contre un ancien soldat, et je dis non. — Au deuxième tour, j'ai dit : — Messieurs, je persiste. Tout à l'heure, quand je mettais en regard la qualité de la personne et la bassesse du délit, ce n'était pas un argument ; c'était une manière de faire comprendre à la cour ma profonde répugnance à prononcer légèrement contre une telle personne une telle accusation. Messieurs, dans cette affaire, nous n'avons que le choix des choses tristes, la pensée va avec douleur de M. le président Teste à M. le général Cubières. Eh! bien dans cette alternative poignante, j'aime encore mieux voir à notre barre un ancien ministre corrompu qu'un ancien ministre escroc. Pour faire de tels choix, il faut, j'en conviens, être en de telles extrémités. Je ne veux donc pas accuser légèrement, — je dis légèrement, — le général Cubières d'escroquerie. Je répète qu'il n'y a dans le dossier aucune pièce qui prouve à sa charge ce délit, pire qu'un crime. S'il en était autrement, s'il y avait contre lui des indices réels, des indices suffisants, Messieurs, sa qualité, que j'invoquais tout à l'heure, serait à mes yeux une circonstance aggravante ; et précisément parce qu'il est pair de France, précisément parce qu'il a été soldat, et soldat de nos plus glorieuses armées, je voterais l'accusation avec un sévère empressement. Il n'en est pas ainsi. Je dis non.

M. de Broglie a dit *non*, M. Pasquier a dit *oui*.

La séance ouverte à midi, a été levée à cinq heures et demie.

En sortant de la séance, le duc de B. m'a dit : — Prenez garde, avec des procès comme ceux-là on n'ébranle plus que le cabinet, on court le risque de faire tomber le gouvernement, les institutions, l'État. — J'ai répondu : — L'homme n'est pas bien solide sur ses jambes qu'on fait tomber en lui brossant son habit.

29 juin. — Hier les quatre accusés ont été mandés (ils ne sont pas arrêtés) au Luxembourg et interrogés de nouveau. M. Cubières a dit qu'il voulait un salon pour lui seul, à présent et pendant tout le procès, entendant ne pas se trouver avec ses coaccusés. M. Teste est furieux ; il a dit avec sa vivacité méridionale : — *C'est bon. Je vais en foudroyer plusieurs. On m'appelait il y a vingt ans le lion du midi, maintenant le lion est vieux, mais il est toujours lion.* —

Voici ce qu'on raconte du reste. — Mme Cubières aurait dit à M. Hipp. Passy, il y a deux jours : — *Eh bien ! mon mari parlera. Il le faut. La vérité est qu'il a donné cent quinze mille francs à M. Pellapra pour M. Teste.* — Je tiens ceci de M. de Mesnard auquel M. Troplong l'a dit, le tenant de Passy lui-même.

7 juillet. — Pellapra s'est enfui. Le procès commence demain.

———

Jeudi 8 juillet. — Premier jour du procès.

A midi je suis arrivé. Les pairs étaient dans la galerie des tableaux. J'y suis allé. Tous parlaient de l'évasion de Pellapra. M. le chancelier est entré. Des banquettes avaient été préparées selon l'usage pour les pairs et une table pour le chancelier avec un fauteuil, sous le tableau de *Marius à Carthage*, à quelques pas du tableau des *Enfants d'Édouard*. Une grande draperie bleue, ornée d'un assez vilain galon jaune, coupait la galerie en deux.

Le chancelier a réclamé la parole. On a fait silence. Il a expliqué à la cour qu'avant d'entrer en séance il était

de son devoir de l'entretenir de Pellapra. Pellapra s'est
évadé. Y a-t-il quelque reproche à faire, soit au chancelier
soit même à la cour ? Devait-on mettre les accusés en
état d'arrestation ? Non. En thèse générale et pour tous
les accusés, la cour des pairs a toujours adouci le plus
qu'elle a pu les formes de la justice et n'ordonne d'arrestations que les indispensables. Dans le cas particulier, pourquoi une arrestation ? Point de prison attachée même
à la culpabilité déclarée. La dégradation civique, nulle
privation de la liberté, voilà la peine encourue. La prévention pourrait-elle être plus sévère que la condamnation (1).
En outre, la qualité des personnes n'était-elle pas à considérer ? Pouvait-on craindre l'évasion d'un homme comme
Pellapra *si puissamment riche,* a dit le chancelier, que la
contumace va frapper par le séquestre de tous ses biens ?
Enfin, quoi qu'il en soit, l'évasion est consommée, le
chancelier s'est concerté avec le procureur général, la cour
statuera. Le chancelier réclame une ordonnance de prise
de corps contre Pellapra. En attendant, il a décerné un
mandat d'amener. Le ministre de l'intérieur a mis le télégraphe en mouvement. Le signalement de Pellapra a été
envoyé par toute la France. Le chancelier a lu ce signalement : *Soixante-quinze ans, visage allongé, teint coloré.*
— Coloré ? point du tout ! a dit le duc de Brancas. Il est
livide.

M. le chancelier a ajouté que, sur son ordre, la police
s'était transportée chez Pellapra, quai Malaquais, 17 ; que
Pellapra était absent, que Mme Pellapra était seule chez
elle, et avait répondu aux questions du commissaire délé-
gué que son mari *serait de retour dans deux jours.*

Le greffier, M. Cauchy, sur l'ordre du chancelier, a lu

(1) *21 juillet.* — Je relis après le procès ces notes écrites au moment
même et sur place, et je fais cette remarque que le chancelier, qui ne voyait
pas au commencement de l'affaire de prison possible pour les condamnés,
a fini par voter la prison pour Teste à qui on l'a infligée et pour Cubières
à qui on l'a épargnée. (*Note de Victor Hugo.*)

à la cour une lettre de Pellapra à son avocat, Mᵉ Gauthier, envoyée par l'avocat à M. le chancelier. Dans cette lettre, Pellapra rappelle ses infirmités, sa vieillesse, les incommodités qui l'empêcheraient de soutenir les longueurs du débat, l'effroi que lui cause une incarcération possible loin des siens auxquels il est habitué, la fatigue, la souffrance, tant d'émotions depuis six semaines ; il dit à son avocat, qu'il appelle *son cher ami*, que sa conscience ne lui reproche rien, et que s'il déserte le débat et l'accusation publique, ce n'est pas par peur de la justice, mais par crainte de ses infirmités et de ses maladies.

A cette lettre était joint un certificat d'un médecin, membre de l'académie de médecine, dont j'ai oublié le nom. Ce certificat constate « une grave maladie chirurgicale » (la fistule) pour laquelle Pellapra serait « en traitement » et aurait déjà subi « plusieurs opérations douloureuses. »

Le chancelier a repris la parole et rappelé à la cour son usage (très contestable) de n'adresser de questions que par l'intermédiaire du président.

Comme nous entrions en séance, Montalembert m'a abordé et m'a dit : — Voici ce que vient de me conter le général Prével. Il y a trois jours, dimanche, le général traversait les Tuileries donnant le bras à un conseiller d'État de ses amis, M. Amédée Thierry, le frère de l'écrivain. Sous les marronniers, il aperçut un vieillard qui se promenait et qui vint droit à lui. C'était Pellapra. Le général un peu embarrassé de la rencontre, voulait tourner court ; Pellapra ne lui en laissa pas le temps et l'apostropha d'un bonjour brusque en ajoutant : — Mon général, voulez-vous gagner dix mille francs ? — Non, dit le général assez bourrument, pas avec vous. — Bah ! reprit Pellapra en riant, je vous les donne et j'en donne autant à Monsieur que je ne connais pas, dit-il en désignant M. Amédée Thierry, si vous pouvez me prouver l'un ou l'autre que j'ai mis cinq sous dans ma poche dans l'affaire qui m'amène jeudi devant la cour des pairs!

Il s'est évadé le lendemain pendant la fête du parc des Minimes.

Le soir du jour où les pairs instructeurs se déterminèrent à mettre M. Teste en prévention, le hasard voulut que le chancelier dût se rendre à Neuilly avec le bureau de la chambre pour porter au roi une loi votée.

Le chancelier et les pairs du bureau (parmi lesquels était le comte Daru) trouvèrent le roi furieux. Il savait la mise en prévention de M. Teste. Du plus loin qu'il les aperçut, il marcha vivement à eux :

— Comment, Monsieur le chancelier, s'écria-t-il, vous n'aviez pas assez d'un de mes anciens ministres! Il vous en a fallu un second! Vous prenez Teste à présent! Ainsi, j'ai passé dix-sept ans à relever le pouvoir en France ; en un jour, en une heure, vous le faites retomber! Vous détruisez l'ouvrage de tout mon règne! vous avilissez l'autorité, la puissance, le gouvernement! Et vous faites cela, vous, Chambre des pairs! —Etc.

La bourrasque fut violente. Le chancelier fut très ferme. Il tint résolument tête au roi. Il dit que sans doute il fallait consulter la politique, mais qu'il fallait aussi écouter la justice ; que la Chambre des pairs avait, elle aussi, son indépendance comme pouvoir législatif, et sa souveraineté comme pouvoir judiciaire ; que cette indépendance et cette souveraineté devaient être respectées, et au besoin se feraient respecter ; que d'ailleurs, dans l'état où était l'opinion, il eût été fort grave de lui refuser satisfaction ; que ce serait mal servir l'État, mal servir le pays, mal servir le roi, que de ne pas faire ce que l'opinion demande et ce que la justice exige ; qu'il y avait des moments où il était plus prudent d'avancer que de reculer, et qu'enfin ce qui était fait était fait.

— Et bien fait, ajouta Daru.

— Nous verrons, dit le roi.

Et de furieux il devint soucieux.

La députation de la Chambre se retira quelques instants après. Le roi ne fit pas mine de la retenir.

Jeudi 8 juillet.

Midi et demi. — La cour entre. Foule dans les tribunes. Personne dans les tribunes réservées, excepté le colonel Poizat, commandant du palais. Dans la tribune diplomatique, deux personnes seulement, lord Normanby, ambassadeur d'Angleterre, et le comte de Lœwenhœlm, ministre de Suède.

On introduit les accusés. Peu de spectateurs dans l'hémicycle derrière le banc des accusés. Trois tables revêtues de serge verte ont été dressées vis-à-vis la cour ; à chacune de ces tables il y a une chaise ; des bancs derrière pour les avocats. Le président Teste s'assied à la table du milieu, le général Cubières à la table de droite, Parmentier à la table de gauche. Tous trois sont en noir.

Parmentier est entré assez longuement après les deux pairs. Teste, qui est commandeur de la Légion d'honneur, en a la rosette à la boutonnière ; Cubières, qui est grand-officier, le simple ruban. Avant de s'asseoir, le général cause un moment avec son avocat, puis feuillette d'un air très occupé le volume des pièces. Il a son visage ordinaire. Teste est pâle et calme. Il se frotte les mains comme lorsqu'on est satisfait. Parmentier est gras, chauve, les cheveux gris blanc, la face rouge, le nez en bec, la bouche faite d'un coup de sabre, les lèvres minces ; l'air d'un coquin. Il a une cravate blanche, ainsi que le président Teste. Le général a une cravate noire.

Les trois accusés ne se regardent pas. Parmentier baisse les yeux et affecte de jouer avec la chaîne d'or de sa montre qu'il étale avec une affectation de provincial sur son gilet noir. Un jeune homme à petites moustaches noires, qu'on dit être son fils, s'assied à sa gauche.

Derrière moi plusieurs députés, le président de Belleyme, M. Marie, l'avocat républicain, M. Janvier, l'avocat quasi-légitimiste, M. Léon de Malleville, vice-président de la chambre des députés, causent des accusés.

Interrogé sur ses qualités, Teste se lève et dit :

— J'ai pensé qu'il n'était pas convenable d'apporter sur ce banc les dignités dont j'avais été revêtu (mouvement) ; je les ai déposées hier dans les mains du roi. (Mouvement : très bien.)

On lit l'acte d'accusation. Cubières tient son visage et son front cachés dans sa main gauche et suit la lecture sur le volume distribué. Teste la suit également, et annote son exemplaire avec une plume de fer qu'il tient à la main. Il a mis ses besicles. De temps en temps, il prend du tabac dans une grande tabatière de buis, et cause avec son avocat, M. Paillet. Parmentier semble très attentif.

Moi, au milieu de cette lecture, où les mots de corruption, de prévarication, de fraude, d'escroquerie reviennent fatalement et sans cesse, je ne puis m'empêcher de songer que M. Cubières appartenait à ce ministère du 1er mars dont Odilon Barrot disait le lendemain du jour de sa formation : *C'est jeune, c'est honnête, ça me va.*

En dépit des usages de la cour, des femmes assistaient au procès. Elles sont rangées au-dessus de nos têtes autour du trou du lustre. On les aperçoit à travers le vitrage.

10 juillet.

Voici où j'en suis après les deux premières journées :

J'ai parlé à M. le général Cubières quatre ou cinq fois dans ma vie, à M. le président Teste une fois seulement et pourtant, dans cette affaire, je m'intéresse à leur sort comme s'ils étaient pour moi des amis de vingt ans — des frères. Pourquoi? Je le dis tout de suite : c'est que je les crois innocents.

Je les crois est trop faible ; en ce moment, je les vois innocents. Cela changera peut-être, car cette affaire remue comme une onde et change d'aspect à chaque instant ; mais à cette heure, après bien des perplexités, après bien des transitions, après bien des passages douloureux, où ma conscience a plus d'une fois frémi et frissonné, dans ma conviction, M. le général Cubières est innocent du fait de l'escroquerie, M. le président Teste est innocent du fait de la corruption.

Qu'est-ce donc que cette affaire? Pour moi, elle se résume en deux mots : courtage et chantage ; courtage prélevé par Pellapra, chantage exercé par Parmentier. Le courtage, entaché de dol et d'escroquerie, a produit le fait incriminé ; le chantage a produit le scandale. De là tout le procès.

Je n'ai nul goût pour la culpabilité qui ne m'est pas invinciblement démontrée. Mon penchant est de croire à l'innocence. Tant qu'il reste dans les probabilités de la cause un refuge possible à l'innocence des accusés, toutes mes hypothèses, je ne dis pas y inclinent, mais s'y précipitent.

4e journée. — Dimanche, 11 juillet.

Il y a suspension aujourd'hui. La première audience a été employée à la lecture de l'acte d'accusation ; la seconde et la troisième, avant-hier et hier, à l'interrogatoire des accusés.

Au commencement de l'audience de vendredi, ont été lues des lettres communiquées inopinément par MM. Léon de Malleville et Marrast et qui semblent jeter une vive lueur sur ce procès. Les accusés avaient été arrêtés la veille au soir. Ils sont arrivés à l'audience pâles, défaits ;

Parmentier, pourtant, l'air plus assuré que les deux autres.

M. Teste a écouté la lecture des nouvelles pièces, le coude sur sa table et se cachant à demi le visage dans sa main ; le général Cubières les yeux baissés ; Parmentier avec un embarras visible.

L'interrogatoire a commencé par le général.

M. Cubières a une figure pouparde, le regard indécis, la parole hésitante, les joues colorées ; je le crois innocent de l'escroquerie ; cependant aucun cri du cœur. Pendant l'interrogatoire, il était debout, et frappait la table avec la pointe d'un couteau de bois, très doucement et comme en cadence, geste de profonde tranquillité. Le procureur général M. Delangle, avocat assez médiocre, a été insolent avec lui deux ou trois fois ; Cubières, soldat de Waterloo, n'a pas trouvé une parole pour le souffleter. J'en souffrais pour lui. Dans l'opinion de la cour, il est déjà condamné.

Pendant la suspension de l'audience, Montalembert me disait : — Vous avez une mauvaise place, loin de la tribune, ce qui force les pairs à se retourner quand vous parlez. Vous devriez vous rapprocher de nous. Tenez, Cubières avait une place excellente, à gauche, un peu au-dessus de moi. Il ne reviendra pas, prenez-la. — C'est égal, je ne la prendrai pas.

La première partie de l'interrogatoire a paru mal conduite. Il n'y avait qu'un cri à la buvette. Le chancelier est un vieillard remarquable et rare, mais enfin il a quatre-vingt-deux ans. A quatre-vingt-deux ans, on n'affronte ni une femme ni une foule.

Parmentier, interrogé après le général, a parlé avec aisance et une sorte de faconde vulgaire qui était quelquefois l'esprit, souvent la logique, toujours l'adresse, jamais l'éloquence. C'est un homme qui est naïvement un gueux. Il ne s'en doute pas. C'est une âme difforme qui est impudique, et qui étale ses nudités comme ferait Vénus. Repoussant spectacle qu'un crapaud qui se croit beau. On le huait. D'abord il n'entendait ou ne comprenait pas ; il a cependant fini par comprendre ; alors la sueur a perlé sur son visage, par instants, au milieu des marques de dégoût de l'assemblée, il essuyait avec anxiété son front chauve et ruisselant, il regardait autour de lui avec une sorte de supplication et d'égarement, se sentant perdu, et cherchant à se raccrocher, et cependant il continuait de parler et d'exposer ses laideurs, et les murmures couvraient sa parole, et son angoisse croissait. En ce moment-là, ce misérable m'a fait pitié.

M. Teste, interrogé hier, a parlé comme un homme innocent et m'a fait revenir de loin à son sujet. Il a été souvent et grandement éloquent. Ce n'était pas un avocat ; c'était un homme vrai qui souffrait, qui arrachait ses entrailles, et qui les jetait là, sous les yeux de ses juges, en disant : Voyez! Souvent même c'était un homme noble. Il m'a ému profondément. Pendant qu'il parlait, il m'est apparu cette lueur que toute l'affaire pouvait s'expliquer par une escroquerie de Pellapra.

Teste a soixante-sept ans, l'accent méridional, la bouche grande et expressive, un pli profond de douleur à la joue droite, le front chauve et intelligent, l'œil profondément enfoncé et par instants lumineux ; toute l'habitude du corps affaissée, accablée et pourtant énergique.

Il s'agitait, se démenait, haussait les épaules, souriait amèrement, prenait du tabac, feuilletait son dossier, l'annotait rapidement, tenait en échec le procureur général et le chancelier, protégeait Cubières, qui l'a perdu, méprisait Parmentier, qui le défend, jetait des mots, des répliques, des soupirs, des plaintes, des rugissements. Il était tumultueux et pourtant simple, bouleversé et pourtant digne. Il était clair, rapide, persuasif, suppliant, menaçant ; plein d'angoisse sans aucun trouble, modéré et violent, fier, attendri, admirable.

A un certain moment, il m'a fait mal. C'étaient des cris de l'âme qui sortaient de sa poitrine. J'ai été tenté de me lever et de lui dire : — Vous m'avez convaincu ; je quitte mon siège et je vais prendre place sur ce banc à côté de vous ; me voulez-vous pour défenseur ? — Et puis je me suis arrêté, pensant que, si son innocence continue de m'apparaître, je lui serai peut-être plus utile comme juge parmi ses juges.

Pellapra est le nœud du procès. Son évasion semble désoler sincèrement Teste. On disait hier qu'il venait d'être repris.

Ce Pellapra a douze millions. Il avait une fort jolie femme, très coquette sous l'empire et sous la restauration. En 1815, elle était la maîtresse de M. le duc de Berry. Un jour, après un fort doux rendez-vous, comme elle remettait son châle pour s'en aller, le prince lui dit : — Qu'est-ce que c'est que ça ? quel affreux châle avez-vous là, ma chère ? — Bah ! lui dit-elle, vous le trouvez laid, Monseigneur ? — Horrible. — Eh bien, j'y tiens beaucoup. — Et pourquoi ? — Parce que c'est un châle de l'impératrice Joséphine. — Comment le savez-vous ? — Parce que c'est l'empereur qui me l'a donné — Bah ! reprit M. le duc de Berry. Et comment cela ? — Voici, Monseigneur. J'étais pour l'empereur ce que je suis pour vous. Un jour, comme je sortais de sa chambre, ayant très chaud et fort en hâte, l'empereur courut après moi, et me dit : — Mais tu as les épaules nues, tu vas t'enrhumer ! — Il regarde autour de lui, il y avait sur un fauteuil un châle de l'impératrice Joséphine, il me le jeta sur les épaules. C'est celui-ci, et j'y tiens.

Le châle en effet était assez laid. Sous l'empire le laid régnait ; on n'aimait pas les châles à grands dessins ; on n'en voulait qu'à petites bordures. Le mérite d'un châle était de passer par une bague.

Du reste M. le duc de Berry était peu magnifique.

— C'est égal, dit-il, le châle de ton Buonaparte est fort vilain.

Mais il n'en donna pas un autre.

Avant l'empereur, Mme Pellapra avait eu Ouvrard, puis Fouché, puis Murat, enfin Napoléon. C'était comme une échelle à laquelle elle montait. L'empereur ne la garda que six semaines. Du reste il fit sur-le-champ Pellapra receveur général et lui donna ses cinq cent mille francs de cautionnement. Ceci commença la fortune de l'homme. Au retour de l'île d'Elbe, Mme Pellapra, encore fort jolie, se trouvait à Lyon quand l'empereur y entra. L'empereur y resta trois jours dont il passa les trois nuits avec Mme Pellapra. C'est elle qui le raconte à l'heure qu'il est.

La foule était plus grande encore ces deux jours-ci. L'anxiété est inexprimable parmi les spectateurs. Si Pellapra reparaît, le jour se fera. Je souhaite ardemment que Teste soit innocent, et innocent, qu'il soit sauvé.

Après l'audience d'hier, je l'ai suivi des yeux comme il s'en allait. Il a traversé lentement et tristement les bancs de la pairie, regardant à droite et à gauche ces fauteuils sur lesquels peut-être il ne s'asseoira plus. Deux huissiers, qui le gardaient, marchaient l'un devant, l'autre derrière lui.

5e journée. — 12 juillet.

Nouvelles pièces (1). — Changent encore la face de l'affaire, chargent Teste. Le général Cubières se lève et ajoute foi à ces pièces. — Teste répond avec énergie et hauteur, mais il faiblit pourtant. Sa bouche se con-

(1) Lettre de Mme Pellapra signée *Émilie Pellapra.* — Six billets de Teste, reconnus par lui (il les a pris d'une main tremblante et a dit : *C'est de moi.*) — Extraits de bordereaux de Pellapra paraissant constater la remise des 93. 000 francs à Teste. (*Note de Victor Hugo.*)

tracte. Il me fait mal. Je commence à trembler qu'il
ne nous ait tous trompés. Parmentier écoute, presque
avec un sourire, les deux mains croisées négligemment
sur ses bras. — Teste se rassied et prend force prises
de tabac dans sa grande tabatière de buis, puis s'essuie
la sueur du front avec un foulard rouge. — La cour
est profondément émue.

— Je juge de ce qu'il souffre par ce que je souffre
moi-même, me dit M. de Pontécoulant.

— Quel supplice! dit le général Neigre.

— C'est un coup de guillotine qui tombe lentement,
dit Bertin de Vaux.

L'anxiété est au comble dans la cour et le public. On
ne veut pas perdre un mot. Les pairs crient à tous ceux
qui prennent la parole : Plus haut! plus haut! on n'entend
pas! — Le chancelier prie la cour de considérer ses quatre-
vingts ans.

Il fait une chaleur insupportable.

Cubières a deux avocats, dont Baroche ; Teste deux
avocats, Mes Paillet et Dehans. Parmentier, un avocat,
nommé Benoît-Champy. En outre quinze avocats sont
assis derrière eux. Plus le fils de Teste, homme d'une
quarantaine d'années, chauve, député.

L'agent de change Goupil est entendu. Teste se débat.
M. Charles Dupin interroge l'agent de change. Teste
le suit et l'applaudit du sourire. Rien n'est plus douloureux que ce sourire.

Cette fois, on a tenu la chambre du conseil avant
l'audience, dans l'ancienne salle.

Les pairs bourdonnaient comme une ruche. Le chancelier est venu à mon banc et m'a parlé Académie, — qu'un
abbé Bautain se présentait pour succéder à M. Ballanche,
— ce que j'en pensais. — Qu'à son avis il serait convenable qu'un ecclésiastique fût de l'Académie, mais que
cet ecclésiastique devrait être ou très éminent par le

talent, ou très éminent par la dignité, — que cet abbé
Bautain ne lui semblait réunir ni l'une, ni l'autre de ces
deux conditions ; qu'on lui avait parlé, le comte Portalis, bon juge, d'un des deux cardinaux récemment
nommés, le cardinal Giraud, comme d'un bon écrivain
et d'un homme distingué, — si j'en savais quelque chose,
et si je serais opposé à cette nomination. — J'ai répondu très sommairement que je ne connaissais comme
gens de talent ni l'abbé Bautain ni le cardinal Giraud,
et que du reste je trouverais fort bon qu'il y eût des
prêtres distingués ou illustres, non seulement à l'Académie, mais à la Chambre des pairs. — M. le chancelier a
abondé dans mon sens, puis m'a parlé du procès, de sa
fatigue, de sa douleur ; disant combien une séance de
l'Académie était une douce chose auprès d'une audience
de la cour des pairs.

Dans sa déposition, M. Legrand, sous-secrétaire d'État
aux travaux publics, a qualifié Teste : *une personne qui
est assise derrière moi.* Teste a haussé les épaules.

Après la déposition grave du notaire Roquebert, le
visage de Teste prend l'expression de l'agonie. Il se penche
vers la table et dit quelques mots à voix basse.

A la production de la pièce venue du Trésor, Teste
a rougi, s'est essuyé le front avec angoisse et s'est
tourné vers son fils. Ils ont échangé quelques mots. Puis
Teste s'est remis à feuilleter son dossier, et le fils a laissé
tomber sa tête sur ses deux mains.

Depuis une heure, Teste a vieilli de dix ans ; sa tête
branle, sa lèvre inférieure tombe. C'était hier un lion,
aujourd'hui c'est une ganache.

Tout dans cette affaire marche par secousses violentes.
Hier, je *voyais* Teste innocent, aujourd'hui je le vois
coupable. Hier, je l'admirais, aujourd'hui je serais tenté
de le mépriser, s'il n'était pas si malheureux. Mais je
n'ai plus que de la pitié.

La séance d'hier 12 juillet est un des plus terribles spectacles auxquels j'aie assisté dans ma vie. C'est un écartèlement moral. Ce que nos pères ont vu il y a quatre-vingts ans, en place de Grève, le jour de l'exécution de Damiens, nous l'avons vu hier, jour de l'exécution du président Teste en cour des pairs. Nous avons vu tenailler et écarteler une personne morale. D'heure en heure, d'instant en instant, on lui arrachait quelque chose : à midi, sa considération de magistrat ; à une heure, sa renommée de ministre intègre ; à deux heures, sa conscience d'honnête homme ; une demi-heure plus tard, le respect des autres ; un quart d'heure après, le respect de lui-même. A la fin, ce n'était plus qu'un cadavre. Cela a duré six heures.

Quant à moi, je le disais au duc d'Estissac et au premier président Legagneur, je doute que je puisse jamais avoir la force, même Teste convaincu et coupable, d'ajouter une peine quelconque à ce châtiment inouï, à cet effroyable supplice infligé par la providence.

6e journée. — 13 juillet.

Comme j'arrivais au vestiaire, M. le vicomte Lemercier, qui y était aussi, m'a dit :

— Savez-vous la nouvelle ?

— Non.

— Teste a voulu se tuer ; il s'est manqué.

En effet, le fait est vrai. M. Teste s'est tiré hier à neuf heures du soir deux coups de pistolet, l'un dans la bouche, l'amorce a raté ; l'autre sur le cœur, la balle a fait coup de poing, le coup étant tiré de trop près. Teste a tiré les deux coups à la fois, des deux mains ; c'est ce qui a fait avorter le suicide.

Le chancelier a fait donner lecture, en chambre du conseil, des pièces qui constatent l'événement; elles ont été relues ensuite en séance publique. Les pistolets ont été déposés sur le bureau de la cour. Ce sont deux très petits pistolets, tout neufs, à crosse d'ivoire.

Teste, n'ayant pu parvenir à se tuer, refuse de paraître désormais devant la cour. Il a écrit au chancelier une lettre où il dit qu'il renonce à sa défense, *les pièces produites hier ne laissant plus de place à la contradiction.* Ceci est triste. C'est un avocat qui parle, ce n'est pas un homme. Un homme eût dit : Je suis coupable.

Quand nous sommes entrés en séance, M. Dupin l'aîné, qui était assis derrière moi au banc des députés, m'a dit :

— Devinez quel est le livre que Teste a fait demander pour se désennuyer ?

— Je ne sais.

— *Monte-Cristo!* « Pas les quatre premiers volumes, a-t-il dit, je les ai lus. » On n'avait pas *Monte-Cristo* à la bibliothèque de la Chambre des pairs ; on l'a fait louer dans un cabinet de lecture qui ne l'avait que par liasses de feuilletons. Teste passe son temps à lire ces liasses, et est fort calme. M. Dupin a ajouté après un silence : Ceci achève de peindre l'homme.

— Êtes-vous sûr de tout cela ? ai-je dit.

Mon voisin, M. le duc de Brancas, qui est un bon et noble vieillard, m'a dit :

— Ne vous opposez plus à la condamnation. C'est la justice de Dieu qui se fait.

Au moment, hier soir, où l'on est venu dire au général Cubières que Teste s'était tiré deux coups de pistolet, le général a pleuré amèrement.

Je remarque que c'est aujourd'hui une date fatale, 13 juillet.

La place de Teste est vide à l'audience.

Le greffier La Chauvinière lit les pièces. M. Cubières écoute avec un air de profonde tristesse, puis se couvre les yeux de sa main. Parmentier tient la tête constamment baissée. Les faits d'hier, la tentative de suicide de Teste et sa lettre au chancelier détruisent radicalement tout l'abominable système de Parmentier.

On remarque autour de moi que le valet de chambre de Teste qui était avec lui dans la prison s'appelle Poignard. Il était au service de Teste depuis six ans.

A une heure dix minutes, le procureur général Delangle prend la parole. Il dit à deux reprises, au milieu de l'émotion : *Messieurs les pairs...* puis s'arrête et reprend : *Le procès est fini.* Le procureur général n'a parlé que dix minutes.

Une particularité, c'est que Teste et Delangle se sont toute leur vie côtoyés ; Delangle suivant Teste, et, à la fin, le poursuivant. Teste a été bâtonnier des avocats, Delangle l'a été immédiatement après lui. Teste est nommé président de chambre à la cour de cassation, Delangle entre à la même chambre comme avocat général. Teste est accusé, Delangle est procureur général.

Le mouvement du père et du fils, que je notais hier au moment de la production des pièces du Trésor, m'est maintenant expliqué ; le père disait au fils : — Donnemoi les pistolets. — Le fils les a remis, puis il a laissé tomber sa tête dans ses mains. Il me semble que cette sombre tragédie a dû se passer ainsi.

Pendant que l'avocat de Parmentier parlait, Cubières ôtait et remettait paisiblement une bague qu'il avait à la main gauche.

Dans la suspension d'audience, le colonel Poizat, commandant du palais, a dit à un pair, le baron Feutrier, que Pellapra allait arriver ; qu'on lui avait envoyé, sur sa réclamation, des sauf-conduits.

14 juillet.

A l'ouverture de la séance, le chancelier lit une lettre par laquelle Cubières donne sa démission de pair.

La question de la culpabilité des accusés est posée.
Sur Cubières. — Escroquerie écartée à l'unanimité.
Teste. — Culpabilité de corruption.
Ier tour, à l'unanimité : *oui.*
Cubières, culpabilité ; deux tours. — 186 votants.
— 183 *oui.*
Parmentier, culpabilité : à l'unanimité, *oui.*

15 juillet.

Application des peines :
Contre Teste : dégradation civique, à l'unanimité
moins une voix : *oui.* — Teste a été condamné à 94 000
francs d'amende et trois ans de prison.

16 juillet.

Cubières : La dégradation civique. — La cour prononce 10 000 francs d'amende.

16 juillet. 4 heures après midi.

Une réflexion me préoccupe pendant toute la durée de
cette délibération, réflexion que je ne dirai pas à la cour.
C'est que si c'était un X quelconque qui fût accusé du
fait de corruption devant la cour et convaincu et que
M. Teste, dans l'état où était sa conscience, siégeât
comme pair parmi les juges, il voterait pour la peine
la plus sévère.

Il paraît que la condamnation de Cubières à la dégradation civique qui vient d'être prononcée a déjà trans-
piré et est arrivée jusqu'à la prison. Tout à l'heure, on
entendait de la rue les cris affreux de Mme Cubières et
de Mme de Sampayo, sa sœur, qui étaient avec le général
au moment où la nouvelle lui a été donnée.

Comme nous sortions, et que nous étions au vestiaire,
Anatole de Montesquiou, qui a constamment voté dans
le sens *le plus humain,* m'a fait remarquer, dans le

deuxième compartiment du vestiaire, près de celui où je m'habille, un vieil habit de pair suspendu à côté de l'habit du ministre de l'instruction publique. Cet habit était usé aux coudes, les boutons dédorés, les broderies fanées ; un vieux ruban de la Légion d'honneur était à la boutonnière, plus jaune que rouge et à demi dénoué. Au-dessus de cet habit était inscrit, selon l'usage, le nom de celui auquel il appartenait : M. Teste.

Les pairs magistrats étaient consternés que Cubières n'eût pas de prison. Voilà un arrêt bien bizarre! disaient-ils, la dégradation et la liberté! Et puis que faire maintenant de Parmentier? — Je leur ai dit : — Vous avez trop tendu la corde, elle a cassé. Vous avez pesé sur la cour pour obtenir la dégradation civique ; la pitié a réagi et vous a refusé la prison. C'est bien fait.

17 juillet.

Suite de la délibération intérieure. — Appel nominal à midi.

Parmentier.

M. le chancelier fait lire deux lettres de Parmentier, en date d'hier et de ce matin. Dans la première, Parmentier supplie la cour de lui tenir compte de son douloureux étonnement lorsqu'il a vu M. Teste évidemment coupable, étonnement qui prouve son innocence à lui Parmentier ; dans la seconde il supplie la cour de considérer que tout au plus avait-il voulu corrompre pour une concession de 14 kilomètres, et que, la concession n'ayant pas été obtenue, le crime n'a pas été commis ; que du reste rien ne prouve que les 94 000 francs donnés par Pellapra aient été donnés pour Gouhenans, que Teste et Pellapra avaient nécessairement bien d'autres affaires et qu'enfin il est avec un profond respect, etc...

Ces lettres lues, on a commencé le tour d'opinion.

La dégradation civique. 10 000 francs d'amende. Pas de prison.

Mon opinion est que le public trouvera l'arrêt de la cour des pairs juste pour Teste, dur pour Cubières, doux pour Parmentier.

A quatre heures et demie, les portes ont été ouvertes au public. Une foule immense attendait depuis le matin. En un instant, les tribunes ont été tumultueusement remplies. C'était comme un flot.

Puis un profond silence quand l'appel nominal a commencé.

Les pairs répondaient en général d'une voix éteinte et fatiguée.

Puis le chancelier s'est couvert de son mortier de velours noir doublé d'hermine et a lu l'arrêt. Le procureur général était à son poste. Le chancelier a lu l'arrêt d'un accent ferme, bien remarquable dans un vieillard de quatre-vingts ans.

Quoi qu'en aient dit quelques journaux, il n'a pas versé de « larmes silencieuses ».

L'arrêt va être lu immédiatement par le greffier en chef, Cauchy, aux condamnés.

Il y aura, demain 18, juste un mois que Teste fut mis en prévention par les pairs instructeurs, et qu'il leur dit : Je vous remercie de me placer dans cette position qui me rend le droit précieux de défense.

Comme nous descendions le grand escalier, Cousin m'a dit :

— Hugo, quel beau soleil! ceci rappelle un chapitre de votre *Dernier jour d'un condamné*.

— Hélas! ai-je répondu, la bonne nature conserve son calme, quoi que nous fassions, l'infini ne peut pas être troublé par le fini.

20 juillet.

Une particularité, c'est que c'est M. Teste qui a fait construire, étant ministre des travaux publics, cette prison du Luxembourg ; il a été le premier ministre qu'on y ait enfermé. Cela a fait songer au gibet de Montfaucon et à Enguerrand de Marigny.

M. Teste occupe dans cette prison une chambre séparée seulement par une cloison de la chambre du général Cubières. La cloison est si mince que, comme M. Teste parle haut, Mme Cubières, dès le premier jour, fut obligée de frapper à la cloison pour avertir M. Teste qu'elle entendait tout ce qu'il disait. Aussi le coup de pistolet fit-il tressaillir le général Cubières comme s'il avait été tiré dans sa chambre même.

La séance du 12 avait été tellement décisive qu'on pressentait quelque acte de désespoir possible. Pendant l'audience même, M. le duc Decazes avait fait mettre des barreaux aux fenêtres des prisonniers. Ils trouvèrent ces barreaux en rentrant et ne s'en étonnèrent pas. On leur retira également leurs rasoirs et leurs canifs, et ils durent dîner sans couteaux.

Des agents devaient ne plus les quitter un instant et passer la nuit auprès d'eux. Cependant on crut pouvoir laisser M. Teste seul avec son fils et ses avocats. Il dîna avec eux, presque silencieusement ; chose remarquable, car il parlait volontiers et beaucoup. Le peu qu'il dit, il causa de choses étrangères à l'affaire.

A neuf heures, le fils et les avocats se retirèrent. L'agent qui devait surveiller M. Teste reçut l'ordre de monter immédiatement ; ce fut pendant les quelques minutes qui s'écoulèrent entre le départ de son fils et l'entrée de l'agent que M. Teste exécuta sa tentative de suicide.

Beaucoup de personnes ont douté que cette tentative fût sérieuse. A la Chambre, on en parlait ainsi. M. Delessert, le préfet de police, que j'ai questionné à ce sujet, m'a dit qu'il ne pouvait y avoir de doute ; que M. Teste *avait bel et bien voulu se tuer*. Seulement il ne croit qu'à un coup de pistolet.

Après sa condamnation, M. le général Cubières a reçu beaucoup de visites ; l'arrêt de la cour a manqué le but par trop de sévérité. Les visiteurs du général passaient pour arriver jusqu'à sa cellule, devant la cellule de Parmentier, fermée seulement d'une porte vitrée avec un rideau blanc, au travers duquel on l'apercevait. Tous en passant accablaient Parmentier de paroles de mépris, ce qui a obligé cet homme à se cacher dans un coin où on ne le voyait plus.

On désigne pour remplacer M. Teste comme président de chambre à la cour de cassation M. Vincent Saint-Laurent qui a parlé presque violemment contre Teste à la cour des pairs. Si M. Vincent Saint-Laurent doit remplacer M. Teste, je regrette pour lui qu'il n'ait pas au moins trouvé moyen de s'abstenir dans le procès.

On répète un mot de M. Teste auquel je veux ne pas croire, mais qui sent l'avocat et qui par conséquent est malheureusement vraisemblable. Il aurait dit : — *Eh bien ! ça pouvait se gagner !*

22 juillet.

Le nom de Teste est déjà enlevé de sa place à la Chambre des pairs. C'est le général Achard qui occupe maintenant son fauteuil.

Hier, mardi 28 juillet, comme j'allais de l'Académie à la Chambre des pairs, vers quatre heures, j'ai rencontré près de la porte de sortie de l'Institut, dans la partie la plus déserte de la rue Mazarine, Parmentier qui sortait de prison.

Il se dirigeait vers le quai. Son fils l'accompagnait.

Parmentier, vêtu de noir, portait son chapeau à la

main, derrière le dos ; de l'autre bras, il s'appuyait sur son fils. Le fils était triste. Parmentier paraissait profondément accablé. Il avait l'air épuisé d'un homme qui vient de faire une longue marche. Cette tête chauve semblait plier sous la honte. Ils allaient lentement.

On disait aujourd'hui à la Chambre que Mme Cubières a donné une soirée le surlendemain de la condamnation. Il paraît simplement qu'elle s'est bornée à ne pas fermer sa porte.

Elle vient d'écrire aux journaux une lettre, peu utile à son mari, où il y a pourtant ceci qui est beau :

« On lui a ôté sa pairie, son grade, tout, jusqu'à sa dignité de citoyen... Il conserve ses cicatrices. »

M. le chancelier avait fait offrir à M. Cubières de sortir de prison par une des grilles du Luxembourg particulières au palais du chancelier. Un fiacre eût attendu M. Cubières, et il fût monté sans qu'un passant pût le voir. M. Cubières a refusé.

Une calèche découverte, attelée de deux chevaux, est venue stationner à la grille de la rue de Vaugirard, au milieu de la foule. M. Cubières y est monté, accompagné de sa femme et de Mme de Sampayo, et c'est ainsi qu'il est sorti de prison.

Depuis ce jour-là, il reçoit tous les soirs plus de cent personnes. Il y a toujours une quarantaine de voitures à sa porte.

Choses vues.

IV

1848 — LE PRINTEMPS DU PEUPLE

La montée de l'orage

Depuis des années le peuple gronde, menace. Des émeutes de Lyon aux échauffourées de Paris, on devine monter l'orage. Il ne surprendra pas Hugo.

Ce n'est pas d'ailleurs en France seulement que commencent des grondements. Une crise générale du ravitaillement en Europe précipite l'explosion révolutionnaire : en 1848 la Suisse se donne une nouvelle constitution, l'Irlande se révolte, l'Italie se soulève, les jacqueries se répandent comme une traînée de poudre en Allemagne, les Serbes et les Roumains se lèvent contre leurs maîtres, la Bohème et Prague sont le théâtre d'émeutes sanglantes, et Vienne même n'est pas épargnée. Kossuth prend le pouvoir en Hongrie au nom du peuple.

A Paris, l'opposition libérale a lancé la « campagne des banquets ». En février 1848, Guizot interdit un banquet de la gauche réformiste qui devait avoir lieu à Paris, place de la Concorde. Lamartine décide de s'y rendre malgré la police. Les ouvriers et les étudiants y accourent en foule, et brûlent les chaises des Tuileries. Le 22, des barricades se dressent. « Vive la Réforme ! » crie la foule, qui réclame une réforme électorale démocratique. Le Roi croit apaiser le mécontentement en appelant au gouvernement un réformiste, Molé. Mais le 23 au soir une manifestation populaire a lieu. La troupe tire sur la foule : vingt morts. Molé refuse de former le ministère. Devant la montée de la colère, Louis-Philippe abdique.

Victor Hugo a rêvé alors de remplacer le roi en fuite par une Régente, la jeune duchesse d'Orléans, princesse intelligente et de vues libérales. Mais quand celle-ci se présente au Palais-Bourbon, Lamartine fait voter par acclamations la constitution d'un gouvernement provisoire. Les sept membres de ce gouvernement s'installent le soir même à l'Hôtel de Ville. C'est là qu'est proclamée aussitôt la République.

17 février. Voici la situation politique telle que la fait la question du banquet (qui sera donné, à ce qu'il paraît, le 22).

Il y a un lion, d'autres disent un tigre, dans une cage fermée avec deux clefs. Le gouvernement a une de ces deux clefs ; l'opposition a l'autre. Gouvernement et opposition se disent réciproquement : « Si tu ouvres avec ta clef, j'ouvrirai avec la mienne. »

Qui sera dévoré ?

Tous les deux.

18 février. Le banquet continue de préoccuper l'attention. Que se passera-t-il ?

En sortant de la Chambre des pairs, j'étais avec Villemain, M. d'Argout nous a abordés. Villemain a dit : « Je voudrais que ce banquet fût passé. » — *Oui*, a répondu M. d'Argout, *nous le voyons cuire ; j'aimerais mieux le digérer.*

19 février. M. Thiers est fort contrarié d'être obligé de se mêler de ce banquet, d'y aller peut-être. C'est l'opposition qui l'a poussé là. M. Duvergier de Hauranne a dit : « *Tant pis ! Nous l'avons jeté à l'eau. Il faut qu'il nage !* »

La semaine qui précéda la révolution, Jérôme Napoléon fit une visite aux Tuileries. Il témoigna au roi quelque inquiétude de l'agitation des esprits. Le roi sourit, et lui dit : « Mon prince, je ne crains rien. »

Et il ajouta après un silence : « Je suis nécessaire. »

Jérôme essaya encore quelques observations. Le roi l'écouta et reprit : « Votre Altesse a la première révolution trop présente à l'esprit. Les conditions sont changées. Alors le sol était miné. Il ne l'est plus. »

Il était, du reste, fort gai. La reine, elle, était sérieuse et triste. Elle dit au prince Jérôme : « *Je ne sais pas pourquoi, mais je ne suis pas tranquille. Cependant le roi sait ce qu'il fait.* »

Le samedi 19 février 1848, on discutait à la Chambre des pairs la loi sur le travail des enfants dans les manufactures ; je prenais à la discussion un vif intérêt, mais mon intention n'était pas d'y parler, quoique mon collègue Charles Dupin m'en pressât vivement. J'étais allé m'asseoir au côté gauche de la Chambre, à la place du prince de la Moskowa, que la Moskowa m'avait cédée depuis quelque temps et qui, étant plus proche de la tribune, me convenait mieux que la mienne.

Je venais d'écrire, en proie à je ne sais quelle rêverie, sur une feuille qu'on trouvera dans mes papiers, ces trois lignes auxquelles les événements qui sont survenus donnent un sens frappant pour moi :

La misère amène les peuples aux révolutions et les révolutions ramènent le peuple à la misère.

J'exposai à Daru la situation et ma résolution d'interpeller le ministère si lui, Daru, et ses amis promettaient de m'appuyer, ajoutant : En une occasion pareille il faut l'emporter. Mieux vaut encore ne pas se lever que se lever seul. Je suis d'avis qu'en politique il faut toujours se risquer et ne jamais se compromettre. J'aime le danger, mais je hais le ridicule.

Daru resta un moment pensif et me dit : « Nous ne vous appuierons pas. »

Cependant Daru savait le fond de l'émeute : 20 000 ouvriers venus d'Amiens, de Beauvais et de Rouen à Paris, payés, enrégimentés, et prêts à une sorte de bataille rangée ; les comités révolutionnaires en permanence, tous les symptômes d'une crise, tous les préparatifs d'une journée ; et il ne voyait rien dans tout cela que la chute de Guizot et l'avènement de Molé! J'y voyais autre chose et notre conversation dura près d'une heure.

Elle nous avait profondément absorbés. Lorsque nous nous levâmes pour nous en aller, nous nous aperçûmes que Napoléon Duchâtel corrigeait à quelques pas de nous les épreuves de son discours. Son ami Pèdre Lacaze était assis à côté de lui. Il n'y avait plus que nous quatre dans la salle. Ils avaient certainement pu entendre tout ce que nous avions dit.

Le soir, plusieurs personnes vinrent chez moi et je racontai l'incident de la séance. Les avis étaient partagés sur l'opportunité de l'interpellation. Cependant, la plupart pensaient, contrairement à mon avis, que tout se résoudrait en une émeute insignifiante. Au milieu de la conversation, survint M. Hello, jeune avocat de talent qui, cinq jours plus tard, était nommé avocat général près de la cour d'appel de la République. Je lui demandai son avis. Voici ce qu'il nous répondit :

« Je sors de Sainte-Pélagie. J'y ai dîné avec beaucoup de condamnés politiques qui ont tous été mes clients. Ils boivent du vin de Champagne, ils chantent *la Marseillaise*, ils sont dans la joie et ils dansent dans les corridors en criant à tue-tête : « Dans trois jours nous serons libres ! »

M. de Montpensier a dit à l'orfèvre Froment-Meurice qui est chef de bataillon de la garde nationale et qui lui parlait de l'émeute de mardi : « S'il y a émeute, le roi montera à cheval, y fera monter M. le comte de Paris, et ira se montrer au peuple. »

Des canons et des caissons traversent les rues et se dirigent vers les Champs-Élysées.

23 février. Comme j'arrivais à la Chambre des pairs, il était trois heures précises, le général Rapatel entrait au vestiaire et me dit : « La séance est finie. »

Je suis allé à la Chambre des députés. Au moment où mon cabriolet prenait la rue de Lille, une colonne épaisse et interminable d'hommes en vestes, en blouses et en casquettes, marchant bras dessus, bras dessous, trois par trois, débouchait de la rue Bellechasse et se dirigeait vers la Chambre. Je voyais l'autre extrémité de la rue barrée par une rangée profonde d'infanterie de ligne, l'arme au bras. J'ai dépassé les gens en blouse qui étaient mêlés de femmes et qui criaient : *Vive la*

ligne ! A bas Guizot ! Ils se sont arrêtés à une portée
de fusil environ de l'infanterie. Les soldats ont ouvert
leurs rangs pour me laisser passer. Les soldats causaient
et riaient. Un, très jeune, haussait les épaules.

Je ne suis pas allé plus loin que la salle des Pas Perdus.
Elle était pleine de groupes affairés et inquiets. M. Thiers,
M. de Rémusat, M. Vivien, M. Merruau (du *Constitutionnel*) dans un coin ; M. Émile de Girardin, M. d'Alton-Shée et M. de Boissy, M. Franck-Carré, M. d'Houdetot et M. de Lagrenée. M. Armand Marrast prenait
M. d'Alton à part. M. de Girardin m'a arrêté au passage ;
puis France d'Houdetot et Lagrenée. MM. Franck-
Carré et Vigier nous ont rejoints. On a causé. Je leur
disais :

Le cabinet est gravement coupable. Il a oublié que,
dans un temps comme le nôtre, il y a des abîmes à droite
et à gauche et qu'il ne faut pas gouverner trop près du
bord. Il se dit : Ce n'est qu'une émeute, et il s'en applaudit presque. Il s'en croit raffermi ; il tombait hier, le
voilà debout aujourd'hui. Mais d'abord qui est-ce qui
sait la fin d'une émeute ? C'est vrai, les émeutes raffer-
missent les cabinets, mais les révolutions renversent
les dynasties. Et quel jeu imprudent ! Risquer la dynastie
pour sauver le ministère ! Comment sortir de là ? La
situation tendue serre le nœud, et il est impossible de le
dénouer aujourd'hui. L'amarre peut casser et alors tout
s'en ira à la dérive. La gauche a manœuvré imprudem-
ment et le cabinet follement. On est responsable des deux
côtés. Mais quelle folie à ce cabinet de mêler une question
de police à une question de liberté et d'opposer l'esprit
de chicane à l'esprit de révolution ! Il me fait l'effet
d'envoyer des huissiers et du papier timbré à un lion.
Les arguties de M. Hébert en présence de l'émeute !
La belle affaire ! Malheureusement il est trop tard pour
décomposer les éléments de la crise. Le sang va couler.

Comme je disais cela, un député a passé près de nous et a dit : « La Marine est prise. »

— Allons voir! m'a dit France d'Houdetot.

Nous sommes sortis. Nous avons traversé un régiment d'infanterie qui gardait la tête du pont de la Concorde. Un autre régiment barrait l'autre bout. La cavalerie chargeait, sur la place Louis XV, des groupes immobiles et sombres qui, à l'approche des cavaliers, s'enfuyaient comme des essaims. Personne sur le pont, qu'un général en uniforme et à cheval, la croix de commandeur au cou, le général Prévot. Ce général a passé au grand trot et nous a crié : « On attaque! »

Comme nous rejoignions la troupe qui était au bout opposé du pont, un chef de bataillon à cheval, a salué M. d'Houdetot. « Y a-t-il quelque chose ? » lui a demandé France. « Il y a, a dit le commandant, que je suis arrivé à temps. » C'est ce chef de bataillon qui a dégagé le palais de la Chambre que l'émeute avait envahi ce matin à dix heures.

Nous sommes descendus sur la place. Les charges de cavalerie tourbillonnaient autour de nous. A l'angle du pont, un dragon levait le sabre sur un homme en blouse. Je ne crois pas qu'il ait frappé. Du reste, la Marine n'était pas « prise ». Un attroupement avait jeté une pierre à une vitre de l'hôtel et blessé un curieux qui regardait derrière la vitre. Rien de plus.

Nous apercevions des voitures arrêtées et comme rangées en barricades dans la grande avenue des Champs-Élysées, à la hauteur du rond-point. D'Houdetot me dit : Le feu commence là-bas. Voyez-vous la fumée ? — Bah! ai-je répondu, c'est la vapeur de la fontaine. Ce feu est de l'eau. » Et nous nous sommes mis à rire.

Du reste, il y avait là en effet un engagement. Le peuple avait fait trois barricades avec des chaises. Le poste du grand carré des Champs-Élysées est venu pour détruire les barricades. Le peuple a refoulé les soldats à coups de pierres dans le corps de garde. Le général Prévot a envoyé une escouade de garde municipale pour dégager le poste. L'escouade a été entourée et obligée de se réfugier dans le poste avec les soldats. La foule a bloqué le corps de garde. Un homme a pris une échelle et, monté sur le toit du corps de garde, a arraché le drapeau, l'a déchiré et l'a jeté au peuple. Il a fallu un bataillon pour délivrer le poste.

La séance a fini. Je suis sorti en même temps que les députés et je m'en suis revenu par les quais.

On continuait de charger place de la Concorde. Deux barricades avaient été essayées rue Saint-Honoré. On dépavait le marché Saint-Honoré. Les omnibus des barricades avaient été relevés par la troupe. Rue Saint-Honoré, la foule laissait passer les gardes municipaux, puis les criblait de pierres dans le dos. Une multitude montait par les quais avec le bruit d'une fourmilière irritée. J'ai vu passer une très jolie femme en chapeau de velours vert avec un grand cachemire marchant au milieu d'un groupe de blouses et de bras nus. Elle relevait sa robe à outrance, à cause de la boue, et était fort crottée. Car il pleut de minute en minute. Les Tuileries étaient fermées. Aux guichets du Carrousel, la foule était arrêtée et regardait par les arcades la cavalerie rangée en bataille devant le palais.

Vers le pont du Carrousel, j'ai rencontré M. Jules Sandeau. Il m'a demandé : « Que pensez-vous de ceci ? — Que l'émeute sera vaincue, mais que la révolution triomphera. »

Tout le long du quai, des patrouilles passaient, et la foule criait : *Vive la ligne !* Les boutiques étaient fermées et les fenêtres ouvertes.

Place du Châtelet, j'ai entendu un homme dire à un groupe : « C'est 1830 ! »

Non. En 1830, il y avait le duc d'Orléans derrière Charles X. En 1848, derrière Louis-Philippe il y a un trou. C'est triste de tomber de Louis-Philippe en Ledru-Rollin.

J'ai pris par l'Hôtel de Ville et par la rue Sainte-Avoye. Tout était tranquille à l'Hôtel de Ville, deux gardes nationaux se promenaient devant la grille et il n'y avait point de barricades rue Sainte-Avoye. Quelques gardes nationaux, en uniforme, le sabre au côté, allaient et venaient rue Rambuteau. On battait le rappel dans le quartier du Temple.

Jusqu'à ce moment, le pouvoir avait fait mine de se passer cette fois de la garde nationale. Ce serait peut-être prudent. Ce matin, le poste de garde nationale de service à la Chambre des députés a refusé de marcher.

On dit le roi fort calme et même gai. Il ne faut pourtant pas trop jouer ce jeu. Toutes les parties qu'on y gagne ne servent qu'à faire le total de la partie qu'on y perd.

Minuit sonne en ce moment. Il y a dix pièces de canon place de Grève. L'aspect du Marais est lugubre. Je m'y suis promené et je rentre. Les réverbères sont brisés et éteints sur le boulevard fort bien nommé *le boulevard noir*. Il n'y a eu ce soir de boutiques ouvertes que rue Saint-Antoine. Le théâtre Beaumarchais a fermé. La place Royale est gardée comme une place d'armes. Des troupes sont embusquées sous les arcades. Rue Saint-Louis, un bataillon est adossé silencieusement le long des murailles dans les ténèbres.

Tout à l'heure, quand l'heure a sonné, nous nous sommes levés et nous sommes allés sur le balcon, en disant : « C'est le tocsin! »

Dans la nuit du 23 au 24, à une heure du matin, la grille de l'église Notre-Dame-de-Lorette fut arrachée et servit à armer d'un cheval-de-frise, très bien construit, une barricade que l'on bâtissait en ce moment-là même devant le n° 61 de la rue de Provence. Il y avait à cette maison une fort belle grille qui eût pu servir au cheval-de-frise et que les constructeurs de la barricade ne touchèrent point. Ils dirent : *Respect aux propriétés particulières* et allèrent chercher la grille de Notre-Dame-de-Lorette.

24 février. Rue Bellechasse. Le régiment de dragons qui s'enfuit comme un essaim devant un homme aux bras nus agitant un coupe-choux.

Pont-Neuf. Rassemblement armé (piques, haches, fusils,) conduit, tambour en tête, par un homme armé d'un sabre et vêtu d'un grand habit de livrée de cocher du roi. (Le cocher, tué rue Saint-Thomas, en sortant des écuries du roi.)

Le jeudi matin j'entendais chanter dans les barricades :

> *Mais on dit qu'en quatre-vingt-treize,*
> *Il vota la mort de Louis seize.*
> *Ah! ah! ah! oui vraiment,*
> *Cadet-Roussel est bon enfant!*

> *Le citoyen Egalité*
> *Veut qu'on l'appelle Majesté.*
> *Ma foi, cela me paraît drôle,*
> *Lui qui dansait la Carmagnole!*
> *Ah! ah! ah! oui vraiment, etc.*

Ouvre la fenêtre. Écoute. *Oui, c'est le tocsin.*

Le roi a dit dans la nuit à trois heures du matin au colonel*** aide de camp : « Il faut faire taire ces polissons qui sonnent le tocsin. » Cependant fait réveiller la reine.

La famille royale passe le reste de la nuit au balcon et l'angoisse croît avec le jour.

Nous avons dû traverser à grand'peine l'océan humain

qui couvrait avec un bruit de tempête, la place de l'Hôtel-de-Ville. Au quai de la Mégisserie se dressait une formidable barricade ; grâce à l'écharpe du maire, on nous a laissés la franchir. Au-delà, les quais étaient à peu près déserts. Nous avons gagné la Chambre des députés par la rive gauche.

Le Palais-Bourbon était encombré d'une cohue bourdonnante de députés, de pairs et de hauts fonctionnaires. D'un groupe assez nombreux est sortie la voix aigrelette de M. Thiers : « Ah! Voilà Victor Hugo! » Et M. Thiers est venu à nous, demandant des nouvelles du faubourg Saint-Antoine. Nous y avons ajouté celles de l'Hôtel de Ville ; il a secoué lugubrement la tête. « Et par ici? dis-je. D'abord êtes-vous toujours ministre? — Moi! Ah! je suis bien dépassé, moi! Bien dépassé! On en est à Odilon Barrot, président du conseil et ministre de l'intérieur. — Et le maréchal Bugeaud? — Remplacé aussi par le maréchal Gérard. Mais ce n'est rien. La Chambre est dissoute, le roi a abdiqué ; il est sur le chemin de Saint-Cloud, Mme la duchesse d'Orléans est régente. Ah! le flot monte, monte, monte, monte! »

M. Thiers nous engagea, M. Ernest Moreau et moi, à aller nous entendre avec M. Odilon Barrot. Notre action dans notre quartier, si important, pouvait être grandement utile. Nous nous sommes donc mis en route pour le ministère de l'intérieur.

Le peuple avait envahi le ministère et refluait jusque dans le cabinet du ministre, où allait et venait une foule respectueuse. A une grande table, au milieu de la vaste pièce, des secrétaires écrivaient. M. Odilon Barrot, la face rouge, les lèvres serrées, les mains derrière le dos, s'accotait à la cheminée. Il dit en nous voyant : « Vous êtes au courant, n'est-ce pas? Le roi abdique, la duchesse d'Orléans est régente... » « Si le peuple consent », dit un homme en blouse qui passait.

Le ministre nous emmena dans l'embrasure d'une fenêtre, en jetant autour de lui des regards inquiets. Qu'allez-vous faire ? Que faites-vous ? lui dis-je. — J'expédie des dépêches aux départements. — Est-ce très urgent ? — Il faut bien instruire la France des événements. Mais pendant ce temps-là, Paris les fait, les événements. Hélas, a-t-il fini de les faire ? La Régence, c'est bien, mais il faudrait qu'elle fût sanctionnée. — Oui, par la Chambre. La duchesse d'Orléans devrait mener le comte de Paris à la Chambre. — Non, puisque la Chambre est dissoute. Si la duchesse doit aller quelque part, c'est à l'Hôtel de Ville. — Y pensez-vous ? Et le danger ? — Aucun danger. Une mère, un enfant ! Je réponds de ce peuple. Il respectera la femme dans la princesse. — Eh bien, allez aux Tuileries, voyez la duchesse d'Orléans, conseillez-la, éclairez-la. — Pourquoi n'y allez-vous pas vous-même ? — J'en arrive. On ne savait où était la duchesse ; je n'ai pu l'aborder. Mais dites-lui, si vous la voyez, que je suis à sa disposition, que j'attends ses ordres. Ah ! Monsieur Victor Hugo, je donnerais ma vie pour cette femme et pour cet enfant ! »

Odilon Barrot est l'homme le plus honnête et le plus dévoué du monde, mais il est le contraire d'un homme d'action ; on sentait le trouble et l'indécision dans sa parole, dans son regard, dans toute sa personne.

« Écoutez, me dit-il encore, ce qui m'importe, ce qui presse, c'est que le peuple connaisse ces graves changements, l'abdication, la Régence. Promettez-moi d'aller les proclamer à votre mairie, au faubourg, partout où vous pourrez. — Je vous le promets. »

Je me dirige, avec M. Moreau, vers les Tuileries.

Les Tuileries sont encore gardées par les troupes. Le maire montre son écharpe, et nous passons. Au guichet, le concierge, auquel je me nomme, nous dit que Mme la duchesse d'Orléans, accompagnée de M. le duc de Nemours, vient de quitter le château, avec le comte de Paris, pour se rendre sans doute à la Chambre des députés. Nous n'avons donc plus qu'à continuer notre route.

A l'entrée du pont du Carrousel, des balles sifflent à nos oreilles. Ce sont les insurgés qui, place du Carrousel, tirent sur les voitures de la cour sortant des petites écuries.

Un des cochers a été tué sur son siège.

« Ce serait trop bête de nous faire tuer en curieux! me dit M. Ernest Moreau. Passons de l'autre côté de l'eau. »

Nous longeons l'Institut et le quai de la Monnaie. Au Pont-Neuf, nous nous croisons avec une troupe armée de piques, de haches et de fusils, conduite, tambour en tête, par un homme agitant un sabre.

Quand nous arrivons, M. Moreau et moi, à la place Royale, nous la trouvons toute remplie d'une foule anxieuse. Nous sommes aussitôt entourés, questionnés, et nous n'arrivons pas sans peine à la mairie. La masse du peuple est trop compacte pour qu'on puisse parler sur la place. Je monte, avec le maire, quelques officiers de la garde nationale et deux élèves de l'École polytechnique, au balcon de la mairie. Je lève la main, le silence se fait comme par enchantement. Je dis :

« Mes amis, vous attendez des nouvelles. Voilà ce que nous savons : M. Thiers n'est plus ministre, le maréchal Bugeaud n'a plus le commandement *(Applaudissements)*. Ils sont remplacés par le maréchal Gérard et par M. Odilon Barrot *(Applaudissements, mais plus clairsemés.)* La Chambre est dissoute. Le roi a abdiqué *(Acclamation universelle)*. La duchesse d'Orléans est régente *(Quelques bravos isolés, mêlés à de sourds murmures)*.

Je reprends : « Le nom d'Odilon Barrot vous est garant que le plus large appel sera fait à la nation et que vous aurez le gouvernement représentatif dans toute sa sincérité. »

Sur plusieurs points des applaudissements me répondent,

mais il paraît évident que la masse est incertaine et non satisfaite.

Nous rentrons dans la salle de la mairie. « Il faut à présent, dis-je à M. Ernest Moreau, que j'aille faire la proclamation sur la place de la Bastille. » Mais le maire est découragé. — Vous voyez bien que c'est inutile, me dit-il tristement ; la Régence n'est pas acceptée. Et vous avez parlé ici dans un milieu où vous êtes connu, où vous êtes aimé! A la Bastille, vous trouveriez le peuple révolutionnaire du faubourg, qui vous ferait un mauvais parti peut-être. — J'irai, dis-je, je l'ai promis à Odilon Barrot. — J'ai changé de chapeau, reprit en souriant le maire, mais, rappelez-vous mon chapeau de ce matin. — Ce matin, l'armée et le peuple étaient en présence, il y avait danger de conflit ; à l'heure qu'il est, le peuple est seul, le peuple est maître. — Maître... et hostile, prenez-y garde ! — N'importe! j'ai promis, je tiendrai ma promesse. »

Je dis au maire que sa place à lui était à la mairie et qu'il devait y rester, mais plusieurs officiers de la garde nationale se présentèrent spontanément pour m'accompagner, et, parmi eux, l'excellent M. Launaye, mon ancien capitaine. J'acceptai leur offre amicale, et cela fit un petit cortège, qui se dirigea, par la rue du Pas-de-la-Mule et le boulevard Beaumarchais, vers la place de la Bastille.

Là s'agitait une foule ardente, où les ouvriers dominaient. Beaucoup armés de fusils pris aux casernes ou livrés par les soldats. Cris et chants des Girondins, *Mourir pour la patrie!* Groupes nombreux qui discutent et discutent avec passion. On se retourne, on nous regarde, on nous interroge : « Qu'est-ce qu'il y a de nouveau ? Qu'est-ce qui se passe ? » Et l'on nous suit. J'entends murmurer mon nom avec des sentiments divers : « Victor Hugo! C'est Victor Hugo! » Quelques-uns me saluent. Quand nous arrivons à la colonne de Juillet, une affluence considérable nous entoure. Je monte, pour me faire entendre, sur le soubassement de la colonne.

Je ne rapporterai de mes paroles que celles qu'il me fut possible de faire arriver à mon orageux auditoire. Ce fut bien moins un discours qu'un dialogue, mais le dialogue d'une seule voix avec dix, vingt, cent voix plus ou moins hostiles.

Je commençai par annoncer tout de suite l'abdication de Louis-Philippe, et, comme à la place Royale, des applaudissements à peu près unanimes accueillirent la nouvelle. On cria cependant aussi : « Non! pas d'abdication! La déchéance! La déchéance! » J'allais décidément avoir affaire à forte partie.

Quand j'annonçai la Régence de la duchesse d'Orléans, ce furent de violentes dénégations : « Non! non! Pas de Régence! A bas les Bourbons! Ni roi, ni reine! Pas de maîtres! » Je répétai : « Pas de maîtres! Je n'en veux pas plus que vous, j'ai défendu toute ma vie la liberté! — Alors pourquoi proclamez-vous la Régence? — Parce qu'une régente n'est pas un maître. D'ailleurs, je n'ai aucun droit de proclamer la Régence, je l'annonce! — Non! Non! Pas de Régence! »

Un homme en blouse cria : « Silence au pair de France! A bas le pair de France! » Et il m'ajusta de son fusil. Je le regardai fixement et j'élevai la voix si haut qu'on fit silence. « Oui, je suis pair de France et je parle comme pair de France. J'ai juré fidélité, non à une personne royale, mais à la monarchie constitutionnelle. Tant qu'un autre gouvernement ne sera pas établi, c'est mon devoir d'être fidèle à celui-là. Et j'ai toujours pensé que le peuple n'aimait pas qu'on manquât, quel qu'il fût, à son devoir. »

Il y eut autour de moi un murmure d'approbation et même quelques bravos çà et là. Mais quand j'essayai de continuer : « Si la Régence... » les protestations redoublèrent. On ne me laissa en relever qu'une seule. Un

ouvrier m'avait crié : « Nous ne voulons pas être gouver-
nés par une femme. » Je rispostai vivement : « Hé! moi
non plus je ne veux pas être gouverné par une femme,
ni même par un homme. C'est parce que Louis-Philippe
a voulu gouverner que son abdication est aujourd'hui
nécessaire et qu'elle est juste! Mais une femme qui règne
au nom d'un enfant! N'y a-t-il pas là une garantie contre
toute pensée de gouvernement personnel? Voyez la reine
Victoria en Angleterre... — Nous sommes Français, nous!
cria-t-on. Pas de Régence! — Pas de Régence? Mais alors
quoi? Rien n'est prêt, rien ! c'est le bouleversement total,
la ruine, la misère, la guerre civile peut-être ; en tout cas,
c'est l'inconnu. » Une voix, une seule voix cria : *Vive la
République!* Pas une autre voix ne lui fit écho. Pauvre
grand peuple, inconscient et aveugle! Il sait ce qu'il ne
veut pas, mais il ne sait pas ce qu'il veut!

A partir de ce moment, le bruit, les cris, les menaces
devinrent tels que je renonçai à me faire entendre. Mon
brave Launaye me dit : « Vous avez fait ce que vous vouliez,
ce que vous aviez promis ; nous n'avons plus qu'à nous
retirer. »

La foule s'ouvrit devant nous, curieuse et inoffensive.
Mais à vingt pas de la colonne. l'homme qui m'avait
menacé de son fusil me rejoignit et de nouveau me coucha
en joue, en criant : « A mort le pair de France! » — « Non,
respect au grand homme! » fit un jeune ouvrier, qui avait
vivement abaissé l'arme. Je remerciai de la main cet
ami inconnu et je passai.

A la mairie, M. Ernest Moreau, qui avait été, paraît-il,
fort anxieux sur notre sort, nous reçut avec joie et me
félicita avec cordialité. Mais je savais que, même dans la
passion, ce peuple est juste, et je n'avais pas eu le moindre
mérite, n'ayant pas eu la moindre inquiétude.

Pendant que ces choses se passaient place de la Bastille, voici ce qui se passait au Palais-Bourbon :

Il y a en ce moment un homme dont le nom est dans toutes les bouches et la pensée dans toutes les âmes : c'est Lamartine. Son éloquente et vivante *Histoire des Girondins* vient pour la première fois d'enseigner la Révolution à la France. Il n'était jusqu'ici qu'illustre, il est devenu populaire, et l'on peut dire qu'il tient dans sa main Paris.

Dans le désarroi universel, son influence pouvait être décisive. On se l'était dit aux bureaux du *National*, où les chances possibles de la République venaient d'être pesées et où l'on avait ébauché un projet de gouvernement provisoire, dont n'était pas Lamartine. En 1842, lors de la discussion sur la Régence, qui avait abouti au choix de M. le duc de Nemours, Lamartine avait chaleureusement plaidé pour la duchesse d'Orléans. Était-il aujourd'hui dans les mêmes idées ? que voulait-il ? que ferait-il ? il importait de le savoir. M. Armand Marrast, le rédacteur en chef du *National*, prit avec lui trois républicains notoires, M. Bastide, M. Hetzel, l'éditeur, et M. Bocage, l'éminent comédien qui a créé le rôle de Didier dans *Marion de Lorme*. Tous quatre se rendirent à la Chambre des députés. Ils y trouvèrent Lamartine et allèrent conférer avec lui dans les bureaux.

Ils parlèrent l'un après l'autre, ils dirent leurs convictions et leurs espérances : ils seraient heureux de penser que Lamartine était avec eux pour la réalisation immédiate de la République. S'il jugeait pourtant que la transition de la Régence était nécessaire, ils lui demandaient du moins de les aider à obtenir des garanties sérieuses contre tout retour en arrière. Ils attendaient avec émotion sa décision dans ce grand arbitrage.

Lamartine écouta silencieusement leurs raisons, puis les pria de vouloir bien le laisser se recueillir pendant quelques instants. Il s'assit à l'écart devant une table, prit sa tête dans ses mains et songea. Les quatre consultants, debout, le regardaient respectueusement en silence. Minute solennelle. « Nous écoutions passer l'histoire », me disait Bocage.

Lamartine redressa la tête et leur dit : « Je combattrai la Régence. »

Un quart d'heure après, la duchesse d'Orléans arrivait à la Chambre, tenant par la main ses deux fils, le comte de Paris et le duc de Chartres. M. Odilon Barrot n'était pas auprès d'elle. Le duc de Nemours l'accompagnait.

Elle était acclamée par les députés. Mais, la Chambre dissoute, y avait-il des députés ?

M. Crémieux montait à la tribune et proposait nettement un gouvernement provisoire. M. Odilon Barrot, qu'on était allé chercher au ministère, se montrait enfin et plaidait la cause de la Régence, mais sans éclat et sans énergie. Puis, voilà qu'un flot de peuple et de gardes nationaux, avec armes et drapeaux, envahissait la salle. La duchesse d'Orléans, entraînée par des amis, se retirait avec ses enfants.

La Chambre des députés alors s'évanouissait submergée sous une sorte d'assemblée révolutionnaire. Ledru-Rollin haranguait cette foule. Puis venait Lamartine, attendu et acclamé. Il combattit, comme il l'avait promis, la Régence.

Tout était dit. Les noms d'un gouvernement provisoire étaient jetés au peuple. Et, par des cris oui ou non, le peuple élut ainsi successivement : Lamartine, Dupont de l'Eure, Arago et Ledru-Rollin, à l'unanimité, Crémieux, Garnier-Pagès et Marie à la majorité

Les nouveaux gouvernants se mirent aussitôt en route pour l'Hôtel de Ville.

A la Chambre des députés, dans les discours des orateurs, pas même dans celui de Ledru-Rollin, pas une fois le mot *République* n'avait été prononcé. Mais maintenant, au dehors, dans la rue, ce mot, ce cri, les élus du peuple le trouvèrent partout, il volait sur toutes les bouches, il emplissait l'air de Paris.

Les quelques hommes qui, dans ces jours suprêmes et extrêmes, tenaient dans leur main le sort de la France, étaient eux-mêmes, à la fois, outils et hochets dans la main de la foule, qui n'est pas le peuple, et du hasard, qui n'est pas la providence. Sous la pression de la multitude, dans l'éblouissement et la terreur de leur triomphe qui les débordait, ils décrétèrent la République, sans savoir qu'ils faisaient une si grande chose.

On prit une demi-feuille de papier en tête de laquelle étaient imprimés les mots : *Préfecture de la Seine. Cabinet du Préfet.* M. Rambuteau avait peut-être, le matin même, employé l'autre moitié de cette feuille à écrire quelque billet doux galant ou rassurant à ce qu'il appelait ses petites bourgeoises.

M. de Lamartine traça cette phrase sous la dictée des cris terribles qui rugissaient au dehors :

Le gouvernement provisoire déclare que le gouvernement provisoire de la France est le gouvernement républicain, et que la nation sera immédiatement appelée à ratifier la résolution du gouvernement provisoire et du peuple de Paris.

J'ai tenu dans mes mains cette pièce, cette feuille sordide, maculée, tachée d'encre, qu'un insurgé emporta et alla livrer à la foule furieuse et ravie. La fièvre du moment est encore empreinte sur ce papier, et y palpite. Les mots jetés avec emportement, sont à peine formés. *Appelée* est écrit *appellée.*

Quand ces six lignes furent écrites, Lamartine signa et passa la plume à Ledru-Rollin.

M. Ledru-Rollin lut à haute voix la phrase : *Le gouvernement provisoire déclare que le gouvernement provisoire de la France est le gouvernement républicain...*

« Voilà deux fois le mot *provisoire*, dit-il.

— C'est vrai, dirent les autres.

— Il faut l'effacer au moins une fois », ajouta M. Ledru-Rollin.

M. de Lamartine comprit la portée de cette observation grammaticale qui était tout simplement une révolution par escamotage.

« Il faut pourtant attendre la sanction de la France, dit-il.

— Je me passe de la sanction de la France, s'écria Ledru-Rollin, quand j'ai la sanction du peuple.

— Mais qui peut savoir en ce moment ce que veut le peuple ? observa Lamartine.

— Moi, dit Ledru-Rollin. »

Il y eut un moment de silence. On entendait la foule comme une mer. Ledru-Rollin reprit :

« Ce que le peuple veut, c'est la République tout de suite, la République sans attendre!

— La République sans sursis », dit Lamartine, cachant une objection dans cette traduction des paroles de Ledru-Rollin.

« Nous sommes provisoires, nous, repartit Ledru-Rollin, mais la République ne l'est pas. »

M. Crémieux prit la plume des mains de Lamartine, raya le mot *provisoire* au bas de la troisième ligne et écrivit à côté : *actuel.*

« Le gouvernement *actuel* ? dit Ledru-Rollin, à la bonne heure. J'aimerais mieux définitif. Pourtant je signe. »

A côté de la signature de Lamartine, signature à peine formée, où l'on retrouve toutes les incertitudes qui bouleversaient le cœur du poète, Ledru-Rollin mit sa signature tranquille ornée de ce banal paraphe de clerc d'avoué qu'il partage avec Proudhon. Après Ledru-Rollin, et au-dessous, Garnier-Pagès signa avec la même assurance et le même paraphe. Puis Crémieux, puis Marie, enfin Dupont de l'Eure, dont la main tremblait de vieillesse et d'épouvante.

Ces six hommes signèrent seuls. Le gouvernement provisoire en ce moment-là ne se composait que de ces six députés.

Le cachet de la Ville de Paris était sur la table. Depuis 1830, le navire voguant sous un ciel semé de fleurs de lys, avec la devise : *Prœlucent certius astris*, avait disparu du sceau de la Ville. Ce sceau n'était plus qu'un simple cercle figurant un grand zéro et portant à son centre ces seuls mots : *Ville de Paris*. Ledru-Rollin prit le cachet et l'apposa au bas du papier, si précipitamment qu'il l'imprima renversé. Personne ne songea à mettre une date.

Quelques minutes après ce chiffon de papier était une loi, ce chiffon de papier était l'avenir d'un peuple, ce chiffon de papier était l'avenir du monde. La République était proclamée. *Alea jacta*, comme l'a dit plus tard Lamartine.

Il a été fait à Paris dans la nuit du 24 février 1 574 barricades.

Choses vues.

Aux rêveurs de monarchie

Désormais Victor Hugo se sépare pour toujours des « rêveurs de monarchie ».

Je suis en république, et pour roi j'ai moi-même.
Sachez qu'on ne met point aux voix ce droit suprême ;
Écoutez bien, messieurs, et tenez pour certain
Qu'on n'escamote pas la France un beau matin.
Nous, enfants de Paris, cousins des grecs d'Athènes,
Nous raillons et frappons. Nous avons dans les veines
Non du sang de fellahs ni du sang d'esclavons,
Mais un bon sang gaulois et français. Nous avons
Pour pères les grognards et les Francs pour ancêtres.

Retenez bien ceci que nous sommes les maîtres.
La liberté jamais en vain ne nous parla.
Souvenez-vous aussi que nos mains que voilà,
Ayant brisé des rois, peuvent briser des cuistres.
Bien. Faites-vous préfets, ambassadeurs, ministres,
Et dites-vous les uns aux autres grand merci.
O faquins, gorgez-vous. N'ayez d'autre souci,
Dans ces royaux logis dont vous faites vos antres,
Que d'aplatir vos cœurs et d'arrondir vos ventres ;
Emplissez-vous d'orgueil, de vanité, d'argent,
Bien. Allez. Nous aurons un mépris indulgent,
Nous nous détournerons et vous laisserons faire ;
L'homme ne peut hâter l'heure que Dieu diffère.
Soit. Mais n'attentez pas au droit du peuple entier.
Le droit au fond des cœurs, libre, indomptable, altier,
Vit, guette tous vos pas, vous juge, vous défie,
Et vous attend. J'affirme et je vous certifie
Que vous seriez hardis d'y toucher seulement
Rien que pour essayer et pour voir un moment !

Rois, larrons ! vous avez des poches assez grandes
Pour y mettre tout l'or du pays, les offrandes
Des pauvres, le budget, tous nos millions, mais
Pour y mettre nos droits et notre honneur, jamais !
Jamais vous n'y mettrez la grande République.
D'un côté tout un peuple ; et de l'autre une clique !
Qu'est votre droit divin devant le droit humain ?
Nous votons aujourd'hui, nous voterons demain.
Le souverain, c'est nous ; nous voulons, tous ensemble,
Régner comme il nous plaît, choisir qui bon nous semble,
Nommer qui nous convient dans notre bulletin.
Gare à qui met la griffe aux boîtes du scrutin !
Gare à ceux d'entre vous qui fausseraient le vote !
Nour leur ferions danser une telle gavotte,

Avec des violons si bien faits tout exprès,
Qu'ils en seraient encor pâles dix ans après!

> *Les Châtiments.*

Lamartine et Hugo

Quand il écrira ses Mémoires Politiques de 1848, Lamartine parlera de lui-même à la troisième personne (il a en ceci des émules). Hugo, lui, écrit au fil de la plume et à la première personne du singulier son journal de 1848. Il ne cherche pas à dresser des statues de marbre, dans des postures glorieuses. Il veut saisir la vie, le vrai. Il y parvient mieux que son confrère — et rival.

Dans la matinée, le mouvement de va-et-vient à la mairie du VIIIe arrondissement et aux alentours était relativement calme, et les mesures d'ordre, prises la veille d'accord avec M. Ernest Moreau, semblaient assurer la sécurité du quartier.

Je crus pouvoir quitter la place Royale et me diriger vers le centre avec mon fils Victor. Le bouillonnement d'un peuple (du peuple de Paris!) le lendemain d'une révolution, c'était là un spectacle qui m'attirait invinciblement.

Temps couvert et gris, mais doux et sans pluie. Les rues étaient toutes frémissantes d'une foule en rumeur et en joie. On continuait avec une incroyable ardeur à fortifier les barricades déjà faites et à en construire de nouvelles. Des bandes, avec drapeaux et tambours, circulaient criant : Vive la République! ou chantant *la Marseillaise* et *Mourir pour la patrie!* Les cafés regorgeaient, mais nombre de magasins étaient fermés, comme les jours de fête ; et tout avait l'aspect d'une fête, en effet.

J'allai ainsi par les quais jusqu'au Pont-Neuf. Là, je

lus au bas d'une proclamation le nom de Lamartine, et, ayant vu le peuple, j'éprouvai je ne sais quel besoin d'aller voir mon grand ami. Je rebroussai donc chemin, avec Victor, vers l'Hôtel de Ville.

La place était, comme la veille, couverte de foule, et cette foule, autour de l'Hôtel de Ville, était si serrée qu'elle s'immobilisait elle-même. Les marches du perron étaient inabordables. Après d'inutiles efforts pour en approcher seulement, j'allais me retirer, quand je fus aperçu par M. Froment-Meurice, l'orfèvre artiste, le frère de mon jeune ami Paul Meurice. Il était commandant de la garde nationale et de service, avec son bataillon, à l'Hôtel de Ville. Je lui dis notre embarras. « Place! cria-t-il avec autorité, place à Victor Hugo! » Et la muraille s'ouvrit, je ne sais comment, devant ses épaulettes.

Le perron franchi, M. Froment-Meurice nous guida, à travers toutes sortes d'escaliers, de corridors et de pièces encombrées de foule. En nous voyant passer, un homme du peuple se détacha d'un groupe et se campa devant moi. « Citoyen Victor Hugo, dit-il, criez : *Vive la République!* — Je ne crie rien par ordre, dis-je. Comprenez-vous la liberté? Moi, je la pratique. Je crierai aujourd'hui : *Vive le peuple!* parce que ça me plaît. Le jour où je crierai : *Vive la République!* c'est parce que je le voudrai. — Il a raison! c'est très bien! » murmurèrent plusieurs voix. Et nous passâmes.

Après bien des détours, M. Froment-Meurice nous introduisit dans une petite pièce et nous quitta pour aller m'annoncer à Lamartine.

La porte vitrée de la salle où nous étions donnait sur une galerie, où je vis passer mon ami David d'Angers, le grand statuaire. Je l'appelai. David, républicain de vieille date, était rayonnant. « Ah! mon ami, le beau jour! » s'écria-t-il. Il me dit que le gouvernement provisoire l'avait nommé maire du XIe arrondissement. « On vous

a mandé, je crois, pour quelque chose de pareil. — Non,
dis-je, je ne suis pas appelé. Je viens de moi-même pour
serrer la main à Lamartine. »

M. Froment-Meurice revint et me dit que Lamartine
m'attendait. Je laissai Victor dans cette salle où je vien-
drais le reprendre et je suivis de nouveau mon obligeant
conducteur à travers d'autres couloirs aboutissant à un
grand vestibule plein de monde. « Un monde de sollici-
teurs ! » me dit M. Froment-Meurice. C'est que le gouvernement provisoire siégeait dans la pièce à côté. Deux
grenadiers de la garde nationale gardaient, l'arme au pied,
la porte de cette salle, impassibles et sourds aux prières
et aux menaces. J'eus à fendre cette presse, un des grenadiers, averti, m'entrouvrit la porte ; la poussée des
assaillants voulut profiter de l'issue et se rua sur les
sentinelles qui, avec l'aide de M. Froment-Meurice, la
refoulèrent, et la porte se referma derrière moi.

J'étais dans une salle spacieuse faisant l'angle d'un des
pavillons de l'Hôtel de Ville et de deux côtés éclairée par
de hautes fenêtres. J'aurais souhaité trouver Lamartine
seul, mais il y avait là avec lui, dispersés dans la pièce et
causant avec des amis ou écrivant, trois ou quatre de ses
collègues du gouvernement provisoire, Arago, Marie,
Armand Marrast... Lamartine se leva à mon entrée. Sur
sa redingote boutonnée comme d'habitude, il portait en
sautoir une ample écharpe tricolore. Il fit quelques pas
à ma rencontre et, me tendant la main : « Ah ! Vous venez
à nous, Victor Hugo ! C'est pour la République une fière
recrue ! — N'allez pas si vite, mon ami ! lui dis-je en riant,
je viens tout simplement à mon ami Lamartine. Vous ne
savez peut-être pas qu'hier, tandis que vous combattiez
la Régence à la Chambre, je la défendais place de la
Bastille. — Hier, bien ; mais aujourd'hui ! Il n'y a plus
aujourd'hui ni régence, ni royauté. Il n'est pas possible
qu'au fond Victor Hugo ne soit pas républicain. — En

principe, oui, je le suis. La République est, à mon avis, le seul gouvernement rationnel, le seul digne des nations. La République universelle sera le dernier mot du progrès. Mais son heure est-elle venue en France? C'est parce que je veux la République que je la veux viable, que je la veux définitive. Vous allez consulter la nation, n'est-ce pas? toute la nation? — Toute la nation, certes. Nous nous sommes tous prononcés, au gouvernement provisoire, pour le suffrage universel. »

En ce moment, Arago s'approcha de nous, avec M. Armand Marrast qui tenait un pli.

« Mon cher ami, me dit Lamartine, sachez que nous vous avons désigné ce matin comme maire de votre arrondissement.

— Et en voici le brevet signé de nous tous, dit Armand Marrast.

— Je vous remercie, dis-je, mais je ne puis accepter.

— Pourquoi? reprit Arago ; ce sont des fonctions non politiques et purement gratuites.

— Nous avons été informés tantôt de cette tentative de révolte à la Force, ajouta Lamartine ; vous avez fait mieux que la réprimer, vous l'avez prévenue. Vous êtes aimé, respecté dans votre arrondissement.

— Mon autorité est toute morale, dis-je, elle ne peut que perdre à devenir officielle. D'ailleurs, je ne veux, à aucun prix, déposséder M. Ernest Moreau, qui s'est loyalement et vaillamment comporté dans ces journées. »

Lamartine et Arago insistaient. « Ne nous refusez pas notre brevet. — Eh bien, dis-je, je le prends... pour les autographes ; mais il est entendu que le je garderai dans ma poche. — Oui, gardez-le, reprit en riant Armand Marrast, pour que vous puissiez dire que, du jour au lendemain, vous avez été pair et maire. »

Lamartine m'entraîna dans l'embrasure d'une croisée. « Ce n'est pas une mairie que je voudrais pour vous, reprit-il, c'est un ministère. Victor Hugo ministre de l'instruction publique de la République!... Voyons, puisque vous dites que vous êtes républicain! — Républicain... en principe. Mais, en fait, j'étais hier pair de France, j'étais hier pour la Régence, et, croyant la République prématurée, je serais encore pour la Régence aujourd'hui. — Les nations sont au-dessus des dynasties, reprit Lamartine ; moi aussi, j'ai été royaliste... — Vous étiez, vous député, élu par la nation ; moi, j'étais pair, nommé par le roi. — Le roi, en vous choisissant, aux termes de la Constitution, dans une des catégories où se recrutait la Chambre haute, n'avait fait qu'honorer la patrie et s'honorer lui-même. — Je vous remercie, dis-je, mais vous voyez les choses du dehors, je regarde dans ma conscience. »

Nous fûmes interrompus par le bruit d'une fusillade prolongée qui éclata tout à coup sur la place. Une balle vint briser un carreau au-dessus de nos têtes. « Qu'est-ce encore que cela ? » s'écria douloureusement Lamartine. M. Armand Marrast et M. Marie sortirent pour aller voir ce qui se passait. « Ah! mon ami, reprit Lamartine, que ce pouvoir révolutionnaire est dur à porter! On a de telles responsabilités, et si soudaines, à prendre devant la conscience et devant l'histoire! Depuis deux jours je ne sais comment je vis. Hier j'avais quelques cheveux gris, ils seront tous blancs demain. » « — Oui, mais vous faites grandement votre devoir de génie, » lui dis-je.

Au bout de quelques minutes, M. Armand Marrast revint. « Ce n'était pas contre nous, dit-il. On n'a pas pu m'expliquer cette lamentable échauffourée. Il y a eu collision, les fusils sont partis. Pourquoi ? Était-ce malentendu ? Était-ce querelle entre socialistes et républicains ? On ne sait. — Est-ce qu'il y a des blessés ? — Oui, et même des morts. »

Un silence morne suivit. Je me levai. « Vous aurez sans doute des mesures à prendre ? — Hé, quelles mesures ?

reprit tristement Lamartine. Ce matin, nous avons résolu de décréter ce que vous avez déjà pu faire en petit dans votre quartier : la garde nationale mobile ; tout Français soldat en même temps qu'électeur. Mais il faut le temps, et en attendant... » Il me montra sur la place, les vagues et les remous de ces milliers de têtes. « Voyez, c'est la mer! »

Un jeune garçon portant un tablier entra et lui parla bas. « Ah! fort bien! dit-il ; c'est mon déjeuner. Voulez-vous le partager, Hugo ? — Merci! Mais à cette heure, j'ai déjeuné. — Moi pas! Et je meurs de faim. Venez du moins assister à ce festin ; je vous laisserai libre après. »

Il me fit passer dans une pièce donnant sur une cour intérieure. Un jeune homme, d'une figure douce, qui écrivait à une table, se leva et fit mine de se retirer. C'était le jeune ouvrier que Louis Blanc avait fait adjoindre au gouvernement provisoire. « Restez, Albert, lui dit Lamartine ; je n'ai rien de secret à dire à Victor Hugo. » Nous nous saluâmes, M. Albert et moi.

Le garçonnet montra à Lamartine, sur la table, des côtelettes dans un plat de terre cuite, un pain, une bouteille de vin et un verre. Le tout venait de quelque marchand du voisinage. « Eh bien, fit Lamartine ; et une fourchette ? un couteau ? — Je croyais qu'il y en avait ici. S'il faut aller en chercher!... J'ai déjà eu assez de peine à apporter ça jusqu'ici! — Bah! dit Lamartine, à la guerre comme à la guerre! » Il rompit le pain, prit une côtelette par l'os et déchira la noix avec ses dents. Quand il avait fini, il jetait l'os dans la cheminée. Il expédia ainsi trois côtelettes et but deux verres de vin.

« Convenez, me dit-il, que voilà un repas primitif! Mais c'est un progrès sur notre souper d'hier soir ; nous n'avions, à nous tous, que du pain et du fromage, et nous buvions de l'eau dans le même sucrier cassé. Ce qui n'empêche qu'un journal, ce matin, dénonce, à ce qu'il paraît, la grande orgie du gouvernement provisoire ! »

Choses vues.

La fuite de Louis-Philippe

Le 24 février 1848, Louis-Philippe abdique. Victor Hugo, on l'a vu, tentera vainement de le remplacer par une régence de la duchesse d'Orléans, dont il rêve peut-être d'être le conseiller et le guide. Le futur exilé de 1851 regarde Louis-Philippe partir en exil avec une pitié généreuse.

Ce fut M. Crémieux qui dit au roi Louis-Philippe ces tristes paroles : « Sire, il faut partir. »

Le roi avait déjà abdiqué. Cette signature fatale était donnée. Il regarda M. Crémieux fixement.

On entendait au dehors la vive fusillade de la place du Palais-Royal ; c'était le moment où les gardes municipaux du Château-d'Eau luttaient contre les deux barricades de la rue de Valois et de la rue Saint-Honoré.

Par moment, d'immenses clameurs montaient et couvraient la mousqueterie. Il était évident que le peuple arrivait. Du Palais-Royal aux Tuileries, c'est à peine une enjambée pour ce géant qu'on appelle l'émeute.

M. Crémieux étendit la main vers ce bruit sinistre qui venait du dehors et répéta :

« Sire, il faut partir. »

Le roi, sans répondre une parole, et sans quitter M. Crémieux de son regard fixe, ôta son chapeau de général qu'il tendit à quelqu'un au hasard près de lui, puis il ôta son cordon rouge, puis il ôta son uniforme à grosses épaulettes d'argent, et dit, sans se lever du large fauteuil où il était comme affaissé depuis plusieurs heures :

« Un chapeau rond ! une redingote ! »

On lui apporta une redingote et un chapeau rond. Au bout d'un instant, il n'y avait plus qu'un vieux bourgeois.

Puis il cria d'une voix qui commandait la hâte :

« Mes clefs! mes clefs! »

Les clefs se firent attendre.

Cependant le bruit croissait, la fusillade semblait s'approcher, la rumeur terrible grandissait.

Le roi répétait : « Mes clefs! mes clefs! »

Enfin on trouva les clefs, on les lui apporta. Il en ferma un portefeuille qu'il prit sous son bras, et un plus gros portefeuille dont un valet de pied se chargea. Il avait une sorte d'agitation fébrile. Tout se hâtait autour de lui. On entendait les princes et les valets dire : « Vite! Vite! » La reine seule était lente et fière.

On se mit en marche. On traversa les Tuileries, le roi donnant le bras à la reine ou, pour mieux dire, la reine donnant le bras au roi ; la duchesse de Montpensier s'appuyant sur M. Jules de Lasteyrie, le duc de Montpensier sur M. Crémieux.

Le duc de Montpensier dit à M. Crémieux :

« Restez avec nous, Monsieur Crémieux, ne nous quittez pas. Votre nom peut nous être utile. »

On arriva ainsi à la place de la Révolution. Là, le roi pâlit.

Il chercha des yeux les quatre voitures qu'il avait fait demander à ses écuries. Elles n'y étaient pas. Au sortir des écuries, le cocher de la première voiture avait été tué d'un coup de fusil. Et au moment où le roi les cherchait sur la place Louis XV, le peuple les brûlait sur la place du Palais-Royal.

Il y avait au pied de l'obélisque un petit fiacre **à un** cheval, arrêté.

Le roi y marcha rapidement, suivi de la reine.

Dans ce fiacre, il y avait quatre femmes por**tant sur** leurs genoux quatre enfants.

Les quatre femmes étaient Mmes de Nemours et de Joinville et deux personnes de la cour. Les quatre enfants étaient des petits-fils du roi.

Le roi ouvrit vivement la portière et dit aux quatre femmes : « Descendez! toutes! toutes! »

Il ne prononça que ces trois mots.

Les coups de fusil devenaient de plus en plus terribles. On entendait le flot du peuple qui entrait aux Tuileries.

En un clin d'œil les quatre femmes furent sur le pavé, — le même pavé où avait été dressé l'échafaud de Louis XVI.

Le roi monta, ou, pour mieux dire, se plongea dans le fiacre vide ; la reine l'y suivit. Mme de Nemours monta sur la banquette de devant. Le roi avait toujours son portefeuille sous le bras. On fit entrer l'autre grand portefeuille, qui était vert, dans la voiture avec quelque peine. M. Crémieux l'y fit tomber d'un coup de poing. Du reste le portefeuille ne contenait pas d'argent. Deux jours après, le gouvernement provisoire, apprenant que Louis-Philippe était à Trouville, empêché par le défaut d'argent, fit porter par M. de Lamartine à M. de Montalivet trois cent mille francs pour le roi.

« Partez! » cria le roi.

Le fiacre partit. On prit l'avenue de Neuilly.

Thuret, le valet de chambre du roi, monta derrière. Mais il ne put se tenir sur la barre qui tenait lieu de strapontin. Il essaya alors de monter sur le cheval, puis finit par courir à pied. La voiture le dépassa.

Thuret courut jusqu'à Saint-Cloud, pensant y retrouver le roi. Là, il apprit que le roi était reparti pour Trianon.

En ce moment, Mme la princesse Clémentine et son mari, le duc de Saxe-Cobourg, arrivaient par le chemin de fer.

« Vite, Madame, dit Thuret, reprenons le chemin de fer et partons pour Trianon. Le roi est là. »

Ce fut ainsi que Thuret parvint à rejoindre le roi.

Cependant, à Versailles, le roi s'était procuré une grande berline et une espèce de voiture omnibus. Il prit la berline avec la reine. Sa suite prit l'omnibus. On mit à tout cela des chevaux de poste et l'on partit pour Dreux.

Chemin faisant, le roi ôta son faux toupet et se coiffa d'un bonnet de soie noire jusqu'aux yeux. Sa barbe n'était pas faite de la veille. Il n'avait pas dormi. Il était méconnaissable. Il se tourna vers la reine qui lui dit : « Vous avez cent ans. »

En arrivant à Dreux il y a deux routes, l'une à droite, qui est la meilleure, bien pavée, et qu'on prend toujours, l'autre à gauche, pleine de fondrières et plus longue. Le roi dit : « Postillon, prenez à gauche. »

Il fit bien, il était haï à Dreux. Une partie de la population l'attendait sur la route de droite avec des intentions hostiles. De cette façon, il échappa au danger.

Le sous-préfet de Dreux, prévenu, le rejoignit et lui remit douze mille francs : six mille en billets, six mille en sacs d'argent.

La berline quitta l'omnibus, qui devint ce qu'il put, et se dirigea vers Évreux. Le roi connaissait là, à une lieue avant d'arriver à la ville, une maison de campagne appartenant à quelqu'un de dévoué, M. de...

Il était nuit noire quand on arriva à cette maison.

La voiture s'arrêta.

Thuret descendit, sonna à la porte, sonna longtemps. Enfin quelqu'un parut.

Thuret demanda : « M. de... ? »

M. de... était absent. C'était l'hiver ; M. de... était à la ville.

Son fermier, appelé Renard, qui était venu ouvrir, expliqua cela à Thuret.

« C'est égal, dit Thuret, j'ai là un vieux monsieur et une vieille dame de ses amis, qui sont fatigués, ouvrez-nous toujours la maison.

— Je n'ai pas les clefs », dit Renard.

Le roi était épuisé de fatigue, de souffrance et de faim. Renard regarda ce vieillard et fut ému.

« Monsieur et Madame, reprit-il, entrez toujours. Je ne puis pas vous ouvrir le château, mais je vous offre la ferme. Entrez. Pendant ce temps-là, je vais envoyer chercher mon maître à Évreux. »

Le roi et la reine descendirent. Renard les introduisit dans la salle basse de la ferme. Il y avait grand feu. Le roi était transi.

« J'ai bien froid », dit-il. Puis il reprit : « J'ai bien faim. »

Renard dit : « Monsieur, aimez-vous la soupe à l'oignon ?

— Beaucoup », dit le roi.

On fit une soupe à l'oignon, on apporta les restes du déjeuner de la ferme, je ne sais quel ragoût froid, une omelette.

Le roi et la reine se mirent à table, et tout le monde avec eux, Renard le fermier, ses garçons de charrue, et Thuret, le valet de chambre.

Le roi dévora tout ce qu'on lui servit. La reine ne mangea pas.

Au milieu du repas, la porte s'ouvre. C'était M. de... ; il arrivait en hâte d'Évreux.

Il aperçoit Louis-Philippe et s'écrie : « Le roi ! »

« Silence ! » dit le roi.

Mais il était trop tard.

M. de.. rassura le roi. Renard était un brave homme. On pouvait se fier à lui. Toute la ferme était pleine de gens sûrs.

« Eh bien ! dit le roi, il faut que je reparte tout de suite. Comment faire ?

— Où voulez-vous aller ? demanda Renard.

— Quel est le port le plus proche?

— Honfleur.

— Éh bien! je vais à Honfleur.

— Soit, dit Renard.

— Combien y a-t-il d'ici là?

— Vingt-deux lieues. »

Le roi effrayé s'écria :

— Vingt-deux lieues!

— Vous serez demain matin à Honfleur », dit Renard. Renard avait un tape-cul dont il se servait pour courir les marchés. Il était éleveur et marchand de chevaux. Il attela à son tape-cul deux forts chevaux.

Le roi se mit dans un coin, Thuret dans l'autre, Renard, comme cocher, au milieu ; on mit en travers sur le tablier un gros sac plein d'avoine, et l'on partit.

Il était sept heures du soir.

La reine ne partit que deux heures après dans la berline, avec des chevaux de poste.

Le roi avait mis les billets de banque dans sa poche. Quant aux sacs d'argent, ils gênaient.

« J'ai vu plus d'une fois le moment où le roi allait m'ordonner de les jeter sur la route », me disait plus tard Thuret en me contant ces détails.

On traversa Évreux, non sans peine. A la sortie, près de l'église Saint-Taurin, il y avait un rassemblement qui arrêta la voiture.

Un homme prit le cheval par la bride et dit : « C'est qu'on dit que le roi se sauve par ici. »

Un autre mit une lanterne sous les yeux du roi.

Enfin une espèce d'officier de garde nationale qui, depuis quelques instants, semblait toucher aux harnais des chevaux dans une intention suspecte, s'écria :

« Tiens! c'est le père Renard, je le connais, citoyens! »

Il ajouta à voix basse en se tournant vers Thuret : « Je reconnais votre compagnon du coin. Partez vite. »

Thuret m'a dit depuis :

« Il m'a parlé à temps, cet homme-là. Car je croyais qu'il venait de couper les traits d'un cheval, et j'allais lui donner un coup de couteau. J'avais déjà mon couteau tout ouvert dans la main. »

Renard fouetta et l'on quitta Évreux.

On courut toute la nuit. De temps en temps, on s'arrêtait aux auberges du bord de la route et Renard faisait manger l'avoine à ses chevaux. Il disait à Thuret : « Descendez. Ayez l'air à votre aise. Tutoyez-moi. » Il tutoyait aussi un peu le roi.

Le roi abaissait son bonnet de soie noire jusqu'à son nez et gardait un silence profond.

A sept heures du matin on était à Honfleur. Les chevaux avaient fait vingt-deux lieues sans s'arrêter, en douze heures. Ils étaient harassés.

« Il est temps », dit le roi.

De Honfleur le roi gagna Trouville. Là, la reine le rejoignit.

A Trouville, ils espéraient se cacher dans une maison autrefois louée par M. Duchâtel quand il venait prendre les bains de mer aux vacances. Mais la maison était fermée. Ils se réfugièrent chez un pêcheur.

Le général de Rumigny survint dans la matinée et faillit tout perdre. Un officier le reconnut sur le port.

Enfin le roi parvint à s'embarquer. Le gouvernement provisoire s'y prêtait beaucoup.

Cependant, au dernier moment, un commissaire de police voulut faire du zèle. Il se présenta sur le bâtiment où était le roi en vue de Honfleur et le visita du pont à la cale.

Dans l'entrepont, il regardait beaucoup ce vieux monsieur et cette vieille dame qui étaient là assis dans un coin et ayant l'air de veiller sur leurs sacs de nuit.

Cependant il ne s'en allait pas.

Tout à coup le capitaine tira sa montre et dit :

« Monsieur le commissaire de police, restez-vous partez-vous ?

— Pourquoi cette question ? dit le commissaire.

— C'est que, si vous n'êtes pas à terre en France dans un quart d'heure, demain vous serez en Angleterre.

— Vous partez ?

— Tout de suite. »

Le commissaire de police prit le parti de déguerpir, fort mécontent et ayant vainement flairé une proie.

Le bâtiment partit.

En vue du Havre, il faillit sombrer. Il se heurta — le temps était mauvais et la nuit noire — dans un gros navire qui lui enleva une partie de sa mâture et de son bordage. On répara les avaries comme on put, et le lendemain matin le roi et la reine étaient en Angleterre.

Choses vues.

Le journal d'une révolution

Le 25 février 1848, Victor Hugo a été nommé maire provisoire du VIIe Arrondissement. Il se rend chaque jour à pied à la mairie, observant l'atmosphère des rues et les scènes révolutionnaires. C'est encore un « homme d'ordre », un conservateur modéré. Devant les révolutionnaires il se sent l'âme d'un « évolutionnaire ». La question sociale le préoccupe, mais il pense que les socialistes, dont Louis Blanc est le chef de file le plus populaire, ne feront que ramener la Terreur, la banqueroute et la guerre étrangère. Il observe cependant avec une objectivité passionnée le spectacle de Paris insurgé, des rues où, comme l'écrivit Tocqueville, « Le peuple seul portait les armes. C'était une chose extraordinaire et terrible que de voir, dans les seules mains de ceux qui ne possédaient rien, toute cette immense ville pleine de richesses ».

Les hommes de Février semblent s'entendre pour ébranler à qui mieux mieux l'ordre des choses qu'ils ont fondé ; ceux qui sont hors du pouvoir, par leurs menées, ceux qui sont au pouvoir, par leurs mesures. Ces derniers surtout, je les admire. Les lois qu'on propose, les combinaisons qu'on imagine, les expédients qu'on improvise, les étranges façons de gouvernement qu'on a, autant de coups portés, qu'on le fasse exprès ou non, à l'établissement actuel, dont personne plus que moi n'aurait souhaité le succès et la durée. En vérité, les partis hostiles, s'il y en a, seraient bien insensés et bien imbéciles d'intriguer et de comploter. A quoi bon prendre cette peine ? Ce qu'ils ont de mieux à faire, c'est de laisser les républicains conspirer contre la République.

Je ne comprends pas qu'on ait peur du peuple souverain ; le peuple, c'est nous tous ; c'est avoir peur de soi-même.

Quant à moi, depuis trois semaines, je le vois tous les jours de mon balcon, dans cette vieille place Royale qui eût mérité de garder son nom historique, je le vois calme, joyeux, bon, spirituel, quand je me mêle aux groupes, imposant quand il marche en colonnes, le fusil ou la pioche sur l'épaule, tambours et drapeau en tête. Je le vois, et je vous jure que je n'ai pas peur de lui.

Je lui ai parlé, un peu haut, sept fois dans ces deux jours.

Dans ce moment de panique, je n'ai peur que de ceux qui ont peur.

Un enfant de sept ans passait sur le boulevard en chantant avec mille gestes et mille contorsions folâtres :

> *La tête tranchée*
> *Et le poing coupé !*
> *Vengeons-nous ou mourons !*

Les noms de Louis-Philippe et de Guizot revenaient dans la chanson. Après chaque refrain, il faisait sauter sa casquette par-dessous sa jambe et la rattrapait en l'air avec de grands éclats de rire.

Un marmot de trois ans chantait *Mourir pour la patrie*. Sa mère lui demande :

« Sais-tu ce que c'est que cela, mourir pour la patrie ?

— Oui, dit l'enfant, c'est se promener dans la rue avec un drapeau. »

L'invasion du 15 mai fut un étrange spectacle.

Qu'on se figure la halle mêlée au sénat. Des flots d'hommes déguenillés descendant ou plutôt ruisselant le long des piliers des tribunes basses et même des tribunes hautes jusque dans la salle, des milliers de drapeaux agités de toutes parts, les femmes effrayées et levant les mains, les émeutiers juchés sur le pupitre des journalistes, les couloirs encombrés ; partout des têtes, des épaules, des faces hurlantes, des bras tendus, des poings fermés ; personne ne parlant, tout le monde criant, les représentants immobiles ; cela dura trois heures.

Le bureau du président, l'estrade des secrétaires, la tribune avaient disparu, et ce n'était plus qu'un monceau d'hommes. Des hommes étaient assis sur le dossier du président, à cheval sur les griffons de cuivre de son fauteuil, debout sur la table des secrétaires, debout sur les consoles des sténographes, debout sur les rampes du double escalier, debout sur le velours de la tribune. La plupart pieds nus. En revanche, les têtes couvertes.

L'un d'eux prit et mit dans sa poche une des deux petites horloges qui sont des deux côtés de la tribune pour l'usage des rédacteurs du *Moniteur*.

Brouhaha effrayant. La poussière comme de la fumée, le vacarme comme le tonnerre. Il fallait une demi-heure pour faire entendre une demi-phrase.

Blanqui pâle et froid au milieu de tout cela.

Aussi ce qu'on voulait dire on l'écrivait, et on hissait à chaque instant, au-dessus des têtes, des écriteaux au bout d'une pique.

Les émeutiers des tribunes frappaient de la hampe de leurs drapeaux sur les chapeaux des femmes ; la curiosité luttant avec l'effroi, les femmes tinrent bon pendant trois quarts d'heure, mais elles finirent par s'enfuir et elles disparurent toutes. Une seule resta quelque temps, jolie, parée, avec un chapeau rose, épouvantée et prête à se jeter dans la salle pour échapper à la foule qui l'étouffait.

Un représentant, M. Duchaffaut, fut pris à la gorge et menacé d'un poignard. Plusieurs autres furent maltraités.

Un chef des émeutiers, qui n'était pas du peuple, homme à face sinistre, avec des yeux injectés de sang et un nez qui ressemblait à un bec d'oiseau de proie, criait : « Demain nous dresserons dans Paris autant de guillotines que nous y avons dressé d'arbres de liberté. »

Mai. La proclamation de l'abolition de l'esclavage se fit à la Guadeloupe avec solennité. Le capitaine de vaisseau Layrle, gouverneur de la colonie, lut le décret de l'Assemblée du haut d'une estrade élevée au milieu de la place publique et entourée d'une foule immense. C'était par le plus beau soleil du monde.

Au moment où le gouverneur proclamait l'égalité de la race blanche, de la race mulâtre et de la race noire, il n'y avait sur l'estrade que trois hommes, représentant pour ainsi dire les trois races : un blanc, le gouverneur ; un mulâtre qui lui tenait le parasol ; et un nègre qui lui portait son chapeau.

Choses vues.

Les journées de juin

Le *Gouvernement provisoire* voulait « concilier l'ordre avec la liberté ». La liberté fut rétablie dans tous les domaines : droit de vote, droit de réunion, d'association, presse, etc. Mais la Révolution de 1848 ne résolvait pas d'un seul coup les problèmes qui l'avaient précipitée : le chômage, par exemple. Sous la pression des ouvriers et des dirigeants socialistes, Louis Blanc notamment, le gouvernement organisa des « Ateliers Nationaux ». Pour employer les sans-travail.

Deux mois après la proclamation de la République, le Gouvernement provisoire fit voter les Français. Le corps électoral passait de 250 000 à plus de 9 millions de votants.

Le 23 avril 1848, Hugo obtient 59 446 voix aux élections, mais n'est pas élu. Son rival Lamartine a obtenu à Paris 259 800 voix. Hugo prend sa revanche le 4 juin 1848, où il est élu, sur une liste conservatrice, avec 86 965 voix, Il prononce le 20 juin son premier discours à l'Assemblée Nationale, sur les Ateliers Nationaux. Le 24 juin, sa maison de la Place Royale est envahie par les « émeutiers ». Depuis la veille les ouvriers de Paris se sont insurgés. Les élections ont donné en effet une écrasante majorité aux conservateurs. Les socialistes sont en lutte ouverte avec l'Assemblée. Celle-ci vote la dissolution des Ateliers nationaux. Les travailleurs dressent des barricades. Du 23 au 26 juin on se bat dans Paris. Mais la province effrayée par les « partageux » et les « rouges » de Paris, y envoie ses gardes nationaux en renfort. L'archevêque de Paris, Mgr Affre, est tué en essayant de s'interposer entre les combattants. Les ouvriers sont écrasés : des centaines sont fusillés, trois mille sont déportés en Algérie. La liberté de réunion et la liberté de presse sont supprimées.

Ce matin, à midi, une troupe de huit à neuf cents ouvriers, marchant six par six, avec quatre drapeaux tricolores en tête, a passé sous mon balcon de la place Royale et s'est arrêtée devant la mairie en chantant *La Carmagnole* et en criant : *A bas Lamartine !*

Samedi 24 juin. La barricade était basse, elle barrait

la place Baudoyer. Une autre barricade, étroite et haute, la protégeait dans la rue***. Le soleil égayait le haut des cheminées. Les coudes tortueux de la rue Saint-Antoine se prolongeaient devant nous dans une solitude sinistre.

Les soldats étaient couchés sur la barricade qui n'avait guère plus de trois pieds de haut. Leurs fusils étaient braqués entre les pavés comme entre des créneaux. De temps en temps, des balles sifflaient et venaient frapper les murs des maisons autour de nous, en faisant jaillir des éclats de plâtre et de pierre. Par moments une blouse, quelquefois une tête coiffée d'une casquette, apparaissait à l'angle d'une rue. Les soldats lâchaient leur coup. Quand le coup avait porté, ils s'applaudissaient : « Bon ! Bien joué ! Fameux ! »

Ils riaient et causaient gaiement. Par intervalles, une détonation éclatait et une grêle de balles pleuvait des toits et des fenêtres sur la barricade. Un capitaine à moustaches grises, de haute taille, se tenait debout au milieu du barrage, dépassant les pavés de la moitié du corps. Les balles grêlaient autour de lui comme autour d'une cible. Il était impassible et serein et criait : « Là, enfants ! On tire ! Couchez-vous ! Prends garde à toi, le picard, la tête passe. Rechargez ! »

Tout à coup une femme débouche de l'angle d'une rue. Elle vient lentement vers la barricade. Les soldats éclatent en jurons mêlés d'avertissements : « Ah ! la garce ! Veux-tu t'en aller, p...! Mais dépêche-toi donc, poison ! Elle vient observer. C'est une espionne ! Descendons-la ! A bas la moucharde ! »

Le capitaine les retenait : « Ne tirez pas ! C'est une femme ! »

La femme, qui semblait observer en effet, est entrée après vingt pas, sous une porte basse qui s'est refermée sur elle.

Le samedi 24 juin au matin, je poussai la porte du

cabinet de la Commision exécutive, et je me trouvai brusquement face à face avec tous ces hommes qui étaient le pouvoir. Cela ressemblait plutôt à une cellule où des accusés attendaient leur condamnation qu'à un conseil de gouvernement. M. Ledru-Rollin, très rouge, était assis, une fesse sur la table. M. Garnier-Pagès, très pâle, et à demi couché sur un grand fauteuil, faisait une antithèse avec lui. Le contraste était complet, Garnier-Pagès maigre et chevelu, Ledru-Rollin, gras et tondu. Deux ou trois colonels, dont était le représentant Charras, causaient dans un coin . Je ne me rappelle Arago que vaguement. Je ne me souviens plus si M. Marie était là. Il faisait le plus beau soleil du monde.

M. de Lamartine, debout dans l'embrasure de la fenêtre de gauche, causait avec un général en grand uniforme, que je voyais pour la première et pour la dernière fois, et qui était Négrier. Négrier fut tué le soir de ce même jour devant une barricade.

Je courus à Lamartine qui fit quelques pas vers moi. Il était blême, défait, la barbe longue, l'habit non brossé et tout poudreux.

Il me tendit la main : « Ah! bonjour, Hugo. »

Voici le dialogue qui s'engagea entre nous et dont les moindres mots sont encore présents à mon souvenir.

— Où en sommes-nous, Lamartine ?

— Nous sommes f...!

— Qu'est-ce que cela veut dire ?

— Cela veut dire que dans un quart d'heure l'Assemblée sera envahie. »

(Une colonne d'insurgés arrivait en effet par la rue de Lille. Une charge de cavalerie, faite à propos, la dispersa.)

— Comment! et les troupes ?

— Il n'y en a pas.

— Mais vous m'avez dit mercredi, et répété hier, que vous aviez soixante mille hommes!

— Je le croyais.

— Comment, vous le croyiez! vous vous êtes borné à le croire! vous ne vous en êtes pas assuré, vous gouvernement!

— Que voulez-vous!

— Eh bien! mais on ne s'abandonne pas ainsi! Ce n'est pas vous seulement qui êtes en jeu, c'est l'Assemblée, et ce n'est pas seulement l'Assemblée, c'est la France, et ce n'est pas seulement la France, c'est la civilisation tout entière! Voilà ce que vous perdez dans une partie mal jouée et où évidemment quelqu'un triche! Pourquoi n'avoir pas donné hier des ordres pour faire venir les garnisons des villes dans un rayon de quarante lieues? Cela nous ferait tout de suite trente mille hommes.

— Nous avons donné les ordres.

— Eh bien?

— Les troupes ne viennent pas. .»

Je haussai la voix et je le regardai fixement ; j'étais indigné, hors de moi, injuste : « Ah ça! dis-je, quelqu'un trahit ici. »

Lamartine me prit la main et me répondit :

— Je ne suis pas ministre de la Guerre! »

En ce moment, quelques représentants entrèrent avec bruit. L'Assemblée venait de voter l'état de siège. Ils le dirent en trois mots à Ledru-Rollin et à Garnier-Pagès.

Lamartine se tourna à demi vers eux et dit à mi-voix :

— L'état de siège! L'état de siège! Allons, faites, si vous croyez cela nécessaire. Moi je ne dis rien!

Il se laissa tomber sur une chaise, en répétant :

— Je n'ai rien à dire. Ni oui ni non. Faites!

Cependant le général Négrier était venu à moi.

— Monsieur Victor Hugo, me dit-il, je viens vous rassurer, j'ai des nouvelles de la place Royale.

— Eh bien, général ?

— Votre famille est sauvée, mais votre maison est brûlée.

— Qu'est-ce que cela fait ? dis-je.

Négrier me serra vivement le bras :

— Je vous comprends. Ne songeons plus qu'à une chose. Sauvons le pays.

Comme je me retirais, Lamartine sortit d'un groupe et courut à moi :

— Adieu, me dit-il. Mais n'oubliez pas ceci : ne me jugez pas trop vite. Je ne suis pas ministre de la Guerre.

J'avais depuis quelques jours des défiances dans l'esprit sur Cavaignac. Le mot de Lamartine les changea en soupçons.

La veille, comme l'émeute grandissait, Cavaignac, après quelques dispositions prises, avait dit à Lamartine :

« En voilà assez pour aujourd'hui. »

Il était cinq heures.

« Comment! s'écria Lamartine. Mais nous avons encore quatre heures de jour! Et l'émeute en profitera pendant que nous les perdrons! »

Il ne put rien tirer de Cavaignac que : « En voilà assez pour aujourd'hui! »

24 *juin. Journée du samedi.* Vers trois heures, au moment le plus critique, un représentant du peuple, en écharpe, arriva à la mairie du IIᵉ arrondissement, rue Chauchat, derrière l'Opéra. On le reconnut. C'était Lagrange.

Les gardes nationaux l'entourèrent. En un clin d'œil, le groupe devint menaçant. « C'est Lagrange! L'homme du coup de pistolet! Que venez-vous faire ici? Vous êtes un lâche. Allez derrière les barricades, c'est votre place. Les vôtres sont là et pas avec nous. Ils vous proclament leur chef. Allez-y! Ils sont braves, eux, au moins. Ils donnent leur sang pour vos folies. Et vous, vous avez peur! Vous avez un vilain devoir, mais faites-le au moins! Allez-vous-en! Hors d'ici ! »

Lagrange essaya de parler, les huées couvrirent sa voix.

Voilà comment ces furieux accueillaient l'honnête homme qui, après avoir combattu pour le peuple, voulait se dévouer pour la société.

Voici comment les soldats de la ligne qualifient la garde mobile. Tout à l'heure, sur le perron de la Chambre, ils disaient : « *Les voyous* ont mis la crosse en l'air. »

Quelques heures après la garde mobile se comportait héroïquement.

25 juin. Les insurgés tiraient, sur toute la longueur du boulevard Beaumarchais, du haut des maisons neuves. Beaucoup s'étaient embusqués dans la grande maison en construction vis-à-vis la Galiote. Ils avaient mis aux fenêtres des mannequins, bottes de paille revêtues de blouses et coiffées de casquettes.

Je voyais distinctement un homme qui s'était retranché derrière une petite barricade de briques bâtie à l'angle du balcon du quatrième de la maison qui fait face à la rue du Pont-aux-Choux. Cet homme visait longuement et tuait beaucoup de monde.

Il était trois heures. Les soldats et les mobiles couronnaient les toits du boulevard du Temple et répondaient au feu. On venait de braquer un obusier devant la Gaîté pour démolir la maison de la Galiote et battre tout le boulevard.

Je crus devoir tenter un effort pour faire cesser, s'il était possible, l'effusion du sang ; et je m'avançai jusqu'à l'angle de la rue d'Angoulême. Comme j'allais dépasser la petite tourelle qui est tout près, une fusillade m'assaillit. La tourelle fut criblée de balles derrière moi. Elle était couverte d'affiches de théâtre déchiquetées par la mousqueterie. J'en ai détaché un chiffon de papier comme souvenir. L'affiche auquel il appartenait annonçait pour ce même dimanche une fête au Château des Fleurs avec *dix mille lampions*.

Quatorze balles ont frappé ma porte cochère, onze en dehors, trois en dedans. Un soldat de la ligne a été atteint mortellement dans ma cour. On voit encore la traînée de sang sur les pavés.

Le souterrain des Tuileries fut construit pour le passage de Mme la duchesse de Berry quand elle se promenait, dans sa grossesse, sur la terrasse du bord de l'eau après la mort de M. le duc de Berry. Je l'ai souvent vue à cette époque marcher lentement sous les arbres, vêtue de noir avec son gros ventre, seule ou suivie à distance par quelques femmes en deuil. Ce souterrain a seize lucarnes grillées sur le jardin ; ces lucarnes sont rondes et la disposition de leurs barreaux les fait ressembler à des roues. C'est dans ce souterrain qu'on enferma d'abord les insurgés de juin. Il leur était défendu de mettre la tête aux soupiraux. Les sentinelles tiraient sur toute figure qui apparaissait. On voit encore le trou d'une balle au bas d'une lucarne, la troisième à partir du château.

A la barrière Rochechouart, les insurgés s'étaient embusqués dans la boutique d'un perruquier nommé *Bataille*. Cette boutique a été criblée de balles.

Partout sur les volets des boutiques fermées, faubourg Saint-Antoine, les insurgés avaient écrit : « *Mort aux voleurs!* » Sous les arcades de la place Royale, il y a « *Maure au voleur.* »

Le 25 juin, je me suis approché de l'obusier en batterie sur le boulevard devant le Théâtre Historique, et qui démolissait la première maison en construction près de la rue Neuve-Ménilmontant. Cet obusier portait près de la lumière le chiffre de Louis-Philippe.

Aux journées de Juin, Lamoricière n'avait pas de chevaux, étant réduit par la loi du cumul à son seul traitement de représentant. Il fit toute cette guerre de rues sur des locatis. Il me le disait quelque temps après. Deux de ces chevaux furent tués sous lui. L'État, qui les paya, en eut pour 1 800 francs.

L'émeute de juin présenta, dès le premier jour, des linéaments étranges. Elle montra subitement à la société épouvantée des formes monstrueuses et inconnues.

La première barricade fut dressée dès le vendredi matin 23 à la porte Saint-Denis ; elle fut attaquée le même jour. La garde nationale s'y porta résolument. C'étaient des bataillons de la première et de la deuxième légion. Quand les assaillants, qui arrivaient par le boulevard, furent à portée, une décharge formidable partit de la barricade et joncha le pavé de gardes nationaux. La garde nationale, plus irritée qu'intimidée, se rua sur la barricade au pas de course.

En ce moment, une femme parut sur la crête de la barricade, une femme jeune, belle, échevelée, terrible. Cette femme, qui était une fille publique, releva sa robe jusqu'à la ceinture et cria aux gardes nationaux, dans cette affreuse langue de lupanar qu'on est toujours forcé de traduire : « Lâches, tirez, si vous l'osez, sur le ventre d'une femme ! »

Ici la chose devint effroyable. La garde nationale n'hésita pas. Un feu de peloton renversa la misérable. Elle tomba en poussant un grand cri. Il y eut un silence d'horreur dans la barricade et parmi les assaillants.

Tout à coup une seconde femme apparut. Celle-ci était plus jeune et plus belle encore ; c'était presque une enfant, dix-sept ans à peine. Quelle profonde misère ! C'était encore une fille publique. Elle leva sa robe, montra son ventre, et cria : « Tirez, brigands ! » On tira. Elle tomba trouée de balles sur le corps de la première.

Ce fut ainsi que cette guerre commença.

Rien n'est plus glaçant et plus sombre. C'est une chose hideuse que cet héroïsme de l'abjection où éclate tout ce que la faiblesse contient de force ; que cette civilisation attaquée par le cynisme et se défendant par la barbarie. D'un côté le désespoir du peuple, de l'autre le désespoir de la société.

Choses vues

La mort de Chateaubriand

M. de Chateaubriand est mort le 4 juillet 1848 à huit heures du matin. Il était depuis cinq ou six mois atteint d'une paralysie qui avait presque éteint le cerveau et, depuis cinq jours, d'une fluxion de poitrine qui éteignit brusquement la vie.

La nouvelle parvint, par M. Ampère, à l'Académie qui décida qu'elle ne tiendrait pas de séance.

Je quittai l'Assemblée nationale où l'on nommait un questeur en remplacement du général Négrier tué dans les journées de Juin, et j'allai chez M. de Chateaubriand, rue du Bac, 110.

On m'introduisit près du gendre de son neveu, M. de Preuille. J'entrai dans la chambre de M. de Chateaubriand.

M. de Chateaubriand était couché sur son lit, petit lit en fer à rideaux blancs avec une couronne de fer d'assez mauvais goût. La face était découverte ; le front, le nez, les yeux fermés apparaissaient avec cette expression de noblesse qu'il avait pendant la vie et à laquelle se mêlait la grave majesté de la mort. La bouche et le menton étaient cachés par un mouchoir de batiste. Il était coiffé d'un bonnet de coton blanc qui laissait voir les cheveux gris sur les tempes ; une cravate blanche lui montait

jusqu'aux oreilles. Son visage basané semblait plus sévère
au milieu de toute cette blancheur. Sous le drap on distinguait sa poitrine affaissée et étroite et ses jambes amai-
gries.

Les volets des fenêtres donnant sur un jardin étaient
fermées. Un peu de jour venait par la porte du salon
entr'ouverte. La chambre et le visage du mort étaient
éclairés par quatre cierges qui brûlaient aux coins d'une
table placée près du lit. Sur cette table un crucifix en
argent et un vase plein d'eau bénite avec un goupillon.
Un prêtre priait à côté. Derrière le prêtre, un haut para-
vent de couleur brune cachait la cheminée dont on voyait
la glace et laissait voir à demi quelques gravures d'églises
et de cathédrales.

Aux pieds de M. de Chateaubriand, dans l'angle que
faisait le lit avec le mur de la chambre, il y avait deux
caisses de bois blanc posées l'une sur l'autre. La plus
grande contenait le manuscrit complet de ses Mémoires,
divisé en quarante-huit cahiers. Sur les derniers temps, il
y avait un tel désordre autour de lui qu'un de ces cahiers
avait été retrouvé le matin même par M. de Preuille dans
un petit coin sale et noir où l'on nettoyait les lampes.

Quelques tables, une armoire et quelques fauteuils
bleus et verts en désordre encombraient plus qu'ils ne meu-
blaient cette chambre.

Le salon voisin, dont les meubles étaient cachés par des
housses de toile écrue, n'avait rien de remarquable qu'un
buste en marbre de Henri V posé sur la cheminée. En avant
de ce buste, une statuette de M. de Chateaubriand en
pied. Des deux côtés d'une fenêtre, Mme de Berry et son
fils enfant, en plâtre.

M. de Chateaubriand ne disait rien de la République,
sinon : « Cela vous fera-t-il plus heureux ? »

Les obsèques de M. de Chateaubriand se firent le 8 juillet 1848, précisément au jour anniversaire de cette seconde

rentrée de Louis XVIII en 1815 à laquelle il avait puisamment contribué. Je dis les obsèques et non l'enterrement, car M. de Chateaubriand avait depuis longtemps son tombeau bâti d'avance à Saint-Malo sur un rocher au milieu de la mer.

Paris était comme abruti par les journées de Juin, et tout ce bruit de fusillades, de canon et de tocsin qu'il avait encore dans les oreilles l'empêcha d'entendre, à la mort de M. de Chateaubriand, cette espèce de silence qui se fait autour des grands hommes disparus. Et puis c'était le troisième enterrement depuis trois jours, la veille, l'archevêque ; l'avant-veille, les victimes de Juin.

Il y eut peu de foule et une émotion médiocre aux obsèques de M. de Chateaubriand. La cérémonie se fit à la chapelle-église des Missions étrangères, rue du Bac, à quelques pas de la maison que M. de Chateaubriand habitait.

L'église des Missions, étroite, petite, laide, tendue de noir à mi-mur ; au milieu de l'église, un cénotaphe de bois couleur bronze surmonté d'un drap de velours noir à croix blanche semé d'étoiles d'argent ; aux quatre coins du cénotaphe, quatre candélabres de bois bronzé et argenté portant une flammèche verte qui s'éteignit avant la fin ; deux rangées de cierges sur les degrés du catafalque ; aucun insigne ; pour toute famille, des collatéraux ; quelques centaines de personnes ; Cousin en noir, Ampère avec l'habit de l'Institut, Villemain avec la plaque, M. Molé en redingote, sept femmes dans les tribunes hautes, un peu de peuple sous l'orgue, l'évêque de Quimper dans le chœur, quatre fusiliers auprès de l'autel, une trentaine de soldats du 61e dans l'église commandés par un capitaine, deux membres de l'Assemblée nationale en écharpe, presque tout l'Institut ; la messe chantée en faux-bourdon, deux séminaristes des Missions regardant à droite de l'autel de derrière une statue, M. Antony Thou-

tenant un des quatre coins du poêle, M. Patin faisant un discours ; telle fut cette cérémonie, qui eut tout ensemble je ne sais quoi de pompeux qui excluait la simplicité et je ne sais quoi de bourgeois qui excluait la grandeur.

C'était trop et trop peu. J'eusse voulu pour M. de Chateaubriand des funérailles royales, Notre-Dame, le manteau de pair, l'habit de l'Institut, l'épée du gentilhomme émigré, le collier de l'ordre, la Toison d'or, tous les corps présents, la moitié de la garnison sur pied, les tambours drapés, le canon de cinq en cinq minutes, — ou le corbillard du pauvre dans une église de campagne.

Il y avait dans l'église un vieux missionnaire à longue barbe qui avait l'air vénérable.

Le cadavre ne pouvait partir immédiatement pour Saint-Malo, car le flot ne lui permettait de prendre possession de son tombeau que le 18 juillet.

Après la cérémonie religieuse et la cérémonie académique, dont M. Patin fut l'officiant, dans la cour, par un soleil ardent, les femmes aux fenêtres, on descendit le mort illustre dans le caveau de l'église. On le plaça sur un tréteau dans un compartiment voûté à porte cintrée qui est à gauche au bas de l'escalier. J'y entrai.

Le cercueil était encore couvert du drap de velours noir. Une corde d'argent à gland en effilé était jetée dessus. Deux cierges brûlaient de chaque côté.

J'y rêvai quelques minutes. Puis je sortis et la porte se referma.

Choses vues

Le prince Louis

La gauche et l'extrême-gauche ont été écrasées en juin. L'Assemblée Constituante vote une Constitution destinée à tenir en respect les forces populaires déjà vaincues. Un Président de la République, élu au suffrage

*universel, dispose de pouvoirs considérables. L'homme qui sera élu à
ce poste de magistrat suprême sera demain le vrai maître du pays.*

*Le neveu de Napoléon Ier, Louis Bonaparte, a tenté en 1836 et en 1840
de se poser en prétendant au trône de son oncle. On l'a condamné alors
à la détention perpétuelle. En prison, au fort de Ham, il s'est posé en
prince libéral et socialisant. Il a réussi à s'évader, en 1846. Il est maintenant de retour en France, et le parti conservateur en fait un candidat
aux élections présidentielles. Celles-ci vont devenir un véritable plébiscite.*

*Le 1er août 1848, paraît le premier numéro de « l'Événement »,
journal que Victor Hugo inspire et que ses fils dirigent, avec Paul Meurice
et Auguste Vacquerie. Hugo y soutiendra, pendant quelques semaines,
la candidature de Louis-Napoléon à la Présidence de la République.
Le Prince a en effet réussi à persuader le poète de sa volonté de servir
la démocratie et d'être un défenseur du progrès social. Il lui a rappelé
qu'en prison, au fort de Ham, il correspondait avec Louis Blanc et avait
écrit un petit livre sur l'Extinction du paupérisme. Pour Hugo, qui
travaille à son roman, Les Misères, Louis Bonaparte apparaît d'abord
comme un réformateur social.*

Louis Bonaparte était à Paris depuis deux jours, logé
à l'*Hôtel du Rhin*, place Vendôme, que personne dans
l'hôtel, pas même le maître de la maison, ne s'en doutait.
Ce sont les fils Bertrand qui, en leur qualité de quêteurs
de soupe et de tondeurs de nappe, ont découvert le prince.
Ils l'ont flairé, épié, guetté, observé, dépisté, puis ils ont
couru à l'*Hôtel du Rhin*.

Ils ont dit au maître de l'auberge : « Savez-vous qui
vous avez chez vous ? — Non, bah, qui ? — Le prince Louis
Napoléon. — Ça ? c'est un nommé monsieur... (un nom
quelconque que le prince avait donné. Je l'ai su et oublié).
— Nous vous disons que c'est le prince Louis. »

Le maître d'hôtel n'en a rien cru. Il lui semblait nécessaire que le prince Louis ressemblât à l'empereur Napoléon. Or, le prince Louis ne ressemble qu'à Lockroy, du
Théâtre-Français. Cependant l'aubergiste rencontrant
le prince dans l'escalier s'est hasardé à lui dire en ôtant
son bonnet : « Monsieur ne sait pas ce qu'on dit ? — Non,

a répondu M. Louis. — On dit que Monsieur est le prince
Louis Bonaparte. — On a raison. C'est moi. »

L'aubergiste est tombé du haut de la colonne.

Louis-Napoléon a paru aujourd'hui à l'Assemblée. Un
M.*** parlait sur les deux Chambres ; il resta court au
milieu d'un discours appris par cœur. Louis Bonaparte
est allé s'asseoir au septième banc de la troisième travée
à gauche, entre M. Vieillard et M. Havin.

Il paraît jeune, a des moustaches et une royale noires,
une raie dans les cheveux, cravate noire, habit noir boutonné, col rabattu, des gants blancs. Perrin et Léon Faucher, assis immédiatement au-dessous de lui, n'ont pas
tourné la tête. Au bout de quelques instants, l'émotion
s'est évanouie ; les tribunes se sont mises à lorgner le
prince, et le prince s'est mis à lorgner les tribunes.

Il est monté à la tribune (3 h. 1/4). Il a lu, avec un
papier chiffonné à la main. On l'a écouté dans un profond
silence. Il a prononcé le mot *compatriotes* avec un accent
étranger. Il ressemble à Lockroy. Quand il a eu fini, quelques voix ont crié : *Vive la République!*

Il est retourné lentement à sa place. Son cousin Napoléon, fils de Jérôme, celui qui ressemble tant à l'empereur,
est venu le féliciter par-dessus M. Vieillard.

Du reste, il s'est assis sans dire un mot à ses deux voisins. Il se tait, mais il paraît plutôt embarrassé que taciturne.

11 décembre 1848. On remarque des malices d'affi-
cheurs ; boulevard des Italiens, on a collé l'affiche de
Cavaignac au-dessus d'une affiche qui porte : *Danse*,
Valse, *Polka*, *Redoute*, *Mazurka* ; le placard de la Montagne au-dessus d'une affiche qui annonce en grosses lettres : *Les Pirates* ; et le placard pour Louis-Napoléon
à côté d'une annonce de « *Rogers, dentiste* ».

Le peuple des faubourgs chante sur l'air des lampions :

Viv' Raspail !
Viv' Raspail !

Le peuple de la banlieue réplique par ce couplet :

Veux-tu un' canaille ?
Vote pour Raspail.
Veux-tu un coquin ?
Prends Ledru-Rollin.
Veux-tu du mic-mac ?
Vot' pour Cavaignac.
Mais veux-tu le bon ?
Prends Napoléon.

Un paysan des Basses-Alpes qu'on essayait de détourner de voter pour Louis Bonaparte résistait. On lui disait des choses convenues : « Mais c'est un homme incapable, un sot, un niais, etc. — Oui, dit le paysan, *j'ai bien entendu dire qu'il n'était pas bien fort ; eh bien ! il prendra un bon commis !* »

A l'Assemblée, on considère Louis Bonaparte comme certain. On se demande : « Où logera-t-il ? » On répond : « Pas aux Tuileries. » On se préoccupe de sa fortune personnelle. On le dit très pauvre. On a remarqué qu'il venait toujours toucher son traitement de représentant le jour même de l'échéance.

Décembre 1848. La nuit s'était faite sur tout.

Cependant la situation se dessinait. Personne dans l'Assemblée ne mettait en question la République. Chacun l'acceptait, à la seule condition de la définir. J'avais dit pour ma part et tout haut : « *Ce que la République sera pour la France, je le serai pour la République. Bonne, elle me trouvera bon.* » Seulement la lutte éclatait entre les deux partis formés des débris de tous les autres, les deux seuls qui restassent, dont l'un voulait une halte en attendant que le jour revînt, tandis que l'autre voulait continuer la marche dans les ténèbres.

Les députés qu'on appelait *les rouges* placardèrent une proclamation. On remarqua qu'ils abandonnaient le rouge, couleur habituelle de leurs placards. L'affiche était jaune. Elle était franchement intitulée : *Déclaration des représentants de la Montagne* et signée, au nom de la réunion Taitbout, par les membres du bureau : *La Mennais, Félix Pyat, Buvignier, Deville, Martin-Bernard* et *Th. Bac.*

L'affiche faisait les promesses habituelles des partis extrêmes, théories, spéculations, utopies, qui n'ont souvent d'autre tort que de vouloir devenir immédiatement des réalités. Tort grave, car la première condition de toute moisson, c'est la maturité. Que dirait-on de celui qui faucherait le blé en avril, engerberait de l'herbe comme des épis et déclarerait qu'il va en faire immédiatement du pain ?

L'affiche recommandait au peuple Ledru-Rollin. Elle promettait en son nom deux choses assez malaisément conciliables : l'abolition immédiate de presque tous les impôts, et la fondation du crédit public.

Vers cette époque, on vint me proposer de signer une affiche qui recommandait Louis Bonaparte. Je refusai. Je dis en propres termes : *Je ne réponds de personne, pas même de moi. Je réponds que je ne ferai jamais une lâcheté, mais je ne réponds pas que je ne ferai jamais une bêtise.*

Cependant, comme il arrive toujours aux époques où les éléments de tout se mêlent, le bouffon apparaissait parmi le terrible. Tous les cœurs se serraient dans une anxiété secrète et par moments le spectacle devenait si grotesque et si petit qu'on éclatait de rire. Le 9 décembre, la veille de l'élection, une affiche bleue couvrait les murs des boulevards. On y lisait en substance : *Français, vous avez d'un côté Cavaignac, un sabreur, dont la liberté ne veut pas, de l'autre Louis-Napoléon, un prince, dont la République s'inquiète ; pour vous tirer d'embarras, nommez le docteur Watbled. Signé : Watbled.* »

D'autre part, tout se précipitait. A un certain tremblement de la chose publique, on sentait l'approche des événements.

Pendant que les hommes équivoques qui tenaient le pouvoir balbutiaient le mot *coup d'état*, les ouvriers disaient dans les faubourgs : *Nous allons avoir un coup de chien.* Les symptômes de juin revenaient en décembre ; les solstices sont favorables aux révolutions. A ces époques il semble que le pouls des masses s'élève. De même que les hautes marées de l'océan correspondent aux équinoxes, les hautes marées du peuple correspondent aux solstices. Le peuple des faubourgs se remettait à chanter. Dans la nuit du 7 au 8, des hommes qui descendaient le boulevard en chantant *la Marseillaise* désarmèrent un garde mobile.

Les clubs, qu'une législation maladroite n'avait fait qu'exaspérer, redoublaient de violence. Tous les soirs, trois ou quatre mille individus, parmi lesquels beaucoup d'hommes de police, se rassemblaient place Vendôme en criant : *Vive Bonaparte !* La police faisait tout son possible pour faire crier : *Vive l'Empereur !* espérant que l'émeute sortirait du cri comme l'incendie sort de l'étincelle. On eût tout éteint d'un coup, la candidature en même temps que l'insurrection.

Le point d'irritation cette fois, ce n'était pas la Bastille, ce n'était pas la porte Saint-Martin, c'était la place Maubert. Les chiffonniers y tenaient club toutes les nuits. Des hommes sinistres de tous les temps reparaissaient et erraient parmi les groupes. On voyait souvent rôder place Maubert un homme de haute taille, vêtu d'un large paletot bleu, vieux, gris, visage inquiet et farouche, un éclair de joie dans les yeux, l'air d'un vieux tigre. C'était le général Donnadieu.

Le gouvernement Cavaignac faisait faute sur faute. Il raccommodait la sottise des récompenses nationales par la sottise des malles-postes. Comme à tous ceux qui ont tort, des paroles de colère lui échappaient. M. Dufaure qualifiait *crime* à la tribune la publication d'un document officiel. Le général Lamoricière écumait au nom de Louis Bonaparte et disait : « Nommé, c'est bon. Installé, c'est autre chose. » Le maréchal des logis Clément Thomas, que la rédaction du *National* avait fait général et chef de la garde nationale de Paris, s'écriait : « Il faut en finir avec la liberté de la presse! » La République répétait le cri de Charles X. Le ministre des Affaires étrangères, Bastide, figure qui tenait le milieu entre le sergent de ville et le sacristain, disait au représentant Parisis, évêque de Langres : *Je vois qu'il faut renoncer à la politique honnête.*

A travers cela, toujours des pauvretés misérables. Un ouvrier horloger qui présidait l'Assemblée le 9 décembre, Corbon, croyait pouvoir supprimer de son chef les maréchaux de France ; il proclamait représentants du peuple le général Regnault de Saint-Jean-d'Angély et le *citoyen* Bugeaud. La Chambre éclatait de rire, et le lendemain la niaiserie était rectifiée au *Moniteur.*

En même temps, des menaces d'assassinat. Quelques représentants qui résistaient à la coterie étaient désignés. Dans une des dernières nuits de novembre une tentative mystérieuse avait eu lieu chez M. Odilon Barrot, à Bougival ; son valet de chambre, Victor l'Homme, avait été frappé de coups de couteau et laissé pour mort. On avait tiré un coup de fusil sur les fenêtres de M. Thiers. Le 9 décembre au matin, je reçus la visite très inattendue du vieux Gentil, pauvre homme de lettres devenu homme de police, plein d'esprit et de cœur du reste, réduit par la misère aux extrémités, mais demeuré honnête. Il venait de la part du commissaire de police de l'Assemblée, M. Yon, me prévenir de veiller à ma sûreté. On m'engageait à ne plus

sortir que le jour, en voiture et accompagné. Je répondis :
« Je sortirai comme il me plaira, la nuit, à pied et seul. » Déjà
le mois précédent, au moment où quelques hommes du
pouvoir, habitués aux razzias d'Afrique, rêvaient je ne
sais quel 18 fructidor, j'avais reçu par un républicain de
la veille, membre de l'Assemblée, l'avis de ne plus coucher
chez moi, et qu'on devait enlever une vingtaine de représentants dans la nuit du 24 au 25 ; j'avais répondu : « Je
loge en ce moment rue de la Tour-d'Auvergne, 37, au
quatrième, dans le grenier n° 13 ; je laisserai désormais
la clef à la porte jour et nuit. » Ce que je fis.

Pendant que ces choses se passaient à Paris, la famille
d'Orléans vivait à Claremont dans la gêne, presque dans
la misère, tous, le vieux roi et les jeunes princes, fixant
leurs yeux avec anxiété sur l'Assemblée et sur la France.
Ils lisaient avidement les journaux, recherchaient les
nouveaux arrivants, interrogeaient, attendaient. Quoi ?
Aucun vent d'en haut ne soufflait de leur côté. Étranges
combinaisons du sort! Ils faisaient des vœux ardents
pour Louis Bonaparte. *Je suis napoléonien*, disait Louis-
Philippe. M. Guizot s'était retiré dans un faubourg de
Londres. Il habitait là un petit appartement avec sa
famille ayant pour tout domestique une servante anglaise.
Le Val-Richer ne rapportait rien, sa maison de la rue de
la Ville-l'Évêque n'était pas louée, il négociait vainement
avec M. Bastide pour les vingt-trois jours de ses appoin-
tements de février, on lui refusait même son traitement
de l'Académie française ; ses filles vendaient leurs brace-
lets pour vivre. Il aspirait ardemment à rentrer en France
et surtout à rentrer dans la politique, sa vraie et sa seule
patrie. *Hors de là, je ne vis pas*, disait-il.

Que tout cela était petit! Et cependant tout marchait
vers le progrès et vers le peuple, et Dieu faisait son travail avec ces misères.

Avant l'élection de M. Louis Bonaparte à la présidence, il venait souvent chez M. de Girardin, le solliciter ou le remercier. M. Fialin de Persigny accompagnait M. Louis Bonaparte, mais n'entrait pas. Pendant que son maître causait avec M. de Girardin, M. de Persigny restait dans l'antichambre ; *avec les chapeaux*, disait M. de Girardin en contant la chose à mon fils Victor.

Waldeck-Rousseau. Son rapport tient une colonne et demie du *Moniteur*. On y remarque cette phrase : *C'est le sceau de son inviolable puissance que la nation, par cette admirable exécution donnée à la loi fondamentale, pose elle-même sur la Constitution pour la rendre sainte et inviolable.*

Il dit les suffrages esprimés : 7 327 345.

Le citoyen Napoléon Bonaparte..........	5 434 226
Le citoyen Cavaignac	1 448 107
Ledru-Rollin	370 119
Raspail	36 920
Lamartine	17 940
Changarnier	4 790
Voix perdues........................	12 600

Il rendit compte, sans y insister, des protestations qui contestèrent l'éligibilité de Napoléon Bonaparte, rappelant sa perte de la qualité de Français et sa naturalisation en pays étranger.

Il finit ainsi : « Citoyens représentants, il y a neuf mois bientôt vous proclamiez sur le seuil de ce palais la République sortie des luttes populaires du 24 février. Aujourd'hui vous imprimez à votre œuvre le sceau de la ratification nationale. Ayez confiance. Dieu protège la France !» *(Très bien ! très bien !)*

Décembre 1848. La proclamation de Louis Bonaparte comme président de la République se fit le 20 décembre.

Le temps, admirable jusque-là et qui ressemblait plutôt

à la venue du printemps qu'au commencement de l'hiver, avait brusquement changé. Ce fut le premier jour froid de l'année. Les superstitions populaires purent dire que le soleil d'Austerlitz se voilait.

Cette proclamation se fit d'une manière assez inattendue. On l'avait annoncée pour le vendredi. Elle eut lieu brusquement le mercredi.

M. Marrast, le Talleyrand de ce Directoire, jugea prudent de dérober la chose au peuple.

Vers trois heures les abords de l'Assemblée se couvrirent de troupes. Un régiment d'infanterie vint se masser derrière le palais d'Orsay ; un régiment de dragons s'échelonna sur le quai ; les cavaliers grelottaient et paraissaient mornes. La population accourait, inquiète, et ne sachant ce que cela voulait dire. Depuis quelques jours, on parlait vaguement d'un mouvement bonapartiste. Les faubourgs, disait-on, devaient se porter sur l'Assemblée en criant : « Vive l'empereur ! » La veille, les fonds avaient baissé de trois francs. Napoléon Bonaparte, le fils de Jérôme, était venu me trouver fort alarmé.

Des groupes, où bourdonnaient toutes sortes de rumeurs confuses, couvraient la place de la Concorde. On y discutait l'élection de Louis Bonaparte. On y blâmait l'Assemblée de n'avoir point exigé, avant tout, son serment. On y annonçait la venue de dix mille socialistes du faubourg Saint-Antoine qui allaient dissoudre l'Assemblée et « défaire l'empereur ». Les Tuileries étaient fermées et pleines de troupes. La rue de Rivoli était interceptée.

L'Assemblée ressemblait à la place publique. C'étaient plutôt des groupes qu'un parlement. On discutait à la tribune, sans que personne écoutât, une proposition, fort utile d'ailleurs, de M. Leremboure pour régler la publicité des séances et substituer l'imprimerie de l'État, l'ancienne imprimerie royale, à l'imprimerie du *Moniteur*. M. Bureaux de Puzy, questeur, tenait la parole.

Tout à coup, l'Assemblée s'émeut ; un flot de représentants, arrivé par la porte de gauche, l'envahit ; l'orateur s'interrompt. C'était la commission chargée du dépouillement des votes qui entrait et venait proclamer le nouveau président. Il était quatre heures, les lustres étaient allumés, une foule immense aux tribunes publiques, le banc des ministres au complet. Cavaignac, calme, vêtu d'une redingote noire, sans décoration, était à sa place. Il tenait sa main droite dans sa redingote boutonnée et ne répondait pas à M. Bastide qui se penchait par moments à son oreille. M. Fayet, évêque d'Orléans, était sur une chaise devant le général. Ce qui fit dire à l'évêque de Langres, l'abbé Parisis : « C'est la place d'un chien et non d'un évêque. »

M. de Lamartine était absent.

Les quatre assaillants du 25 novembre, MM. Garnier-Pagès, Pagnerre, Duclerc et Barthélemy Saint-Hilaire étaient à leur banc. Le dernier causait assez cordialement avec M. Altaroche, son voisin, ancien rédacteur en chef du *Charivari*, fait représentant du peuple par la révolution de Février.

Le rapporteur, M. Waldeck-Rousseau, lut un discours froid, froidement écouté. Quand il vint à l'énumération des suffrages obtenus et qu'il arriva au chiffre de Lamartine, 17 940 votes, la droite éclata de rire. Chétive vengeance, sarcasme des impopularités de la veille à l'impopularité du lendemain !

Cavaignac prit congé en quelques paroles dignes et brèves, auxquelles toute l'Assemblée battit des mains. Il annonça que le ministère se démettait en masse et que lui, Cavaignac, déposait le pouvoir. Il remercia l'Assemblée d'une voix émue. Quelques représentants pleuraient. *Titus reginam Berenicem invitus invitam dimisit.*

Puis le président Marrast proclama « le citoyen Louis Bonaparte » président de la République.

Quelques représentants assis autour du banc où avait siégé Louis Bonaparte applaudirent. Le reste de l'Assemblée garda un silence glacial. On quittait l'amant pour prendre le mari.

Armand Marrast appela l'élu du pays à la prestation du serment. Il se fit un mouvement.

Louis Bonaparte, vêtu d'un habit noir boutonné, la décoration de représentant et la plaque de la Légion d'honneur sur la poitrine, entra par la porte de droite, monta à la tribune, prononça d'une voix calme le serment dont le président Marrast prit Dieu et les hommes à témoins, puis lut, avec son accent étranger, qui déplaisait, un discours interrompu par quelques rares murmures d'adhésion. Il fit l'éloge de Cavaignac, ce qui fut remarqué et applaudi. Après quelques minutes, il descendit de la tribune, couvert, non comme Cavaignac, des acclamations de la Chambre, mais d'un immense cri de : « Vive la République! » Une voix cria : « Vive la Constitution! »

Avant de sortir, il alla serrer la main à son ancien précepteur, M. Vieillard, assis à la troisième travée de gauche. Puis le président de l'Assemblée invita le bureau à accompagner le président de la République et à lui faire rendre jusqu'à son palais les honneurs dus *à son rang.* Le mot fit murmurer la Montagne. Je criai de mon banc : *A ses fonctions!*

Le président de l'Assemblée annonça que le président de la République avait chargé M. Odilon Barrot de composer le ministère et que l'Assemblée serait informée du nouveau cabinet par un message ; que, le soir même, du reste, on distribuerait aux représentants un supplément du *Moniteur.*

On remarqua, car on remarquait tout dans ce jour qui commençait une phase décisive, que le président Marrast appelait Louis Bonaparte *citoyen* et Odilon Barrot *monsieur.*

Cependant les huissiers, leur chef Duponceau à leur

tête, les officiers de la Chambre, les questeurs, et parmi
eux le général Lebreton en grand uniforme, s'étaient
groupés au pied de la tribune ; plusieurs représentants
s'étaient joints à eux ; il se fit un mouvement qui annonçait
que Louis Bonaparte allait sortir de l'enceinte. Quelques
députés se levèrent, on cria : *Assis ! assis !*

Louis Bonaparte sortit ; les mécontents, pour marquer
leur indifférence, voulurent continuer la discussion de la
proposition Leremboure. Mais l'Assemblée était trop
agitée pour pouvoir même rester sur ses bancs. On se
leva en tumulte et la salle se vida. Il était quatre heures et
demie. Le tout avait duré une demi-heure.

Quelques groupes restèrent çà et là. Un représentant,
M. Hubert-Delisle, se mit à écrire paisiblement sa cor-
respondance privée à la place que Cavaignac venait de
quitter.

Comme je sortais de l'Assemblée, seul, et évité comme
un homme qui a manqué ou dédaigné l'occasion d'être
ministre, je côtoyai dans l'avant-salle, au pied de l'escalier, un groupe où je remarquai Montalembert, et qui
entourait Changarnier en uniforme de lieutenant général
de la garde nationale. Changarnier venait de reconduire
Louis Bonaparte jusqu'à l'Elysée. Je l'entendis qui disait :
« Tout s'est bien passé. »

Quand je me trouvai sur la place de la Révolution,
il n'y avait plus ni troupes, ni foule ; tout avait disparu ;
quelques rares passants venaient des Champs-Élysées ;
la nuit était noire et froide ; une bise aigre soufflait de la
rivière, et, en même temps, un gros nuage orageux qui
rampait à l'occident couvrait l'horizon d'éclairs silencieux.
Le vent de décembre mêlé aux éclairs d'août, tels furent
les présages de cette journée.

Choses vues

Portraits politiques

En décembre 1848, Louis Bonaparte a été élu Président de la République par 5 millions et demi de voix, contre 1 million et demi à Cavaignac et moins de 400 000 à Ledru-Rollin.

Le 13 mai 1849, Victor Hugo est élu député conservateur de Paris à l'Assemblée Législative, avec 117 069 voix. Mais dès le 3 juillet 1894, son discours sur la Misère fait scandale ; l'homme de droite soulève contre lui tous les gens de droite. Il consommera sa rupture avec le « parti de l'ordre » en prononçant le 19 octobre un courageux discours sur les affaires de Rome.

A l'Assemblée, il observe ses collègues et croque « leurs figures », comme dira plus tard Barrès.

M. Thiers. — M. Thiers veut traiter des hommes, des idées et des événements révolutionnaires avec la routine parlementaire. Il joue son vieux jeu des roueries consti-tutionnelles en présence des abîmes et des effrayants soulèvements du chimérique et de l'inattendu. Il ne se rend pas compte de la transformation de tout ; il trouve des ressemblances entre les temps où nous sommes et les temps où il a gouverné, et il part de là ; ces ressem-blances existent en effet, mais il s'y mêle je ne sais quoi de colossal et de monstrueux. M. Thiers ne s'en doute pas, et va son train. Il a passé sa vie à caresser des chats, à les amadouer par toutes sortes de procédés câlins et de manières félines ; aujourd'hui il veut continuer son manège, et il ne s'aperçoit pas que les bêtes ont déme-surément grandi, et que ce qu'il a maintenant autour de lui, ce ne sont plus des chats, ce sont des tigres.

Spectacle étrange que ce petit homme essayant de passer sa petite main sur le mufle rugissant d'une révo-lution.

L'abbé de La Mennais, figure de fouine, avec l'œil

de l'aigle ; cravate de couleur en coton mal nouée, redingote brune usée, vaste pantalon de nankin, trop court, bas bleus, gros souliers. La décoration de représentant à la boutonnière. Voix si faible qu'on vient se grouper au pied de la tribune pour l'entendre et qu'on l'entend à peine.

Après les journées de Juin, Blaise, le neveu de La Mennais, s'en va voir son oncle pour lui dire : « Je me porte bien. » Blaise était un officier de la garde nationale. Du plus loin que l'abbé de La Mennais l'aperçoit, il lui crie, sans même donner à Blaise le temps d'ouvrir la bouche : « Va-t'en! tu me fais horreur, toi qui viens de tirer sur des pauvres! »

Le mot est beau.

La Mennais siège à la troisième place du troisième banc de la Montagne, seconde travée à gauche du président à côté de Jean Reynaud. Il a son chapeau devant lui et, comme il est petit, son chapeau le cache. Il passe son temps à se rogner les ongles avec un canif.

Il a longtemps demeuré quartier Beaujon, tout à côté de Théophile Gautier. Delaage allait de l'un chez l'autre. Gautier lui disait en parlant de La Mennais : « Va-t'en voir ton vieux dans ses nuages. »

L'abbé de La Mennais. Première phase : sans calotte. Deuxième phase : sans culotte.

Proudhon est le fils d'un tonnelier de Besançon. Il est né en 1808. Il a des cheveux blonds rares, en désordre, mal peignés, une mèche ramenée sur le front, qui est haut et intelligent. Il porte des lunettes. Son regard est à la fois trouble, pénétrant et fixe. Il y a du doguin dans son nez presque camard, et du singe dans son collier de barbe. Sa bouche, dont la lèvre inférieure est épaisse, a l'expression habituelle de l'humeur. Il a l'accent franc-comtois ; il précipite les syllabes du milieu des mots et traîne les syllabes finales ; il met des accents circonflexes sur tous les *a*, et prononce comme Charles Nodier, comme M. Droz : honorâble, remarquâble. Il parle mal et écrit bien. A la tribune, son geste se compose de petits coups fébriles du plat de la main sur son manuscrit. Quelquefois il s'irrite et écume, mais c'est de la bave froide. Le principal caractère de sa contenance et de sa physionomie, c'est l'embarras mêlé à l'assurance.

J'écris ceci pendant qu'il est à la tribune.

Dans les derniers temps, il demeurait rue Dauphine et y faisait son journal, *le Représentant du Peuple*. Ceux qui avaient affaire au rédacteur montaient là à une espèce de chenil et y trouvaient Proudhon rédigeant, en blouse et en sabots.

M. Proudhon est un homme de taille moyenne, blond, blafard, avec un collier de barbe et des cheveux rares, des bésicles, les oreilles saillantes, le nez plus camus que retroussé, quelque chose d'un orgueil bourru, l'air sombre et commun. Il a un col de chemise rabattu, une redingote noire boutonnée, un pantalon gris, pas de gants. Il siège à l'extrémité gauche du second banc supérieur de la septième travée de gauche, à côté des citoyens Lagrange et Chelat, l'un gris et l'autre blond.

M. Proudhon vient volontiers faire groupe au pied de la tribune. Là, il croise les bras et hoche la tête aux bons endroits des orateurs. Il écoute supérieurement. Il ne parle pas comme il écrit.

Comme écrivain, c'est un talent de second ordre. En somme, il a plus de valeur que Pierre Leroux, mais tous deux avortent. Parler l'idée, cela leur est refusé. Proudhon bégaie, comme celui qui ne peut pas ; Pierre Leroux balbutie, comme celui qui ne sait pas.

Proudhon, le bœuf qui laboure, mais qui est eunuque. Pierre Leroux, la grenouille qui veut se faire aussi grosse que le bœuf.

Pierre Leroux : un de ces hommes dont l'esprit bégaie.

Septembre 1849. M. Proudhon est à la Conciergerie. Il fait là ses trois ans. Il est à la pistole. Sa chambre pavée en pierre de liais est meublée d'une table, d'un lit et de quelques chaises de paille. La table est grande, couverte de papiers et de journaux, et porte cette écritoire qui pour les uns est pleine d'encre et pour les autres de poison.

M. Proudhon, dans sa prison, est vêtu d'un vrai sarrau de charretier, bleu, large, avec boutons sur l'épaule et broderies de fil rouge au collet. Il a un pantalon de gros drap, des chaussons de lisière, et des sabots. Ainsi accoutré, costumé d'avance en membre de son Gouvernement provisoire, il attend ce que ses amis de la rue appellent *le coup de chien*. Ce coup de chien, c'est la révolution socialiste qui fera Proudhon dictateur. Proudhon dictateur, il y compte. Quant à moi, j'y croirai le jour où l'on me montrera une araignée grosse comme un lion.

Il y a des fleurs sur sa table. Ce sont ses visiteurs fanatiques qui les lui apportent ainsi que des fruits, des raisins surtout qu'il mange gloutonnement. L'autre jour, un de ses visiteurs, un beau jeune homme, lui disait tendrement en le regardant comme on regarde une maîtresse : *Tu vas te faire mal, et puis tu diras que c'est ma faute !*

Comme il recommence son journal, M. Dufaure l'a fait menacer de le transférer à Doullens. Proudhon s'est emporté. Il a crié : *Doullens ! Brûlez-moi tout de suite ! Tuez-moi tout de suite ! Mais non ! Vous êtes des lâches et vous auriez la guillotine que vous ne sauriez qu'en faire !*

Blanqui. — Blanqui en était à ce point de ne plus porter de chemise. Il avait sur le corps les mêmes habits depuis douze ans, ses habits de prison, des haillons, qu'il étalait avec un orgueil sombre dans son club. Il ne renouvelait que ses chaussures, et ses gants qui étaient toujours noirs.

A Vincennes, pendant ses huit mois de captivité pour l'affaire du 15 mai, Blanqui ne mangeait que du pain et des pommes crues, refusant toute autre nourriture. Sa mère seule parvenait quelquefois à lui faire prendre un peu de bouillon.

Avec cela des ablutions fréquentes, la propreté mêlée au cynisme, de petites mains, de petits pieds ; jamais de chemise, toujours des gants. Il y avait dans cet homme un aristocrate brisé et foulé aux pieds par un démagogue.

Une habileté profonde ; nulle hypocrisie. Le même dans l'intimité et en public. Apre, dur, sérieux, ne riant jamais, payant le respect par l'ironie, l'admiration par le sarcasme, l'amour par le dédain, et inspirant des dévouements extraordinaires. Figure sinistre.

Il n'y avait dans Blanqui rien du peuple, tout de la populace. Avec cela, lettré, presque érudit. A de certains moments, ce n'était plus un homme, c'était une sorte d'apparition lugubre dans laquelle semblaient s'être incarnées toutes les haines nées de toutes les misères.

Le 11 mai 1839, il enterra une sœur qui l'avait élevé et tendrement aimé ; il sortit du Père-Lachaise pour s'en aller de rue en rue reconnaître les positions de l'émeute et combiner l'attaque du lendemain. Il portait des habits râpés, des chapeaux troués, des bottes percées, buvait de l'eau, mangeait du pain, couchait où il pouvait, et vivait avec six sous par jour. Partout où il y avait une paillasse à terre, il avait ce qu'il lui fallait. Au Mont Saint-Michel, il passait son temps à inventer des chiffres pour correspondre au dehors ; il avait trouvé jusqu'à cinquante-quatre combinaisons de cette sorte, toutes impénétrables. Son esprit était vide de toute autre chose. Il avait eu une femme et un enfant qui étaient morts de misère pendant qu'il était en prison. Il était inaccessible aux jouissances qui énervent les sens et aux passions qui domptent l'âme. Il était brave ; dans les émeutes, comme il avait la vue basse, il allait reconnaître avec un lorgnon les bataillons qui tiraient sur lui. C'était un furieux froid. Ce qu'il voulait était simple : mettre en bas ce qui est en haut et en haut ce qui est en bas. Il exprimait un jour son but de cette façon : « Je veux désarmer les bourgeois et armer les ouvriers ; je veux déshabiller les riches et habiller les pauvres. » Comme on le voit, sa liberté emprisonnait, son égalité dégradait, et sa fraternité tuait. C'était un de ces hommes qui ont une idée. Leur pays d'un côté, leur idée de l'autre, ils préfèrent leur idée. Leur logique tombe sur tous les sentiments humains comme le couteau de la guillotine. Vous leur dites : « Mais votre idée dresse l'échafaud ! — Sans doute. — Pour tous. — Je l'espère. — Pour vous-même. — Je le sais. »

Leur propre tête roulant dans le panier de Sanson leur sourit.

Les privations, le dénuement, les fatigues, les complots, les cachots l'avaient usé. Il était pâle, de taille médiocre et de constitution chétive. Il crachait le sang. A quarante ans, il avait l'air d'un vieillard. Ses lèvres étaient livides, son front était ridé, ses mains tremblaient, mais on voyait dans ses yeux farouches la jeunesse d'une pensée éternelle. Cet homme violent disait des choses implacables avec un accent calme et un sourire tranquille. Son regard était si sombre et sa voix était si douce qu'on se sentait pris de terreur devant lui. On comprenait que sous cette douceur se cachaient et se condensaient les explosions inouïes de la haine. Après Février, il sortit de prison (de Doullens, je crois, où il avait été transféré en quittant le Mont Saint-Michel) et il écrivit à son frère qu'il haïssait : *Je sors une fourche de fer rouge à la main.* » Ce fut en effet au milieu de cette révolution, pleine de clartés mystérieuses et de ténèbres inconnues, une apparition terrible.

Il se mit à l'œuvre sur-le-champ, et ouvrit un club qu'il présida. Il avait là, au milieu des rumeurs furieuses, une attitude réfléchie, la tête un peu inclinée, laissant pendre ses mains entre ses genoux. Dans cette posture et sans hausser la voix, il demandait la tête de Lamartine, et il offrait la tête de son frère.

Toutes les lueurs de 93 étaient dans sa prunelle. Il avait un double idéal : pour la pensée Marat, pour l'action Alibaud. Homme effrayant, promis à des destinées sombres, qui avait l'air d'un spectre lorsqu'il songeait au passé et d'un démon lorsqu'il songeait à l'avenir.

Choses vues

Mort de Balzac

Balzac, Hugo : les deux géants se regardent, s'observent, se flairent, s'admirent, se redoutent, s'estiment. Quand le poète publie Le Rhin, *le romancier s'enthousiasme : « Un chef-d'œuvre ! » écrit-il. Hugo soutient avec vigueur la candidature de Balzac à l'Académie . « Il est tout pour moi et m'a promis sa voix », écrit Balzac à Mme Hanska. Et quand Hugo apprend l'agonie de l'auteur de la* Comédie Humaine, *il court, le 18 août 1850 à son lit de mort, saluer son ami, son pair et son égal.*

Le 18 août 1850, ma femme, qui avait été dans la journée pour voir Mme de Balzac, me dit que M. de Balzac se mourait. J'y courus.

M. de Balzac était atteint depuis dix-huit mois d'une hypertrophie du cœur. Après la révolution de février, il était allé en Russie et s'y était marié. Quelques jours avant son départ, je l'avais rencontré sur le boulevard ;

il se plaignait déjà et respirait bruyamment. En mai 1850,
il était revenu en France, marié, riche et mourant. En
arrivant, il avait déjà les jambes enflées. Quatre médecins
consultés l'auscultèrent. L'un deux, M. Louis, me dit
le 6 juillet : Il n'a pas six semaines à vivre. C'était la
même maladie que Frédéric Soulié.

Le 18 août, j'avais mon oncle, le général Louis Hugo,
à dîner. Sitôt levé de table, je le quittai et je pris un fiacre
qui me mena avenue Fortunée, n° 14, dans le quartier
Beaujon. C'était là que demeurait M. de Balzac. Il avait
acheté ce qui restait de l'hôtel de M. de Beaujon, quelques
corps de logis échappés par hasard à la démolition ; il
avait magnifiquement meublé ces masures et s'en était
fait un charmant petit hôtel, ayant porte cochère sur
l'avenue Fortunée et pour tout jardin une cour longue
et étroite où les pavés étaient coupés çà et là de plates-
bandes.

Je sonnai. Il faisait un clair de lune voilé de nuages.
La rue était déserte. On ne vint pas. Je sonnai une seconde
fois. La porte s'ouvrit. Une servante m'apparut avec
une chandelle.

— Que veut monsieur ? dit-elle.

Elle pleurait.

Je dis mon nom. On me fit entrer dans le salon qui
était au rez-de-chaussée, et dans lequel il y avait, sur
une console opposée à la cheminée, le buste colossal en
marbre de Balzac par David. Une bougie brûlait sur une
riche table ovale posée au milieu du salon et qui avait
en guise de pieds six statuettes dorées du plus beau goût.

Une autre femme vint qui pleurait aussi et qui me dit :

— Il se meurt. Madame est rentrée chez elle. Les
médecins l'ont abandonné depuis hier. Il a une plaie à
la jambe gauche. La gangrène y est. Les médecins ne
savent ce qu'ils font. Ils disaient que l'hydropisie de
Monsieur était une hydropisie couenneuse, une infiltra-

tion, c'est leur mot, que la peau et la chair étaient comme du lard et qu'il était impossible de lui faire la ponction. Eh bien, le mois dernier, en se couchant, Monsieur s'est heurté à un meuble historié, la peau s'est déchirée, et toute l'eau qu'il avait dans le corps a coulé. Les médecins ont dit : Tiens! Cela les a étonnés et depuis ce temps-là ils lui ont fait la ponction. Ils ont dit : Imitons la nature. Mais il est venu un abcès à la jambe. C'est M. Roux qui l'a opéré. Hier on a levé l'appareil. La plaie, au lieu d'avoir suppuré, était rouge, sèche et brûlante. Alors ils ont dit : Il est perdu! et ne sont plus revenus. On est allé chez quatre ou cinq, inutilement. Tous ont répondu : Il n'y a rien à faire. La nuit a été mauvaise. Ce matin, à neuf heures, Monsieur ne parlait plus. Madame a fait chercher un prêtre. Le prêtre est venu et a donné à Monsieur l'extrême-onction. Monsieur a fait signe qu'il comprenait. Une heure après, il a serré la main à sa sœur, Mme de Surville. Depuis onze heures il râle et ne voit plus rien. Il ne passera pas la nuit. Si vous voulez, Monsieur, je vais aller chercher M. de Surville, qui n'est pas encore couché.

La femme me quitta. J'attendis quelques instants. La bougie éclairait à peine le splendide ameublement du salon et de magnifiques peintures de Porbus et de Holbein suspendues aux murs. Le buste de marbre se dressait vaguement dans cette ombre comme le spectre de l'homme qui allait mourir. Une odeur de cadavre emplissait la maison.

M. de Surville entra et me confirma tout ce que m'avait dit la servante. Je demandai à voir M. de Balzac.

Nous traversâmes un corridor, nous montâmes un escalier couvert d'un tapis rouge et encombré d'objets d'art, vases, statues, tableaux, crédences portant des émaux, puis un autre corridor, et j'aperçus une porte ouverte. J'entendis un râlement haut et sinistre.

J'étais dans la chambre de Balzac.

Un lit était au milieu de cette chambre. Un lit d'acajou ayant au pied et à la tête des traverses et des courroies qui indiquaient un appareil de suspension destiné à mouvoir le malade. M. de Balzac était dans ce lit, la tête appuyée sur un monceau d'oreillers auxquels on avait ajouté des coussins de damas rouge empruntés au canapé de la chambre. Il avait la face violette, presque noire, inclinée à droite, la barbe non faite, les cheveux gris et coupés courts, l'œil ouvert et fixe. Je le voyais de profil, et il ressemblait ainsi à l'empereur.

Une vieille femme, la garde, et un domestique se tenaient debout des deux côtés du lit. Une bougie brûlait derrière le chevet sur une table, une autre sur une commode près de la porte. Un vase d'argent était posé sur la table de nuit.

Cet homme et cette femme se taisaient avec une sorte de terreur et écoutaient le mourant râler avec bruit.

La bougie au chevet éclairait vivement un portrait d'homme jeune, rose et souriant, suspendu près de la cheminée.

Une odeur insupportable s'exhalait du lit. Je soulevai la couverture et je pris la main de Balzac. Elle était couverte de sueur. Je la pressai. Il ne répondit pas à la pression.

C'était cette même chambre où je l'étais venu voir un mois auparavant. Il était gai, plein d'espoir, ne doutant pas de sa guérison, montrant son enflure en riant.

Nous avions beaucoup causé et disputé politique. Il me reprochait « ma démagogie ». Lui était légitimiste. Il me disait : « Comment avez-vous pu renoncer avec tant de sérénité à ce titre de pair de France, le plus beau après le titre de roi de France! »

Il me disait aussi : « J'ai la maison de M. de Beaujon, moins le jardin, mais avec la tribune sur la petite église du coin de la rue. J'ai là dans mon escalier une porte qui ouvre sur l'église. Un tour de clef et je suis à la messe. Je tiens plus à cette tribune qu'au jardin. »

Quand je l'avais quitté, il m'avait reconduit jusqu'à cet escalier, marchant péniblement, et m'avait montré cette porte, et il avait crié à sa femme : « Surtout, fais bien voir à Hugo tous mes tableaux. »

La garde me dit :

— Il mourra au point du jour.

Je redescendis, emportant dans ma pensée cette figure livide ; en traversant le salon, je retrouvai le buste immobile, impassible, altier et rayonnant vaguement, et je comparai la mort à l'immortalité.

Rentré chez moi, c'était un dimanche, je trouvai plusieurs personnes qui m'attendaient, entre autres Riza-Bey, le chargé d'affaires de Turquie, Navarrete, le poète espagnol, et le comte Arrivabene, proscrit italien. Je leur dis : Messieurs, l'Europe va perdre un grand esprit.

Il mourut dans la nuit. Il avait cinquante et un ans.

On l'enterra le mercredi.

Il fut d'abord exposé dans la chapelle Beaujon, et il passa par cette porte dont la clef lui était à elle seule plus précieuse que tous les jardins-paradis de l'ancien fermier-général.

Giraud, le jour même de sa mort avait fait son portrait. On voulait faire mouler son masque, mais on ne le put, tant la décomposition fut rapide. Le lendemain de la mort, le matin, les ouvriers mouleurs qui vinrent trouvèrent le visage déformé et le nez tombé sur la joue. On le mit dans un cercueil de chêne doublé de plomb.

Le service se fit à Saint-Philippe-du-Roule. Je songeais, à côté de ce cercueil, que c'était là que ma seconde fille avait été baptisée, et je n'avais pas revu cette église depuis ce jour-là. Dans nos souvenirs la mort touche la naissance.

Le ministre de l'Intérieur, Baroche, vint à l'enterrement.

Il était assis à l'église près de moi devant le catafalque et de temps en temps il m'adressait la parole.

Il me dit : C'était un homme distingué.

Je lui dis : C'était un génie.

Le convoi traversa Paris et alla par les boulevards au Père-Lachaise. Il tombait des gouttes de pluie quand nous partîmes de l'église et quand nous arrivâmes au cimetière. C'était un de ces jours où il semble que le ciel verse quelques larmes.

Je marchais à droite en tête du cercueil, tenant un des glands d'argent du poêle ; Alexandre Dumas de l'autre côté.

Quand nous parvînmes à la fosse, qui était tout en haut, sur la colline, il y avait une foule immense, la route était âpre et étroite, les chevaux avaient peine en montant à retenir le corbillard qui recula. Je me trouvai pris entre une roue et une tombe. Je faillis être écrasé. Des spectateurs qui étaient debout sur le tombeau me hissèrent par les épaules près d'eux.

Nous fîmes tout le trajet à pied.

On descendit le cercueil dans la fosse, qui était voisine de Charles Nodier et de Casimir Delavigne. Le prêtre dit la dernière prière et je prononçai quelques paroles.

Pendant que je parlais, le soleil baissait. Tout Paris m'apparaissait au loin dans la brume splendide du couchant. Il se faisait, presque à mes pieds, des éboulements dans la fosse, et j'étais interrompu par le bruit sourd de cette terre qui tombait sur le cercueil.

Choses vues

Rumeurs de coup d'Etat

Hugo a rêvé d'un Louis-Napoléon libéral, social et généreux : ce que le prince-président a feint d'être. Pour son candidat, le poète a esquissé une « préface de Cromwell » politique, vaste programme de politique

*intérieure et étrangère, de lutte contre la misère, de développement
de l'industrie et des arts, de désarmement européen et de grands travaux internationaux. Mais, ajoutait-il, « nous ne suivrons personne jusqu'au pouvoir. C'est trop haut — et trop bas ».*

*Plus bas encore que ne l'imaginait Hugo. « Louis-Bonaparte veut que
l'histoire l'appelle Sire — Pauvre Sire, alors ! » Le 17 juillet 1851, à
la tribune, Hugo attaque violemment le Prince-Président.*

Octobre 1849. On parle toujours de coup d'État venant
de l'Élysée. L'autre soir, Émile de Girardin me disait :
« Qu'il y prenne garde! Louis-Napoléon est une souris
guettée par trois chats : le chat légitimiste, le chat orléa-
niste, le chat républicain. S'il a le malheur de sortir de
son trou, ils lui mettront la patte dessus. Et, en ce cas-là,
gare Vincennes! »

31 *octobre* 1849. Un ministère de confidents.

Novembre 1849. Les ministres actuels sont des carreaux
de vitres. On voit le président au travers.

27 *février* 1850. Tout à l'heure, je revenais de l'Assemblée en omnibus. Il était six heures et demie. Le soir tombait. Les boutiques éclairaient. Comme je descendais
d'omnibus faubourg Poissonnière, au coin de la rue Belle-
fond, un gros de cuirassiers, le sabre au poing, a passé
près de nous, venant de la place Lafayette : « Tiens, a dit
le conducteur, ce doit être le président. »

En effet après les cuirassiers, est venue une berline
à deux chevaux entourée d'autres cuirassiers, avec des
officiers aux portières, et serrée de si près par cette cavalerie que c'était sinistre. Cela ressemblait autant à quelqu'un qui va à Vincennes qu'à quelqu'un qui va à l'Élysée. Cependant il y avait derrière la berline deux laquais
portant la livrée de l'empereur, vert et or. On ne distinguait
personne dans la voiture, à cause de la nuit. Les lanternes
de la berline n'étaient pas encore allumées. Derrière l'escorte, venait une seconde voiture pareille à la première,
avec la même livrée, et vide, un *en-cas* ; puis deux de ces

petits coupés bas qu'on appelle escargots ; puis un cabriolet de place. Bizarre cortège qui commençait par le carrosse de l'empereur et qui finissait par un fiacre.

Le peuple regardait à peine. Des gens en blouse criaient : *Vive la République!* Un enfant criait : *Vive l'Empereur!* Une vieille femme lui dit : « Attends donc qu'il ait fait quelque chose! »

Avril 1850. Le pape Pie IX est simple, doux, timide, craintif, lent dans ses mouvements, négligé sur sa personne. Il a habituellement une barbe de deux ou trois jours, et qui lui donne l'air sale. Il a plus de sourires que de paroles, comme Charles X. On dirait un curé de campagne. Près de lui, Antonelli, en bas rouges, avec son regard de diplomate et son sourcil d'espion, a l'air d'un sbire qui veille sur le bonhomme.

En ce moment, Pie IX passe ses journées à écrire un livre sur le mystère de l'Immaculée-Conception.

Pendant ce temps-là, voici ce que fait le président de la République française.

Tous les jours à deux heures, Louis Bonaparte va au bois de Boulogne dans une calèche découverte à deux chevaux. Une autre voiture de service à deux chevaux le suit. Cela fait quatre chevaux. Il arrive à un rond-point où il trouve deux chevaux de main gardés par deux valets de pied à cheval. Cela fait huit chevaux. Presque en même temps que lui arrive au même rond-point une belle dame, une Anglaise blonde, Mlle Howard, aussi en calèche découverte à deux chevaux et suivie de deux valets à cheval. Cela fait douze chevaux. Le président et Mlle Howard descendent de voiture, montent à cheval et s'en vont dans le bois. On caracole une heure ou deux, selon le temps. Puis on vient descendre de cheval à un pavillon du bois célèbre par le bon grog *anglais* qu'on y fait. On y boit de ce bon grog. Cependant les deux calèches sont arrivées au pavillon. Le grog bu, le prési-

dent sort avec Mlle Howard au milieu de la foule d'habitués qui les attend presque tous les jours ; il baise la main
de la belle blonde, l'aide à monter en calèche, puis rentre
dans sa voiture, et tous deux reprennent le chemin de
l'Élysée.

Il passe une partie de ses matinées à jouer à la main
chaude avec cette Mlle Howard, lady Douglas, la princesse Mathilde et la marquise de Contades.

Ainsi, l'Immaculée-Conception de la sainte Vierge, le
grog bu avec une jolie Anglaise, voilà ce qui occupe Pie IX
à Rome et Louis Bonaparte à Paris. Voilà ce qui remplit
ces deux têtes sur lesquelles pèse l'Europe.

Lois d'état de siège, lois de censure, lois de clôture,
lois de compression, lois d'étouffement, lois pour l'ignorance publique, lois de déportation et de transporta-
tion, lois contre le suffrage universel, lois contre la presse.
Ils disent : Faisons de l'ordre.

Pour eux la camisole de force s'appelle *le calme*.

Moment bizarre.

Nous sommes en république, le parti monarchique
gouverne.

La réaction, officiellement et à la tribune, est obligée
de faire bonne mine à la République, mais, comme ces
mauvaises mères qui, forcées de sourire à leurs
enfants en public, s'en dédommagent et les fouaillent à
huis-clos, elle se cache derrière les lois de compression
et là elle administre d'énormes fessées aux principes
révolutionnaires.

Hier, 5 décembre 1850, j'étais aux Français. Rachel
jouait *Adrienne Lecouvreur*. Jérôme Bonaparte était
dans l'avant-scène à côté de la mienne. Je l'ai été voir
dans un entr'acte. Nous avons causé. Il m'a dit :

— Louis est fou. Il se défie de ses amis et se livre à ses
ennemis. Il se défie de sa famille et se laisse garrotter
par les vieux partis royalistes. J'étais mieux reçu, après

ma rentrée en France, par Louis-Philippe aux Tuileries
que je ne le suis à l'Élysée par mon neveu. Je lui disais
l'autre jour devant un de ses ministres (Fould) : — Mais
souviens-toi donc! Quand tu étais candidat à la présidence, monsieur (je montrais Fould) est venu me trouver
rue d'Alger où je demeurais et m'a prié de me mettre
sur les rangs, pour la présidence, au nom de MM. Thiers,
Molé, Duvergier de Hauranne, Berryer et Bugeaud. Il
m'a dit que jamais tu n'aurais *le Constitutionnel* ; que
tu étais, pour Molé, un idiot et, pour Thiers, une tête de
bois ; que seul, je pouvais tout rallier et réussir contre
Cavaignac. J'ai refusé. J'ai dit que toi tu étais la jeunesse
et l'avenir, que tu avais vingt-cinq ans devant toi et que
j'en avais huit à dix à peine ; que j'étais un invalide, et
qu'on me laissât tranquille. Voilà ce que ces gens-là faisaient, et voilà ce que j'ai fait, — et tu oublies tout
cela! Et tu fais de ces messieurs les maîtres! Et ton cousin, mon fils, qui t'a défendu à la Constituante, qui s'est
dévoué corps et âme à ta candidature, tu le mets à la
porte! Et le suffrage universel qui t'a fait ce que tu es,
tu le brises! Ma foi, je dirai comme Molé que tu es un
idiot, et comme Thiers que tu es une tête de bois!

Le roi de Westphalie s'est arrêté un moment, puis a
repris :

— Et savez-vous, monsieur Hugo, ce qu'il m'a
répondu? « Vous verrez! » Personne ne sait le fond de cet
homme-là!

Il s'est interrompu encore et a continué :

— Cette armée du Nord qu'il voulait faire, c'est une
verge pour le fouetter. Croirez-vous cela? Je me suis
offert à lui, je lui ai dit : — Je suis maréchal de France,
donne-m'en le commandement, personne n'a rien à dire ;
les militaires, rien, je suis le plus ancien général de l'armée ; les partis, rien, je suis ton oncle, c'est tout simple ;
l'Assemblée, rien, c'est ton droit. Les soldats applau-

dissent : je m'appelle Napoléon. Et tu es sûr de moi! — Eh bien, Monsieur, il m'a refusé! et savez-vous qui il voulait nommer? Changarnier!

Je me mis à rire et j'ai dit à Jérôme : — Le mouton qui se fie au loup, cela s'était vu dans les fables ; cela ne s'était pas encore vu dans l'histoire.

Choses vues

Vers la mi-novembre 1851, le représentant F..., élyséen, dînait chez M. Bonaparte.

— Que dit-on dans Paris et à l'Assemblée? demanda le président au représentant.

— Hé, prince!

— Eh bien?

— On parle toujours.

— De quoi?

— Du coup d'État.

— Et l'Assemblée, y croit-elle?

— Un peu, prince.

— Et vous?

— Moi, pas du tout.

Louis Bonaparte prit vivement les deux mains de M. F..., et lui dit avec attendrissement :

— Je vous remercie, monsieur F..., vous, du moins, vous ne me croyez pas un coquin!

Pierres

V

LE COUP DU 2 DÉCEMBRE

« Un pays qui ne pourrait être sauvé que par tel ou tel homme, écrivait Benjamin Constant, ne serait pas sauvé pour longtemps, même par cet homme, et, de plus, ne mériterait pas d'être sauvé. » Mais les classes dirigeantes de la France de 1851 songent moins à sauver le pays qu'à sauver leurs privilèges. La grande peur de 1848 prépare le grand coup du 2 décembre. Hugo s'y attend, et l'attend. A huit heures du matin, le 2 décembre, Versigny entre dans la chambre du poète. Le représentant lui annonce que le coup a eu lieu dans la nuit. Un ouvrier, ami de Hugo, arrive sur ces entrefaites. « Que dit le peuple ? — Il lit les affiches, et se tait. » N'importe. Hugo a choisi depuis longtemps. Il a choisi la lutte, les coups, la mort peut-être, la défaite s'il le faut. Il va tenter d'organiser la résistance libérale au putsch de ceux dont il dira que leur mot d'ordre, le 2 décembre 1851, était : « Jusqu'aux boues ! »

Les personnages

Avant d'être un chef d'État, Louis-Napoléon (« Après Auguste, Augustule ») est un chef de bande. Une petite clique cynique et avide l'entoure, qui mène l'affaire et ses affaires. Hugo les cloue avec une verve passionnée au pilori de l'histoire.

Louis Bonaparte était un indifférent. Il ne connaissait qu'une chose, son but. Broyer la route pour y arriver, c'était tout simple ; laisser le reste tranquille. Toute sa politique était là. Écraser les républicains, dédaigner les royalistes.

Louis Bonaparte n'avait aucune passion. Celui qui écrit ces lignes, causant un jour de Louis Bonaparte avec l'ancien roi de Westphalie, disait : En lui, le Hollandais calme le Corse. — Si Corse il y a, répondit Jérôme.

Louis Bonaparte n'a jamais été qu'un homme qui guette le hasard ; espion tâchant de duper Dieu. Il avait la rêverie livide du joueur qui triche. La tricherie admet l'audace et exclut la colère. Dans sa prison de Ham, il ne lisait qu'un livre, *Le Prince*. Il n'avait pas de famille, pouvant hésiter entre Bonaparte et Verhuell ; il n'avait pas de patrie, pouvant hésiter entre la France et la Hollande.

Ce Napoléon avait pris Saint-Hélène en bonne part. Il admirait l'Angleterre. Des ressentiments ! A quoi bon ? Il n'y avait pour lui sur la terre que des intérêts. Il pardonnait parce qu'il exploitait, il oubliait tout parce qu'il calculait tout. Que lui importait son oncle ? Il ne le servait pas, il s'en servait. Il mettait sa chétive pensée dans Austerlitz. Il empaillait l'aigle.

La rancune est une dépense improductive. Louis Bonaparte n'avait que la quantité de mémoire utile. Hudson Lowe ne l'empêchait pas de sourire aux Anglais ; le marquis de Montchenu ne l'empêchait pas de sourire aux royalistes.

C'était un homme politique sérieux, de bonne compagnie, enfermé dans sa préméditation, point emporté, ne faisant rien au-delà de ce qui est indiqué, sans brusquerie, sans gros mots, discret, correct, savant, causant avec douceur d'un carnage nécessaire, massacreur parce qu'il le faut bien.

Qu'était-ce que Morny ? Un important gai, un intrigant, mais point austère, ami de Romieu et souteneur de Guizot, ayant les manières du monde et les mœurs de

la roulette, content de lui, spirituel, combinant une
certaine libéralité d'idées avec l'acceptation des crimes
utiles, trouvant moyen de faire un gracieux sourire avec
de vilaines dents, menant la vie de plaisir, dissipé, mais
concentré, laid, de bonne humeur, féroce, bien mis,
intrépide, laissant volontiers sous les verrous un frère
prisonnier, et prêt à risquer sa tête pour un frère empereur,
ayant la même mère que Louis Bonaparte et, comme
Louis Bonaparte, un père quelconque, pouvant s'appeler
Beauharnais, pouvant s'appeler Flahaut, et s'appelant
Morny, poussant la littérature jusqu'au vaudeville et la
politique jusqu'à la tragédie, viveur tueur, ayant toute la
frivolité conciliable avec l'assassinat, pouvant être
esquissé par Marivaux, à la condition d'être ressaisi
par Tacite, aucune conscience, une élégance irréprochable,
infâme et aimable, au besoin parfaitement duc ; tel était
ce malfaiteur.

Saint-Arnaud, le ministre de la Guerre de ce moment-là,
était un général qui avait été figurant à l'Ambigu. Il
avait débuté par être comique à la banlieue. Tragique,
plus tard. Signalement : haute taille, sec, mince, anguleux,
moustaches grises, cheveux plats, mine basse. C'était un
coupe-jarret, mais mal élevé. Il prononçait *peuple sou-
vérain*. Morny en riait. *Il ne prononce pas mieux le mot
qu'il ne comprend la chose*, disait-il. L'Élysée, qui se
piquait d'élégance, n'acceptait qu'à demi Saint-Arnaud.
Son côté sanglant lui faisait pardonner son côté vulgaire.
Saint-Arnaud était brave, violent et timide. Il avait
l'audace du soudard galonné et la gaucherie de l'ancien
pauvre diable. Nous le vîmes un jour à la tribune, blême,
balbutiant, hardi. Il avait un long visage osseux et une
mâchoire inquiétante. Son nom de théâtre était Florival.
C'était un cabotin passé reître. Il est mort maréchal de
France.

Histoire d'un crime

Les portraits de ces personnages, on les retrouve dans Les châtiments. où Hugo rend à la poésie politique, au vers de combat, la violence que nul n'avait su leur donner depuis d'Aubigné.

NAPOLÉON III

Donc c'est fait. Dût rugir de honte le canon,
Te voilà, nain immonde, accroupi sur ce nom !
Cette gloire est ton trou, ta bauge, ta demeure !
Toi qui n'as jamais pris la fortune qu'à l'heure,
Te voilà presque assis sur ce hautain sommet !
Sur le chapeau d'Essling tu plantes ton plumet ;
Tu mets, petit Poucet, ces bottes de sept lieues ;
Tu prends Napoléon dans les régions bleues ;
Tu fais travailler l'oncle, et, perroquet ravi,
Grimper à ton perchoir l'aigle de Mondovi !
Thersite est le neveu d'Achille Péliade !
C'est pour toi qu'on a fait toute cette Iliade !
C'est pour toi qu'on livra ces combats inouïs !
C'est pour toi que Murat, aux Russes éblouis,
Terrible, apparaissait, cravachant leur armée ! –
C'est pour toi qu'à travers la flamme et la fumée
Les grenadiers pensifs s'avançaient à pas lents !
C'est pour toi que mon père et mes oncles vaillants
Ont répandu leur sang dans ces guerres épiques !
Pour toi qu'ont fourmillé les sabres et les piques,
Que tout le continent trembla sous Attila,
Et que Londres frémit, et que Moscou brûla !
C'est pour toi, pour tes Deutz et pour tes Mascarilles,
Pour que tu puisses boire avec de belles filles,
Et, la nuit, t'attabler dans le Louvre à l'écart,
C'est pour monsieur Fialin et pour monsieur Mocquart,
Que Lannes d'un boulet eut la cuisse coupée,
Que le front des soldats, entr'ouvert par l'épée,
Saigna sous le shako, le casque et le colback,

Que Lasalle à Wagram, Duroc à Reichenbach,
Expirèrent frappés au milieu de leur route,
Que Caulaincourt tomba dans la grande redoute,
Et que la vieille garde est morte à Waterloo!
C'est pour toi qu'agitant le pin et le bouleau,
Le vent fait aujourd'hui, sous ses âpres haleines,
Blanchir tant d'ossements, hélas! dans tant de plaines!
Faquin! — Tu t'es soudé, chargé d'un vil butin,
Toi, l'homme du hasard, à l'homme du destin!
Tu fourres, impudent, ton front dans ses couronnes!
Nous entendons claquer dans tes mains fanfaronnes
Ce fouet prodigieux qui conduisait les rois ;
Et tranquille, attelant à ton numéro trois
Austerlitz, Marengo, Rivoli, Saint-Jean-d'Acre,
Aux chevaux du soleil tu fais traîner ton fiacre

Les châtiments

SAINT-ARNAUD

Cet homme avait donné naguère un coup de main
Au recul de la France et de l'esprit humain ;
Ce général avait les états de service
D'un chacal, et le crime aimait en lui le vice.
Buffon l'eût admis, certe, au rang des carnassiers.
Il avait fait charger le septième lanciers,
Secouant les guidons aux trois couleurs françaises,
Sur des bonnes d'enfants, derrière un tas de chaises ;
Il était le vainqueur des passants de Paris ;
Il avait mitraillé les cigares surpris
Et broyé Tortoni fumant, à coups de foudre ;
Fier, le tonnerre au poing, il avait mis en poudre
Un marchand de coco près des Variétés ;
Avec quinze escadrons, bien armés, bien montés,
Et trente bataillons, et vingt pièces de douze,

Il avait pris d'assaut le perron Sallandrouze ;
Il avait réussi même, en fort peu de temps,
A tuer sur sa porte un enfant de sept ans ;
Et sa gloire planait dans l'ouragan qui tonne
De l'égout Poissonnière au ruisseau Tiquetonne.
Tout cela l'avait fait maréchal. Nous aussi,
Nous étions des vaincus, je dois le dire ici ;
Nous étions douze cents ; eux, ils étaient cent mille.

Or ce Verrès croyait qu'on devient Paul-Émile.
Pendant que Beauharnais, l'être ignorant le mal,
Affiche aux trois poteaux d'un chiffre impérial
Son nom hideux, dégoût des lèvres de l'histoire ;
Pendant qu'un bas empire éclôt sous un prétoire,
Et s'étale, amas d'ombre où rampent les serpents,
Fumier de trahison, de dol, de guet-apens,
Dont n'auraient pas voulu les poules de Carthage ;
Pendant que de la France on se fait le partage ;
Pendant que des milliers d'innocents égorgés
Pourrissent, par le vers du sépulcre rongés ;
Pendant que les proscrits, que la chiourme accompagne,
Cheminant deux à deux dans les sabots du bagne,
Vieillards, enfants brûlés de fièvre, sans sommeil,
Vont à Guelma casser des pierres au soleil ;
Pendant qu'à Bône on meurt et qu'en Guyane on tombe,
Ce sbire galonné du crime, ce vainqueur,
De la fraude et du vol sinistre remorqueur,
Cet homme, bras sanglant de la trahison louche,
Ce Mars Mandrin ayant pour Jupiter Cartouche,
S'était dit : Bah ! la France oublie. Un vrai laurier !
Et l'on n'osera plus sur mes talons crier.
En guerre ! Il n'est pas bon que la gloire demeure
Au charnier Montfaucon ; nous avons à cette heure
Trop de Dix-huit Brumaire et trop peu d'Austerlitz ;
Lorsque nous secouons nos drapeaux, de leurs plis

Ils ne laissent tomber sur nous que des huées ;
Au lieu des vieillards morts et des femmes tuées,
Il est temps qu'il se dresse autour de nous un peu
De fanfare et d'orgueil, chantant dans le ciel bleu ;
Or, voici que la guerre à l'orient se lève ;
Je ne suis que couteau, je puis devenir glaive.
On me crache au visage aujourd'hui, mais demain
J'apparaîtrai, superbe, éclatant, surhumain,
Vainqueur dans une illustre et splendide fumée,
Et duc de la mer Noire et prince de Crimée,
Et je ferai voler ce mot : Sébastopol,
Des tours de Notre-Dame au dôme de Saint-Paul !
Le vieux monstre Russie, aux regards longs et troubles,
Qui fascine l'Europe avec des yeux de roubles,
Je le prendrai, j'irai le saisir dans son trou,
Et je rapporterai sur mon poing ce hibou.
On verra sous mes pieds fondre le czar qui croule,
Paris m'admirera de la Bastille au Roule ;
On me battra des mains au fond des vieux faubourgs ;
Les gamins marqueront le pas à mes tambours ;
La porte Saint-Denis tirera des fusées ;
Et, quand je passerai, du haut de ses croisées
Le boulevard Montmartre applaudira. Partons.
Effaçons d'un seul trait tuerie, exils, pontons,
Et jetons cette poudre aux yeux froids de l'histoire.
Je m'en irai Massacre et reviendrai Victoire ;
Je serai parti chien, je reviendrai lion.
En guerre ! —

         Tu mettrais Atlas sur Pélion,
Tu ferais plus qu'aucun dont l'homme se souvienne,
Tu forcerais Moscou, Pétersbourg, Berlin, Vienne,
Tu tiendrais dans tes mains ainsi que des serpents
Tous les fleuves domptés, tremblants, soumis, rampants,
Le Don, le Nil, le Tibre, et le Rhin basaltique,

Tu prendrais la mer Noire avec la mer Baltique,
On te verrait, vainqueur, au front des escadrons,
Précédé des tambours et suivi des clairons,
Parmi les plus fameux marcher le plus insigne,
Que tu ne ferais pas décroître d'une ligne
L'épaisseur du carcan qui pend à l'échafaud !
Que tu n'ôterais pas une lettre au fer chaud
Que l'histoire, quand vient l'heure de comparaître,
Imprime au dos du lâche et sur le front du traître !
On est ivre parfois quand on a bu du sang.
Nul ne sait le destin. Fais ton rêve, passant !
L'éternel océan nous regarde, et sanglote.
Il prit ce qu'il voulut dans l'armée et la flotte ;
Il reçut le baiser de Néron le Petit,
Gagna Toulon, sa ville, et partit. Il partit,
Traînant des millions après lui dans ses coffres,
Entouré de banquiers qui lui faisaient des offres,
En satrape persan, en proconsul romain,
Son bâton de velours et d'aigles dans sa main,
Emportant pour sa table un service de Chine,
Suivi de vingt fourgons, brodé jusqu'à l'échine,
Empanaché, doré, magnifique, hideux.
Un jour, on déterra l'un de ceux de l'an deux,
Un vieux républicain, le général Dampierre ;
On le trouva couché tout armé sous la pierre,
Et portant, fier soldat que nul n'avait vu fuir,
L'épaulette de laine et la dragonne en cuir.
Il partit, tout trempé d'eau bénite ; et ce reître
Partout sur son chemin baisait la griffe au prêtre,
Car cette hypocrisie est le genre actuel ;
Le crime, qui jadis bravait le rituel,
L'ancien vieux crime impie à présent dégénère
En clins d'yeux qu'à Tartuffe adresse Lacenaire ;
Le brigand est béni du curé point ingrat ;
Papavoine aujourd'hui se confesse à Mingrat ;

Le bedeau Poulman sert la messe! — Ah! je l'avoue,
Quand un bandit sincère, entier, sentant la roue,
Honnête à sa façon, bonne fille, complet,
Se déclare bandit, s'annonce ce qu'il est,
Fuit les honnêtes gens, sent qu'il les dépareille,
Et porte carrément son crime sur l'oreille ;
Mon Dieu! quand un voleur dit : je suis un voleur,
Quand un pauvre histrion de foire, un avaleur
De sabres, au milieu d'un torrent de paroles,
Un arracheur de dents, avec ses bottes molles,
Orné de galons faux et de poil de lapin,
Quand un drôle ingénu, qui peut-être est sans pain,
Met sa main dans ma poche et m'empoigne ma montre,
Quand, le matin, poussant ma porte qu'il rencontre,
Il entre, prend ma bourse et mes couverts d'argent,
Et, si je le surprends à même et pataugeant,
Me dit : c'est vrai, monsieur, je suis une canaille ;
Je ris, et je suis prêt à dire : qu'il s'en aille!
Amnistie au coquin qui se donne pour tel!
Mais quand l'assassinat s'étale sur l'autel
Et que sous une mitre un prêtre l'escamote ;
Quand un soldat féroce entre ses dents marmotte
Un oremus infâme au bout d'un sacrebleu ;
Quand on fait devant moi cette insulte au ciel bleu
De faire Magnan saint et Canrobert ermite ;
Quand le carnage prend des airs de chattemite,
Et quand Jean l'Écorcheur se confit en Veuillot ;
Quand le massacre affreux, le couteau, le billot,
Le rond-point la Roquette et la place Saint-Jacques,
Tout ruisselants de sang, viennent faire leurs pâques,
Quand les larrons, après avoir coupé le cou
Au voyageur, et mis ses membres dans un trou,
Vont au lieu saint ouvrir et piller la valise ;
Quand j'attends la caverne et quand je vois l'église ;
Quand le meurtre sournois qui chourina sans bruit

La loi, par escalade et guet-apens, la nuit,
Et qui par la fenêtre entra dans nos demeures,
Prend un cierge, se signe, ânonne un livre d'heures,
Offre sa pince au Dieu sous qui l'Horeb tremblait,
Et de sa corde à nœuds se fait un chapelet,
Alors, ô cieux profonds! ma prunelle s'allume,
Mon pouls bat sur mon cœur comme sur une enclume,
Je sens grandir en moi la colère, géant,
Et j'accours éperdu, frémissant, secouant
Sur ces horreurs, à l'âme humaine injurieuses,
Dans mes deux mains, des fouets de strophes furieuses!

Stamboul, lui prodiguant galas, orchestre et bal,
Lui fit fête, Capoue où manquait Annibal.
Ce bandit rayonna quelque temps dans des gloires,
Byzance illumina pour lui ses promontoires.
Au cirque Franconi, quand vient le dénoûment,
Quand la toile de fond se lève brusquement
Et que tout le décor n'est plus qu'une astragale,
On voit ces choses-là dans un feu de Bengale.
Et, pendant ces festins et ces jeux, on brûla,
Les Russes, Silistrie, et les Anglais, Kola.

Le moment vint ; l'escadre appareilla ; les roues
Tournèrent ; par ce tas de voiles et de proues,
Dont l'âpre artillerie en vingt salves gronda,
L'infini se laissa violer. L'armada,
Formidable, penchant, prête à cracher le soufre,
Les gueules des canons sur les gueules du gouffre,
Nageant, polype humain, sur l'abîme béant,
Et, comme un noir poisson dans un filet géant,
Prenant l'ouragan sombre en ses mille cordages,
S'ébranla ; dans ses flancs, les haches d'abordages,
Les sabres, les fusils, le lourd tromblon marin,
La fauve caronade aux ailerons d'airain

Se heurtaient ; et, jetant de l'écume aux étoiles,
Et roulant dans ses plis des tempêtes de toiles,
Frégate, aviso, brick, brûlot, trois-ponts, steamer,
Le troupeau monstrueux couvrit la vaste mer.
La flotte ainsi marchait en ordre de bataille.

O mouches! il est temps que cet homme s'en aille.
Venez! Souffle, ô vent noir des moustiques de feu!
Hurrah! les inconnus, les punisseurs de Dieu!
L'obscure légion des hydres invisibles,
L'infiniment petit, rempli d'ailes horribles,
Accourut ; l'âpre essaim des moucherons, tenant
Dans un souffle, et qui fait trembler un continent,
L'atome, monde affreux peuplant l'ombre hagarde,
Que l'œil du microscope avec effroi regarde,
Vint, groupe insaisissable et vague où rien ne luit,
Et plana sur la flotte énorme dans la nuit.

Et les canons, hurlant contre l'homme, molosses
De la mort, les vaisseaux, titaniques colosses,
Les mortiers lourds, volcans aux hideux entonnoirs,
Les grands steamers, dragons dégorgeant des flots noirs,
Tous ces géants tremblaient au sein des flots terribles
Sous ce frémissement d'ailes imperceptibles!

Et le lugubre essaim, vil, céleste, infernal,
Planait, planait toujours, attendant un signal.

Terre! dit la vigie. Et l'on toucha la rive,
La gloire, qui, parfois, jusqu'aux bandits arrive,
Apparut, et cet homme entrevit les combats,
Les tentes, les bivouacs, et tout au fond, là-bas,
Vous couvrant de son ombre, horreurs atténuées,
L'immense arc de triomphe au milieu des nuées.

Il débarqua. L'essaim planait toujours. Hurrah !
C'est l'heure. Et le Seigneur fit signe au choléra.
La peste, saisissant son condamné sinistre,
A défaut du césar acceptant le ministre,
Dit à la guerre pâle et reculant d'effroi :
— Va-t-en. Ne me prends pas cet homme. Il est à moi.
Et cria de sa voix où siffle une couleuvre :
— Bataille, fais ta tâche et laisse-moi mon œuvre.
Alors, suivant le doigt qui d'en haut l'avertit,
L'essaim vertigineux sur ce front s'abattit ;
Le monstre aux millions de bouches, l'impalpable,
L'infini, se rua sur le blême coupable ;
Les ténèbres, mordant, rongeant, piquant, suçant,
Entrèrent dans cet homme, et lui burent le sang,
Et l'enfer, le tordant vivant dans ses tenailles,
Se mit à lui manger dans l'ombre les entrailles.
Et dans ce même instant la bataille tonna,
Et cria dans les cieux : Wagram ! Ulm ! Iéna !
En avant, bataillons, dans la fière mêlée !
Peuples ! ceci descend de la voûte étoilée,
Et c'est l'histoire et c'est la justice de Dieu :
Pendant que, sous les flots de mitraille, au milieu
Des balles, bondissaient vers le but électrique
Les highlanders d'Écosse et les spahis d'Afrique,
Tandis que, s'excitant et s'entre-regardant,
Le chasseur de Vincenne et le zouave ardent
Rampaient et gravissaient la montagne en décombres,
Tandis que Mentschikoff et ses grenadiers sombres,
A travers les obus, sur l'âpre escarpement,
Voyaient, plus effarés de moment en moment,
Monter vers eux ce tas de tigres dans les ronces,
Et que les lourds canons s'envoyaient des réponses,
Et qu'on pouvait, fût-on serf, esclave ou troupeau,
Tomber du moins en brave à l'ombre d'un drapeau,
Lui, l'homme frémissant du boulevard Montmartre,

Ayant son crime au flanc, qui se changeait en dartre,
Les boulets indignés se détournant de lui,
Vil, la main sur le ventre, et plein d'un sombre ennui,
Il voyait, pâle, amer, l'horreur dans les narines,
Fondre sous lui sa gloire en allée aux latrines.
Il râlait ; et, hurlant, fétide, ensanglanté,
A deux pas de son champ de bataille, à côté
Du triomphe, englouti dans l'opprobre incurable,
Triste, horrible, il mourut. Je plains ce misérable.

Ici, spectre ! Viens là que je te parle. Oui,
Puisque dans le néant tu t'es évanoui
Sous l'œil mystérieux du Dieu que je contemple,
Puisque la mort a fait sur toi ce grand exemple,
Et que, traînant ton crime, abject, épouvanté,
Te voilà face à face avec l'éternité,
Puisque c'est du tombeau que la prière monte,
Que tu n'es plus qu'une ombre, et que Dieu sur la honte
De ton commencement met l'horreur de ta fin,
Quoique au-dessous du tigre esclave de la faim,
Tu me serres le cœur, bandit, et je t'avoue
Que je me sens un peu de pitié pour ta boue,
Que je frémis de voir comme mon Dieu te suit,
Et que, plusieurs ici, qui sommes dans la nuit,
Nous avons fait un signe avec notre front pâle,
Quand l'ange Châtiment, qui, penché sur ton râle,
Te gardait, et tenait sur toi ses yeux baissés,
S'est tourné vers nous, spectre, en disant : Est-ce assez ?

Les châtiments.

Cette nuit-là

Dans Les Châtiments *encore,* Hugo *évoque les heures qui ont précédé le coup d'État.*

Trois amis l'entouraient. C'était à l'Élysée.
On voyait du dehors luire cette croisée.
Regardant venir l'heure et l'aiguille marcher,
Il était là, pensif ; et rêvant d'attacher
Le nom de Bonaparte aux exploits de Cartouche,
Il sentait approcher son guet-apens farouche.
D'un pied distrait dans l'âtre il poussait le tison,
Et voici ce que dit l'homme de trahison :
« Cette nuit vont surgir mes projets invisibles.
Les Saint-Barthélemy sont encore possibles.
Paris dort, comme aux temps de Charles de Valois ;
Vous allez dans un sac mettre toutes les lois,
Et par-dessus le pont les jeter dans la Seine. »
O ruffians! bâtards de la fortune obscène,
Nés du honteux coït de l'intrigue et du sort!
Rien qu'en songeant à vous mon vers indigné sort,
Et mon cœur orageux dans ma poitrine gronde
Comme le chêne au vent dans la forêt profonde!

Comme ils sortaient tous trois de la maison Bancal,
Morny, Maupas le grec, Saint-Arnaud le chacal,
Voyant passer ce groupe oblique et taciturne,
Les clochers de Paris, sonnant l'heure nocturne,
S'efforçaient vainement d'imiter le tocsin ;
Les pavés de Juillet criaient à l'assassin!
Tous les spectres sanglants des antiques carnages,
Réveillés, se montraient du doigt ces personnages ;

La Marseillaise, archange aux chants aériens,
Murmurait dans les cieux : aux armes, citoyens!
Paris dormait, hélas! et bientôt, sur les places,
Sur les quais, les soldats, dociles populaces,
Janissaires conduits par Reybell et Sauboul,
Payés comme à Byzance, ivres comme à Stamboul,
Ceux de Dulac, et ceux de Korte et d'Espinasse,
La cartouchière au flanc et dans l'œil la menace,
Vinrent, le régiment après le régiment,
Et le long des maisons ils passaient lentement,
A pas sourds, comme on voit les tigres dans les jongles
Qui rampent sur le ventre en allongeant leurs ongles ;
Et la nuit était morne, et Paris sommeillait
Comme un aigle endormi pris sous un noir filet.

Les chefs attendaient l'aube en fumant leurs cigares.

O cosaques! voleurs! chauffeurs! routiers! bulgares!
O généraux brigands! bagne, je te les rends!
Les juges d'autrefois pour des crimes moins grands
Ont brûlé la Voisin et roué vif Desrues!

Éclairant leur affiche infâme au coin des rues
Et le lâche armement de ces filous hardis,
Le jour parut. La nuit, complice des bandits,
Prit la fuite, et, traînant à la hâte ses voiles,
Dans les plis de sa robe emporta les étoiles
Et les mille soleils dans l'ombre étincelant,
Comme les sequins d'or qu'emporte en s'en allant
Une fille, aux baisers du crime habituée,
Qui se rhabille après s'être prostituée.

Les châtiments.

Le Rubicon

*Il règne dans ce livre furieux, l'Histoire d'un Crime, un air de bonheur:
c'est le bonheur de l'action, qu'elle soit si évidente à choisir, si simple
à poursuivre — même désespérée, même courant à la fois les périls de la
répression et les risques du ridicule. Louis-Napoléon a franchi le Rubicon,
il n'y a plus qu'à se porter à sa rencontre, et que tout soit perdu : sauf
l'honneur.*

Le 1er décembre 1851, Charras haussa les épaules
et déchargea ses pistolets. Au fait, croire à un coup
d'État possible, cela devenait humiliant. L'hypothèse
d'une violence illégale de la part de M. Louis Bonaparte s'évanouissait devant un sérieux examen. La
grosse affaire du moment était évidemment l'élection
Devincq ; il était clair que le gouvernement ne songeait
qu'à cela. Quant à un attentat contre la république et
contre le peuple, est-ce que quelqu'un pouvait avoir
une telle préméditation ? Où était l'homme capable d'un
tel rêve ? Pour une tragédie il faut un acteur, et ici,
certes, l'acteur manquait. Violer le droit, supprimer
l'Assemblée, abolir la constitution, étrangler la république, terrasser la nation, salir le drapeau, déshonorer
l'armée, prostituer le clergé et la magistrature, réussir,
triompher, gouverner, administrer, exiler, bannir, dépor-
ter, ruiner, assassiner, régner, avec des complicités
telles que la loi finit par ressembler au lit d'une fille
publique, quoi! toutes ces énormités seraient faites!
et par qui ? par un colosse ? non! par un nain. On en
venait à rire. On ne disait plus : quel crime! mais :
quelle farce! Car, enfin, on réfléchissait. Les forfaits
veulent de la stature. De certains crimes sont trop hauts
pour de certaines mains. Pour faire un 18 brumaire, il
faut avoir dans son passé Arcole et dans son avenir

Austerlitz. Être un grand bandit n'est pas donné au premier venu. On se disait : — Qu'est-ce que c'est que ce fils d'Hortense ? Il a derrière lui Strasbourg au lieu d'Arcole, et Boulogne au lieu d'Austerlitz ; c'est un Français né Hollandais et naturalisé Suisse ; c'est un Bonaparte mâtiné de Verhuell ; il n'est célèbre que par la naïveté de sa pose impériale ; et qui arracherait une plume à son aigle risquerait d'avoir dans la main une plume d'oie. Ce Bonaparte-là n'a pas cours dans l'armée ; c'est une effigie contrefaite, moins or que plomb ; et, certes, les soldats français ne nous rendront pas en rébellions, en atrocités, en massacres, en attentats, en trahisons, la monnaie de ce faux Napoléon. S'il essayait une coquinerie, il avorterait. Pas un régiment ne bougerait. Mais d'ailleurs pourquoi essayerait-il ? Sans doute, il a des côtés louches ; mais pourquoi le supposer absolument scélérat ? De si extrêmes attentats le dépassent ; il en est matériellement incapable ; pourquoi l'en supposer capable moralement ? Ne s'est-il pas lié sur l'honneur ? N'a-t-il pas dit : Personne en Europe ne doute de ma parole ? Ne craignons rien. — Sur quoi l'on pouvait répliquer : Les crimes sont faits grandement ou petitement ; dans le premier cas, on est César, dans le] second cas, on est Mandrin. César passe le Rubicon, Mandrin enjambe l'égout. — Mais les homme sages intervenaient : Ne nous donnons pas le tort des conjectures offensantes. Cet homme a été exilé et malheureux ; l'exil éclaire, le malheur corrige.

Louis Bonaparte de son côté protestait énergiquement. Les faits à sa décharge abondaient. Pourquoi ne serait-il pas de bonne foi ? Il avait pris de remarquables engagements. Vers la fin d'octobre 1848, étant candidat à la présidence, il était allé voir rue de la Tour-d'Auvergne, n° 37, quelqu'un à qui il avait dit : — Je viens m'expliquer avec vous. On me calomnie. Est-ce que je

vous fais l'effet d'un insensé ? On suppose que je voudrais
recommencer Napoléon ? Il y a deux hommes qu'une
grande ambition peut se proposer pour modèles : Napoléon
et Washington. L'un est un homme de génie, l'autre
est un homme de vertu. Il est absurde de se dire : je
serai un homme de génie ; il est honnête de se dire : je
serai un homme de vertu. Qu'est-ce qui dépend de nous ?
Qu'est-ce que nous pouvons par notre volonté ? Être
un génie ? Non. Être une probité ? Oui. Avoir du génie
n'est pas un but possible ; avoir de la probité en est un.
Et que pourrais-je recommencer de Napoléon ? une seule
chose. Un crime. La belle ambition ! Pourquoi me supposer fou ? La république étant donnée, je ne suis pas un
grand homme, je ne copierai pas Napoléon ; mais je suis
un honnête homme, j'imiterai Washington. Mon nom, le
nom de Bonaparte, sera sur deux pages de l'Histoire de
France : dans la première, il y aura le crime et la gloire,
dans la seconde il y aura la probité et l'honneur. Et la
seconde vaudra peut-être la première. Pourquoi ? parce que
si Napoléon est plus grand, Washington est meilleur. Entre
le héros coupable et le bon citoyen, je choisis le bon
citoyen. Telle est mon ambition. —

De 1848 à 1851 trois années s'étaient écoulées. On
avait longtemps soupçonné Louis Bonaparte ; mais le
soupçon prolongé déconcerte l'intelligence et s'use par
sa durée inutile. Louis Bonaparte avait eu des ministres
doubles, comme Magne et Rouher ; mais il avait eu
aussi des ministres simples, comme Léon Faucher et
Odilon Barrot ; ces derniers affirmaient qu'il était probe
et sincère. On l'avait vu se frapper la poitrine devant
la porte de Ham ; sa sœur de lait, madame Hortense
Cornu, écrivait à Mieroslawsky : *Je suis bonne républicaine et je réponds de lui ;* son ami de Ham, Peauger,
homme loyal, disait : *Louis Bonaparte est incapable d'une
trahison.* Louis Bonaparte n'avait-il pas fait le livre du

Paupérisme? Dans les cercles intimes de l'Élysée, le comte Potocki était républicain, et le comte d'Orsay était libéral ; Louis Bonaparte disait à Potocki : *Je suis un homme de démocratie*, et à d'Orsay : *Je suis un homme de liberté.* Le marquis du Hallays était contre le coup d'État, et la marquise du Hallays était pour. Louis Bonaparte disait au marquis : Ne craignez rien (il est vrai qu'il disait à la marquise : Soyez tranquille). L'Assemblée, après avoir montré çà et là quelques velléités d'inquiétude, s'était remise et calmée. On avait le général Neumayer « qui était sûr », et qui, de Lyon où il était, marcherait sur Paris. Changarnier s'écriait : *Représentants du peuple, délibérez en paix.* Lui-même, Louis Bonaparte, avait prononcé ces paroles fameuses : *Je verrais un ennemi de mon pays dans quiconque voudrait changer par la force ce qui est établi par la loi.* Et d'ailleurs, la force, c'était l'armée, l'armée avait des chefs, des chefs aimés et victorieux : Lamoricière, Changarnier, Cavaignac, Leflô, Bedeau, Charras ; se figurait-on l'armée d'Afrique arrêtant les généraux d'Afrique ? Le vendredi 28 novembre 1851, Louis Bonaparte avait dit à Michel de Bourges : — *Je voudrais le mal que je ne le pourrais pas. Hier jeudi, j'ai invité à ma table cinq des colonels de la garnison de Paris ; je me suis passé la fantaisie de les interroger chacun à part ; tous les cinq m'ont déclaré que jamais l'armée ne se prêterait à un coup de force et n'attenterait à l'inviolabilité de l'Assemblée. Vous pouvez dire ceci à vos amis.* — Et il souriait, disait Michel de Bourges rassuré, *et moi aussi j'ai souri.* A la suite de cela, Michel de Bourges disait à la tribune : *C'est mon homme.* Dans ce même mois de novembre, sur la plainte en calomnie du président de la république, un journal satirique était condamné à l'amende et à la prison pour une caricature représentant un tir, et Louis Bonaparte ayant la constitution pour cible. Le ministre de l'intérieur Thorigny ayant déclaré, dans le conseil, devant le président, que jamais un dépositaire du pouvoir ne devait violer la loi, qu'autrement il serait... — *Un malhonnête homme*, avait dit le président. Toutes ces paroles et tous ces faits avaient la notoriété publique. L'impossibilité matérielle et morale du coup d'État frappait tous les yeux. Attenter à l'Assemblée nationale! arrêter les représentants! quelle folie! On vient de le voir, Charras, qui s'était longtemps tenu sur ses gardes, renonçait à toute précaution. La sécurité était complète et unanime. Nous étions bien, dans l'Assemblée, quelques-uns qui gardaient un certain doute et qui hochaient parfois la tête ; mais nous passions pour imbéciles.

Dans la nuit du 1er au 2 décembre, à l'instant où cinq heures sonnaient à la grande horloge du dôme, les troupes qui dormaient dans le camp baraqué des Invalides furent réveillées brusquement. L'ordre fut donné à voix basse dans les chambrées de prendre les armes en silence. Peu après, deux régiments, le sac au dos, se dirigeaient vers le palais de l'Assemblée. C'était le 6e et le 42e.

A ce même coup de cinq heures, sur tous les points de Paris à la fois, l'infanterie sortait partout et sans bruit de toutes les casernes, les colonels en tête. Les aides de camp et les officiers d'ordonnance de Louis Bonaparte, disséminés dans tous les casernements, présidaient à la prise d'armes. On ne mit la cavalerie en mouvement que trois quarts d'heure après l'infanterie, de peur que le pas des chevaux sur le pavé ne réveillât trop tôt Paris endormi.

Dès la veille, à onze heures du soir, on avait consigné dans l'intérieur de la préfecture, sous prétexte de l'arrivée des réfugiés de Gênes et de Londres à Paris, la brigade de sûreté et les huit cents sergents de ville. A trois heures du matin, un ordre de convocation avait été envoyé à domicile aux quarante-huit commissaires de

Paris et de la banlieue et aux officiers de paix. Une heure après, tous arrivaient. On les fit entrer dans une chambre séparée et on les isola les uns des autres le plus possible.

A cinq heures, des coups de sonnette partirent du cabinet du préfet ; le préfet Maupas appela les commissaires de police l'un après l'autre dans son cabinet, leur révéla le projet, et leur distribua à chacun sa part du crime. Aucun ne refusa ; quelques-uns remercièrent.

Il s'agissait de saisir chez eux soixante-dix-huit démocrates influents dans leurs quartiers et redoutés par l'Élysée comme chefs possibles de barricades. Il fallait, attentat plus audacieux encore, arrêter dans leurs maisons seize représentants du peuple. On choisit pour cette dernière tâche, parmi les commissaires de police, ceux de ces magistrats qui parurent les plus aptes à devenir des bandits. On partagea à ceux-ci les représentants.

Le 42e de ligne était le même régiment qui avait arrêté Louis Bonaparte à Boulogne. En 1840, ce régiment prêta main-forte à la loi contre le conspirateur ; en 1851, il prêta main-forte au conspirateur contre la loi. Beautés de l'obéissance passive.

Dans cette même nuit, sur tous les points de Paris s'accomplissaient des faits de brigandage ; des inconnus, conduisant des troupes armées, et armés eux-mêmes de haches, de maillets, de pinces, de leviers de fer, de casse-têtes, d'épées cachées sous leurs habits, de pistolets dont on distinguait les crosses sous les plis de leurs vêtements, arrivaient en silence autour d'une maison, investissaient la rue, cernaient les abords, crochetaient l'entrée, garrottaient le portier, envahissaient l'escalier, et se ruaient, à travers les portes enfoncées, sur un homme endormi ; et quand l'homme réveillé en sursaut demandait à ces bandits : Qui êtes-vous ? le chef répondait : Commissaire de police. Ceci arriva chez Lamoricière, qui fut colleté par Blanchet, lequel le menaça du bâillon ; chez Greppo, qui fut brutalisé et terrassé par Gronfier, assisté de six hommes portant une lanterne sourde et un merlin ; chez Cavaignac, qui fut empoigné par Colin, lequel, brigand mielleux, se scandalisa de l'entendre « jurer et sacrer » ; chez M. Thiers, qui fut saisi par Hubaut aîné, lequel prétendit l'avoir vu « trembler et pleurer », mensonge mêlé au crime ; chez Valentin, qui fut assailli dans son lit par Dourlens, pris par les pieds et par les épaules, et mis dans un fourgon de police, à cadenas ; chez Miot, destiné aux tortures des casemates africaines ; chez Roger du Nord qui, vaillamment et spirituellement ironique, offrit du vin de Xérès aux bandits. Charras et Changarnier furent pris au dépourvu. Ils demeuraient, rue Saint-Honoré, presque en face l'un de l'autre, Changarnier au n°3, Charras au n° 14. Depuis le 9 septembre, Changarnier avait congédié les quinze hommes armés jusqu'aux dents par lesquels il se faisait garder la nuit, et le 1er décembre, Charras, nous l'avons dit, avait déchargé ses pistolets. Ces pistolets vides étaient sur sa table quand on vint le surprendre. Le commissaire de police se jeta dessus. — *Imbécile*, lui dit Charras, *s'ils avaient été chargés, tu serais mort*. Ces pistolets, nous notons ce détail, avaient été donnés à Charras lors de la prise de Mascara, par le général Renaud, lequel, au moment où le coup d'État arrêtait Charras, était à cheval dans la rue pour le service du coup d'État. Si les pistolets fussent restés chargés, et si le général Renaud eût eu la mission d'arrêter Charras, il eût été curieux que les pistolets de Renaud tuassent Renaud. Charras, certes, n'eût pas hésité. Nous avons déjà indiqué les noms de ces coquins de police, les répéter n'est pas inutile. Ce fut le nommé Courtille qui arrêta Charras ; le nommé Lerat arrêta Changarnier ; le nommé Desgranges arrêta Nadaud. Les hommes, ainsi saisis dans leurs maisons, étaient des représentants du peuple, ils étaient inviolables, de sorte qu'à ce crime, la violation de la personne, s'ajoutait cette forfaiture, le viol de la Constitution.

Aucune effronterie ne manqua à cet attentat. Les agents de police étaient gais. Quelques-uns de ces drôles raillaient. A Mazas, les argousins ricanaient autour de Thiers, Nadaud les réprimanda rudement. Le sieur Hubaut jeune réveilla le général Bedeau. — Général, vous êtes prisonnier. — Je suis inviolable. — Hors le cas de flagrant délit. — Alors, dit Bedeau, flagrant délit de sommeil. — On le prit au collet et on le traîna dans un fiacre.

En se rencontrant à Mazas, Nadaud serra la main de Greppo, et Lagrange serra la main de Lamoricière. Cela faisait rire les hommes de police. Un nommé Thirion, colonel, la croix de commandeur au cou, assistait à l'écrou des généraux et des représentants. — Regardez-moi donc en face, vous! lui dit Charras. Thirion s'en alla.

Ainsi, sans compter d'autres arrestations qui eurent lieu plus tard, furent emprisonnés, dans la nuit du 2 décembre, seize représentants et soixante-dix-huit citoyens. Les deux agents du crime en rendirent compte à Louis Bonaparte. *Coffrés*, écrivit Morny. *Bouclés*, écrivit Maupas. L'un dans l'argot des salons, l'autre dans l'argot des bagnes ; nuances de langage.

....

Pendant que je m'habillais en hâte, survint un homme en qui j'avais toute confiance. C'était un pauvre brave ouvrier ébéniste sans ouvrage, nommé Girard, à qui j'avais donné asile dans une chambre de ma maison, sculpteur sur bois et point illettré. Il venait de la rue. Il était tremblant.

— Eh bien, lui demandai-je, que dit le peuple ?

Girard me répondit :

— Cela est trouble. La chose est faite de telle sorte qu'on ne la comprend pas. Les ouvriers lisent les affiches, ne soufflent mot, et vont à leur travail. Il y en a un sur cent qui parle. C'est pour dire : Bon! Voici comment cela se présente à eux : La loi du 31 mai est abolie. — C'est bon. — Le suffrage universel est rétabli. — C'est bien. — La majorité réactionnaire est chassée. — A merveille. — Thiers est arrêté. — Parfait. — Changarnier est empoigné. — Bravo! — Autour de chaque affiche il y a des claqueurs. Ratapoil explique son coup d'État à Jacques Bonhomme. Jacques Bonhomme se laisse prendre. Bref, c'est ma conviction, le peuple adhère.

— Soit! dis-je.

— Mais, me demanda Girard, que ferez-vous, monsieur Victor Hugo?

Je tirai mon écharpe d'une armoire et je la lui montrai.

Il comprit.

Nous nous serrâmes la main.

Comme il s'en allait, Carini entra.

Le colonel Carini est un homme intrépide. Il a commandé la cavalerie sous Mieroslawsky dans l'insurrection de Sicile. Il a raconté dans quelques pages émues et enthousiastes cette généreuse insurrection. Carini est un de ces Italiens qui aiment la France comme nous Français nous aimons l'Italie. Tout homme de cœur en ce siècle a deux patries, la Rome d'autrefois et le Paris d'aujourd'hui.

— Dieu merci, me dit Carini, vous êtes encore libre.

Et il ajouta :

— Le coup est fait d'une manière formidable. L'Assemblée est investie. J'en viens. La place de la Révolution, les quais, les Tuileries, les boulevards sont encombrés de troupes. Les soldats ont le sac au dos. Les batteries sont attelées. Si l'on se bat, ce sera terrible.

Je lui répondis : — On se battra.

Et j'ajoutai en riant : — Vous avez prouvé que les

colonels écrivent comme des poètes, maintenant, c'est aux poètes à se battre comme des colonels.

J'entrai dans la chambre de ma femme : elle ne savait rien et lisait paisiblement le journal dans son lit.

J'avais pris sur moi cinq cents francs en or. Je posai sur le lit de ma femme une boîte qui contenait neuf cents francs, tout l'argent qui me restait, et je lui contai ce qui se passait.

Elle pâlit et me dit : — Que vas-tu faire ?

— Mon devoir.

Elle m'embrassa et ne me dit que ce seul mot :

— Fais.

Mon déjeuner était servi. Je mangeai une côtelette en deux bouchées. Comme je finissais, ma fille entra. A la façon dont je l'embrassai, elle s'émut et me demanda :

— Qu'y a-t-il donc ?

— Ta mère te l'expliquera, lui dis-je.

Et je partis.

La rue de la Tour-d'Auvergne était paisible et déserte comme à l'ordinaire. Pourtant il y avait près de ma porte quatre ouvriers qui causaient. Ils me saluèrent.

Je leur criai :

— Vous savez ce qui se passe ?

— Oui, dirent-ils.

— Eh bien ! c'est une trahison. Louis Bonaparte égorge la République. Le peuple est attaqué, il faut que le peuple se défende.

— Il se défendra.

— Vous me le promettez.

Ils s'écrièrent : — Oui !

L'un d'eux ajouta : — Nous vous le jurons.

Ils ont tenu parole. Des barricades ont été faites dans ma rue (rue de la Tour-d'Auvergne), rue des Martyrs, cité Rodier, rue Coquenard et à Notre-Dame de Lorette.

En quittant ces hommes vaillants, je pus lire, à

l'angle de la rue de la Tour-d'Auvergne et de la rue des Martyrs, les trois infâmes affiches placardées pendant la nuit sur les murs de Paris.

Les voici :

PROCLAMATION

DU PRÉSIDENT DE LA RÉPUBLIQUE
APPEL AU PEUPLE

« Français!

« La situation actuelle ne peut durer plus longtemps. Chaque jour qui s'écoule aggrave les dangers du pays. L'Assemblée qui devait être le plus ferme appui de l'ordre est devenue un foyer de complots. Le patriotisme de trois cents de ses membres n'a pu arrêter ses fatales tendances. Au lieu de faire des lois dans l'intérêt général, elle forge des armes pour la guerre civile ; elle attente aux pouvoirs que je tiens directement du Peuple ; elle encourage toutes les mauvaises passions ; elle compromet le repos de la France ; je l'ai dissoute, et je rends le Peuple entier juge entre elle et moi.

« La Constitution, vous le savez, avait été faite dans le but d'affaiblir d'avance le pouvoir que vous alliez me confier. Six millions de suffrages furent une éclatante protestation contre elle, et cependant je l'ai fidèlement observée. Les provocations, les calomnies, les outrages m'ont trouvé impassible. Mais aujourd'hui que le pacte fondamental n'est plus respecté de ceux-là mêmes qui l'invoquent sans cesse, et que les hommes qui ont perdu deux monarchies veulent me lier les mains, afin de renverser la République, mon devoir est de déjouer leurs perfides projets, de maintenir la République et de sauver le pays en invoquant le jugement solennel du seul souverain que je reconnaisse en France : le Peuple.

« Je fais donc appel loyal à la nation tout entière, et je vous dis : Si vous voulez continuer cet état de malaise qui nous dégrade et compromet notre avenir, choisissez un autre à ma place, car je ne veux plus d'un pouvoir qui est impuissant à faire le bien, me rend responsable d'actes que je ne puis empêcher et m'enchaîne au gouvernail quand je vois le vaisseau courir vers l'abîme.

« Si, au contraire, vous avez encore confiance en moi, donnez-moi les moyens d'accomplir la grande mission que je tiens de vous.

« Cette mission consiste à fermer l'ère des révolutions en satisfaisant les besoins légitimes du peuple et en le protégeant contre les passions subversives. Elle consiste surtout à créer des institutions qui survivent aux hommes et qui soient enfin des fondations sur lesquelles on puisse asseoir quelque chose de durable.

« Persuadé que l'instabilité du pouvoir, que la prépondérance d'une seule Assemblée sont des causes permanentes de trouble et de discorde, je soumets à vos suffrages les bases fondamentales suivantes d'une Constitution que les Assemblées développeront plus tard :

« 1° Un chef responsable, nommé pour dix ans ;

« 2° Des ministres dépendant du pouvoir exécutif seul ;

« 3° Un conseil d'État formé des hommes les plus distingués, préparant les lois et en soutenant la discussion devant le Corps législatif ;

« 4° Un Corps législatif discutant et votant les lois, nommé par le suffrage universel, sans scrutin de liste qui fausse l'élection ;

« 5° Une seconde Assemblée formée de toutes les illustrations du pays, pouvoir pondérateur, gardien du pacte fondamental et des libertés publiques.

« Ce système, créé par le premier consul au commencement du siècle, a déjà donné à la France le repos et la prospérité ; il les lui garantirait encore.

« Telle est ma conviction profonde. Si vous la partagez, déclarez-le par vos suffrages. Si, au contraire, vous préférez un gouvernement sans force, monarchique ou républicain, emprunté à je ne sais quel passé ou à quel avenir chimérique, répondez négativement.

« Ainsi donc, pour la première fois depuis 1804, vous voterez en connaissance de cause, en sachant bien pour qui et pour quoi.

« Si je n'obtiens pas la majorité de vos suffrages, alors je provoquerai la réunion d'une nouvelle Assemblée, et je lui remettrai le mandat que j'ai reçu de vous.

« Mais si vous croyez que la cause dont mon nom est le symbole, c'est-à-dire la France régénérée par la Révolution de 89 et organisée par l'Empereur, est toujours la vôtre, proclamez-le en consacrant les pouvoirs que je vous demande.

« Alors la France et l'Europe seront préservées de l'anarchie, les obstacles s'aplaniront, les rivalités auront disparu, car tous respecteront, dans l'arrêt du Peuple, le décret de la Providence.

« Fait au palais de l'Élysée, le 2 décembre 1851.

« LOUIS-NAPOLÉON BONAPARTE. »

PROCLAMATION

DU PRÉSIDENT DE LA RÉPUBLIQUE A L'ARMÉE

« Soldats!

« Soyez fiers de votre mission ; vous sauverez la patrie, car je compte sur vous, non pour violer les lois, mais pour faire respecter la première loi du pays : la souveraineté nationale, dont je suis le légitime représentant.

« Depuis longtemps vous souffriez comme moi des obstacles qui s'opposaient et au bien que je voulais faire et aux démonstrations de vos sympathies en ma faveur. Ces obstacles sont brisés.

« L'Assemblée a essayé d'attenter à l'autorité que je tiens de la nation entière, elle a cessé d'exister.

« Je fais un loyal appel au peuple et à l'armée et je lui dis : « Ou donnez-moi les moyens d'assurer votre prospérité, ou choisissez un autre à ma place.

« En 1830 comme en 1848, on vous a traités en vaincus. Après avoir flétri votre désintéressement héroïque, on a dédaigné de consulter vos sympathies et vos vœux, et cependant vous êtes l'élite de la nation. Aujourd'hui, en ce moment solennel, je veux que l'armée fasse entendre sa voix.

« Votez donc librement comme citoyens ; mais comme soldats, n'oubliez pas que l'obéissance passive aux ordres du chef du gouvernement est le devoir rigoureux de l'armée, depuis le général jusqu'au soldat.

« C'est à moi, responsable de mes actions devant le peuple et devant la postérité, de prendre les mesures qui me semblent indispensables pour le bien public.

« Quant à vous, restez inébranlables dans les règles de la discipline et de l'honneur. Aidez, par votre attitude imposante, le pays à manifester sa volonté dans le calme et la réflexion.

« Soyez prêts à réprimer toute tentative contre le libre exercice de la souveraineté du peuple.

« Soldats, je ne vous parle pas des souvenirs que mon nom rappelle. Ils sont gravés dans vos cœurs. Nous sommes unis par des liens indissolubles Votre histoire est la mienne. Il y a entre nous, dans le passé, communauté de gloire et de malheur.

« Il y aura dans l'avenir communauté de sentiments

et de résolutions pour le repos et la grandeur de la France.

« Fait au palais de l'Élysée, le 2 décembre 1851.

« Signé : L.-N. BONAPARTE. »

AU NOM DU PEUPLE FRANÇAIS

Le président de la République décrète :

ARTICLE PREMIER.

L'Assemblée nationale est dissoute.

ART. 2.

Le suffrage universel est rétabli. La loi du 31 mai est abrogée.

ART. 3.

Le peuple français est convoqué dans ses comices, à partir du 14 décembre jusqu'au 21 décembre suivant.

ART. 4.

L'état de siège est décrété dans l'étendue de la première division militaire.

ART. 5.

Le conseil d'État est dissous.

ART. 6.

Le ministre de l'intérieur est chargé de l'exécution du présent décret.

Fait au palais de l'Élysée, le 2 décembre 1851.

LOUIS-NAPOLÉON BONAPARTE.
Le ministre de l'intérieur,
DE MORNY.

A sept heures du matin, le pont de la Concorde était encore libre ; la grande grille du palais de l'Assemblée était fermée ; à travers les barreaux, on voyait les marches du perron, de ce perron où la République avait été proclamée le 4 mai 1848, couvertes de soldats, et on distinguait les faisceaux formés sur la plate-forme derrière ces hautes colonnes qui, du temps de la Constituante, après le 15 mai et le 23 juin, masquaient de petits obusiers de montagne chargés et braqués.

Un portier à collet rouge, portant la livrée de l'Assemblée, se tenait à la petite porte de la grille. De moment en moment des représentants arrivaient. Le portier disait : — Ces messieurs sont représentants ? — et ouvrait. Quelquefois il leur demandait leurs noms.

On entrait sans obstacle chez M. Dupin. A la grande galerie, à la salle à manger, au salon d'honneur de la présidence, on trouvait des valets en livrée qui ouvraient silencieusement les portes comme à l'ordinaire.

Avant le jour, immédiatement après l'arrestation des questeurs, MM. Baze et Leflô, M. de Panat, seul questeur resté libre, ménagé ou dédaigné comme légitimiste, était venu éveiller M. Dupin, et l'avait invité à convoquer immédiatement les représentants à domicile. M. Dupin avait fait cette réponse inouïe : — Je n'y vois pas d'urgence.

Presque en même temps que M. de Panat, était accouru le représentant Jérôme Bonaparte. Il avait sommé M. Dupin de se mettre à la tête de l'Assemblée. M. Dupin avait répondu : Je ne puis, je suis gardé. Jérôme Bonaparte éclata de rire. On n'avait en effet pas même daigné mettre un factionnaire à la porte de M. Dupin. On le savait gardé par sa bassesse.

Ce fut plus tard, vers midi seulement, qu'on eut pitié de lui. On sentit que c'était trop de mépris, et on lui accorda deux sentinelles.

A sept heures et demie, quinze ou vingt représentants, et entre autres MM. Eugène Sue, Joret, de Rességuier et de Talhouet, étaient réunis dans le salon de M. Dupin. Ils avaient, eux aussi, fait de vains efforts sur le président. Dans l'embrasure d'une fenêtre un membre spirituel de la majorité, M. Desmousseaux de Givré, un peu sourd et très furieux, se querellait presque avec un représentant de la droite comme lui, qu'il supposait, à tort, favorable au coup d'État.

M. Dupin, séparé du groupe des représentants, seul, vêtu de noir, les mains derrière le dos, la tête basse, se promenait de long en large devant la cheminée où un grand feu était allumé. On parlait tout haut chez lui de lui devant lui, il semblait ne pas entendre.

Deux membres de la gauche survinrent, Benoît (du Rhône) et Crestin. Crestin entra dans le salon, alla droit à M. Dupin, et lui dit : — Monsieur le président, vous savez ce qui se passe ? Comment se fait-il que l'Assemblée ne soit pas encore convoquée ?

M. Dupin s'arrêta et répondit avec ce geste du dos qui lui était familier :

— Il n'y a rien à faire.

Puis, il se remit à se promener.

— C'est assez, dit M. de Rességuier.

— C'est trop, dit Eugène Sue.

Tous les représentants sortirent.

Cependant le pont de la Concorde se couvrait de troupes. Le général Vast-Vimeux, maigre, vieux, petit, ses cheveux blancs plats collés sur les tempes, en grand uniforme, son chapeau bordé sur la tête, chargé de deux grosses épaulettes, étalant son écharpe, non de représentant, mais de général, laquelle écharpe, trop longue, traînait à terre, parcourait à pied le pont, et jetait aux soldats des cris inarticulés d'enthousiasme pour l'Empire et le coup d'État. On voyait de ces figures-là en 1814.

Seulement, au lieu de porter une grosse cocarde tricolore, elles portaient une grosse cocarde blanche. Au
fond, même phénomène : des vieux criant : Vive le
passé! Presque au même moment, M. de Larocheja-
quelein traversait la place de la Concorde entouré d'une
centaine d'hommes en blouse qui le suivaient en silence
et avec un air de curiosité. Plusieurs régiments de cavalerie étaient échelonnés dans la grande avenue des
Champs-Élysées.

A huit heures, des forces formidables investissaient
le palais législatif. Tous les abords en étaient gardés,
toutes les portes en étaient fermées. Cependant quelques
représentants parvenaient encore à s'introduire dans
l'intérieur du palais, non, comme on l'a raconté à tort,
par le passage de l'hôtel du président du côté de l'esplanade des Invalides, mais par la petite porte de la rue de
Bourgogne, dite Porte-Noire. Cette porte, par je ne sais
quel oubli ou je ne sais quelle combinaison, resta ouverte
le 2 décembre, jusque vers midi. La rue de Bourgogne
était cependant pleine de troupes. Des pelotons épars
çà et là, rue de l'Université, laissaient circuler les passants, qui étaient rares.

Les représentants qui s'introduisaient par la porte
de la rue de Bourgogne pénétraient jusque dans la salle
des Conférences où ils rencontraient leurs collègues sortis de chez M. Dupin.

Il y eut bientôt dans cette salle un groupe assez nombreux d'hommes de toutes les fractions de l'Assemblée,
parmi lesquels MM. Eugène Sue, Richardet, Fayolle,
Joret, Marc Dufraisse, Benoît (du Rhône), Canet, Gambon, d'Adelsward, Crépu, Répellin, Teillard-Latérisse,
Rantion, le général Leydet, Paulin Durrieu, Chanay,
Brilliez, Collas (de la Gironde), Monet, Gaston, Favreau
et Albert de Rességuier.

Chaque survenant consultait M. de Panat.

— Où sont les vice-présidents?

— En prison.

— Et les deux autres questeurs?

— Aussi. — Et je vous prie de croire, messieurs, ajoutait M. de Panat, que je ne suis pour rien dans l'affront qu'on m'a fait en ne m'arrêtant pas.

L'indignation était au comble; toutes les nuances se confondaient dans le même sentiment de dédain et de colère, et M. de Rességuier n'était pas moins énergique qu'Eugène Sue. Pour la première fois l'Assemblée semblait n'avoir qu'un cœur et qu'une voix. Chacun disait enfin de l'homme de l'Élysée ce qu'il en pensait, et l'on s'aperçut alors que depuis longtemps Louis Bonaparte avait, sans qu'on s'en rendît compte, créé dans l'Assemblée une parfaite unanimité, l'unanimité du mépris.

M. Colas (de la Gironde) gesticulait et narrait. Il venait du ministère de l'intérieur, il avait vu M. de Morny, il lui avait parlé, il était, lui M. Colas, outré du crime de M. Bonaparte. — Depuis, ce crime l'a fait conseiller d'État.

M. de Panat allait et venait dans les groupes, annonçant aux représentants qu'il avait convoqué l'Assemblée pour une heure. Mais il était impossible d'attendre jusque-là. Le temps pressait. Au Palais-Bourbon comme rue Blanche, c'était le sentiment général, chaque heure qui s'écoulait accomplissait le coup d'État, chacun sentait comme un remords le poids de son silence ou de son inaction; le cercle de fer se resserrait, le flot des soldats montait sans cesse et envahissait silencieusement le palais; à chaque instant on trouvait, à une porte, libre le moment d'auparavant, une sentinelle de plus. Cependant le groupe des représentants réunis dans la salle des conférences était encore respecté. Il fallait agir, parler, siéger, lutter, et ne pas perdre une minute.

Gambon dit: Essayons encore de Dupin; il est notre

homme officiel ; nous avons besoin de lui. On alla le chercher. On ne le trouva pas. Il n'était plus là ; il avait disparu, il était absent, caché, tapi, blotti, enfoui, évanoui, enterré. Où ? Personne ne le savait. La lâcheté a des trous inconnus.

Tout à coup un homme entra dans la salle, un homme étranger à l'Assemblée, en uniforme, avec l'épaulette d'officier supérieur et l'épée au côté. C'était un chef de bataillon du 42e qui venait sommer les représentants de sortir de chez eux. Tous, les royalistes comme les républicains, se ruèrent sur lui, c'est l'expression d'un témoin oculaire indigné. Le général Leydet lui adressa de ces paroles qui ne tombent pas dans l'oreille, mais sur la joue.

— Je fais mon métier ; j'exécute ma consigne, balbutiait l'officier.

— Vous êtes un imbécile si vous croyez que vous faites votre métier, lui cria Leydet, et vous êtes un misérable si vous savez que vous faites un crime ! Entendez-vous ce que je vous dis ? fâchez-vous, si vous l'osez.

L'officier refusa de s'irriter et reprit : — Ainsi, messieurs, vous ne voulez pas vous retirer ?

— Non.

— Je vais chercher la force.

— Soit.

Il sortit, et en réalité alla chercher des ordres au ministère de l'intérieur.

Les représentants attendirent dans cette espèce de trouble indescriptible qu'on pourrait appeler la suffocation du droit devant la violence.

Bientôt un d'eux, qui était sorti, rentra précipitamment et les avertit que deux compagnies de gendarmerie mobile arrivaient le fusil au poing.

Marc Dufraisse s'écria :

— Que l'attentat soit complet ! que le coup d'État

vienne nous trouver sur nos sièges! Allons à la salle des séances! Il ajouta : Puisque nous y sommes, donnons-nous le spectacle réel et vivant d'un 18 brumaire.

Ils se rendirent tous à la salle des séances. Le passage était libre. La salle Casimir-Perier n'était pas encore occupée par la troupe.

Ils étaient soixante environ. Plusieurs avaient ceint leurs écharpes. Ils entrèrent avec une sorte de recueillement dans la salle.

Là, M. de Rességuier, dans une bonne intention d'ailleurs, et afin de former un groupe plus compact, insista pour que tous s'installassent au côté droit.

— Non, dit Marc Dufraisse, chacun à son banc. Ils se dispersèrent dans la salle, chacun à sa place ordinaire.

M. Monet, qui siégeait sur un des bancs inférieurs du centre gauche, tenait dans ses mains un exemplaire de la Constitution.

Quelques minutes s'écoulèrent. Personne ne parlait. C'était ce silence de l'attente qui précède les actes décisifs et les crises finales, et pendant lequel chacun semble écouter respectueusement les dernières instructions de sa conscience.

Tout à coup des soldats de gendarmerie mobile, précédés d'un capitaine le sabre nu, paraissent sur le seuil. La salle des séances était violée. Les représentants se levèrent de tous les bancs à la fois, criant : Vive la République! puis ils se rassirent.

Le représentant Monet resta seul debout, et d'une voix haute et indignée, qui retentissait comme un clairon dans la salle vide, ordonna aux soldats de s'arrêter.

Les soldats s'arrêtèrent, regardant les représentants d'un air ahuri.

Les soldats n'encombraient encore que le couloir de gauche, et ils n'avaient pas dépassé la tribune.

Alors le représentant Monet lut les articles 36, 37 et 68 de la Constitution.

Les articles 36 et 37 consacraient l'inviolabilité des représentants. L'article 68 destituait le président dans le cas de trahison.

Ce moment fut solennel. Les soldats écoutaient silencieusement.

Les articles lus, le représentant d'Adelsward, qui siégeait au premier banc inférieur de la gauche et qui était le plus près des soldats, se tourna vers eux et leur dit :

— Soldats, vous le voyez, le président de la République est un traître et veut faire de vous des traîtres. Vous violez l'enceinte sacrée de la représentation nationale. Au nom de la Constitution, au nom des lois, nous vous ordonnons de sortir.

Pendant qu'Adelsward parlait, le chef de bataillon commandant la gendarmerie mobile était entré.

— Messieurs, dit-il, j'ai ordre de vous inviter à vous retirer, et si vous ne vous retirez pas, de vous expulser.

— L'ordre de nous expulser! s'écria Adelsward ; et tous les représentants ajoutèrent : L'ordre de qui? Voyons l'ordre! Qui a signé l'ordre?

Le commandant tira un papier et le déplia. A peine l'eut-il déplié qu'il fit un mouvement pour le remettre dans sa poche ; mais le général Leydet s'était jeté sur lui et lui avait saisi le bras. Plusieurs représentants se penchèrent, et on lut l'ordre d'expulsion de l'Assemblée, signé FORTOUL, *ministre de la marine.*

Marc Dufraisse se tourna vers les gendarmes mobiles et leur cria :

— Soldats! votre seule présence ici est une forfaiture. Sortez!

Les soldats semblaient indécis. Mais tout à coup une seconde colonne déboucha par la porte de droite, et, sur un geste du commandant, le capitaine cria :

— En avant! F.....-les tous dehors!

Alors commença on ne sait quelle lutte corps à corps entre les gendarmes et les législateurs. Les soldats, le fusil au poing, entrèrent dans les bancs du sénat. Repellin, Chanay, Rantion furent violemment arrachés de leurs sièges. Deux gendarmes se ruèrent sur Marc Dufraisse, deux sur Gambon. Ils se débattirent longtemps au premier banc de droite, à la place même où avaient coutume de siéger MM. Odilon Barrot et Abbatucci. Paulin Durrieu résista à la violence par la force ; il fallut trois hommes pour le détacher de son banc. Monet fut renversé sur la banquette des commissaires. Ils saisirent d'Adelsward à la gorge, et le jetèrent hors de la salle. Richardet, infirme, fut culbuté et brutalisé. Quelques-uns furent touchés par la pointe des baïonnettes ; presque tous eurent leurs vêtements déchirés.

Le commandant criait aux soldats : Faites le râteau!

Ce fut ainsi que soixante représentants du peuple furent pris au collet par le coup d'État et chassés de leurs sièges. La voie de fait compléta la trahison. L'acte matériel fut digne de l'acte moral.

Les trois derniers qui sortirent furent Fayolle, Teillard-Latérisse et Paulin Durrieu.

On leur laissa passer la grande porte du palais et ils se trouvèrent place Bourgogne.

La place Bourgogne était occupée par le 42e de ligne sous les ordres du colonel Garderens.

Entre le palais et la statue de la République qui occupait le centre de la place, une pièce de canon était braquée sur l'Assemblée, en face de la grande porte.

A côté de la pièce, des chasseurs de Vincennes chargeaient leurs armes et déchiraient des cartouches.

Le colonel Garderens était à cheval près d'un groupe de soldats qui attira l'attention des représentants Teillard-Latérisse, Fayolle et Paulin Durrieu.

Au milieu de ce groupe se débattaient énergiquement trois hommes arrêtés criant : Vive la Constitution! Vive la République !

Fayolle, Paulin Durrieu et Teillard-Latérisse s'approchèrent et reconnurent dans les trois prisonniers trois membres de la majorité, les représentants Toupet des Vignes, Radoubt-Lafosse et Arbey.

Le représentant Arbey réclamait vivement. Comme il élevait la voix, le colonel Garderens lui coupa la parole en ces termes qui méritent d'être conservés :

— Taisez-vous! un mot de plus, je vous fais crosser!

Les trois représentants de la gauche, indignés, sommèrent le colonel de relâcher leurs collègues.

— Colonel, dit Fayolle, vous violez trois fois la loi.

— Je vais la violer six fois, répondit le colonel ; et il fit arrêter Fayolle, Paulin Durrieu et Teillard-Latérisse.

Les soldats reçurent l'ordre de les conduire au poste du palais en construction pour le ministère des affaires étrangères.

Chemin faisant, les six prisonniers, marchant entre deux files de bayonnettes, rencontrèrent trois de leurs collègues, les représentants Eugène Sue, Chanay et Benoist (du Rhône).

Eugène Sue barra le passage à l'officier qui commandait le détachement et lui dit :

— Nous vous sommons de mettre nos collègues en liberté.

— Je ne puis, répondit l'officier.

— En ce cas, complétez vos crimes, dit Eugène Sue. Nous vous sommons de nous arrêter, nous aussi.

L'officier les arrêta.

On les mena au poste du ministère projeté des affaires étrangères et de là plus tard à la caserne du quai d'Orsay. Ce ne fut qu'à la nuit que deux compagnies de ligne vinrent les chercher pour les transférer à ce dernier gîte.

Tout en les faisant placer entre les soldats, l'officier commandant les salua jusqu'à terre et leur dit avec politesse : — Messieurs, les armes de mes hommes sont chargées.

L'évacuation de la salle s'était faite, comme nous l'avons dit, tumultueusement, les soldats poussant les représentants devant eux par toutes les issues.

Les uns, et dans le nombre ceux dont nous venons de parler, sortirent par la rue de Bourgogne, les autres furent entraînés par la salle des Pas-Perdus vers la grille qui fait face au pont de la Concorde [1].

La salle des Pas-Perdus a pour antichambre une espèce de salle-carrefour sur laquelle s'ouvrent l'escalier des tribunes hautes, et plusieurs portes, entre autres la grande porte vitrée de la galerie qui aboutit aux appartements du président de l'Assemblée.

Parvenus à cette salle-carrefour qui est contiguë à la petite rotonde où est la porte latérale de sortie du palais, les soldats laissèrent libres les représentants.

Il se forma là en quelques instants un groupe dans lequel les représentants Canet et Favreau prirent la parole. Un cri s'éleva : Allons chercher Dupin, traînons-le ici, s'il le faut !

On ouvrit la porte vitrée et l'on se précipita dans la galerie. Cette fois, M. Dupin était chez lui. M. Dupin, ayant appris que les gendarmes avaient fait évacuer la salle, était sorti de sa cachette. L'Assemblée étant terrassée, Dupin se dressait debout. La loi étant prisonnière, cet homme se sentait délivré.

---

1. Cette grille, fermée le 2 décembre, ne s'est rouverte que le 12 mars pour M. Louis Bonaparte venant visiter les travaux de la salle du Corps législatif.

Le groupe de représentants conduit par MM. Canet et Favreau le trouva dans son cabinet.

Là s'engagea un dialogue. Les représentants sommèrent le président de se mettre à leur tête et de rentrer dans la salle, lui l'homme de l'Assemblée, avec eux les hommes de la Nation.

M. Dupin refusa net, tint bon, fut très ferme, se cramponna héroïquement à son néant.

— Que voulez-vous que je fasse ? disait-il, mêlant à ses protestations effarées force axiomes de droit et citations latines, instinct des oiseaux jaseurs qui débitent tout leur répertoire quand ils ont peur. Que voulez-vous que je fasse ? Qui suis-je ? Que puis-je ? je ne suis rien. Personne n'est plus rien. *Ubi nihil, nihil.* La force est là. Où il y a la force, le peuple perd ses droits. *Novus nascitur ordo.* Prenez-en votre parti. Je suis bien obligé de me résigner, moi. *Dura lex, sed lex.* Loi selon la nécessité, entendons-nous bien, et non selon le droit. Mais qu'y faire ? Qu'on me laisse tranquille. Je ne peux rien, je fais ce que je peux. Ce n'est pas la bonne volonté qui me manque. Si j'avais quatre hommes et un caporal, je les ferais tuer.

— Cet homme ne connaît que la force, dirent les représentants ; eh bien, usons de la force.

On lui fit violence, on lui passa une écharpe comme une corde autour du cou, et, comme on l'avait dit, on le traîna vers la salle, se débattant, réclamant la « liberté », se lamentant, se rebiffant — je dirais ruant, si le mot n'était pas noble.

Quelques minutes après l'évacuation, cette salle des Pas-Perdus qui venait de voir passer les représentants empoignés par les gendarmes, vit passer M. Dupin empoigné par les représentants.

On n'alla pas loin. Les soldats barraient la grande porte verte à deux battants. Le colonel Espinasse accourut, le commandant de la gendarmerie accourut. On voyait passer de la poche du commandant les pommeaux d'une paire de pistolets.

Le colonel était pâle, le commandant était pâle, M. Dupin était blême. Des deux côtés on avait peur. M. Dupin avait peur du colonel ; le colonel, certes, n'avait pas peur de M. Dupin, mais derrière cette risible et misérable figure il voyait se dresser quelque chose de terrible, son crime, et il tremblait. Il y a dans Homère une scène où Némésis apparaît derrière Thersite.

M. Dupin resta quelques moments interdit, abruti et muet.

Le représentant Gambon lui cria :

— Parlez donc, monsieur Dupin, la gauche ne vous interrompt pas.

Alors, la parole des représentants dans les reins, la bayonnette des soldats devant la poitrine, le malheureux parla. Ce qui sortit de sa bouche en ce moment, ce que le président de l'Assemblée souveraine de France balbutia devant les gendarmes à cette minute suprême, on ne saurait le recueillir.

Ceux qui ont entendu ces derniers hoquets de la lâcheté agonisante se sont hâtés d'en purifier leurs oreilles. Il paraît pourtant qu'il bégaya quelque chose comme ceci :
— Vous êtes la force, vous avez des bayonnettes, j'invoque le droit, et je m'en vais. J'ai l'honneur de vous saluer.

Il s'en alla.

On le laissa s'en aller. Au moment de sortir, il se retourna, et laissa encore tomber quelques mots. Nous ne les ramasserons pas. L'histoire n'a pas de hotte.

Pendant que ceci se passait sur la rive gauche, vers midi, on remarquait dans la grande salle des Pas-Perdus du Palais de justice un homme qui allait et venait. Cet homme soigneusement boutonné dans son paletot, semblait accompagné à distance de plusieurs souteneurs

possibles ; de certaines aventures de police ont des
auxiliaires dont la figure à double sens inquiète les
passants, si bien qu'on se demande : Sont-ce des magistrats?
sont-ce des voleurs? L'homme au paletot boutonné errait
de porte en porte, de couloir en couloir, échangeant des
signes d'intelligence avec les espèces d'estafiers qui le
suivaient, puis revenait dans la grande salle, arrêtait
au passage les avocats, les avoués, les huissiers, les commis-
greffiers, les garçons de salle, et répétait à tous à voix
basse de façon à ne pas être entendu des passants, la
même question ; à cette question les uns répondaient :
oui ; non, disaient les autres. Et l'homme se remettait à
rôder dans le Palais de justice avec la mine d'un limier
en quête.

C'était le commissaire de police de l'Arsenal.

Que cherchait-il ?

La haute cour.

Que faisait la haute cour ?

Elle se cachait.

Pour quoi faire ? Pour juger ?

Oui et non.

Le commissaire de police de l'Arsenal avait reçu le
matin du préfet Maupas l'ordre de chercher partout où
elle serait la haute cour de justice, si par aventure elle
croyait devoir se réunir. Confondant la haute cour avec
le conseil d'État, le commissaire de police était allé d'abord
au quai d'Orsay. N'y ayant rien trouvé, pas même le
conseil d'État, il était revenu à vide et s'était dirigé à
tout hasard vers le Palais de justice, pensant que puisqu'il avait à chercher la justice, il la trouverait peut-être
là.

Ne la trouvant pas, il s'en alla.

La haute cour s'était pourtant réunie.

Où et comment ? on va le voir :

A l'époque dont nous écrivons en ce moment l'histoire,

avant les reconstructions actuelles des vieux édifices de Paris, quand on abordait le Palais de justice par la cour de Harlay, un escalier peu majestueux vous conduisait en tournant dans un long corridor, nommé galerie Mercière. Vers le milieu de ce corridor, on rencontrait deux portes, l'une à droite qui menait à la cour d'appel, l'autre à gauche qui menait à la cour de cassation. La porte de gauche ouvrait à deux battants sur une ancienne galerie, dite de Saint-Louis, récemment restaurée et qui sert aujourd'hui de salle des Pas-Perdus aux avocats de la Cour de cassation. Une statue de saint Louis en bois faisait face à la porte d'entrée. Une entrée, pratiquée dans un pan coupé à droite de cette statue, débouchait sur un couloir tournant terminé par une sorte de cul-de-sac que fermaient en apparence deux doubles portes. Sur la porte de droite on lisait : *Cabinet de M. le premier président* ; sur la porte de gauche : *Chambre du conseil*. Entre les deux portes on avait ménagé, pour servir de passage aux avocats qui allaient à la salle de la chambre civile, qui est l'ancienne grand-chambre du parlement, une sorte de boyau étroit et obscur dans lequel, selon l'expression de l'un d'eux, *on aurait pu commettre tous les crimes impunément.*

Si on laissait de côté le cabinet du premier président et si l'on ouvrait la porte sur laquelle était écrit *Chambre du Conseil*, on traversait une grande pièce, meublée d'une vaste table en fer à cheval qu'entouraient des chaises vertes. Au fond de cette chambre, qui servait en 1793 de salle de délibération aux jurés du tribunal révolutionnaire, une porte coupée dans la boiserie donnait entrée dans un petit couloir où l'on trouvait deux portes, à droite la porte du cabinet du président de la chambre criminelle, à gauche la porte de la buvette. — *A mort*, et *Allons dîner!* — Ces choses se touchent depuis des siècles. Une troisième porte fermait l'extrémité de ce couloir. Cette porte était, pour ainsi dire, la dernière du Palais de justice, la plus lointaine, la plus inconnue, la plus perdue ; elle s'ouvrait sur ce qu'on appelle la bibliothèque de la cour de cassation, spacieuse salle en forme d'équerre, éclairée de deux fenêtres donnant sur le grand préau intérieur de la Conciergerie, meublée de quelques chaises de cuir, d'une grande table à tapis vert, et de livres de droit couvrant les murs du plancher jusqu'au plafond.

Cette salle, on le voit, est la plus retirée et la plus cachée qu'il y ait dans le palais.

Ce fut là, dans cette salle, qu'arrivèrent successivement le 2 décembre, vers onze heures du matin, plusieurs hommes vêtus de noir, sans robes, sans insignes, effarés, désorientés, hochant la tête et se parlant bas. Ces hommes tremblants, c'était la haute cour de justice.

La haute cour de justice se composait, aux termes de la Constitution, de sept magistrats : un président, quatre juges et deux suppléants, choisis par la cour de cassation parmi ses propres membres et renouvelés tous les ans.

En décembre 1851 ces sept juges s'appelaient Hardouin, Pataille, Moreau, Delapalme, Cauchy, Grandet et Quesnault, les deux derniers suppléants.

Ces hommes, à peu près obscurs, avaient des antécédents quelconques. M. Cauchy, il y a quelques années président de chambre à la cour royale de Paris, homme doux et facilement effrayé, était le frère du mathématicien membre de l'Institut, à qui l'on doit le calcul des ondes sonores, et de l'ancien greffier archiviste de la Chambre des pairs. M. Delapalme avait été avocat général, fort mêlé aux procès de presse sous la Restauration ; M. Pataille avait été député du centre sous la monarchie de Juillet ; M. Moreau (de la Seine) était remarquable en cela qu'on l'avait surnommé *de la Seine* pour le distinguer de M. Moreau (de la Meurthe), lequel de son côté était remarquable en ceci qu'on l'avait surnommé *de la Meurthe*

pour le distinguer de M. Moreau (de la Seine). Le premier
suppléant, M. Grandet, avait été président de chambre
à Paris. J'ai lu de lui cet éloge : « On ne lui connaît ni
caractère ni opinion quelconque. » Le second suppléant,
M. Quesnault, libéral, député, fonctionnaire, avocat général, conservateur, docte, obéissant, était parvenu, se
faisant de tout un échelon, à la chambre criminelle de la
cour de cassation, où il se signalait parmi les sévères.
1848 avait choqué sa notion du droit ; il avait donné
sa démission après le 24 février ; il ne l'a pas donnée après
le 2 décembre.

M. Hardouin, qui présidait la haute cour, était un
ancien président d'assises, homme religieux, janséniste
rigide, noté parmi ses collègues comme « magistrat scrupu-
leux », vivant dans Port-Royal, lecteur assidu de Nicole,
de la race des vieux parlementaires du Marais, qui allaient
au Palais de justice montés sur une mule ; la mule était
maintenant passée de mode, et qui fût allé chez le président Hardouin n'eût pas plus trouvé l'entêtement dans
son écurie que dans sa conscience.

Le matin du 2 décembre, à neuf heures, deux hommes
montaient l'escalier de M. Hardouin, rue de Condé, nº 10,
et se rencontraient à sa porte. L'un était M. Pataille ;
l'autre, un des membres les plus considérables du barreau
de la cour de cassation, l'ancien constituant Martin
(de Strasbourg). M. Pataille venait se mettre à la disposition de M. Hardouin.

La première pensée de Martin (de Strasbourg), en
lisant les affiches du coup d'État, avait été pour la haute
cour. M. Hardouin fit passer M. Pataille dans une pièce
voisine de son cabinet et reçut Martin (de Strasbourg)
comme un homme auquel on ne désire pas parler devant
témoins. Mis en demeure par Martin (de Strasbourg) de
convoquer la haute cour, il pria qu'on le laissât « faire » ;
déclara que la haute cour « ferait son devoir » ; mais qu'il

fallait avant tout qu'il « conférât avec ses collègues », et termina par ce mot : — *Ce sera fait aujourd'hui ou demain.*
— Aujourd'hui ou demain ! s'écria Martin (de Strasbourg) ; monsieur le président, le salut de la république, le salut du pays dépend peut-être de ce que la haute cour fera ou ne fera pas. Votre responsabilité est considérable, songez-y. Quand on est la haute cour de justice, on ne fait pas son devoir aujourd'hui ou demain, on le fait tout de suite, sur l'heure, sans perdre une minute, sans hésiter un instant.

Martin (de Strasbourg) avait raison, la justice c'est toujours aujourd'hui.

Martin (de Strasbourg) ajouta : — S'il vous faut un homme pour les actes énergiques, je m'offre. — M. Hardouin déclina l'offre, affirma qu'il ne perdrait pas un moment, et pria Martin (de Strasbourg) de le laisser « conférer » avec son collègue M. Pataille.

Il convoqua en effet la haute cour pour onze heures, et il fut convenu qu'on se réunirait dans la salle de la bibliothèque.

Les juges furent exacts. A onze heures et quart ils étaient tous réunis. M. Pataille arriva le dernier.

Ils prirent séance au bout de la grande table verte. Ils étaient seuls dans la bibliothèque.

Nulle solennité. Le président Hardouin ouvrit ainsi la délibération : — Messieurs, il n'y a point à exposer la situation, tout le monde sait de quoi il s'agit.

L'article 68 de la Constitution était impérieux. Il avait fallu que la haute cour se réunît, *sous peine de forfaiture.* On gagna du temps, on constitua, on nomma greffier de la haute cour M. Bernard, greffier en chef de la cour de cassation, on l'envoya chercher, et en l'attendant on pria le bibliothécaire, M. Denevers, de tenir la plume. On convint d'une heure et d'un lieu où l'on se réunirait le soir. On s'entretint de la démarche du constituant Martin (de Strasbourg), dont on se fâcha presque comme d'un coup de coude donné par la politique à la justice. On parla un peu du socialisme, de la montagne et de la république rouge, et un peu aussi de l'arrêt qu'on avait à prononcer. On causa, on conta, on blâma, on conjectura, on traîna. Qu'attendait-on?

Nous avons raconté ce que le commissaire de police faisait de son côté.

Et, à ce propos, quand on songeait, parmi les complices du coup d'État, que le peuple pouvait, pour sommer la haute cour de faire son devoir, envahir le Palais de justice, et que jamais il n'irait la chercher où elle était, on trouvait cette salle bien choisie ; mais quand on songeait que la police viendrait sans doute aussi pour chasser la haute cour et qu'elle ne parviendrait peut-être pas à la trouver, chacun déplorait à part soi le choix de la salle. On avait voulu cacher la haute cour, on y avait trop réussi. Il était douloureux de penser que peut-être, quand la police et la force armée arriveraient, les choses seraient trop avancées et la haute cour trop compromise.

On avait constitué un greffe, maintenant il fallait constituer un parquet. Deuxième pas, plus grave que le premier.

Les juges temporisaient espérant que la chance finirait par se décider d'un côté ou de l'autre, soit pour l'Assemblée, soit pour le président, soit contre le coup d'État, soit pour, et qu'il y aurait un vaincu ; et que la haute cour pourrait alors en toute sécurité mettre la main sur le collet de quelqu'un.

Ils débattirent longuement la question de savoir s'ils décréteraient immédiatement le président d'accusation ou s'ils rendraient un simple arrêt d'information. Ce dernier parti fut adopté.

Ils rédigèrent un arrêt. Non l'arrêt honnête et brutal qui a été placardé par les soins des représentants de la gauche et publié, et où se trouvent ces mots de mauvais goût, *crime* et *haute trahison* ; cet arrêt, arme de guerre, n'a jamais existé autrement que comme projectile. La sagesse, quand on est juge, consiste quelquefois à rendre un arrêt qui n'en est pas un, un de ces arrêts qui n'engagent pas, où l'on met tout au conditionnel, où l'on n'incrimine personne et où l'on ne qualifie rien. Ce sont des espèces d'interlocutoires qui permettent d'attendre et de voir venir ; lorsqu'on est des hommes sérieux, il ne faut pas, dans les conjonctures délicates, mêler inconsidérément aux événements possibles cette brusquerie qu'on appelle la justice. La haute cour s'en rendit compte ; elle rédigea un arrêt prudent ; cet arrêt n'est pas connu ; il est publié ici pour la première fois. Le voici. C'est un chef-d'œuvre du genre oblique.

EXTRAIT

DU REGISTRE DE LA HAUTE COUR DE JUSTICE

« La haute cour de justice,

« Vu l'article 68 de la Constitution ;

« Attendu que des placards imprimés, commençant par ces mots : *Le président de la République...* et portant, à la fin, la signature *Louis-Napoléon Bonaparte* et *de Morny, ministre de l'intérieur*, lesdits placards portant, entre autres mesures, dissolution de l'Assemblée nationale ont été affichés aujourd'hui même, sur les murs de Paris, que ce fait de la dissolution de l'Assemblée nationale par le président de la République serait de nature à réaliser le cas prévu par l'article 68 de la Constitution et rend indispensable aux termes dudit article la réunion de la haute cour ;

« Déclare que la haute cour de justice est constituée,

345

nomme... [1] pour remplir près d'elle les fonctions du ministère public ; pour remplir les fonctions de greffier M. Bernard, greffier en chef de la cour de cassation, et, pour procéder ultérieurement dans les termes dudit article 68 de la Constitution, s'ajourne à demain trois décembre, heure de midi.

« Fait et délibéré en la chambre du conseil, où siégeaient MM. Hardouin, président ; Pataille, Moreau, Delapalme et Cauchy, juges, le 2 décembre 1851. »

Les deux suppléants, MM. Grandet et Quesnault, offrirent de signer l'arrêt, mais le président jugea plus régulier de ne prendre que les signatures des titulaires, les suppléants étant sans qualité quand la cour se trouve au complet.

Cependant il était une heure, la nouvelle commençait à se répandre au Palais qu'un décret de déchéance avait été rendu contre Louis Bonaparte par une portion de l'Assemblée ; un des juges, sorti pendant la délibération, rapporta ce bruit à ses collègues. Ceci coïncida avec un accès d'énergie. Le président fit observer qu'il serait à propos de nommer un procureur-général.

Ici, difficulté. Qui nommer ? Dans tous les procès précédents, on avait toujours choisi pour procureur-général près la Haute Cour le procureur-général près la cour d'appel de Paris. Pourquoi innover ? on s'en tint audit procureur-général de la Cour d'appel. Ce procureur-général était pour l'instant M. de Royer, qui avait été garde des sceaux de M. Bonaparte. Difficulté nouvelle et longue discussion.

M. de Royer accepterait-il ? M. Hardouin se chargea d'aller lui porter l'offre. Il n'y avait que la galerie Mercière à traverser.

M. de Royer était dans son cabinet. L'offre le gêna

(1) On laissa cette ligne en blanc. Elle ne fut remplie que plus tard par le nom de M. Renouard, conseiller à la cour de cassation.

fort. Il resta interdit du choc : accepter, c'était sérieux ; refuser, c'était grave.

La forfaiture était là. Le 2 décembre, à une heure après midi, le coup d'État était encore un crime. M. de Royer, ne sachant pas si la haute trahison réussirait, se hasardait à la qualifier dans l'intimité et baissait les yeux avec une noble pudeur devant cette violation des lois à laquelle, trois mois plus tard, beaucoup de robes de pourpre, y compris la sienne, ont prêté serment. Mais son indignation n'allait pas jusqu'à l'accusation. L'accusation parle tout haut ; M. de Royer n'en était encore qu'au murmure. Il était perplexe.

M. Hardouin comprit cette situation de conscience. Insister eût été excessif. Il se retira.

Il rentra dans la salle où ses collègues l'attendaient. Cependant le commissaire de police de l'Arsenal était revenu.

Il avait fini par réussir à « déterrer » — ce fut son mot — la Haute-Cour. Il pénétra jusqu'à la chambre du conseil de la chambre civile ; il n'avait encore dans ce moment-là d'autre escorte que les quelques agents du matin. Un garçon passait, le commissaire lui demanda la Haute Cour. — La Haute Cour ? dit le garçon, qu'est-ce que c'est que ça ? — A tout hasard le garçon avertit le bibliothécaire, qui vint. Quelques paroles s'échangèrent entre M. Denevers et le commissaire :

— Que demandez-vous ?
— La Haute Cour.
— Qui êtes-vous ?
— Je demande la Haute Cour.
— Elle est en séance.
— Où siège-t-elle ?
— Ici.
Et le bibliothécaire indiqua la porte.
— C'est bien, dit le commissaire.

Il n'ajouta pas un mot et rentra dans la galerie Mercière.

Nous venons de dire qu'il n'était accompagné en ce moment-là que de quelques agents.

La Haute Cour était en séance en effet. Le président rendait compte aux juges de sa visite au procureur-général. Tout à coup on entend un tumulte de pas dans le couloir qui mène de la chambre du conseil à la salle où l'on délibérait. La porte s'ouvre brusquement. Des baïonnettes apparaissent, et au milieu des baïonnettes un homme en paletot boutonné avec une ceinture tricolore sur son paletot.

Les magistrats regardent, stupéfaits.

— Messieurs, dit l'homme, dispersez-vous sur-le-champ.

Le président Hardouin se lève.

— Que veut dire ceci ? qui êtes-vous ? savez-vous à qui vous parlez ?

— Je le sais. Vous êtes la Haute Cour, et je suis le commissaire de police.

— Eh bien ?

— Allez-vous-en.

Il y avait là trente-cinq gardes municipaux commandés par un lieutenant et tambour en tête.

— Mais... dit le président.

Le commissaire l'interrompit par ces paroles qui sont textuelles :

— Monsieur le président, je n'entamerai point de lutte oratoire avec vous. J'ai des ordres et je vous les transmets. Obéissez.

— A qui ?

— Au préfet de police.

Le président fit cette question étrange qui impliquait l'acceptation d'un ordre :

— Avez-vous un mandat ?

Le commissaire répondit :

— Oui.

Et il tendit au président un papier.

Les juges étaient pâles.

Le président déplia le papier ; M. Cauchy avançait la tête par-dessus l'épaule de M. Hardouin. Le président lut :

« Ordre de disperser la Haute Cour, et, en cas de refus, d'arrêter MM. Béranger, Rocher, de Boissieux, Pataille et Hello. »

Et se tournant vers les juges, le président ajouta : « Signé MAUPAS. »

Puis, s'adressant au commissaire, il reprit :

— Il y a erreur. Ces noms-là ne sont pas les nôtres. MM. Béranger, Rocher et de Boissieux ont fait leur temps et ne sont plus juges de la Haute Cour ; quant à M. Hello, il est mort.

La Haute Cour en effet était temporaire et renouvelable ; le coup d'État brisait la Constitution, mais ne la connaissait pas. Le mandat signé *Maupas* était applicable à la précédente Haute Cour. Le coup d'État s'était fourvoyé sur une vieille liste. Étourderie d'assassins.

— Monsieur le commissaire de police, continua le président, vous le voyez, ces noms-là ne sont pas les nôtres.

— Cela m'est égal, répliqua le commissaire. Que ce mandat s'applique ou ne s'applique pas à vous, dispersez-vous, ou je vous arrête tous.

Et il ajouta :

— Sur-le-champ.

Les juges se turent ; un d'eux prit sur la table une feuille volante qui était l'arrêt rendu par eux et mit ce papier dans sa poche, et ils s'en allèrent.

Le commissaire leur montra la porte où étaient les baïonnettes, et dit :

— Par là.

Ils sortirent par le couloir entre deux haies de soldats. Le peloton de garde républicaine les escorta jusque dans la galerie Saint-Louis.

Là on les laissa libres, la tête basse.

Il était environ trois heures.

Pendant que ces choses s'accomplissaient dans la bibliothèque, tout à côté, dans l'ancienne grand'chambre du parlement, la cour de cassation siégeait et jugeait comme à son ordinaire, sans rien sentir de ce qui se passait près d'elle. Il faut croire que la police n'a pas d'odeur.

Finissons-en tout de suite de cette Haute Cour.

Le soir, à sept heures et demie, les sept juges se réunirent chez l'un d'eux, celui qui avait emporté l'arrêt, dressèrent procès verbal, rédigèrent une protestation, et comprenant le besoin de remplir la ligne laissée en blanc dans leur arrêt, nommèrent, sur la proposition de M. Quesnault, procureur-général M. Renouard, leur collègue à la cour de cassation. M. Renouard, immédiatement averti, accepta.

Ils se réunirent une dernière fois le lendemain 3, à onze heures du matin, une heure avant l'heure indiquée dans l'arrêt qu'on a lu plus haut, encore dans la bibliothèque de la cour de cassation, M. Renouard présent. Acte lui fut donné de son acceptation et de ce qu'il déclarait requérir l'information. L'arrêt rendu fut porté par M. Quesnault au grand greffe et transcrit immédiatement sur le registre des délibérations intérieures de la cour de cassation, la Haute Cour n'ayant point de registre spécial et ayant, dès l'origine, décidé qu'elle se servirait du registre de la Cour de cassation. A la suite de l'arrêt, on transcrivit deux pièces désignées ainsi sur le registre : 1º Procès-verbal constatant l'intervention de la police pendant le délibéré de l'arrêt précédent ; 2º Donné acte de l'acceptation de M. Renouard pour les fonctions de procureur-général. En outre, sept copies de ces diverses pièces, faites de la main des juges eux-mêmes et signées d'eux tous, furent mises en lieu sûr, ainsi qu'un calepin sur lequel avaient été transcrites, dit-on, cinq autres décisions secrètes relatives au coup d'État.

Cette page du registre de la cour de cassation existe-t-elle encore à l'heure qu'il est ? Est-il vrai, comme on l'a affirmé, que le préfet Maupas se soit fait apporter le registre et ait déchiré la feuille où était l'arrêt ? Nous n'avons pu éclaircir ce point ; le registre maintenant n'est communiqué à personne, et les employés du grand greffe sont muets.

Tels sont les faits. Résumons-les.

Si cette cour appelée haute eût été de tempérament à concevoir une telle idée que celle de faire son devoir, une fois réunie, se constituer était l'affaire de quelques minutes ; elle eût procédé résolûment et rapidement, elle eût nommé procureur-général quelque homme énergique tenant à la cour de cassation, du parquet, comme Freslon, ou du barreau, comme Martin (de Strasbourg). En vertu de l'article 68 et sans attendre les actes de l'Assemblée, elle eût rendu un arrêt qualifiant le crime, lancé contre le président et ses complices un décret de prise de corps et ordonné le dépôt de la personne de Louis Bonaparte dans une maison de force. De son côté le procureur-général eût lancé un mandat d'arrêt. Tout cela pouvait être terminé à onze heures et demie, et à ce moment aucune tentative n'avait encore été faite pour disperser la Haute Cour. Ces premiers actes accomplis, la haute cour pouvait, en sortant par une porte condamnée qui communique à la salle des Pas-Perdus, descendre dans la rue et y proclamer, à la face du peuple, son arrêt. Elle n'eût à cette heure rencontré aucun obstacle. Enfin, et dans tous les cas, elle devait siéger en costume, dans un prétoire, avec tout l'appareil de la magistrature ; l'agent de police et les soldats se présentant, enjoindre aux soldats, qui eussent obéi peut-être, d'arrêter l'agent ; les soldats désobéissant, se laisser traîner solennellement en prison, afin que le peuple vît sous ses yeux, là, dans la rue, le pied fangeux du coup d'État posé sur la robe de la Justice.

. . . .

Il était trois heures et demie.

Les représentants prisonniers entrèrent dans la cour de la caserne, parallélogramme assez vaste, enfermé et dominé par de hautes murailles. Ces murailles sont percées de trois rangées de fenêtres et ont cet aspect morne des casernes, des séminaires et des prisons.

On pénètre dans cette cour par un porche voûté qui occupe toute l'épaisseur du corps de logis de façade. Cette voûte, sous laquelle est pratiqué le corps de garde, se clôt du côté du quai par une grande porte pleine à deux battants, et du côté de la cour par une grille en fer. On ferma sur les représentants la porte et la grille. On les « mit en liberté » dans la cour verrouillée et gardée.

— Laissez-les vaguant, dit un officier.

L'air était froid, le ciel était gris. Quelques soldats, en veste et en bonnet de police, occupés aux corvées, allaient et venaient autour des prisonniers.

M. Grimault d'abord, ensuite M. Anthony Thouret, firent l'appel. On se groupa en cercle autour d'eux. Lherbette dit en riant : — Ceci va bien avec la caserne. Nous avons l'air de sergents-majors qui viennent au rapport. — On appela les sept cent cinquante noms des représentants. A chaque nom on répondait *absent* ou *présent*, et le secrétaire notait au crayon les présents. Quand vint le nom de Morny, quelqu'un cria : A Clichy ! au nom de Persigny, le même cria : A Poissy ! L'improvisateur de ces deux rimes, du reste pauvres, s'est rallié depuis au 2 décembre, à Morny et à Persigny ; il a mis sur sa lâcheté une broderie de sénateur.

L'appel constata la présence des deux cent vingt représentants,

Après la liste de noms, on lit ce qui suit dans le récit sténographique :

« L'appel terminé, le général Oudinot prie les représentants qui sont dispersés dans la cour de se réunir autour de lui et leur fait la communication suivante :

« Le capitaine adjudant-major, qui est resté ici pour commander la caserne, vient de recevoir l'ordre de faire préparer les chambres dans lesquelles nous aurons à nous retirer, nous considérant comme en captivité. (*Très bien!*) Voulez-vous que je fasse venir l'adjudant-major ? (*Non! non! c'est inutile.*) Je vais lui dire qu'il ait à exécuter ses ordres (*Oui! c'est cela!*). »

Les représentants restèrent parqués et « vaguant » dans cette cour deux longues heures. On se promenait bras dessus bras dessous. On marchait vite pour se réchauffer. Les hommes de la droite disaient aux hommes de la gauche : — Ah! si vous aviez voté la proposition des questeurs! Ils disaient aussi : — Eh bien! *la sentinelle invisible* (1)! Et ils riaient. Et Marc Dufraisse répondait : — *Mandataires du peuple! délibérez en paix!* Et c'était le tour de la gauche de rire. Du reste nulle amertume. La cordialité d'un malheur commun.

On questionnait sur Louis Bonaparte ses anciens ministres. On demandait à l'amiral Cécile : — Mais enfin qu'est-ce que c'est? — L'amiral répondait par cette définition : — C'est peu de chose. M. Vézin ajoutait : — Il veut que l'histoire l'appelle « Sire ». — Pauvre sire alors! disait M. Camus de la Guibourgère. M. Odilon Barrot s'écriait : — Quelle fatalité qu'on ait été condamné à se servir de cet homme!

---

(1) Michel de Bourges avait ainsi qualifié Louis Bonaparte, comme gardien de la République contre les partis monarchiques.

Cela dit, ces hauteurs atteintes, la philosophie politique était épuisée, et l'on se taisait.

A droite, à côté de la porte, il y avait une cantine exhaussée de quelques marches au-dessus du pavé de la cour. — Élevons cette cantine à la dignité de buvette, dit l'ancien ambassadeur en Chine, M. de Lagrenée. On entrait là, les uns s'approchaient du poêle, les autres demandaient un bouillon. MM. Favreau, Piscatory, Larabit et Vatimesnil s'y étaient réfugiés dans un coin. Dans le coin opposé, des soldats ivres dialoguaient avec des servantes de caserne. M. de Kératry, plié sous ses quatre-vingts ans, était assis près du poêle sur une vieille chaise vermoulue ; la chaise chancelait, le vieillard grelottait.

Vers quatre heures un bataillon de chasseurs de Vincennes arriva dans la cour avec ses gamelles et se mit à manger en chantant et avec de grands éclats de gaîté. M. de Broglie les regardait et disait à M. Piscatory :
— Chose étrange de voir les marmites des janissaires, disparues de Constantinople, reparaître à Paris !

Presque au même moment un officier d'état-major vint prévenir les représentants, de la part du général Ferey, que *les appartements qu'on leur destinait étaient prêts*, et les invita à le suivre. On les introduisit dans le bâtiment de l'Est, qui est l'aile de la caserne la plus éloignée du palais du conseil d'État ; on les fit monter au troisième étage. Ils s'attendaient à des chambres et à des lits. Ils trouvèrent de longues salles, de vastes galetas à murs sordides et à plafonds bas, meublés de tables et de bancs de bois. C'étaient là « les appartements ». Ces galetas qui se suivaient donnaient tous sur le même corridor, boyau étroit qui occupait toute la longueur du corps de logis. Dans une de ces salles on voyait, jetés dans un coin, des tambours, une grosse caisse et des instruments de musique militaire. Les représentants se distribuèrent dans ces salles pêle-mêle. M. de Tocqueville, malade, jeta son manteau sur le carreau dans l'embrasure d'une fenêtre et s'y coucha. Il resta ainsi étendu à terre plusieurs heures.

Ces salles étaient chauffées, fort mal, par des poêles de fonte en forme de ruche. Un représentant, voulant y tisonner, en renversa un et faillit mettre le feu au plancher.

La dernière de ces salles avait vue sur le quai. Antony Thouret en ouvrit une fenêtre et s'y accouda. Quelques représentants y vinrent. Les soldats qui bivouaquaient en bas sur le trottoir les aperçurent et se mirent à crier :

— Ah! les voilà, ces gueux de vingt-cinq francs qui ont voulu rogner notre solde! — La police avait en effet la veille semé cette calomnie dans les casernes qu'une proposition avait été déposée sur la tribune pour diminuer la solde des troupes ; on avait été jusqu'à nommer l'auteur de la proposition. Antony Thouret essaya de détromper les soldats. Un officier lui cria : — C'est un des vôtres qui a fait la proposition, c'est Lamennais!

Vers une heure et demie on introduisit dans les salles MM. Valette, Bixio et Victor Lefranc qui venaient rejoindre leurs collègues et se constituer prisonniers.

La nuit arrivait. On avait faim. Beaucoup n'avaient pas mangé depuis le matin. M. Howyn de Tranchère, homme de bonne grâce et de dévouement, qui s'était fait portier à la mairie, se fit fourrier à la caserne. Il recueillit cinq francs par représentant et l'on envoya commander un dîner pour deux cent vingt au café d'Orsay qui fait le coin du quai et de la rue du Bac. On dîna mal et gaîment. Du mouton de gargotte, du mauvais vin et du fromage. Le pain manquait. On mangea comme on put, l'un debout, l'autre sur une chaise, l'un à une table, l'autre à cheval sur un banc, son assiette devant soi, *comme à un souper de bal*, disait en riant un élégant de la droite, Thuriot de la Rosière, fils du régicide Thuriot. M. de Rémusat se prenait la tête dans les mains. Émile Péan lui disait : — Nous en reviendrons. — Et Gustave de Beaumont s'écriait, s'adressant aux républicains : — Et vos amis de la gauche ! sauveront-ils l'honneur ? Y aura-t-il une insurrection au moins ? — On se passait les couverts et les assiettes, avec force attentions de la droite pour la gauche. — C'est le cas de faire une fusion, disait un jeune légitimiste. Troupiers et cantiniers servaient. Deux ou trois chandelles de suif brûlaient et fumaient sur chaque table. Il y avait peu de verres. Droite et gauche buvaient au même. — Égalité, Fraternité, disait le marquis Sauvaire-Barthélemy, de la droite. Et Victor Hennequin lui répondait : — Mais pas Liberté.

Le colonel Feray, gendre du maréchal Bugeaud, commandait la caserne ; il fit offrir son salon à M. de Broglie et à M. Odilon Barrot qui l'acceptèrent. On ouvrit les portes de la caserne à M. de Kératry, à cause de son grand âge, à M. Dufaure, à cause de sa femme qui était en couches, et à M. Étienne, à cause de la blessure qu'il avait reçue le matin rue de Bourgogne. En même temps on réunit aux deux cent vingt MM. Eugène Suë, Benoît (du Rhône), Fayolle, Chanay, Toupet des Vignes, Radoubt-Lafosse, Arbey et Teillard-Latérisse qui avaient été retenus jusque-là dans le palais neuf des affaires étrangères.

Vers huit heures du soir, le repas terminé on relâcha un peu la consigne, et l'entre-deux de la porte et de la grille de la caserne commença à s'encombrer de sacs de nuit et d'objets de toilette envoyés par les familles.

On appelait les représentants par leurs noms. Chacun descendait à son tour, et remontait avec son caban, son burnous ou sa chancelière, le tout allègrement. Quelques femmes parvinrent jusqu'à leurs maris. M. Chambolle put serrer à travers la grille la main de son fils.

Tout à coup une voix s'éleva : — Ah ! nous passerons la nuit ici! — On apportait des matelas, on les jeta sur les tables, à terre, où l'on put.

Cinquante ou soixante représentants y trouvèrent place, la plupart restèrent sur leurs bancs. Marc Dufraisse s'arrangea pour passer la nuit sur un tabouret, accoudé sur une table. Heureux qui avait une chaise

Du reste la cordialité et la gaîté ne se démentirent pas. — Place aux burgraves! dit en souriant un vénérable vieillard de la droite. Un jeune représentant républicain se leva et lui offrit son matelas. On s'accablait réciproquement de paletots, de pardessus et de couvertures.

— *Réconciliation*, disait Chamiot en offrant la moitié de son matelas au duc de Luynes. Le duc de Luynes, qui avait deux millions de rente, souriait et répondait à Chamiot : — *Vous êtes saint Martin et je suis le pauvre.*

M. Paillet, le célèbre avocat, qui était du tiers état, disait : — J'ai passé la nuit sur une paillasse bonapartiste, enveloppé dans un burnous montagnard, les pieds dans une peau de mouton démocratique et sociale, et la tête dans un bonnet de coton légitimiste.

Les représentants, prisonniers dans la caserne, pouvaient s'y mouvoir assez librement. On les laissait descendre dans la cour. M. Cordier (du Calvados) remonta en disant : — Je viens de parler aux soldats. Ils ne savaient pas encore que les généraux ont été arrêtés. Ils ont paru étonnés et mécontents. — On s'attachait à cela comme à des espérances.

Le représentant Michel Renaud, des Basses-Pyrénées, retrouva parmi les chasseurs de Vincennes qui occupaient la cour plusieurs de ses compatriotes du pays basque. Quelques-uns avaient voté pour lui, et le lui rappelaient. Ils ajoutaient : — Ah! nous voterions encore la liste rouge. — Un d'eux, tout jeune homme, le prit à part et lui dit : — Monsieur, avez-vous besoin d'argent? J'ai là une pièce de quarante sous.

Vers dix heures du soir, vacarme dans la cour. Les portes et les grilles tournaient à grand bruit sur leurs gonds. Quelque chose entrait qui roulait comme un tonnerre. On se pencha aux fenêtres et l'on aperçut arrêté au bas de l'escalier une espèce de gros coffre oblong, peint en noir, en jaune, en rouge et en vert, porté sur quatre roues, attelé de chevaux de poste, et entouré d'hommes à longues redingotes et à figures farouches, tenant des torches. Dans l'ombre, et l'imagination aidant, ce chariot paraissait tout noir. On y voyait une porte, mais pas d'autre ouverture. Cela ressemblait à un grand cercueil roulant. — Qu'est-ce que c'est que ça? C'est un corbillard? — Non, c'est une voiture cellulaire. — Et ces gens-là, ce sont des croquemorts? — Non, ce sont des guichetiers. — Et pour qui ça vient-il? — Pour vous, messieurs! cria une voix.

C'était la voix d'un officier ; et ce qui venait d'entrer, était en effet une voiture cellulaire.

En même temps on entendit crier : — Le premier escadron à cheval. — Et cinq minutes après, les lanciers qui devaient accompagner les voitures se rangèrent en ordre de bataille dans la cour.

Alors il y eut dans la caserne une rumeur de ruche en colère. Les représentants montaient et descendaient les escaliers, et allaient voir de près la voiture cellulaire. Quelques-uns la touchaient et n'en croyaient pas leurs yeux. M. Piscatory se croisait avec M. Chambolle et lui criait : — Je pars là-dedans! M. Berryer rencontrait Eugène Sue, et ils échangeaient ce dialogue : — Où allez-vous? — Au Mont-Valérien. Et vous? — Je ne sais pas.

A dix heures et demie l'appel commença pour le départ. Des estafiers s'installèrent à une table entre deux chandelles dans une salle basse, au pied de l'escalier, et l'on appela les représentants deux par deux. Les représentants convinrent de ne pas se nommer et de répondre à chaque nom qu'on appellerait : — Il n'y est pas. Mais ceux des « burgraves » qui avaient accepté le coin du feu du colonel Feray, jugèrent cette petite résistance indigne d'eux et répondirent à l'appel de leurs noms. Ceci entraîna le reste. Tout le monde répondit. Il y eut parmi les légitimistes quelques scènes tragicomiques. Eux, les seuls qui ne fussent pas menacés, ils tenaient absolument à se croire en danger. Ils ne voulaient pas laisser partir un de leurs orateurs ; ils l'embrassaient et le retenaient presque avec larmes en criant : — Ne partez pas ! Savez-vous où l'on vous mène ? Songez aux fossés de Vincennes !

Les représentants appelés deux par deux, comme nous venons de le dire, défilaient dans la salle basse devant les estafiers, puis on les faisait monter dans la boîte à voleurs. Les chargements se faisaient en apparence au hasard et pêle-mêle ; plus tard, pourtant, à la différence des traitements infligés aux représentants dans les diverses prisons, on a pu voir que ce pêle-mêle avait été peut-être un peu arrangé. Quand la première voiture fut pleine, on en fit entrer une seconde avec le même appareil. Les estafiers, un crayon et un carnet à la main, prenaient note de ce que contenait chaque voiture. Ces hommes connaissaient les représentants. Quand Marc Dufraisse, appelé à son tour, entra dans la salle basse, il était accompagné de Benoist (du Rhône). — Ah ! voici M. Marc Dufraisse, dit l'estafier qui tenait le crayon. — A la demande de son nom, Benoist répondit Benoist. — *Du Rhône*, ajouta l'agent, et il reprit : car il y a encore Benoist-d'Azy et Benoît-Champy.

Le chargement de chaque voiture durait environ une demi-heure. Les survenues successives avaient porté le nombre des représentants prisonniers à deux cent trente-deux. Leur embarquement, ou, pour employer l'expression de M. de Vatimesnil, leur encaquement, commencé peu après dix heures du soir, ne fut terminé que vers sept heures du matin. Quand les voitures cellulaires manquèrent, on amena des omnibus. Ces voitures furent partagées en trois convois, tous trois escortés par les lanciers. Le premier convoi partit vers une heure du matin et fut conduit au Mont-Valérien ; le second, vers cinq heures, à Mazas ; le troisième, vers six heures et demie, à Vincennes.

La chose traînant en longueur, ceux qui n'étaient pas appelés profitaient des matelas et tâchaient de dormir. De là, de temps en temps, des silences dans les salles hautes. Au milieu d'un de ces silences, M. Bixio se dressa sur son séant et haussant la voix : — *Messieurs, que pensez-vous de l'obéissance passive?* — Un éclat de rire général lui répondit. Ce fut encore au milieu d'un de ces silences, qu'une voix s'écria :

— *Romieu sera sénateur.*

Émile Péan demanda :

— *Que deviendra le spectre rouge?*

— *Il se fera prêtre*, répondit Antony Thouret, *et deviendra le spectre noir.*

D'autres paroles que les historiographes du 2 décembre ont répandues n'ont pas été prononcées. Ainsi Marc Dufraisse n'a jamais tenu ce propos, dont les hommes de Louis Bonaparte ont voulu couvrir leurs crimes : — *Si le Président ne fait pas fusiller tous ceux d'entre nous qui résisteront, il ne connaît pas son affaire.*

Pour le coup d'État, c'est commode ; mais pour l'histoire, c'est faux.

L'intérieur des voitures cellulaires était éclairé pendant qu'on y montait. On ne « boucla » pas les soupiraux de chaque cage. De cette façon, Marc Dufraisse put apercevoir par le vasistas M. de Rémusat dans la cellule qui faisait face à la sienne. M. de Rémusat était monté accouplé à M. Duvergier de Hauranne.

— Ma foi, monsieur Marc Dufraisse, cria Duvergier de Hauranne quand ils se coudoyèrent dans le couloir de la voiture, ma foi, si quelqu'un m'avait prophétisé : Vous irez à Mazas en voiture cellulaire, j'aurais dit : C'est invraisemblable ; mais si l'on avait ajouté : Vous irez avec Marc Dufraisse, j'aurais dit : C'est impossible!

Lorsqu'une voiture était remplie, cinq ou six agents y montaient et se tenaient debout dans le couloir. On refermait la porte, on relevait le marchepied et l'on partait.

Quand les voitures cellulaires furent pleines, il restait encore des représentants. On fit, nous l'avons dit, avancer des omnibus. On y poussa les représentants pêle-mêle, rudement, sans déférence pour l'âge ni pour le nom. Le colonel Feray, à cheval, présidait et dirigeait. Au moment d'escalader le marchepied de l'avant-dernière voiture, le duc de Montebello lui cria : — *C'est aujourd'hui l'anniversaire de la bataille d'Austerlitz, et le gendre du maréchal Bugeaud fait monter dans la voiture des forçats le fils du maréchal Lannes.*

Lorsqu'on fut au dernier omnibus il n'y avait que dix-sept places et il restait dix-huit représentants. Les plus lestes montèrent les premiers. Antony Thouret, qui faisait à lui seul équilibre à toute la droite, car il avait autant d'esprit que Thiers et autant de ventre que Murat, Antony Thouret, gros et lent, arriva le dernier. Quand il parut au seuil de l'omnibus dans toute son énormité, il y eut un cri d'effroi : — Où allait-il se placer ?

Antony Thouret avise vers le fond de l'omnibus Berryer, va droit à lui, s'assied sur ses genoux, et lui dit avec calme : — Vous avez voulu de la compression, monsieur Berryer. En voilà.

Quand nous arrivâmes, Charamaule et moi, au n° 70

de la rue Blanche, qui est montueuse et déserte, un homme vêtu d'une espèce d'uniforme de sous-officier de marine se promenait de long en large devant la porte. La portière, qui nous reconnut, nous le fit remarquer.

— Bah! fit Charamaule, se promener de la sorte et s'habiller de cette façon! ce n'est certes pas un mouchard.

— Mon cher collègue, lui dis-je, Bedeau a constaté que la police est bête.

Nous montâmes. Le salon et une petite antichambre qui le précédait étaient pleines de représentants auxquels étaient mêlées beaucoup de personnes étrangères à l'Assemblée. Quelques anciens membres de la Constituante étaient là, entre autres Bastide, et plusieurs journalistes démocrates. *Le National* était représenté par Alexandre Rey et Léopold Duras, *la Révolution*, par Xavier Durrieu, Vasbenter et Watripon, *l'Avènement du Peuple*, par H. Coste, presque tous les autres rédacteurs de *l'Avènement* étant en prison. Soixante membres de la gauche environ étaient là, et entre autres Edgar Quinet, Schœlcher, Madier de Montjau, Carnot, Noël Parfait, Pierre Lefranc, Bancel, de Flotte, Bruckner, Chaix, Cassal, Esquiros, Durand-Savoyat, Yvan, Carlos Forel, Etchegoyen, Labrousse, Barthélemy (Eure-et-Loir), Huguenin, Aubry (du Nord), Malardier, Victor Chauffour, Belin, Renaud, Bac, Versigny, Sain, Joigneaux, Brives, Guilgot, Pelletier, Doutre, Gindrier, Arnaud (de l'Ariège), Raymond (de l'Isère), Brillier, Maigne, Sartin, Raynaud, Léon Vidal, Lafon, Lamargue, Bourzat, le général Rey.

Tous étaient debout. On causait confusément. Léopold Duras venait de raconter l'investissement du café Bonvalet. Jules Favre et Baudin, assis à une petite table entre les deux croisées, écrivaient. Baudin avait un exemplaire de la Constitution ouvert devant lui, et copiait l'article 68.

Quand nous entrâmes, il se fit un silence, et l'on nous demanda : — Eh bien, qu'y a-t-il de nouveau ?

Charamaule raconta ce qui venait de se passer au boulevard du Temple, et le conseil qu'il avait cru devoir me donner. On l'approuva.

On s'interrogeait de tous les côtés : — Qu'y a-t-il à faire ? Je pris la parole.

— Allons au fait et au but, dis-je. Louis Bonaparte gagne du terrain et nous en perdons, ou pour mieux dire, il a encore tout, et nous n'avons encore rien. Nous avons dû nous séparer, Charamaule et moi, du colonel Forestier. Je doute qu'il réussisse. Louis Bonaparte fait tout ce qu'il peut pour nous annuler. Il faut sortir de l'ombre. Il faut qu'on nous sente là. Il faut souffler sur ce commencement d'incendie dont nous avons vu l'étincelle au boulevard du Temple. Il faut faire une proclamation et que cela soit imprimé n'importe par qui, et que cela soit placardé n'importe comment, mais il le faut ! Et tout de suite. Quelque chose de bref, de rapide et d'énergique. Pas de phrases. Dix lignes, un appel aux armes ! Nous sommes la loi, et il y a des jours où la loi doit jeter un cri de guerre. La loi mettant hors d'elle le traître, c'est une chose grande et terrible. Faisons-la.

On m'interrompit : — Oui, c'est cela, une proclamation !

— Dictez ! Dictez !

— Dictez, me dit Baudin, j'écris.

Je dictai :

« Au Peuple.

« Louis-Napoléon Bonaparte est un traître.

» Il a violé la Constitution.

» Il s'est parjuré.

» Il est hors la loi... »

On me cria de toutes parts :

— C'est cela ! La mise hors la loi ! Continuez.

Je me remis à dicter. Baudin écrivait :

« Les représentants républicains rappellent au peuple et à l'armée l'article 68... »

On m'interrompit : — Citez-le en entier.

— Non, dis-je, ce serait trop long. Il faut quelque chose qu'on puisse placarder sur une carte, coller avec un pain à cacheter et lire en une minute. Je citerai l'article 110 ; il est court et contient l'appel aux armes. Je repris :

« Les représentants républicains rappellent au peuple et à l'armée l'article 68, et l'article 110 ainsi conçu : — « L'Assemblée constituante confie la présente Constitution et les droits qu'elle consacre à la garde et au patriotisme de tous les Français. »

« Le peuple, désormais et à jamais en possession du suffrage universel, et qui n'a besoin d'aucun prince pour le lui rendre, saura châtier le rebelle.

» Que le peuple fasse son devoir. Les représentants républicains marchent à sa tête. !

« Vive la République ! Aux armes ! »

On applaudit.

— Signons tous, dit Pelletier.

— Occupons-nous de trouver sur-le-champ une imprimerie, dit Schœlcher, et que la proclamation soit affichée tout de suite.

— Avant la nuit, les jours sont courts, ajouta Joigneaux.

— Tout de suite, tout de suite, plusieurs copies ! cria-t-on.

Baudin, silencieux et rapide, avait déjà fait une deuxième copie de la proclamation.

Un jeune homme, rédacteur d'un journal républicain des départements, sortit de la foule, et déclara que si on lui remettait immédiatement une copie, la proclamation serait avant deux heures placardée à tous les coins de mur de Paris.

Je lui demandai :

— Comment vous nommez-vous ?

Il me répondit :

— Millière.

Millière ; c'est de cette façon que ce nom fit son apparition dans les jours sombres de notre histoire. Je vois encore ce jeune homme pâle, cet œil à la fois perçant et voilé, ce profil doux et sinistre. L'assassinat et le Panthéon l'attendaient ; trop obscur pour entrer dans le temple, assez méritant pour mourir sur le seuil.

Baudin lui montra la copie qu'il venait de faire.

Millière s'approcha :

— Vous ne me connaissez pas, dit-il, je m'appelle Millière, mais moi je vous connais, vous êtes Baudin.

Baudin lui tendit la main.

J'ai assisté au serrement de mains de ces deux spectres.

Xavier Durrieu, qui était rédacteur de *la Révolution*, fit la même offre que Millière.

Une douzaine de représentants prirent des plumes et s'assirent, les uns autour de la table, les autres avec une feuille de papier sur leurs genoux, et l'on me dit:

— Dictez-nous la proclamation.

J'avais dicté à Baudin : « Louis-Napoléon Bonaparte est un traître. » Jules Favre demanda qu'on effaçât le mot *Napoléon*, nom de gloire fatalement puissant sur le peuple et sur l'armée, et qu'on mit : « Louis Bonaparte est un traître. » Vous avez raison, lui dis-je.

Une discussion suivit. Quelques-uns voulaient qu'on rayât le mot *prince*. Mais l'assemblée était impatiente. — Vite! vite! cria-t-on. — Nous sommes en décembre, les jours sont courts, répétait Joigneaux.

Douze copies se firent à la fois en quelques minutes. Schœlcher, Rey, Xavier Durrieu, Millière en prirent chacun une et partirent à la recherche d'une imprimerie.

Comme ils venaient de sortir, un homme que je ne connaissais pas, mais auquel plusieurs représentants firent accueil, entra et dit : — Citoyens, cette maison est signalée. Des troupes sont en marche pour vous cerner. Vous n'avez pas un instant à perdre.

Plusieurs voix s'élevèrent.

— Eh bien! qu'on nous arrête!

— Qu'est-ce que cela nous fait ?

— Qu'ils consomment leur crime.

— Mes collègues, m'écriai-je, ne nous laissons pas arrêter. Après la lutte, comme il plaira à Dieu ; mais avant le combat, non! C'est de nous que le peuple attend l'impulsion. Nous pris, tout est fini. Notre devoir est d'engager la bataille, notre droit est de croiser le fer avec le coup d'État. Il faut qu'il ne puisse pas nous saisir, qu'il nous cherche et qu'il ne nous trouve pas. Il faut tromper le bras qu'il étend vers nous, nous dérober à Bonaparte, le harceler, le lasser, l'étonner, l'épuiser, disparaître et reparaître sans cesse, changer d'asile et toujours combattre, être toujours devant lui et jamais sous sa main. Ne quittons pas le terrain. Nous n'avons pas le nombre, ayons l'audace.

On approuva. — C'est juste, dirent-ils, mais où irons-nous ?

Labrousse dit :

— Notre ancien collègue à la Constituante, Beslay, offre sa maison.

— Où demeure-t-il ?

— Rue de la Cerisaie, 33, au Marais.

— Eh bien, repris-je, séparons-nous, nous nous retrouverons dans deux heures chez Beslay, rue de la Cerisaie, n° 33.

Tous partirent ; mais les uns après les autres et dans des directions différentes. Je priai Chamaraule d'aller m'attendre chez moi, et je sortis à pied avec Noël Parfait et Lafon.

Nous gagnâmes le quartier encore inhabité que côtoie le mur de ronde. Comme nous arrivions à l'angle de la rue Pigalle, nous vîmes à cent pas de nous, dans les ruelles désertes qui la coupent, les soldats qui se glissaient le long des maisons et se dirigeaient vers la rue Blanche.

A trois heures, les membres de la gauche se retrouvèrent rue de la Cerisaie. Mais l'éveil avait été donné, les habitants de ces rues solitaires se mettaient aux fenêtres pour voir passer les représentants ; le lieu de la réunion, situé et resserré au fond d'une arrière-cour, était mal choisi en cas d'investissement ; tous ces inconvénients furent immédiatement reconnus, et la réunion ne dura que peu d'instants. Elle fut présidée par Joly. Xavier Durrieu et Jules Gouache, rédacteurs de *la Révolution*, y assistaient, ainsi que plusieurs proscrits italiens, entre autres le colonel Carini et Montanelli, ancien ministre du grand-duc de Toscane ; j'aimais Montanelli, âme douce et intrépide.

Madier de Montjau apporta des nouvelles de la banlieue. Le colonel Forestier, sans perdre et sans ôter l'espoir, raconta les obstacles qu'il avait rencontrés dans ses efforts pour réunir la 6e légion. Il me pressa de lui signer, ainsi que Michel de Bourges, sa nomination de colonel ; mais Michel de Bourges était absent et d'ailleurs ni Michel de Bourges ni moi n'avions encore en ce moment-là de mandat de la gauche. Pourtant, mais sous ces réserves, je lui signai sa nomination. Les embarras se multipliaient. La proclamation n'était pas encore imprimée et la nuit arrivait. Schœlcher exposa les difficultés ; toutes les imprimeries fermées et gardées, l'avis affiché que quiconque imprimerait un appel aux armes serait immédiatement fusillé, les ouvriers terrifiés, pas d'argent. On présenta un chapeau, et chacun y jeta ce qu'il avait d'argent sur lui. On réunit ainsi quelques centaines de francs.

Xavier Durrieu, dont l'ardent courage ne s'est pas démenti un seul instant, affirma de nouveau qu'il se chargeait de l'impression et promit qu'à huit heures du soir on aurait quarante mille exemplaires de la proclamation. Les instants pressaient. On se sépara en s'assignant pour lieu de rendez-vous le local de l'Association des ébénistes, rue de Charonne, et pour heure huit heures du soir, afin de laisser à la situation le temps de se dessiner. Comme nous sortions et que nous traversions le rue Beautreillis, je vis Pierre Leroux venir à moi. Il n'avait pas pris part à nos réunions. Il me dit :

— Je crois cette lutte inutile. Quoique mon point de vue soit différent du vôtre, je suis votre ami. Prenez garde. Il est temps encore de s'arrêter. Vous entrez dans les catacombes. Les catacombes, c'est la mort.

— C'est la vie aussi, lui dis-je.

C'est égal, je pensais avec joie que mes deux fils étaient en prison, et que ce sombre devoir du combat dans la rue ne s'imposait qu'à moi seul.

Cinq heures nous restaient jusqu'à l'instant du rendez-vous. Je voulus revenir chez moi et embrasser encore une fois ma femme et ma fille, avant de me précipiter dans cet inconnu qui était là, béant et ténébreux, et où plusieurs d'entre nous allaient entrer pour n'en pas sortir.

Arnaud (de l'Ariège) me donnait le bras ; les deux proscrits italiens, Carini et Montanelli, m'accompagnaient.

Montanelli me prenait les mains et disait : — Le droit vaincra. Vous vaincrez. Oh! que cette fois la France ne soit pas égoïste, comme en 1848, et qu'elle délivre l'Italie! Je lui répondais : — Elle délivrera l'Europe!

C'étaient nos illusions dans ce moment-là, ce qui n'empêche pas que ce ne soient encore aujourd'hui nos espérances. La foi est ainsi faite ; les ténèbres lui prouvent la lumière.

Il y a une place de fiacres devant le portail de Saint-Paul. Nous y allâmes. La rue Saint-Antoine fourmillait dans cette rumeur inexprimable qui précède ces étranges batailles de l'idée contre le fait qu'on appelle révolutions. Je croyais entrevoir dans ce grand quartier populaire une lueur qui s'éteignit, hélas, bientôt ! La place de fiacres devant Saint-Paul était déserte. Les cochers avaient pressenti les barricades possibles et s'étaient enfuis.

Une lieue nous séparait, Arnaud et moi, de nos maisons. Impossible de la faire à pied au milieu de Paris, et reconnus à chaque pas. Deux passants qui survinrent nous tirèrent d'embarras. L'un d'eux disait à l'autre : — Les omnibus des boulevards roulent encore.

Nous profitâmes de l'avis, et nous allâmes chercher l'omnibus de la Bastille. Nous y montâmes tous les quatre.

J'avais dans le cœur, à tort ou à raison, je le répète, le regret amer de l'occasion échappée le matin. Je me disais que dans les journées décisives ces minutes-là viennent et ne reviennent pas. Il y a deux théories en révolution : enlever le peuple ou le laisser arriver. La première était la mienne ; j'avais obéi, par discipline, à la seconde. Je me le reprochais. Je me disais : Le peuple s'est offert et nous ne l'avons pas pris. C'est à nous maintenant, non de nous offrir, mais de faire plus, de nous donner.

Cependant l'omnibus s'était mis en marche. Il était plein. J'avais pris place au fond à gauche ; Arnaud (de l'Ariège) s'était assis à côté de moi, Carini en face, Montanelli près d'Arnaud. Nous ne nous parlions pas ; Arnaud et moi, nous échangions en silence des serrements de main, ce qui est une manière d'échanger des pensées.

A mesure que l'omnibus avançait vers le centre de Paris, la foule était plus pressée sur le boulevard. Quand l'omnibus s'engagea dans le ravin de la Porte-Saint-Martin, un régiment de grosse cavalerie arrivait en sens inverse. Au bout de quelques secondes, ce régiment passa à côté de nous. C'étaient des cuirassiers. Ils défilaient au grand trot et le sabre nu. Le peuple, en haut des trottoirs, se penchait pour les voir passer. Pas un cri. Ce peuple morne d'un côté, de l'autre les soldats triomphants, tout cela me remuait.

Subitement le régiment fit halte. Je ne sais quel embarras, dans cet étroit ravin du boulevard où nous étions resserrés, obstruait momentanément sa marche. En s'arrêtant il arrêta l'omnibus. Les soldats étaient là. Nous avions sous les yeux, devant nous, à deux pas, leurs chevaux pressant les chevaux de notre voiture, ces Français devenus des mameloucks, ces citoyens combattants de la grande République transformés en souteneurs du bas-empire. De la place où j'étais je les touchais presque. Je n'y pus tenir.

Je baissai la vitre de l'omnibus, je passai la tête dehors et regardant fixement cette ligne épaisse de soldats qui me faisait front, je criai : — A bas Louis Bonaparte! Ceux qui servent les traîtres sont des traîtres!

Les plus proches tournèrent la face de mon côté et me regardèrent d'un air ivre ; les autres ne bougèrent pas et restèrent au port d'armes, la visière du casque sur les yeux, les yeux fixés sur les oreilles de leurs chevaux.

Il y a dans les grandes choses l'immobilité des statues et dans les choses basses l'immobilité des mannequins.

L'obéissance passive dans le crime fait du soldat un mannequin.

Au cri que j'avais poussé, Arnaud s'était retourné brusquement ; il avait, lui aussi, abaissé sa vitre, et il était sorti à mi-corps de l'omnibus, le bras tendu vers les soldats et criait : — A bas les traîtres !

A le voir ainsi, avec son geste intrépide, sa belle tête

pâle et calme, son regard ardent, sa barbe et ses longs cheveux châtains, on croyait voir la rayonnante et foudroyante figure d'un Christ irrité.

L'exemple fut contagieux et électrique.

— A bas les traîtres! crièrent Carini et Montanelli.

— A bas le dictateur! A bas les traîtres! répéta un généreux jeune homme que nous ne connaissions pas et qui était assis à côté de Carini.

A l'exception de ce jeune homme, l'omnibus tout entier semblait pris de terreur.

— Taisez-vous! criaient ces pauvres gens épouvantés; vous allez nous faire tous massacrer! — Un plus effrayé encore baissa la vitre et se mit à vociférer aux soldats : — Vive le prince Napoléon! Vive l'Empereur!

Nous étions cinq et nous couvrions ce cri de notre protestation obstinée : — A bas Louis Bonaparte! A bas les traîtres!

Les soldats écoutaient dans un silence sombre. Un brigadier, l'air menaçant, se tourna vers nous et agita son sabre. La foule regardait avec stupeur.

Que se passait-il en moi dans ce moment-là? Je ne saurais le dire. J'étais dans un tourbillon. J'avais cédé à la fois à un calcul, trouvant l'occasion bonne, et à une fureur, trouvant la rencontre insolente. Une femme nous criait du trottoir : — Vous allez vous faire écharper. Je me figurais vaguement qu'un choc quelconque allait se faire, et que, soit de la foule, soit de l'armée, l'étincelle jaillirait. J'espérais un coup de sabre des soldats, ou un cri de colère du peuple. En somme j'avais plutôt obéi à un instinct qu'à une idée.

Mais rien ne vint, ni le coup de sabre, ni le cri de colère. La troupe ne remua pas, et le peuple garda le silence. Était-ce trop tard? Était-ce trop tôt?

L'homme ténébreux de l'Élysée n'avait pas prévu le cas de l'insulte à son nom, jetée aux soldats en face, à bout

portant. Les soldats n'avaient pas d'ordres. Ils en eurent
le soir même. On s'en aperçut le lendemain.

Un moment après le régiment s'ébranla au galop,
et l'omnibus repartit. Tant que les cuirassiers défilèrent
près de nous, Arnaud (de l'Ariège), toujours hors de la
voiture, continuait à leur crier dans l'oreille, car, comme
je viens de le dire, leurs chevaux nous touchaient —
A bas le dictateur! à bas les traîtres!

Rue Laffitte nous descendîmes. Carini, Montanelli et
Arnaud me quittèrent et je montai seul vers la rue de la
Tour-d'Auvergne. La nuit venait. Comme je tournais
l'angle de la rue, un homme passa près de moi. A la lueur
d'un réverbère, je reconnus un ouvrier d'une tannerie
voisine, et il me dit bas et vite : — Ne rentrez pas chez
vous. La police cerne votre maison.

Telle fut cette première journée. Regardons-la fixement.
Elle le mérite. C'est l'anniversaire d'Austerlitz ; le neveu
fête l'oncle. Austerlitz est la bataille la plus éclatante
de l'histoire ; le neveu se propose ce problème : faire
une noirceur aussi grande que cette splendeur. Il y réussit.

Cette première journée, que d'autres suivront, est déjà
complète. Tout y est. C'est le plus effrayant essai de
poussée en arrière qui ait jamais été tenté. Jamais un
tel écroulement de civilisation ne s'est vu. Tout ce qui était
l'édifice est maintenant la ruine ; le sol est jonché. En une
nuit l'inviolabilité de la loi, le droit du citoyen, la dignité
du juge, l'honneur du soldat, ont disparu. D'épouvantables
remplacements ont eu lieu ; il y avait le serment, il y a
le parjure ; il y avait le drapeau, il y a un haillon ; il y
avait l'armée, il y a une bande ; il y avait la justice, il y a
la forfaiture ; il y avait le code, il y a le sabre ; il y avait
la France, il y a une caverne. Cela s'appelle la société
sauvée.

C'est le sauvetage du voyageur par le voleur.

La France passait, Bonaparte l'a arrêtée.

L'hypocrisie qui a précédé le crime égale en difformité l'effronterie qui l'a suivi. La nation était confiante et tranquille. Secousse subite et cynique. L'histoire n'a rien constaté de pareil au 2 décembre. Ici nulle gloire, rien que de l'abjection. Aucun trompe-l'œil. On se déclarait honnête ; on se déclare infâme ; rien de plus simple. Cette journée, presque inintelligible dans sa réussite, a prouvé que la politique a son obscénité. La trahison a brusquement relevé sa jupe immonde, elle a dit : Eh bien, oui ! Et l'on a vu les nudités d'une âme malpropre. Louis Bonaparte s'est montré sans masque, ce qui a laissé voir l'horreur, et sans voile, ce qui a laissé voir le cloaque.

Hier président de la République, aujourd'hui un chourineur. Il a juré, il jure encore ; mais l'accent a changé. Le serment est devenu le juron. Hier on s'affirmait vierge, aujourd'hui on entre au lupanar, et l'on rit des imbéciles. Figurez-vous Jeanne d'Arc s'avouant Messaline. C'est là le Deux-Décembre.

Des femmes sont mêlées à ce forfait. C'est un attentat mélangé de boudoir et de chiourme. Il s'en dégage, à travers la fétidité du sang, une vague odeur de patchouli. Les complices de ce brigandage sont des hommes aimables, Romieu, Morny ; faire des dettes, cela mène à faire des crimes.

L'Europe fut stupéfaite. C'était le coup de foudre d'un filou. Il faut s'avouer que le tonnerre peut tomber en de mauvaises mains. Palmerston, ce traître, approuva ; le vieux Metternich, rêveur dans sa villa du Rennweg, hocha la tête. Quant à Soult, l'homme d'Austerlitz après Napoléon, il fit ce qu'il avait à faire ; le jour même de ce crime, il mourut. Hélas! et Austerlitz aussi.

Histoire d'un crime.

Le représentant Baudin

Ce n'est pas de la faute de Victor Hugo si la balle qui a tué Baudin, le représentant du peuple qui mourut « pour vingt-cinq francs » par jour, n'a pas rencontré sur son chemin le représentant du peuple Hugo. Juliette Drouet tremble quand elle le voit haranguer les officiers et les agents de police. « Vous allez vous faire fusiller » murmure-t-elle.

Pour aller de la rue Popincourt à la rue Caumartin, il faut traverser tout Paris. Nous trouvâmes partout un grand calme apparent. Il était une heure du matin quand nous arrivâmes chez M. de la R. Le fiacre s'arrêta près d'une grille que M. de la R. ouvrit à l'aide d'un passe-partout ; à droite, sous la voûte, un escalier montait au premier étage d'un corps de logis isolé que M. de la R. habitait et où il m'introduisit.

Nous pénétrâmes dans un petit salon fort richement meublé, éclairé d'une veilleuse et séparé de la chambre à coucher par une portière en tapisserie aux deux tiers fermée. M. de la R. entra dans cette chambre et en ressortit quelques minutes après, en compagnie d'une ravissante femme blanche et blonde, en robe de chambre, les cheveux dénoués, belle, fraîche, stupéfaite, douce, pourtant, et me considérant avec cet effarement qui dans un jeune regard est une grâce de plus. Madame de la R. venait d'être réveillée par son mari. Elle resta un moment sur le seuil de sa chambre, souriant, dormant, très étonnée, un peu effrayée, fixant ses yeux tour à tour sur son mari et sur moi, n'ayant jamais songé peut-être à ce que c'était que la guerre civile, et la voyant entrer brusquement chez elle au milieu de la nuit, sous cette forme inquiétante d'un inconnu qui demande un asile.

Je fis à madame de la R. mille excuses qu'elle reçut

avec une bonté parfaite, et la charmante femme profita de l'incident pour aller caresser une jolie petite fille de deux ans qui dormait au fond du salon dans son berceau, et l'enfant qu'elle baisa lui fit pardonner au proscrit qui la réveillait.

Tout en causant, M. de la R. alluma un excellent feu dans la cheminée, et sa femme, avec un oreiller et des coussins, un caban à lui, une pelisse à elle, m'improvisa en face de cette cheminée un lit sur un canapé un peu court que nous allongeâmes avec un fauteuil.

Pendant la délibération de la rue Popincourt, que je venais de présider, Baudin m'avait passé son crayon pour prendre note de quelques noms. J'avais encore ce crayon sur moi. J'en profitai pour écrire à ma femme un billet que madame de la R. se chargea de porter elle-même à madame Victor Hugo le lendemain. Tout en vidant mes poches, j'y trouvai une loge pour les Italiens que j'offris à madame de la R.

Je regardais ce berceau, ces deux beaux jeunes gens heureux, et moi avec mes cheveux et mes habits en désordre, mes souliers couverts de boue, une pensée sombre dans l'esprit, et je me faisais un peu l'effet du hibou dans le nid des rossignols.

Quelques instants après, M. et madame de la R. avaient disparu dans leur chambre, la portière entr'ouverte s'était refermée, je m'étais étendu tout habillé sur le canapé, et ce doux nid, troublé par moi, était rentré dans son gracieux silence.

On peut dormir la veille d'une bataille entre armées, la veille d'une bataille entre citoyens on ne dort pas. Je comptai toutes les heures qui sonnaient à une église peu éloignée ; toute la nuit, passèrent dans la rue qui était sous les fenêtres du salon où j'étais couché, des voitures qui s'enfuyaient de Paris ; elles se succédaient rapides et pressées ; on eût dit la sortie d'un bal. Ne pouvant dormir, je m'étais levé. J'avais un peu écarté les rideaux de mousseline d'une fenêtre, et je cherchais à voir dehors ; l'obscurité était complète. Pas d'étoiles, les nuages passaient avec la violence diffuse d'une nuit d'hiver. Un vent sinistre soufflait. Ce vent des nuées ressemblait au vent des événements.

Je regardais l'enfant endormi.

J'attendais le petit jour. Il vint. M. de la R. m'avait expliqué, sur ma demande, de quelle façon je pourrais sortir sans déranger personne. Je baisai au front l'enfant et je sortis du salon. Je descendis en fermant les portes derrière moi le plus doucement que je pus pour ne pas réveiller madame de la R. La grille s'ouvrit, et je me trouvai dans la rue. Elle était déserte, les boutiques étaient encore fermées, une laitière, son âne à côté d'elle, rangeait paisiblement ses pots sur le trottoir.

Je n'ai plus revu M. de la R. J'ai su depuis dans l'exil qu'il m'avait écrit, et que sa lettre avait été interceptée. Il a, je crois, quitté la France. Que cette page lui porte mon souvenir.

La rue Caumartin donne dans la rue Saint-Lazare. Je me dirigeai de ce côté-là. Il faisait tout à fait jour ; j'étais à chaque instant atteint et dépassé par des fiacres chargés de malles et de paquets, qui se hâtaient vers le chemin de fer du Havre. Les passants commençaient à se montrer. Quelques équipages du train remontaient la rue Saint-Lazare en même temps que moi. Vis-à-vis le n° 42, autrefois habité par Mlle Mars, je vis une affiche fraîche posée sur le mur, je m'approchai, je reconnus les caractères de l'Imprimerie Nationale et je lus :

COMPOSITION DU NOUVEAU MINISTÈRE

Intérieur, M. de Morny,
Guerre, M. le général de division de Saint-Arnaud,
Affaires étrangères, M. de Turgot,

Justice, M. Rouher,
Finances, M. Fould,
Marine, M. Ducos,
Travaux publics, M. Magne,
Instruction publique, M. H. Fortoul,
Commerce, M. Lefebvre-Duruflé.

J'arrachai l'affiche et la jetai dans le ruisseau ; les soldats du train qui menaient les fourgons me regardèrent faire et passèrent leur chemin.

Rue Saint-Georges, près d'une porte bâtarde, encore une affiche. C'était l'APPEL AU PEUPLE. Quelques personnes la lisaient. Je la déchirai malgré la résistance du portier qui me parut avoir la fonction de la garder.

Comme je passais place Bréda, quelques fiacres y étaient déjà arrivés. J'en pris un.

J'étais près de chez moi, la tentation était trop forte, j'y allai. En me voyant traverser la cour, le portier me regarda d'un air stupéfait. Je sonnai. Mon domestique Isidore vint m'ouvrir et jeta un grand cri : — Ah! c'est vous, monsieur! On est venu cette nuit pour vous arrêter. — J'entrai dans la chambre de ma femme, elle était couchée, mais ne dormait pas, et me conta la chose.

Elle s'était couchée à onze heures. Vers minuit et demi, à travers cette espèce de demi-sommeil qui ressemble à l'insomnie, elle entendit des voix d'hommes. Il lui sembla qu'Isidore parlait à quelqu'un dans l'antichambre. Elle n'y prit d'abord pas garde et essaya de s'endormir, mais le bruit de voix continua. Elle se leva sur son séant, et sonna.

Isidore arriva. Elle lui demanda :
— Est-ce qu'il y a là quelqu'un ?
— Oui, madame.
— Qui est-ce ?
— C'est quelqu'un qui désire parler à monsieur.

— Monsieur est sorti.

— C'est ce que j'ai dit, madame.

— Eh bien ? Ce monsieur ne s'en va pas ?

— Non, madame. Il dit qu'il a absolument besoin de parler à M. Victor Hugo et qu'il l'attendra.

Isidore s'était arrêté sur le seuil de la chambre à coucher. Pendant qu'il parlait, un homme gras, frais, vêtu d'un paletot sous lequel on voyait un habit noir, apparut à la porte derrière lui.

Madame Victor Hugo aperçut cet homme qui écoutait en silence.

— C'est vous, monsieur, qui désirez parler à M. Victor Hugo ?

— Oui, madame.

— Il est sorti.

— J'aurai l'honneur de l'attendre, madame.

— Il ne rentrera pas.

— Il faut pourtant que je lui parle.

— Monsieur, si c'est quelque chose qu'il soit utile de lui dire, vous pouvez me le confier à moi en toute sécurité, je le lui rapporterai fidèlement.

— Madame, c'est à lui-même qu'il faut que je parle.

— Mais de quoi s'agit-il donc ? Est-ce des affaires politiques ?

L'homme ne répondit pas.

— A ce propos, reprit ma femme, que se passe-t-il ?

— Je crois, madame, que tout est terminé.

— Dans quel sens ?

— Dans le sens du Président.

Ma femme regarda cet homme fixement et lui dit :

— Monsieur, vous venez pour arrêter mon mari.

— C'est vrai, madame, répondit l'homme en entr'ouvrant son paletot, qui laissa voir une ceinture de commissaire de police.

Il ajouta après un silence : — Je suis commissaire

de police, et je suis porteur d'un mandat pour arrêter M. Victor Hugo. Je dois faire perquisition et fouiller la maison.

— Votre nom, monsieur ? lui dit madame Victor Hugo.

— Je m'appelle Hivert.

— Vous connaissez la Constitution ?

— Oui, madame.

— Vous savez que les représentants du peuple sont inviolables ?

— Oui, madame.

— C'est bien, monsieur, dit-elle froidement. Vous savez que vous commettez un crime. Les jours comme celui-ci ont un lendemain. Allez, faites.

Le sieur Hivert essaya quelques paroles d'explication ou pour mieux dire de justification ; il bégaya le mot conscience, il balbutia le mot honneur. Madame Victor Hugo, calme jusque-là, ne put s'empêcher de l'interrompre avec quelque rudesse.

— Faites votre métier, monsieur, et ne raisonnez pas ; vous savez que tout fonctionnaire qui porte la main sur un représentant du peuple commet une forfaiture. Vous savez que devant les représentants le président n'est qu'un fonctionnaire comme les autres, le premier chargé d'exécuter leurs ordres. Vous osez venir arrêter un représentant chez lui comme un malfaiteur ! Il y a en effet ici un malfaiteur qu'il faudrait arrêter, c'est vous.

Le sieur Hivert baissa la tête et sortit de la chambre, et, par la porte restée entre-bâillée, ma femme vit défiler, derrière le commissaire bien nourri, bien vêtu et chauve, sept ou huit pauvres diables efflanqués, portant des redingotes sales qui leur tombaient jusqu'aux pieds et d'affreux vieux chapeaux rabattus sur les yeux ; loups conduits par le chien. Ils visitèrent l'appartement, ouvrirent çà et là quelques armoires, et s'en allèrent — l'air triste, me dit Isidore.

Le commissaire Hivert surtout avait la tête basse ; il la releva pourtant à un certain moment. Isidore, indigné de voir ces hommes chercher ainsi son maître dans tous les coins, se risqua à les narguer. Il ouvrit un tiroir, et dit : Regardez donc s'il ne serait pas là ! — Le commissaire de police eut dans l'œil un éclair furieux, et cria : — Valet, prenez garde à vous. — Le valet, c'était lui.

Ces hommes partis, il fut constaté que plusieurs de mes papiers manquaient. Des fragments de manuscrits avaient été volés, entre autres une pièce datée de juillet 1848, et dirigée contre la dictature militaire de Cavaignac, et où il y avait ces vers, écrits à propos de la censure, des conseils de guerre, des suppressions de journaux et en particulier de l'incarcération d'un grand journaliste, Émile de Girardin :

> ... O honte, un lansquenet
> Gauche, et parodiant César dont il hérite,
> Gouverne les esprits du fond de sa guérite !

Ces manuscrits sont perdus.

La police pouvait revenir d'un moment à l'autre ; — elle revint en effet quelques minutes après mon départ ; — j'embrassai ma femme, je ne voulus pas réveiller ma fille qui venait de s'endormir, et je redescendis. Quelques voisins effrayés m'attendaient dans la cour ; je leur criai en riant : — Pas encore pris !

Un quart d'heure après, j'étais rue des Moulins, n° 10. Il n'était pas encore huit heures du matin, et, pensant que mes collègues du comité d'insurrection avaient dû passer la nuit là, je jugeai utile d'aller les prendre pour nous rendre tous ensemble à la salle Roysin.

Je ne trouvai rue des Moulins que madame Landrin. On croyait la maison dénoncée et surveillée, et mes collègues s'étaient transportés rue Villedo, n° 7, chez i'ancien constituant Leblond, avocat des associations ouvrières. Jules Favre y avait passé la nuit. Madame Landrin déjeunait, elle m'offrit place à côté d'elle, mais le temps pressait, j'emportai un morceau de pain, et je partis.

Rue Villedo, n° 7, la servante qui vint m'ouvrir m'introduisit dans un cabinet où étaient Carnot, Michel de Bourges, Jules Favre, et le maître de la maison, notre ancien collègue, le constituant Leblond.

— J'ai en bas une voiture, leur dis-je ; le rendez-vous est pour neuf heures à la salle Roysin, au faubourg Saint-Antoine. Partons.

Mais ce n'était point leur avis. Selon eux, les tentatives faites la veille au faubourg Saint-Antoine avaient éclairé de ce côté la situation ; elles suffisaient ; il était inutile d'insister ; il était évident que les quartiers populaires ne se lèveraient pas, il fallait se tourner du côté des quartiers marchands, renoncer à remuer les extrémités de la ville et agiter le centre. Nous étions le comité de résistance, l'âme de l'insurrection ; aller au faubourg Saint-Antoine, investi par des forces considérables, c'était nous livrer à Louis Bonaparte. Ils me rappelèrent ce que j'avais moi-même dit la veille, rue Blanche, à ce sujet. Il fallait organiser immédiatement l'insurrection contre le coup d'État, et l'organiser dans les quartiers possibles, c'est-à-dire dans le vieux labyrinthe des rues Saint-Denis et Saint-Martin ; il fallait rédiger des proclamations, préparer des décrets, créer un mode de publicité quelconque ; on attendait d'importantes communications des associations ouvrières et des sociétés secrètes. Le grand coup que j'aurais voulu porter par notre réunion solennelle de la salle Roysin avorterait ; ils croyaient devoir rester où ils étaient, et, le comité étant peu nombreux et le travail à faire étant immense, ils me priaient de ne pas les quitter.

C'étaient des hommes d'un grand cœur et d'un grand

courage qui me parlaient ; ils avaient évidemment raison ; mais je ne pouvais pas, moi, ne point aller au rendez-vous que j'avais moi-même fixé. Tous les motifs qu'ils me donnaient étaient bons, j'aurais pu opposer quelques doutes pourtant, mais la discussion eût pris trop de temps, et l'heure avançait. Je ne fis pas d'objections, et je sortis du cabinet sous un prétexte quelconque. Mon chapeau était dans l'antichambre, mon fiacre m'attendait et je pris le chemin du faubourg Saint-Antoine.

Le centre de Paris semblait avoir gardé sa physionomie de tous les jours. On allait et venait, on achetait et on vendait, on jasait et on riait comme à l'ordinaire. Rue Montorgueil, j'entendis un orgue de Barbarie. Seulement, en approchant du faubourg Saint-Antoine, le phénomène que j'avais déjà remarqué la veille était de plus en plus sensible ; la solitude se faisait, et une certaine paix lugubre.

Nous arrivâmes place de la Bastille.

Mon cocher s'arrêta.

— Allez, lui dis-je.

La place de la Bastille était tout à la fois déserte et remplie. Trois régiments en bataille ; pas un passant.

Quatre batteries attelées étaient rangées au pied de la colonne. Çà et là quelques groupes d'officiers parlaient à voix basse, sinistres.

Un de ces groupes, le principal, fixa mon attention. Celui-là était silencieux, on n'y causait pas. C'étaient plusieurs hommes à cheval ; l'un en avant des autres, en habit de général avec le chapeau bordé à plumes noires ; derrière cet homme, deux colonels, et, derrière les colonels, une cavalcade d'aides de camp et d'officiers d'état-major. Ce peloton chamarré se tenait immobile et comme en arrêt entre la colonne et l'entrée du faubourg. A quelque distance de ce groupe se développaient, tenant toute la place, les régiments en bataille et les canons en batterie.

Mon cocher s'arrêta encore.

— Continuez, lui dis-je, entrez dans le faubourg.

— Mais, monsieur, on va nous empêcher.

— Nous verrons.

La vérité, c'est qu'on ne nous empêcha point.

Le cocher se remit en route, mais hésitant et marchant au pas. L'apparition d'un fiacre, dans la place, avait causé quelque surprise, et les habitants commençaient à sortir des maisons. Plusieurs s'approchaient de ma voiture.

Nous passâmes devant le groupe d'hommes à grosses épaulettes. Ces hommes, tactique comprise plus tard, n'avaient pas même l'air de nous voir.

L'émotion que j'avais eue la veille devant le régiment de cuirassiers, me reprit. Voir en face de moi, à quelques pas, debout, dans l'insolence d'un triomphe tranquille, les assassins de la patrie, cela était au-dessus de mes forces; je ne pus me contenir. Je m'arrachai mon écharpe, je la pris à poignée, et passant mon bras et ma tête par la vitre du fiacre baissée et agitant l'écharpe, je criai :

— Soldats, regardez cette écharpe, c'est le symbole de la loi, c'est l'Assemblée nationale visible. Où est cette écharpe est le droit. Eh bien, voici ce que le droit vous ordonne. On vous trompe, rentrez dans le devoir. C'est un représentant du peuple qui vous parle, et qui représente le peuple représente l'armée. Soldats, avant d'être des soldats, vous avez été des paysans, vous avez été des ouvriers, vous avez été et vous êtes des citoyens. Citoyens, écoutez-moi donc quand je vous parle. La loi seule a le droit de vous commander. Eh bien, aujourd'hui la loi est violée. Par qui? Par vous. Louis Bonaparte vous entraîne à un crime. Soldats, vous qui êtes l'honneur, écoutez-moi, car je suis le devoir. Soldats, Louis Bonaparte assassine la République. Défendez-la. Louis Bonaparte est un bandit, tous ses complices le suivront au bagne. Ils y sont déjà. Qui est digne du bagne est au bagne. Mériter la chaîne, c'est la porter. Regardez cet homme qui est à votre tête et qui ose vous commander. Vous le prenez pour un général, c'est un forçat.

Les soldats semblaient pétrifiés.

Quelqu'un qui était là (remercîment à cette généreuse âme dévouée) m'étreignit le bras, s'approcha de mon oreille et me dit : — Vous allez vous faire fusiller.

Mais je n'entendais pas et je n'écoutais rien.

Je poursuivis, toujours secouant l'écharpe :

— Vous qui êtes là, habillé comme un général, c'est à vous que je parle, monsieur. Vous savez qui je suis ; je suis un représentant du peuple, et je sais qui vous êtes, et je vous l'ai dit, vous êtes un malfaiteur. Maintenant, voulez-vous savoir mon nom ? Le voici :

Et je lui criai mon nom.

Et j'ajoutai :

— A présent, vous, dites-moi le vôtre.

Il ne répondit pas.

Je repris :

— Soit, je n'ai pas besoin de savoir votre nom de général, mais je saurai votre numéro de galérien.

L'homme en habit de général courba la tête. Les autres se turent. Je comprenais tous ces regards pourtant, quoiqu'ils ne se levassent pas. Je les voyais baissés et je les sentais furieux. J'eus un mépris énorme, et je passai outre.

Comment s'appelait ce général ? Je l'ignorais et je l'ignore encore.

Une des apologies du coup d'État, publiées en Angleterre, en rapportant cet incident et en le qualifiant de « provocation insensée et coupable », dit que la « modération » montrée par les chefs militaires en cette occasion « *fait honneur au général*....... ». Nous laissons à l'auteur de ce panégyrique la responsabilité de ce nom et de cet éloge.

Je m'engageai dans la rue du Faubourg-Saint-Antoine.

Mon cocher, qui savait mon nom désormais, n'hésita plus et poussa son cheval. Ces cochers de Paris sont une race intelligente et vaillante.

Comme je dépassais les premières boutiques de la grande rue, neuf heures sonnaient à l'église Saint-Paul.

— Bon, me dis-je, j'arrive à temps.

Le faubourg avait un aspect extraordinaire. L'entrée était gardée, mais non barrée, par deux compagnies d'infanterie. Deux autres compagnies étaient échelonnées plus loin de distance en distance, occupant la rue et laissant le passage libre. Les boutiques, ouvertes à l'entrée du faubourg, n'étaient plus qu'entre-bâillées cent pas plus loin. Les habitants, parmi lesquels je remarquai beaucoup d'ouvriers en blouse, s'entretenaient sur le seuil des portes et regardaient. Je remarquai à chaque pas les affiches du coup d'État intactes.

Au delà de la fontaine qui fait l'angle de la rue de Charonne, les boutiques étaient fermées. Deux cordons de soldats se prolongeaient des deux côtés de la rue du faubourg sur la lisière des trottoirs ; les soldats étaient espacés de cinq pas en cinq pas, le fusil haut, la poitrine effacée, la main droite sur la détente, prêts à mettre en joue, gardant le silence, dans l'attitude du guet. A partir de là, à l'embouchure de chacune des petites rues qui viennent aboutir à la grande rue du faubourg, une pièce de canon était braquée. Quelquefois c'était un obusier. Pour se faire une idée précise de ce qu'était cette disposition militaire, on n'a qu'à se figurer, se prolongeant des deux côtés du faubourg Saint-Antoine, deux chapelets dont les soldats seraient les chaînes et les canons les nœuds.

Cependant mon cocher devenait inquiet. Il se tourna vers moi et me dit : — Monsieur, ça m'a tout l'air que nous allons rencontrer des barricades par là. Faut-il retourner ?

— Allez toujours, lui dis-je.

Il continua d'avancer.

Brusquement ce fut impossible. Une compagnie d'infanterie, rangée sur trois lignes, occupait toute la rue d'un trottoir à l'autre. Il y avait à droite une petite rue. Je dis au cocher :

— Prenez par là.

Il prit à droite, puis à gauche. Nous pénétrâmes dans un labyrinthe de carrefours.

Tout à coup j'entendis une détonation.

Le cocher m'interrogea.

— Monsieur, de quel côté faut-il aller ?

— Du côté où vous entendez des coups de fusil.

Nous étions dans une rue étroite ; je voyais à ma gauche au-dessus d'une porte cette inscription : GRAND LAVOIR, et à ma droite une place carrée avec un bâtiment central qui avait l'aspect d'un marché. La place et la rue étaient désertes ; je demandai au cocher :

— Dans quelle rue sommes-nous ?

— Dans la rue de Cotte.

— Où est le café Roysin ?

— Droit devant nous.

— Allez-y.

Il se remit à marcher, mais au pas. Une nouvelle détonation éclata, celle-ci très près de nous, l'extrémité de la rue se remplit de fumée ; nous passions en ce moment-là devant le numéro 22, qui a une porte bâtarde au-dessus de laquelle je lisais : PETIT LAVOIR.

Subitement une voix cria au cocher :

— Arrêtez.

Le cocher s'arrêta, et, la vitre du fiacre étant baissée, une main se tendit vers la mienne. Je reconnus Alexandre Rey.

Cet homme intrépide était pâle.

— N'allez pas plus loin, me dit-il, c'est fini.

— Comment! fini?

— Oui, on a dû avancer l'heure; la barricade est prise, j'en arrive. Elle est à quelques pas d'ici, devant nous.

Et il ajouta :

— Baudin est tué.

La fumée se dissipait à l'extrémité de la rue.

— Voyez, me dit Alexandre Rey.

J'aperçus, à cent pas devant nous, au point de jonction de la rue de Cotte et de la rue Sainte-Marguerite, une barricade très basse que des soldats défaisaient. On emportait un cadavre.

C'était Baudin.

Voici ce qui s'était passé.

Dans cette même nuit, dès quatre heures du matin, de Flotte était dans le faubourg Saint-Antoine. Il voulait, si quelque mouvement se produisait avant le jour, qu'un représentant du peuple fût là ; et il était de ceux qui, lorsque la généreuse insurrection du droit éclate, veulent remuer les pavés de la première barricade.

Mais rien ne bougea. De Flotte, seul au milieu du faubourg désert et endormi, erra de rue en rue toute la nuit.

Le jour paraît tard en décembre. Avant les premières lueurs du matin, de Flotte était au lieu du rendez-vous vis-à-vis le marché Lenoir.

Ce point n'était que faiblement gardé. Il n'y avait d'autres troupes aux environs que le poste même du marché Lenoir et, à quelque distance, l'autre poste qui occupait le corps de garde situé à l'angle du faubourg et de la rue de Montreuil, près du vieil arbre de liberté planté en 1793 par Santerre. Ni l'un ni l'autre de ces deux postes n'étaient commandés par des officiers.

De Flotte reconnut la position, se promena quelque temps de long en large sur le trottoir, puis, ne voyant encore personne venir, et de crainte d'éveiller l'attention, il s'éloigna et rentra dans les rues latérales du faubourg.

De son côté Aubry (du Nord) s'était levé à cinq heures. Rentré chez lui au milieu de la nuit, en revenant de la rue Popincourt, il n'avait pris que trois heures de repos. Son portier l'avait averti que des hommes suspects étaient venus le demander dans la soirée du 2, et qu'on s'était présenté à la maison d'en face, au numéro 12 de cette même rue Racine, chez Huguenin, pour l'arrêter. C'est ce qui détermina Aubry à sortir avant le jour.

Il alla à pied au faubourg Saint-Antoine. Comme il arrivait à l'endroit désigné pour le rendez-vous, il rencontra Cournet et d'autres de la rue Popincourt. Ils furent presque immédiatement rejoints par Malardier.

Il était petit jour. Le faubourg était désert. Ils marchaient absorbés et parlant à voix basse. Tout à coup un groupe violent et singulier passa près d'eux.

Ils tournèrent la tête. C'était un piquet de lanciers qui entourait quelque chose qu'au crépuscule ils reconnurent pour une voiture cellulaire. Cela roulait sans bruit sur le macadam.

Ils se demandaient ce que cela pouvait signifier, quand un deuxième groupe pareil au premier apparut, puis un troisième, puis un quatrième. Dix voitures cellulaires passèrent ainsi, se suivant de très près et se touchant presque.

— Mais ce sont nos collègues! s'écria Aubry (du Nord).

En effet, le dernier convoi des représentants prisonniers du quai d'Orsay, le convoi destiné à Vincennes, traversait le faubourg Saint-Antoine. Il était environ sept heures du matin. Quelques boutiques s'ouvraient, éclairées à l'intérieur, et quelques passants sortaient des maisons.

Ces voitures défilaient l'une après l'autre, fermées, gardées, mornes, muettes ; aucune voix n'en sortait, aucun cri, aucun souffle. Elles emportaient au milieu des épées, des sabres et des lances, avec la rapidité et la fureur du tourbillon, quelque chose qui se taisait ; et ce quelque chose qu'elles emportaient et qui gardait ce silence sinistre, c'était la tribune brisée, c'était la souveraineté des assemblées, c'était l'initiative suprême d'où toute civilisation découle, c'était le verbe qui contient l'avenir du monde, c'était la parole de la France !

Une dernière voiture arriva, que je ne sais quel hasard avait retardée. Elle pouvait être éloignée du convoi principal de trois ou quatre cents mètres, et elle était escortée seulement par trois lanciers. Ce n'était pas une voiture cellulaire, c'était un omnibus, le seul qu'il y eût dans le convoi. Derrière le conducteur qui était un agent de police, on apercevait distinctement les représentants entassés dans l'intérieur. Il semblait facile de les délivrer.

Cournet s'adressa aux passants : — Citoyens, s'écria-t-il, ce sont vos représentants qu'on emmène ! Vous venez de les voir passer dans les voitures des malfaiteurs ! Bonaparte les arrête contrairement à toutes les lois. Délivrons-les ! Aux armes !

Un groupe s'était formé d'hommes en blouse et d'ouvriers qui allaient à leur travail. Un cri partit du groupe : — Vive la République ! et quelques hommes s'élancèrent vers la voiture. La voiture et les lanciers prirent le galop.

— Aux armes ! répéta Cournet.

— Aux armes ! reprirent les hommes du peuple.

Il y eut un instant d'élan. Qui sait ce qui eût pu arriver ? C'eût été une chose étrange que la première barricade contre le coup d'État eût été faite avec cet omnibus, et qu'après avoir servi au crime, il servît au châtiment.

Mais au moment où le peuple se ruait sur la voiture, on vit plusieurs des représentants prisonniers qu'elle contenait faire des deux mains signe de s'abstenir.

— Eh, dit un ouvrier, ils ne veulent pas!

Un deuxième reprit : — Ils ne veulent pas de la liberté!

Un autre ajouta : — Ils n'en voulaient pas pour nous ; ils n'en veulent pas pour eux.

Tout fut dit, on laissa l'omnibus s'éloigner.

Le café Roysin venait de s'ouvrir. On s'en souvient, la grande salle de ce café avait servi aux séances d'un club fameux en 1848. C'était là que le rendez-vous avait été donné.

Huit heures sonnaient quand les représentants commencèrent à arriver. Baudin serrait la main de tous avec effusion, mais ne parlait pas. Il était pensif. — Qu'avez-vous, Baudin ? lui demanda Aubry du Nord. Est-ce que vous êtes triste ? — Moi, dit Baudin en relevant la tête, je n'ai jamais été plus content!

Plusieurs des représentants déjà arrivés n'avaient pas d'écharpe. On en fit à la hâte quelques-unes dans une maison voisine avec des bandes de calicot rouge, blanc et bleu, et on les leur apporta. Baudin et de Flotte furent de ceux qui se revêtirent de ces écharpes improvisées.

Cependant il n'était pas encore neuf heures que déjà des impatiences se manifestaient autour d'eux.

Ces généreuses impatiences, plusieurs les partageaient.

Baudin voulait attendre.

— Ne devançons pas l'heure, disait-il ; laissons à nos collègues le temps d'arriver.

Mais on murmurait autour de Baudin :

— Non, commencez, donnez le signal, sortez. Le faubourg n'attend que la vue de vos écharpes pour se soulever. Vous êtes peu nombreux, mais on sait que vos amis vont venir vous rejoindre. Cela suffit. Commencez.

La suite a prouvé que cette hâte ne pouvait produire

qu'un avortement. Cependant ils jugèrent que le premier exemple que devaient les représentants du peuple, c'était le courage personnel. Ne laisser s'éteindre aucune étincelle, marcher les premiers, marcher en avant, c'était là le devoir. L'apparence d'une hésitation aurait été plus funeste en effet que toutes les témérités.

Schœlcher est une nature de héros ; il a la superbe impatience du danger.

— Allons, s'écria-t-il, nos amis nous rejoindront. Sortons.

Ils n'avaient pas d'armes.

— Désarmons le poste qui est là, dit Schœlcher.

Ils sortirent de la salle Roysin en ordre, deux par deux, se tenant sous le bras. Quinze ou vingt hommes du peuple leur faisaient cortège. Ils allaient devant eux criant : Vive la République! Aux armes!

Quelques enfants les précédaient et les suivaient en criant : Vive la Montagne!

Les boutiques fermées s'entr'ouvraient. Quelques hommes paraissaient au seuil des portes, quelques femmes se montraient aux fenêtres. Des groupes d'ouvriers qui allaient à leur travail les regardaient passer. On criait : Vivent nos représentants! Vive la République!

La sympathie était partout, mais nulle part l'insurrection. Le cortège se grossit peu, chemin faisant.

Un homme qui menait un cheval sellé s'était joint à eux. On ne savait qui était cet homme, ni d'où venait ce cheval. Cela avait l'air de s'offrir à quelqu'un qui voudrait s'enfuir. Le représentant Dulac ordonna à cet homme de s'éloigner.

Ils arrivèrent ainsi au corps de garde de la rue de Montreuil. A leur approche, la sentinelle poussa le cri d'alerte et les soldats sortirent du poste en tumulte.

Schœlcher calme, impassible, en manchettes et en cravate blanche, vêtu de noir comme à l'ordinaire, boutonné jusqu'au cou dans sa redingote serrée, avec l'air intrépide et fraternel d'un quaker, marcha droit à eux.

— Camarades, leur dit-il, nous sommes les représentants du peuple, et nous venons au nom du peuple vous demander vos armes pour la défense de la Constitution et des lois.

Le poste se laissa désarmer. Le sergent seul fit mine de résister, mais on lui dit : — Vous êtes seul, — et il céda. Les représentants distribuèrent les fusils et les cartouches au groupe résolu qui les entourait.

Quelques soldats s'écrièrent : — Pourquoi nous prenez-vous nos fusils ? Nous nous battrions pour vous et avec vous.

Les représentants se demandèrent s'ils accepteraient cette offre. Schœlcher y inclinait. Mais l'un d'eux fit observer que quelques gardes mobiles avaient fait la même ouverture aux insurgés de Juin et avaient tourné contre l'insurrection les armes que l'insurrection leur avait laissées.

On garda donc les fusils.

Le désarmement fait, on compta les fusils, il y en avait quinze.

— Nous sommes cent cinquante, dit Cournet, nous n'avons pas assez de fusils.

— Eh bien, demanda Schœlcher, où y a-t-il un poste ?

— Au marché Lenoir.

— Désarmons-le.

Schœlcher en tête et escorté des quinze hommes armés, les représentants allèrent au marché Lenoir. Le poste du marché Lenoir se laissa désarmer plus volontiers encore que le poste de la rue Montreuil. Les soldats se tournaient pour qu'on prît leurs cartouches dans leurs gibernes.

On chargea immédiatement les armes.

— Maintenant, cria de Flotte, nous avons trente fusils, cherchons un coin de rue et faisons une barricade.

Ils étaient alors environ deux cents combattants.

Ils montèrent la rue de Montreuil. Au bout d'une cinquantaine de pas, Schœlcher dit :

— Où allons-nous? nous tournons le dos à la Bastille. Nous tournons le dos au combat.

Ils redescendirent vers le faubourg.

Ils criaient : — Aux armes! On leur répondait : — Vivent nos représentants! Mais quelques jeunes gens seulement se joignirent à eux. Il était évident que le vent de l'émeute ne soufflait pas.

— N'importe, disait de Flotte, engageons l'action. Ayons la gloire d'être les premiers tués.

Comme ils arrivaient au point où les rues Sainte-Marguerite et de Cotte aboutissent l'une à l'autre et coupent le faubourg, une charrette de paysan chargée de fumier entrait rue Sainte-Marguerite.

— Ici, cria de Flotte.

Ils arrêtèrent la charrette de fumier et la renversèrent au milieu de la rue du Faubourg-Saint-Antoine.

Une laitière arriva.

Ils renversèrent la charrette de la laitière.

Un boulanger passait dans sa voiture à pain. Il vit ce qui se faisait, voulut fuir et mit son cheval au galop. Deux ou trois gamins — de ces enfants de Paris braves comme des lions et lestes comme des chats — coururent après le boulanger, dépassèrent le cheval qui galopait toujours, l'arrêtèrent et ramenèrent la voiture à la barricade commencée.

On renversa la voiture à pain.

Un omnibus survint, qui arrivait de la Bastille.

— Bon, dit le conducteur, je vois ce que c'est.

Il descendit de bonne grâce et fit descendre les voyageurs, puis le cocher détela les chevaux et s'en alla en secouant son manteau.

On renversa l'omnibus.

Les quatre voitures mises bout à bout barraient à peine la rue du faubourg, fort large en cet endroit. Tout en les alignant, les hommes de la barricade disaient :

— N'abîmons pas trop les voitures.

Cela faisait une médiocre barricade, assez basse, trop courte, et qui laissait les trottoirs libres des deux côtés.

En ce moment un officier d'état-major passa suivi d'une ordonnance, aperçut la barricade et s'enfuit au galop de son cheval.

Schœlcher inspectait tranquillement les voitures renversées. Quand il fut à la charrette du paysan, qui faisait un tas plus élevé que les autres, il dit : — Il n'y a que celle-là de bonne.

La barricade avançait. On jeta dessus quelques paniers vides qui la grossissaient et l'exhaussaient sans la fortifier.

Ils y travaillaient encore quand un enfant accourut en criant : — La troupe!

En effet deux compagnies arrivaient de la Bastille au pas de course par le faubourg, échelonnées par pelotons de distance en distance et barrant toute la rue.

Les portes et les fenêtres se fermaient précipitamment.

Pendant ce temps-là, dans un coin de la barricade, Bastide impassible contait gravement une histoire à Madier de Montjau. — Madier, lui disait-il, il y a près de deux cents ans que le prince de Condé, prêt à livrer bataille dans ce même faubourg Saint-Antoine où nous sommes, demandait à un officier qui l'accompagnait : — As-tu jamais vu une bataille perdue? — Non, monseigneur. — Eh bien, tu vas en voir une. — Moi, Madier, je vous dis aujourd'hui : — Vous allez voir tout à l'heure une barricade prise.

Cependant ceux qui étaient armés s'étaient placés à leur position de combat derrière la barricade.

Le moment approchait.

— Citoyens, cria Schœlcher, ne tirez pas un coup de fusil. Quand l'armée et les faubourgs se battent, c'est le sang du peuple qui coule des deux côtés. Laissez-nous d'abord parler aux soldats.

Il monta sur un des paniers qui exhaussaient la barricade. Les autres représentants se rangèrent près de lui sur l'omnibus. Malardier et Dulac étaient à sa droite. Dulac lui dit :

— Vous me connaissez à peine, citoyen Schœlcher, moi je vous aime. Donnez-moi pour mission de rester à côté de vous. Je ne suis que du second rang à l'Assemblée, mais je veux être du premier rang au combat.

En ce moment quelques hommes en blouse, de ceux que le 10 décembre avait embrigadés, parurent à l'angle de la rue Sainte-Marguerite, tout près de la barricade et crièrent : — A bas les vingt-cinq francs!

Baudin, qui avait déjà choisi son poste de combat et qui était debout sur la barricade, regarda fixement ces hommes et leur dit :

— *Vous allez voir comment on meurt pour vingt-cinq francs!*

Un bruit se fit dans la rue. Quelques dernières portes restées entr'ouvertes se fermèrent. Les deux colonnes d'attaque venaient d'arriver en vue de la barricade. Plus loin on apercevait confusément d'autres rangées de bayonnettes. C'étaient celles qui m'avaient barré le passage.

Schœlcher, élevant le bras avec autorité, fit signe au capitaine qui commandait le premier peloton d'arrêter.

Le capitaine fit de son épée un signe négatif. Tout le 2 décembre était dans ces deux gestes. La loi disait : — Arrêtez! Le sabre répondit : — Non!

Les deux compagnies continuèrent d'avancer, mais à pas lents et en gardant leurs intervalles.

Schœlcher descendit de la barricade dans la rue. De

Flotte, Dulac, Malardier, Brillier, Maigne, Bruckner le suivirent.

Alors on vit un beau spectacle.

Sept représentants du peuple, sans autre arme que leurs écharpes, c'est-à-dire majestueusement revêtus de la loi et du droit, s'avancèrent dans la rue hors de la barricade et marchèrent droit aux soldats, qui les attendaient le fusil en joue.

Les autres représentants restés dans la barricade disposaient les derniers apprêts de la résistance. Les combattants avaient une attitude intrépide. Le lieutenant de marine Cournet les dominait tous de sa haute taille. Baudin, toujours debout sur l'omnibus renversé, dépassait la barricade de la moitié du corps.

En voyant approcher les sept représentants, les soldats et les officiers eurent un moment de stupeur. Cependant le capitaine fit signe aux représentants d'arrêter.

Ils s'arrêtèrent en effet, et Schœlcher dit d'une voix grave :

— Soldats! nous sommes les représentants du peuple souverain, nous sommes vos représentants, nous sommes les élus du suffrage universel. Au nom de la Constitution, au nom du suffrage universel, au nom de la République, nous qui sommes l'Assemblée nationale, nous qui sommes la loi, nous vous ordonnons de vous joindre à nous, nous vous sommons de nous obéir. Vos chefs, c'est nous. L'armée appartient au peuple, et les représentants du peuple sont les chefs de l'armée. Soldats, Louis Bonaparte viole la Constitution, nous l'avons mis hors la loi. Obéissez-nous.

L'officier qui commandait, un capitaine nommé Petit, ne le laissa pas achever.

— Messieurs, dit-il, j'ai des ordres. Je suis du peuple. Je suis républicain comme vous, mais je ne suis qu'un instrument.

— Vous connaissez la Constitution, dit Schœlcher.

— Je ne connais que ma consigne.

— Il y a une consigne au-dessus de toutes les consignes, reprit Schœlcher ; ce qui oblige le soldat comme le citoyen, c'est la loi.

Il se tournait de nouveau vers les soldats pour les haranguer, mais le capitaine lui cria :

— Pas un mot de plus. Vous ne continuerez pas! Si vous ajoutez une parole, je commande le feu.

— Que nous importe! dit Schœlcher.

En ce moment un officier à cheval arriva. C'était le chef de bataillon. Il parla un instant bas au capitaine.

— Messieurs les représentants, reprit le capitaine en agitant son épée, retirez-vous, ou je fais tirer.

— Tirez, cria de Flotte.

Les représentants — étrange et héroïque copie de Fontenoy — ôtèrent leurs chapeaux et firent face aux fusils.

Schœlcher seul garda son chapeau sur la tête et attendit les bras croisés.

— A la baïonnette! dit le capitaine, et se tournant vers les pelotons : — Croisez — ette!

— Vive la République! crièrent les représentants.

Les baïonnettes s'abaissèrent, les compagnies s'ébranlèrent, et les soldats fondirent au pas de course sur les représentants immobiles.

Ce fut un instant terrible et grandiose.

Les sept représentants virent arriver les bayonnettes à leurs poitrines, sans un mot, sans un geste, sans un pas en arrière. Mais l'hésitation, qui n'était pas dans leur âme, était dans le cœur des soldats.

Les soldats sentirent distinctement qu'il y avait là une double souillure pour leur uniforme, attenter à des représentants du peuple, ce qui est une trahison, et tuer des hommes désarmés, ce qui est une lâcheté. Or, trahison et lâcheté, ce sont là deux épaulettes dont s'accommode quelquefois le général, jamais le soldat.

Quand les baïonnettes furent tellement près des représentants qu'elles leur touchaient la poitrine, elles se détournèrent d'elles-mêmes, et les soldats d'un mouvement unanime passèrent entre les représentants sans leur faire de mal. Schœlcher seul eut sa redingote percée en deux endroits, et, dans sa conviction, ce fut maladresse plutôt qu'intention. Un des soldats qui lui faisait face voulut l'éloigner du capitaine et le toucha de sa baïonnette. La pointe rencontra le livre d'adresses des représentants que Schœlcher avait dans sa poche et ne perça que le vêtement.

Un soldat dit à de Flotte : — Citoyen, nous ne voulons pas vous faire de mal.

Pourtant un soldat s'approcha de Bruckner et le mit en joue.

— Eh bien, dit Bruckner, faites feu.

Le soldat ému, abaissa son arme et serra la main de Bruckner.

Chose frappante, en dépit de l'ordre donné par les chefs, les deux compagnies arrivèrent successivement jusqu'aux représentants, croisant la bayonnette, et se détournant. La consigne commande, mais l'instinct règne ; la consigne peut être le crime, mais l'instinct, c'est l'honneur. Le chef de bataillon P... a dit plus tard : « On nous avait annoncé que nous aurions affaire à des brigands, nous avons eu affaire à des héros. »

Cependant, à la barricade on s'inquiétait, et, les voyant enveloppés et voulant les secourir, on tira un coup de fusil. Ce coup de fusil malheureux tua un soldat entre de Flotte et Schœlcher.

L'officier qui commandait le second peloton d'attaque passait près de Schœlcher comme le pauvre soldat tombait. Schœlcher montra à l'officier l'homme gisant :

— Lieutenant, dit-il, voyez.

L'officier répondit avec un geste de désespoir.

— Que voulez-vous que nous fassions?

Les deux compagnies ripostèrent au coup de fusil par une décharge générale et s'élancèrent à l'assaut de la barricade, laissant derrière elles les sept représentants stupéfaits d'être encore vivants.

La barricade répondit par une décharge, mais elle ne pouvait tenir. Elle fut emportée.

Baudin fut tué.

Il était resté debout à sa place de combat sur l'omnibus. Trois balles l'atteignirent. Une le frappa de bas en haut à l'œil droit et pénétra dans le cerveau. Il tomba. Il ne reprit pas connaissance. Une demi-heure après il était mort. On porta son cadavre à l'hôpital Sainte-Marguerite.

Bourzat, qui était près de Baudin avec Aubry du Nord, eut son manteau percé d'une balle.

Un détail qu'il faut noter encore, c'est que les soldats ne firent aucun prisonnier dans cette barricade. Ceux qui la défendaient se dispersèrent dans les rues du faubourg ou trouvèrent asile dans les maisons voisines. Le représentant Maigne, poussé par des femmes effarées derrière une porte d'allée, s'y trouva enfermé avec un des soldats qui venaient de prendre la barricade. Un moment après, le représentant et le soldat sortirent ensemble. Les représentants purent quitter librement ce premier champ de combat.

A ce commencement solennel de la lutte, une dernière lueur de justice et de droit brillait encore et la probité militaire reculait avec une sorte de morne anxiété devant l'attentat où on l'engageait. Il y a l'ivresse du bien, et il y a l'ivrognerie du mal ; cette ivrognerie plus tard noya la conscience de l'armée.

L'armée française n'est pas faite pour commettre des crimes. Quand la lutte se prolongea et qu'il fallut exécuter de sauvages ordres du jour, les soldats durent s'étourdir. Ils obéirent, non froidement, ce qui eût été monstrueux, mais avec colère, ce que l'histoire invoquera comme leur excuse ; et pour beaucoup peut-être, il y avait au fond de cette colère du désespoir.

Le soldat tombé était resté sur le pavé. Ce fut Schœlcher qui le releva. Quelques femmes éplorées et vaillantes sortirent d'une maison. Quelques soldats vinrent. On le porta, Schœlcher lui soutenant la tête, d'abord chez une fruitière, puis à l'hôpital Sainte-Marguerite, où l'on avait déjà porté Baudin.

C'était un conscrit. La balle l'avait frappé au côté. On voyait à sa capote grise boutonnée jusqu'au collet le trou souillé de sang. Sa tête tombait sur son épaule ; son visage pâle, bridé par la mentonnière du shako, n'avait plus de regard ; le sang lui sortait de la bouche. Il paraissait dix-huit ans à peine. Déjà soldat et encore enfant. Il était mort.

Ce pauvre soldat fut la première victime du coup d'État. Baudin fut la seconde.

Avant d'être représentant, Baudin avait été instituteur. Il sortait de cette intelligente et forte famille des maîtres d'école, toujours persécutés, qui sont tombés de la loi Guizot dans la loi Falloux et de la loi Falloux dans la loi Dupanloup. Le crime du maître d'école, c'est de tenir un livre ouvert ; cela suffit, la sacristie le commande. Il y a maintenant en France dans chaque village un flambeau allumé, le maître d'école, et une bouche qui souffle dessus, le curé. Les maîtres d'écoles de France qui savent mourir de faim pour la vérité et pour la science étaient dignes qu'un des leurs fût tué pour la liberté.

La première fois que je vis Baudin ce fut à l'Assemblée le 13 janvier 1850. Je voulais parler contre la loi d'enseignement. Je n'étais pas inscrit ; Baudin était inscrit le second. Il vint m'offrir son tour. J'acceptai, et je pus parler le surlendemain 15.

Baudin était, pour les rappels à l'ordre et les avanies, un des points de mire du sieur Dupin. Il partageait cet honneur avec les représentants Miot et Valentin.

Baudin monta plusieurs fois à la tribune. Sa parole, hésitante dans la forme, était énergique dans le fond. Il siégeait à la crête de la montagne. Il avait l'esprit ferme et les manières timides. De là dans toute sa personne je ne sais quel embarras mêlé à la décision. C'était un homme de moyenne taille. Sa face, colorée et pleine, sa poitrine ouverte, ses épaules larges, annonçaient l'homme robuste, le laboureur maître d'école, le penseur paysan. Il avait cette ressemblance avec Bourzat. Baudin penchait la tête sur son épaule, écoutait avec intelligence et parlait avec une voix douce et grave. Il avait le regard triste et le sourire amer d'un prédestiné.

Le 2 décembre au soir, je lui avais demandé : — Quel âge avez-vous? Il m'avait répondu : — Pas tout à fait trente-trois ans.

— Et vous? me dit-il.

— Quarante-neuf ans.

Et il avait repris :

— Nous avons le même âge aujourd'hui.

Il songeait en effet à ce lendemain qui nous attendait et où se cachait ce *peut-être* qui est la grande égalité.

Histoire d'un crime.

Les barricades du désespoir

Le 3 décembre est la journée des barricades, ces barricades que Hugo verra fleurir quatre fois sur le pavé de Paris au cours de sa vie, de 1830 à 1848, de 1851 à 1871. Le 4 décembre sera celle du massacre, ce massacre de la « canaille » par la bourgeoisie qui revient aussi comme un leitmotiv de l'histoire de France au XIXᵉ siècle. Les mitraillades font au moins quatre cents morts à Paris (Hugo avance le chiffre de deux mille). Les hommes « d'ordre » supplient le dictateur de « voiler les statues de la Clémence et de la Pitié, d'être un homme de bronze, le glaive de la répression à la main ».

Mon cocher me déposa à la pointe Sainte-Eustache et me dit : — Vous voilà dans le guêpier.

Il ajouta : — Je vous attendrai rue de la Vrillière, près de la place des Victoires. Prenez votre temps.

Je me mis à marcher de barricade en barricade.

Dans la première je rencontrai de Flotte, qui s'offrit à me servir de guide. Pas un homme plus déterminé que de Flotte. J'acceptai, il me mena partout où ma prérence pouvait être utile.

Chemin faisant, il me rendit compte des mesures prises par lui pour imprimer nos proclamations ; l'imprimerie Boulé faisant défaut, il s'était adressé à une presse lithographique, rue Bergère nº 30, et, au péril de leur vie, deux hommes vaillants avaient imprimé cinq cents exemplaires de nos décrets. Ces deux braves ouvriers se nommaient, l'un Rubens, l'autre Achille Poincelot.

Tout en marchant, j'écrivais des notes au crayon (avec le crayon de Baudin que j'avais sur moi) ; j'enregistrai les faits pêle-mêle ; je reproduis ici cette page. Ces choses vivantes sont utiles pour l'histoire. Le coup d'État est là, comme saignant.

« Matinée du 4. On dirait le combat suspendu. Va-t-il reprendre ? Barricades visitées par moi : Une à la pointe Sainte-Eustache. Une à la halle aux huîtres. Une rue Mauconseil. Une rue Tiquetonne. Une rue Mandar (Rocher de Cancale). Une barrant la rue du Cadran et la rue Montorgueil. Quatre fermant le Petit-Carreau. Commencement d'une entre la rue des Deux-Portes et la rue Saint-Sauveur, barrant la rue Saint-Denis. Une, la plus grande, barrant la rue Saint-Denis à la hauteur de la rue Guérin-Boisseau. Une barrant la rue Grenetat. Une plus avant dans la rue Grenetat barrant la rue Bourg-Labbé (au centre une voiture de farine renversée ; bonne barricade). Rue Saint-Denis, une barrant la rue du Petit-Lion-Saint-Sauveur. Une barrant la rue du Grand-Hurleur, avec les quatre coins barricadés. Cette barricade a été déjà attaquée ce matin. Un combattant, Massonnet, fabricant de peignes, rue Saint Denis, 154, a reçu une balle dans son paletot ; Dupapet, dit l'homme à la longue barbe, est resté le dernier sur la crête de la barricade. On l'a entendu crier aux officiers commandant l'attaque : Vous êtes des traîtres! On le croit fusillé. La troupe s'est retirée, chose étrange, sans démolir la barricade. — On construit une barricade rue du Renard. — Quelques gardes nationaux en uniforme la regardent construire, mais n'y travaillent pas. Un d'eux dit : *Nous ne sommes pas contre vous, vous êtes avec le droit.* — Ils ajoutent qu'il y a douze ou quinze barricades rue Rambuteau. — Ce matin au point du jour on a tiré le canon, *ferme*, me dit l'un d'eux, rue Bourbon-Villeneuve. — Je vais visiter une fabrique de poudre improvisée par Leguevel chez un pharmacien vis-à-vis la rue Guérin-Boisseau.

» On construit des barricades à l'amiable, sans fâcher personne. On fait ce qu'on peut pour ne pas froisser le voisinage. Les combattants de la barricade Bourg-Labbé sont les pieds dans la boue à cause de la pluie. C'est un cloaque. Ils hésitent à demander une botte de paille. Ils se couchent dans l'eau ou sur les pavés.

» J'ai vu là un jeune homme malade sorti de son lit avec la fièvre. Il m'a dit : — *Je m'y ferai tuer.* (Il l'a fait).

» Rue Bourbon-Villeneuve on n'a pas même demandé aux « bourgeois » un matelas, quoique, la barricade étant canonnée, on en eût besoin pour amortir les boulets.

» Les soldats font mal les barricades, parce qu'ils les font bien. Une barricade doit être branlante ; bien bâtie, elle ne vaut rien ; il faut que les pavés manquent d'aplomb, « afin qu'ils s'éboulent sur les troupiers, me dit un gamin, *et qu'ils leur cassent les pattes* ». L'entorse fait partie de la barricade.

» Jeanty Sarre est le chef de tout un groupe de barricades. Il me présente son second, Charpentier, homme de trente-six ans, lettré et savant. Charpentier s'occupe d'expériences ayant pour but de remplacer le charbon et le bois par le gaz dans la cuisson de la porcelaine, et il me demande la permission de me lire « un de ces jours » *une tragédie*. Je lui dis : *Nous en faisons une*.

» Jeanty Sarre gronde Charpentier ; les munitions manquent. Jeanty Sarre ayant chez lui, rue Saint-Honoré, une livre de poudre de chasse et vingt cartouches de guerre a envoyé Charpentier les chercher. Charpentier y est allé, a rapporté la poudre de chasse et les cartouches, mais les a distribuées aux combattants des barricades qu'il a rencontrées chemin faisant. — *Ils étaient comme des affamés*, dit-il. Charpentier n'a de sa vie touché une arme à feu. Jeanty Sarre lui montre à charger un fusil.

» On mange chez le marchand de vin du coin et l'on s'y chauffe. Il fait très froid. Le marchand de vin dit : — *Ceux qui ont faim, allez manger*. Un combattant lui a demandé : — *Qui est-ce qui paiera ?* — *La mort*, a-t-il répondu. En effet, quelques heures après, il a reçu dix-sept coups de bayonnette.

» On n'a pas brisé les conduits de gaz, toujours « pour ne pas faire trop de dégâts ». On s'est borné à prendre aux portiers du gaz leur clef et aux allumeurs leur perche à ouvrir les tuyaux. De cette façon on est maître d'allumer ou d'éteindre.

» Ce groupe de barricades est fort et jouera un rôle. J'ai espéré un moment qu'on l'attaquerait pendant que j'y étais. Le clairon s'est approché, puis s'est éloigné. Et Jeanty Sarre vient de me dire : *Ce sera pour ce soir*.

» Son intention est d'éteindre le gaz rue du Petit-Carreau et dans toutes les rues voisines, et de ne laisser qu'un bec allumé rue du Cadran. Il a mis des sentinelles jusqu'au coin de la rue Saint-Denis ; il y a là un côté ouvert, sans barricades, mais peu accessible à la troupe, à cause de l'exiguïté des rues, on n'y peut entrer qu'un à un ; donc peu de danger, utilité des rues étroites ; la troupe « ne vaut rien qu'en bloc » ; le soldat n'aime pas l'action éparse ; en guerre, se toucher les coudes, c'est la moitié de la bravoure. Jeanty Sarre a un oncle réactionnaire qu'il ne voit pas et qui demeure tout près rue du Petit-Carreau, nº 1. *Quelle peur nous lui ferons tout à l'heure !* m'a dit Jeanty Sarre en riant. Ce matin Jeanty Sarre a inspecté la barricade Montorgueil. Il n'y avait qu'un homme, qui était ivre, et qui lui a mis le canon de son fusil sur la poitrine en disant : *On ne passe pas !* Jeanty Sarre l'a désarmé.

» Je vais rue Pagevin. Il y a là, à l'angle de la place des Victoires, une barricade très-bien faite. Dans la barricade d'à côté, rue Jean-Jacques-Rousseau, la troupe ce matin n'a pas fait de prisonniers. Les soldats ont tout tué. Il y a des cadavres jusque sur la place des Victoires. La barricade Pagevin s'est maintenue. Ils sont là cinquante, bien armés. J'y entre. — Tout va bien ? — Oui. — Courage. — Je serre toutes ces vaillantes mains. On me fait un rapport. On a vu un garde municipal écraser la tête d'un mourant à coups de crosse. Une jeune fille, jolie, voulant rentrer chez elle, s'est réfugiée dans la barricade. Elle y est restée une heure « épouvantée ». Quand le danger a été passé, le chef de la barricade l'a fait reconduire chez elle « par le plus âgé de ses hommes ».

» Comme j'allais sortir de la barricade Pagevin, on m'a amené un prisonnier, « un mouchard », disait-on. Il s'attendait à être fusillé. Je l'ai fait mettre en liberté. »

Subitement commença la fusillade sur les boulevards :

Les tristes hommes armés groupés sur le boulevard Montmartre sentirent entrer en eux une âme épouvantable ; ils cessèrent d'être eux-mêmes et devinrent démons.

Il n'y eut plus un seul soldat français ; il y eut on ne sait quels fantômes accomplissant une besogne horrible dans une lueur de vision.

Il n'y eut plus de drapeau, il n'y eut plus de loi, il n'y eut plus d'humanité, il n'y eut plus de patrie, il n'y eut plus de France ; on se mit à assassiner.

Subitement, à un signal donné, un coup de fusil tiré n'importe où par n'importe qui, la mitraille se rua sur la foule. La mitraille est une foule aussi ; c'est la mort émiettée. Elle ne sait où elle va, ni ce qu'elle fait. Elle tue et passe.

En un clin d'œil il y eut sur le boulevard une tuerie longue d'un quart de lieue. Onze pièces de canon effondrèrent l'hôtel Sallandrouze. Le boulet troua de part en part vingt-huit maisons. Les bains de Jouvence furent sabordés. Tortoni fut massacré. Tout un quartier de Paris fut plein d'une immense fuite et d'un cri terrible. Partout, mort subite. On ne s'attend à rien. On tombe.

Cette extermination, qu'un témoin anglais, le capitaine William Jesse, appelle « une fusillade de gaieté de cœur », dura de deux heures à cinq heures. Pendant ces trois effroyables heures, Louis Bonaparte exécuta sa préméditation et consomma son œuvre. Jusqu'à cet instant la pauvre petite conscience bourgeoise était presque indulgente. Eh bien, quoi, c'était jeu de prince, une espèce d'escroquerie d'État, un tour de passe-passe de grande dimension ; les sceptiques et les capables disaient : « C'est une bonne farce faite à ces imbéciles. » Subitement, Louis Bonaparte, devenu inquiet, dut démasquer « toute sa politique ». — *Dites à Saint-Arnaud d'exécuter mes ordres.* Saint Arnaud obéit, le coup d'État fit ce qu'il était dans sa loi de faire, et à partir de ce moment épouvantable un immense ruisseau de sang se mit à couler à travers ce crime.

On laissa les cadavres gisants sur le pavé, effarés, pâles, stupéfaits, les poches retournées. Le tueur soldatesque est condamné à ce crescendo sinistre. Le matin, assassin ; le soir, voleur.

La nuit venue, il y eut enthousiasme et joie à l'Élysée. Ces hommes triomphèrent. Conneau, naïvement, a raconté la scène. Les familiers déliraient. Fialin tutoya Bonaparte. — Perdez-en l'habitude, lui dit tout bas Vieillard. En effet, ce carnage faisait Bonaparte empereur. Il était maintenant Majesté. On but, on fuma comme les soldats sur le boulevard ; car, après avoir tué tout le jour, on but toute la nuit ; le vin coula sur le sang. A l'Élysée on était émerveillé de la réussite. On s'extasiait, on admirait. Quelle idée le prince avait eue! Comme la chose avait été menée!

Histoire d'un crime.

Un épisode de cette atroce « nuit du 4 » a inspiré à Hugo un poème bouleversant.

L'enfant avait reçu deux balles dans la tête.
Le logis était propre, humble, paisible, honnête ;
On voyait un rameau bénit sur un portrait.
Une vieille grand'mère était là qui pleurait.
Nous le déshabillions en silence. Sa bouche,
Pâle, s'ouvrait ; la mort noyait son œil farouche ;
Ses bras pendants semblaient demander des appuis ;

Il avait dans sa poche une toupie en buis.
On pouvait mettre un doigt dans les trous de ses plaies.
Avez-vous vu saigner la mûre dans les haies ?
Son crâne était ouvert comme un bois qui se fend.
L'aïeule regarda déshabiller l'enfant,
Disant : — Comme il est blanc! approchez donc la lampe.
Dieu! ses pauvres cheveux sont collés sur sa tempe ! —
Et quand ce fut fini, le prit sur ses genoux.
La nuit était lugubre ; on entendait des coups
De fusil dans la rue où l'on en tuait d'autres.
— Il faut ensevelir l'enfant, dirent les nôtres.
Et l'on prit un drap blanc dans l'armoire en noyer.
L'aïeule cependant l'approchait du foyer
Comme pour réchauffer ses membres déjà roides.
Hélas! ce que la mort touche de ses mains froides
Ne se réchauffe plus aux foyers d'ici bas!
Elle pencha la tête et lui tira ses bas,
Et dans ses vieilles mains prit les pieds du cadavre.
— Est-ce que ce n'est pas une chose qui navre!
Cria-t-elle ; monsieur, il n'avait pas huit ans!
Ses maîtres, il allait en classe, étaient contents.
Monsieur, quand il fallait que je fisse une lettre,
C'est lui qui l'écrivait. Est-ce qu'on va se mettre
A tuer les enfants maintenant ? Ah! mon Dieu!
On est donc des brigands? Je vous demande un peu,
Il jouait ce matin, là, devant la fenêtre!
Dire qu'ils m'ont tué ce pauvre petit être!
Il passait dans la rue, ils ont tiré dessus.
Monsieur, il était bon et doux comme un Jésus.
Moi je suis vieille, il est tout simple que je parte ;
Cela n'aurait rien fait à monsieur Bonaparte
De me tuer au lieu de tuer mon enfant! —
Elle s'interrompit, les sanglots l'étouffant,
Puis elle dit, et tous pleuraient près de l'aïeule :
— Que vais-je devenir à présent toute seule ?

Expliquez-moi cela, vous autres, aujourd'hui.
Hélas! je n'avais plus de sa mère que lui.
Pourquoi l'a-t-on tué? je veux qu'on me l'explique.
L'enfant n'a pas crié vive la République. —
Nous nous taisions, debout et graves, chapeau bas,
Tremblant devant ce deuil qu'on ne console pas.
Vous ne compreniez point, mère, la politique.
Monsieur Napoléon, c'est son nom authentique,
Est pauvre, et même prince, il aime les palais ;
Il lui convient d'avoir des chevaux, des valets,
De l'argent pour son jeu, sa table, son alcôve,
Ses chasses ; par la même occasion, il sauve
La famille, l'église et la société ;
Il veut avoir Saint-Cloud, plein de roses l'été,
Où viendront l'adorer les préfets et les maires ;
C'est pour cela qu'il faut que les vieilles grand'mères,
De leurs pauvres doigts gris que fait trembler le temps,
Cousent dans le linceul des enfants de sept ans.

Les châtiments.

VI

1851-1870-LE GRAND EXIL

La Résistance a été écrasée, l'insurrection noyée dans le sang. Le 6 décembre, Hugo trouve un asile que lui a ménagé Juliette Drouet, chez des gens de droite, mais honnêtes. Un imprimeur de ses amis, Lanvin, lui procure un passeport, avec lequel, le 11 décembre, Hugo gagne Bruxelles. Le 9 janvier, Louis-Bonaparte signe le décret « d'expulsion » du poète. Celui-ci, en un mois, va écrire à Bruxelles Napoléon le Petit. Pendant ce temps, le 7 juin, sa femme vend leurs biens. Hugo va s'installer en août à Jersey. En 1853 il publie en Belgique les Châtiments. Il va s'installer dans l'austère exil, le labeur prodigieux, le jaillissement torrentiel du génie, face à l'Océan et à l'épreuve. En 1855, il sera chassé de Jersey pour y avoir soutenu et aidé un groupe de proscrits qui rédigeaient un journal républicain, l'Homme. Il va s'installer à Guernesey où il vivra jusqu'en 1870. C'est de là qu'il publiera les Contemplations, c'est là qu'il écrira Dieu, la fin de Satan, la Légende des Siècles, les Chansons des Rues et des Bois, qu'il achèvera les Misérables. C'est là que la gloire remplace la célébrité, et que l'immense talent s'épanouit en génie.

Le départ

Toute sa vie, Victor Hugo reverra l'heure décisive de l'arrachement. Sa famille, sa maison, sa cité, il laisse tout derrière lui. Il va être pendant près de vingt ans l'habitant du « pays sévère », de l'exil. Et s'il n'en reste qu'un, il sera celui-là.

Je ne savais plus où aller.

Dans l'après-midi du 7, je me déterminai à rentrer encore une fois au n° 19 de la rue de Richelieu.

Sous la porte cochère quelqu'un me saisit le bras. C'était Mme Drouet. Elle m'attendait.

— Je suis découvert ?

— Oui.

— Et pris ?

— Non.

Elle ajouta :

— Venez.

Nous traversâmes la cour, et nous sortîmes par une porte d'allée sur la rue Fontaine-Molière ; nous gagnâmes la place du Palais-Royal. Les fiacres y stationnaient comme à l'ordinaire. Nous montâmes dans le premier venu.

— Où allons-nous ? demanda le cocher.

Elle me regarda.

Je répondis :

— Je ne sais pas.

— Je le sais, moi, dit-elle.

Les femmes savent toujours où est la providence.

Une heure après j'étais en sûreté.

A partir du 4, chacun des jours qui s'écoulèrent fut l'affermissement du coup d'État. Notre défaite fut complète et nous nous sentîmes abandonnés. Paris fut comme une forêt où Louis Bonaparte fit la battue des représentants ; la bête fauve traqua les chasseurs. Nous entendions le vague aboiement de Maupas derrière nous. On dut se disperser. La poursuite fut opiniâtre. Nous entrâmes dans la seconde phase du devoir, la catastrophe acceptée et subie. Les vaincus devinrent les proscrits.

Chacun eut son dénouement personnel. Le mien fut ce qu'il devait être, l'exil ; la mort m'ayant manqué.

Le 14, ... je parvins à gagner Bruxelles.

Les vaincus sont une cendre, la destinée souffle dessus

et les disperse. Il se fit un sinistre évanouissement de tous les combattants du droit et de la loi. Disparition tragique.

Histoire d'un crime.

L'ordre de me fusiller, si j'étais pris, avait été donné dans les journées de décembre 1851. Si je n'ai pas été pris, et par conséquent, fusillé, si je suis vivant à cette heure, je le dois à Mme Juliette Drouet qui, au péril de sa propre liberté et de sa propre vie, m'a préservé de tout piège, a veillé sur moi sans relâche, m'a trouvé des asiles sûrs et m'a sauvé, avec quelle admirable intelligence, avec quel zèle, avec quelle héroïque bravoure, Dieu le sait, et l'en récompensera !

Elle était sur pied la nuit comme le jour, errait seule à travers les ténèbres dans les rues de Paris, trompait les sentinelles, dépistait les espions, passait intrépidement les boulevards au milieu de la mitraille, devinait toujours où j'étais, et, quand il s'agissait de me sauver, me rejoignait toujours. Un mandat d'amener a été lancé contre elle et elle paie aujourd'hui, de l'exil, son dévouement. Elle ne veut pas que l'on parle de toutes ces choses, mais il faut pourtant que cela soit connu...

L'exil, c'est la nudité du droit. Rien de plus terrible. Pour qui ? Pour celui qui subit l'exil ? Non, pour celui qui l'inflige. Le supplice se retourne et mord le bourreau.

Quoi que fassent les tout-puissants momentanés l'éternel fond leur résiste. Ils n'ont que la surface de la certitude, le dessous appartient aux penseurs. Vous exilez un homme. Soit. Et après ? Vous pouvez arracher un arbre de ses racines, vous n'arracherez pas le jour du ciel. Demain, l'aurore.

Pendant l'Exil.

Les proscrits

De Bruxelles à Guernesey, Victor Hugo continue à tenir son journal.

Bruxelles, 3 mai 1852.

Tout à l'heure un homme est entré, en haillons, le visage hâlé, les cheveux grisonnants, des souliers troués, une mauvaise casquette. Il m'a dit : — Vous devriez bien empêcher qu'on me fasse de la peine. Ah ça, vous notre représentant, dites-moi ça, pourquoi est-ce qu'on ne veut pas que je gagne ma vie ? Pourquoi est-ce qu'on me chasse d'ici ? J'arrive de France, de Paris, où on m'a chassé, et voilà qu'on me chasse encore de Bruxelles ! A Paris, je gagnais ma vie, je suis serrurier mécanicien, j'ai quatre petits enfants, je forgeais, je faisais un écrou dans ma journée, je sais manier le fer, ma femme faisait des ménages, le ménage de M. Crochart qui n'est pas riche, mais qui est régisseur d'un homme qui est riche ; mon petit, l'aîné, qui est haut comme ça, cassait du coke avec un marteau, il n'était pas si gros que le marteau, il n'y a pas de danger. Eh bien! l'homme gagnait, la femme gagnait, le petit gagnait, ça allait! Ces derniers temps, M. Monnin-Japy, le maire du VIe, est venu et m'a dit : — Mon garçon, tu es Belge et tu n'es pas Français. Et puis, vois-tu, les conseils de guerre ne sont pas contents de toi. Il faut t'en aller. — Je m'en suis allé. Je suis né à Tournai, mais j'aurai quarante ans le 25 juin et il y a trente-neuf ans que j'étais à Paris. C'est-il être Belge ça ? Je suis enfant naturel, j'ai été mis par terre à neuf mois par papa et maman dans le bureau Sainte-Apolline, va comme je te pousse, on m'a élevé par charité dans un pays entre Amiens et Montdidier, je suis

devenu serrurier, c'est-il être Belge ça ? Si bien que je suis
venu ici, ici on m'a dit : — Mon garçon, tu es Français,
tu n'es pas Belge, va-t'-en. — Ah ça! mettez-moi Belge,
mettez-moi Français, mais mettez-moi quelque chose. Il
faut bien que je sois d'un pays. Je n'ai pas besoin d'être
électeur, je suis ouvrier de fer, mais je veux être d'un pays.
J'avais trouvé de l'ouvrage, mon représentant, j'étais
allé à la porte de Cologne, à la porte de Schaerbeeck, à
la porte de Ninove ; on m'avait embauché pour travailler.
Et puis voilà qu'on me fait venir à l'hôtel de ville et qu'on
me dit : Va-t'en! Et mes petits enfants! il faut donc
que je les emporte sur mon dos ? Je n'ai pas le sou, moi, je
n'ai que des mains, il y a des gens qui sont heureux, qui
ont de ce qui glisse, qui n'ont pas peur de manquer, moi
je n'ai rien du tout que mes quatre petits! Ces gens de
la police, je leur ai dit : — Pourquoi m'avez-vous donné
un passeport pour rester en Belgique ? Rendez-moi mes
huit francs au moins! — Ah bien oui! pas de danger. A
présent me voilà. Depuis deux jours je n'ai pas mangé,
et mes petits enfants non plus, il faut que j'aille en Angleterre! Sans un pantalon qu'on m'a donné, je serais tout
nu. Vous me feriez bien plaisir de me dire si j'ai fait
du mal à quelqu'un!

Bruxelles, mai 1852.

L'autre dimanche, je me promenais avec quelques
amis dans le bois de la Cambre. Nous étions en calèche.
Il y avait quelques femmes parées et jolies dans la voiture.
C'était par un beau soleil ; les fleurs de mai étincelaient
dans l'herbe. L'ombre des feuilles couvrait la terre de
toutes sortes de guipures noires. Les femmes causaient
et riaient. Au tournant d'une route quelques hommes
déguenillés, têtes nues, pieds nus, étaient assis sur un
talus. Un d'eux se leva, montra du doigt la calèche, et

comme nous passions, je l'entendis qui disait aux autres :
Voilà les dieux ; nous, nous sommes en enfer.

Jersey, 1853.

Cette nuit (nuit du 1er au 2 avril), vers dix heures trois quarts, je me couchais. Comme je montais dans mon lit, j'ai senti un mouvement violent et singulier. Je me suis dit d'abord : — Quelle est cette énorme voiture qui passe ? — Mais le mouvement se prolongeant, j'ai compris que c'était autre chose. C'était tout simplement un tremblement de terre.

Pendant que j'observais, j'entendais au premier, au-dessous de moi, la voix de Catherine (ma cuisinière) qui disait : — Mademoiselle, est-ce vous qui avez sonné ? — Et la voix de ma fille qui répondait : Non — Puis la voix de Catherine reprenait à la porte d'à côté : — Est-ce Madame qui a sonné ? — Et ma femme répondait : — Ce n'est pas moi. — Là-dessus Catherine monta jusqu'à ma porte, me fit la même question, eut la même réponse, et redescendit l'escalier en grommelant : Qu'est-ce que cela veut dire ? toutes les sonnettes qui ont sonné à la fois !

L'oscillation a duré de huit à dix secondes, elle allait pour moi de gauche à droite, c'est-à dire du nord au sud. La mer faisait un bruit effrayant. Ce bruit, qui avait quelque chose du rugissement des bêtes vivantes, ne ressemblait en rien à la rumeur ordinaire des marées et même des tempêtes. Puis la terre s'est apaisée, la mer s'est tue, et je me suis endormi.

Dans ce moment-là, mon fils Victor était chez le général Le Flô (Colomberes street). Ils causaient. Tout à coup Le Flô dit : — Qu'est-ce que c'est que ce remue-ménage de meubles là-haut ? Est-ce que les voisins se battent ? — Puis il s'écria : — Mais non ! c'est un tremblement de terre ! Voilà le cinquième que j'ai depuis que je suis au monde.

A Médéah, cela allait si bien que j'ai été obligé de sortir de peur que les murs ne me tombassent sur la tête. — Comme dans les tragédies de Racine, dit Victor. Et cependant tous deux sortirent. Devant la porte du général trois vieilles femmes se lamentaient et criaient : C'est la fin du monde. Tout Saint-Hélier était sur pied. Bon nombre de Jersiais ne se sont pas couchés, disant que la terre tremblait toujours trois fois de suite, et se tenant prêts.

Le général hongrois Mezzaros qui demeure à Saint-Luke a été averti du tremblement de terre par son armoire qui a failli lui tomber sur la tête.

Le lendemain matin en m'éveillant j'ai vu une souris morte au beau milieu de ma chambre. C'est le seul désastre qu'ait causé ce *terrae motus*.

Une vieille femme m'a dit : Voilà quatre-vingts ans que je vis, et je n'ai jamais quitté l'île, et je n'ai jamais vu cela. C'est un drôle de temps.

D'autres vieillards jersiais ont mémoire d'un tremblement de terre arrivé en 1779. Un d'eux m'en parlait et ajoutait : — Je viens de passer toute ma journée à chercher des vers qu'on fit alors sur ce tremblement. C'était une fort jolie épigramme.

O dix-huitième siècle! Dieu fait un tremblement de terre, l'homme riposte par un quatrain.

Jersey, 29 mai 1853.

Tout à l'heure je voyais passer sur la route devant ma maison des charrettes ornées de branches de chêne. Je me suis approché d'un charretier, et je lui ai dit : — Pourquoi ces branches d'arbres sur votre cheval ? — Il m'a répondu avec son accent jersiais : — Il y a eu un roi qui s'est caché dans un chêne un 29 mai, c'est aujourd'hui le 29 mai, et nous mettons du chêne à nos voitures. — Et il a passé outre.

Je me suis souvenu alors que le 29 mai 1651, Charles II,

battu par Cromwell à Worcester, s'était après la bataille
caché au creux d'un chêne. Neuf ans plus tard, ce Charles II
a régné, il a dressé les gibets et les échafauds, coupé
force têtes, vendu Dunkerque à Louis XIV, avili le
parlement, fait battre l'Angleterre par la Hollande
dans la grande bataille navale des quatre jours, du 1er au
4 juin 1666 ; les bâtards ont pullulé autour de son lit,
et son règne, outre le sang, a été une longue orgie. Il a
été faible comme Louis XIII, libertin comme Louis XV
et féroce comme Louis XI. Et aujourd'hui, après deux
cents ans, un peuple se souvient encore de cet homme
autrement que pour le haïr. O entêtement de cette vieille
race anglo-normande ! Solidité des préjugés ! Que de
Chine il y a dans l'Angleterre !

1853.

Ce matin 13 juin, je déjeunais. Un homme a demandé
à me parler en particulier. Je l'ai reçu. Il m'a dit avec un
accent alsacien : Je m'appelle Schmidt, je suis d'un endroit près de Sarreguemines, je suis tailleur, je demeurais rue Rochechouart, je suis proscrit de décembre.
J'étais avec Miot sur le *Duguesclin*, c'est un hasard que je
n'aie pas été à Cayenne, enfin me voilà ; j'ai passé un
an à Londres, je suis ici depuis cinq semaines ; je n'ai
pas d'ouvrage, et puis ce qui se passe en France me fait
mal ; je veux en finir, j'en ai assez de tout cela ; j'ai coupé
mes moustaches, je vais aller à Paris, et je ferai un coup.
— C'était un homme d'une quarantaine d'années, calme,
basané, robuste, l'air froid et résolu. Je lui ai dit : Comment irez-vous à Paris ? — Il m'a répondu : J'ai un
faux passeport. Et il a tiré de sa poche un passeport
au nom de Frédéric Laibrock, délivré par le vice-consul
Laurent en date du 12 mai 1853. Il me dit en me montrant dans un coin la signature *Laibrock* : J'ai contrefait

mon écriture. — Je repris : Que voulez-vous faire ? — Il me dit : Tuer l'homme.

Je lui ai défendu de faire cela, et lui ai donné toutes les raisons. Il s'en est allé en me disant : — Je ferai ce que vous voudrez. Je ne me suis ouvert qu'à vous seul. Et je suis venu vous voir avec l'idée que je ferais ce que vous me diriez. Vous me dites de ne pas tuer Bonaparte, ça vous regarde ; vous savez ça mieux que moi. Je ne le tuerai pas.

Au moment de partir, il m'a pris la main en disant : — J'étais résolu. Vous m'avez changé. Il était mort comme vous êtes là. C'est drôle que ce soit vous qui sauviez la vie à cet homme-là.

Il m'a quitté en ajoutant qu'il irait toujours à Paris, mais pour trois jours seulement, et qu'il serait de retour à Jersey dans dix jours.

Ce Schmidt est ce même tailleur qui, à lui seul, désarma le poste Rochechouart.

Jersey.

Hier, 20 octobre 1853, j'étais, contre mon habitude, allé le soir à la ville. J'avais écrit deux lettres, l'une pour Londres à Schœlcher, l'autre pour Bruxelles à Samuel, que je tenais à mettre moi-même à la poste. Je m'en revenais ; il faisait clair de lune, il pouvait être neuf heures et demie, lorsqu'en passant à l'endroit que nous appelons Tap et Flac, espèce de petite place vis-à-vis l'épicier Gosset, un groupe effaré m'aborda.

C'étaient quatre proscrits : Mathé, représentant du peuple ; Rattier, avocat ; Hayes, dit Sans-Couture, cordonnier, et Henry, dit petit père Henry, dont j'ignore la profession.

— Qu'avez-vous ? leur dis-je, les voyant tout émus.

— Nous venons d'exécuter un homme, me dit Mathé, et il agitait un rouleau de papier qu'il tenait à la main.

Alors ils me contèrent rapidement ceci (m'étant retiré depuis le mois de mai des sociétés de proscrits, et vivant à la campagne, tous ces faits étaient nouveaux pour moi) :

Au mois d'avril dernier, un homme débarquait à Jersey. Un réfugié politique, le cabaretier Beauvais, qui est un cœur généreux, se promenait sur le quai au moment où le *packet* aborda. Il vit cet homme pâle, défait, en haillons, portant un petit paquet misérable.

— Qui êtes-vous ? dit Beauvais.

— Un proscrit.

— Votre nom ?

— Hubert.

— Où allez-vous ?

— Je ne sais pas.

— Vous n'avez pas d'auberge ?

— Je n'ai pas de quoi payer.

— Venez chez moi.

Beauvais emmena Hubert chez lui. Beauvais avait son petit établissement Don street, n° 20.

Hubert était un homme de cinquante ans, ayant les cheveux blancs et la moustache noire, le visage marqué de petite vérole, l'air robuste, l'œil intelligent. Il se disait ancien maître d'école et arpenteur-géomètre. Il était du département de l'Eure.

On l'avait expulsé au 2 décembre ; il s'était rendu à Bruxelles où il était venu me voir ; chassé de Bruxelles, il était allé à Londres. A Londres, il avait vécu plus d'un an dans les derniers échelons de misère de la proscription.

Il avait habité cinq mois, cinq mois d'hiver, dans ce qu'on appelait une Sociale, espèce de grande salle délabrée, dont les portes et les fenêtres laissaient passer le vent et dont le plafond laissait passer la pluie. Il avait couché, les deux premiers mois de son arrivée, côte à côte avec un autre proscrit, Bourillon, sur une dalle de pierre devant la cheminée. Ces hommes couchaient sur cette dalle, sans matelas, sans couverture, sans une poignée de paille, avec leurs haillons mouillés sur le corps. Il n'y avait pas de feu dans la cheminée.

Ce n'était qu'au bout de deux mois que Louis Blanc et Ledru-Rollin avaient donné quelque argent pour acheter du charbon. Quand ces hommes avaient des pommes de terre, ils les faisaient cuire dans l'eau et ils dînaient ; quand ils n'en avaient pas, ils ne mangeaient pas.

Hubert sans argent, sans lit, presque sans souliers et sans vêtements, vivait là, dormait sur cette pierre, grelottait toujours, mangeait rarement, et ne se plaignait jamais. Il prenait sa large part de la souffrance de tous, stoïque, impassible, silencieux.

Il avait fait partie de la société *la Délégation*, puis l'avait quittée en disant : Félix Pyat n'est pas socialiste. Après quoi il était entré dans la société *la Révolution*, et s'en était séparé en disant : Ledru-Rollin n'est pas républicain.

Le 14 septembre 1852, le préfet de l'Eure lui avait écrit pour l'engager à faire sa « soumission ». Hubert avait répondu à ce préfet une lettre peu ménagée, lui prodiguant ainsi qu'à son « empereur » les mots les plus crus et les plus vrais, *clique, canaille, misérable*. Il avait montré cette lettre datée du 24 septembre à tous les proscrits qu'il avait rencontrés, et l'avait fait afficher dans la salle où se réunissaient les sociétaires de *la Révolution*.

Le 5 février, on avait lu son nom au *Moniteur* dans la liste des graciés ». Hubert s'était répandu en indignation, et, au lieu de rentrer en France, il était allé à Jersey, en disant : Les républicains sont meilleurs là qu'à Londres.

Il était donc débarqué à Saint-Hélier.

En arrivant chez Beauvais, Beauvais lui montre une chambre à lit très propre et lui dit :

— Voici votre chambre.

— Je vous ai dit que je n'avais pas de quoi payer, dit Hubert.

— C'est égal, dit Beauvais.

— Donnez-moi un coin et une botte de paille dans le grenier.

— Je vous donnerais plutôt, reprit Beauvais, ma chambre et mon lit.

Aux heures des repas, Hubert ne voulait pas se mettre à table. Plusieurs proscrits étaient en pension chez Beauvais ; ils y déjeunaient et dînaient pour trente-cinq francs par mois.

— Je n'ai pas trente-cinq sous, disait Hubert, donnez-moi un morceau sur le pouce, je mangerai sur le coin de la table de cuisine.

Beauvais se fâchait :

— Pas de ça. Vous dînerez avec nous, citoyen.

— Et vous payer ?

— Quand vous pourrez.

— Jamais peut-être.

— Eh bien, jamais.

Beauvais procura à Hubert quelques leçons de grammaire et de calcul dans la ville ; et, du produit de ces leçons, il le força de s'acheter un paletot et des souliers.

— Des souliers, j'en ai, disait Hubert.

— Oui, vous avez des souliers, reprenait Beauvais, mais vous n'avez pas de semelles.

Les proscrits s'émurent de la situation de Hubert, et on lui assigna le secours ordinaire alloué aux nécessiteux sans femme ni enfants, sept francs par semaine.

Avec cela et ses leçons il vivait. Hors de là, il ne recevait rien.

Plusieurs, entre autres Gaffney, lui offrirent de l'argent, il n'accepta point.

— Non, disait-il ; il y en a de plus malheureux que moi.

Il se rendait utile chez Beauvais, y tenait le moins de

place possible, se levait de table avant la fin, ne buvait jamais de vin ni d'eau-de-vie, refusait de laisser remplir son verre ; du reste communiste ardent, rejetant toute espèce de chefs, déclarant la république trahie par Louis Blanc, par Félix Pyat, par Ledru-Rollin, par moi ; réclamant, à la chute de Bonaparte, qu'il appelait toujours *Badinguet*, « un massacre de six mois », *pour en finir*, disait-il ; imposant, à force de souffrances et de gravité, même à ceux qui évitaient son contact, une sorte de respect, ayant en lui je ne sais quelle évidence de probité farouche.

Un modéré disait de lui à un exalté : — C'est pire que Robespierre.

L'exalté répondit : — C'est mieux que Marat.

C'était là le masque qui venait de tomber.

Cet homme était un espion.

Voici comment la chose s'était découverte :

Hubert avait dans la proscription un ami intime, Hayes.

Un jour, c'était au commencement de septembre, il prit Hayes à part et lui dit très bas et mystérieusement :

— Je pars demain.

— Tu pars ?

— Oui.

— Où vas-tu ?

— En France.

— Comment ! en France !

— A Paris.

— A Paris !

— On m'y attend.

— Pourquoi ?

— Pour un coup.

— Comment entreras-tu en France ?

— J'ai un passeport.

— De qui ?

— Du consul.

— Sous ton nom ?

— Sous mon nom.

— Voilà qui est drôle.

— Tu oublies que je suis gracié de février.

— C'est juste, dit Hayes. Et de l'argent ?

— J'en ai.

— Combien ?

— Vingt francs.

— Avec vingt francs tu vas faire le voyage de Paris ?

— Une fois à Saint-Malo, j'irai comme je pourrai. A pied s'il le faut. S'il le faut, je ne mangerai pas. Il faut que je sois à Paris. J'y serai. J'irai droit devant moi, par le plus court.

Au lieu de prendre au plus court, il prit le plus long. De Saint-Malo il alla à Rennes, de Rennes à Nantes, de Nantes à Angers, d'Angers à Paris, par le chemin de fer. Il mit six jours à ce voyage. Chemin faisant, il vit dans chaque ville les démocrates meneurs, Boué à Saint-Malo ; Rocher, le docteur Guépin et les Mangin à Nantes ; Rioteau à Angers. Il se présenta partout comme envoyé en mission par les proscrits de Jersey ; et il eut facilement les secrets de chaque localité. Il ne cachait ni ne montrait sa misère ; on la voyait. A Angers, il emprunta cinquante francs à Rioteau, n'ayant plus de quoi aller, disait-il, jusqu'à Paris.

D'Angers, il écrivit à une femme avec laquelle il vivait à Jersey, une Mélanie Simon, couturière, logée Hill street, n° 5, et qui lui avait prêté trente-deux francs pour son voyage. Il avait caché ces trente-deux francs à Hayes.

Il dit à cette femme qu'elle pouvait lui écrire rue de l'École-de-Médecine, n° 38 ; qu'il ne logerait pas là, mais qu'il y avait un ami qui lui remettrait ses lettres.

Arrivé à Paris, il alla voir Goudchaux ; il trouva, sans qu'on pût savoir comment, la demeure de Boisson, l'agent de la fraction Ledru-Rollin ; lequel Boisson vit caché à Paris. Il se donna à Boisson comme envoyé par nous, les proscrits de Jersey, et entra dans toutes les combinaisons du parti dit *parti de l'action*.

Vers la fin de septembre on le vit débarquer à Jersey par le steamer *Rose*.

Le lendemain de son arrivée, il reprit Hayes à part et lui déclara qu'un coup allait se faire ; — que s'il était, lui Hubert, arrivé quelques jours plus tôt à Paris, le coup aurait eu lieu ; — que son avis, à peu près accepté, était de faire sauter un pont de chemin de fer sous le passage de « Badinguet » ; — que tout était prêt, hommes et argent ; — mais que le peuple n'avait confiance qu'aux proscrits ; — qu'il allait donc retourner à Paris pour la chose, lui Hubert ; et qu'ayant pris part à tous les coups depuis 1830, il ne voulait, certes, pas faire défaut à celui-là —mais que lui ne suffisait pas ; — qu'il fallait dix proscrits de bonne volonté pouvant se mettre à la tête du peuple dans l'action ; — et qu'il était venu les chercher à Jersey.

Il termina en disant à Hayes :

— Veux-tu être un des dix ?

— Parbleu! dit Hayes.

Hubert vit d'autres proscrits et leur fit les mêmes confidences avec le même mystère, disant à chacun : « Je ne dis cela qu'à vous. » Il enrégimenta entre autres, outre Hayes, Jego, qui relevait d'une fièvre typhoïde, et Gigoux, auquel il affirma que son nom, à lui, Gigoux, « remuerait les masses ».

Ceux qu'il recrutait ainsi pour les emmener à Paris lui disaient :

— Mais de l'argent ?

— Soyez tranquilles, répondait Hubert, on en a. On vous attendra au débarcadère. Venez à Paris, le reste ira tout seul. On se chargera de vous caser.

Outre Hayes, Gigoux et Jego, il vit Jarassé, Famot, Rondeau, — d'autres encore.

Il y a, depuis la dissolution de la Société générale, deux sociétés de proscrits à Jersey, *la Fraternelle* et *la Fraternité*.

Hubert faisait partie de *la Fraternité*, dont Gigoux était trésorier. Il en touchait, je l'ai dit, un secours de sept francs par semaine. Il réclama à Gigoux, qui les lui paya, les quatorze francs de ses deux semaines d'absence ; — son absence, dit-il, ayant eu pour motif « le service de la république ».

Le jour du départ de Hubert et de ceux qu'il emmenait fut fixé au vendredi 21 octobre.

Cependant un proscrit, Rattier, avocat à Lorient, se trouvant un matin chez le marchand de tabac Hurel, vit entrer dans la boutique un homme auquel il n'avait jamais parlé, mais qu'il connaissait de vue.

Cet homme l'apercevant, et reconnaissant en lui un Français, lui dit :

— Citoyen, auriez-vous la monnaie d'un billet de cent francs ?

— Non, dit Rattier.

L'homme déploya un papier de couleur jaune qu'il tenait à la main, et le présenta au marchand en lui demandant la monnaie. Le marchand n'avait pas la somme ; pendant le colloque, Rattier reconnut dans le papier jaune un billet de banque français de cent francs. L'homme s'en alla. Rattier dit à Hurel :

— Savez-vous le nom de cet homme ?

— Oui, dit Hurel, c'est un proscrit français nommé Hubert.

A peu près au même moment, Hubert, en payant sa logeuse, tirait de sa poche des poignées de shillings et de demi-couronnes.

Mélanie Simon réclamait les trente-deux francs ; il

refusait de payer, et en même temps, par une sorte de contradiction bizarre, il laissait voir à Mélanie Simon un portefeuille, « plein, a dit Mélanie plus tard, de papiers jaunes et bleus ».

— Ce sont des billets de banque, disait Hubert à Mélanie Simon ; j'ai là-dedans trois mille cinq cents francs.

Du reste, la contradiction s'explique ; Hubert, rentrant en France, voulait emmener Mélanie Simon ; il refusait de la rembourser afin qu'elle le suivît, et, pour qu'elle le suivît sans inquiétude, il lui montrait qu'il était riche.

Mélanie Simon ne voulait pas quitter Jersey. Elle tint bon, et redemanda ses trente-deux francs. Des querelles éclatèrent.

Hubert refusant toujours :

— Écoute, dit Mélanie, si tu ne me payes pas, j'ai vu ton argent ; je devine que tu es un espion, je te dénonce aux proscrits.

Hubert se mit à rire.

— Fais croire cela de moi ! dit-il. Essaie donc !

Il croyait détruire cette idée dans l'esprit de Mélanie Simon en faisant bonne contenance.

— Mes trente-deux francs, dit Mélanie.

— Pas un sou, dit Hubert.

Mélanie Simon alla trouver Jarassé et dénonça Hubert.

Il sembla au premier abord que Hubert avait raison. Ce fut parmi les proscrits à qui nierait en éclatant de rire.

— Hubert, mouchard ! disait-on. Allons donc !

Beauvais rappelait sa sobriété et Gaffney son désintéressement, Bisson son républicanisme, Seigneuret son communisme, Bourillon les cinq mois de nuits passées sur la pierre, Gigoux les secours qu'on lui donnait, Roumilhac son stoïcisme ; tous sa misère.

— Je l'ai vu sans souliers, disait l'un.

— Et moi sans gîte, disait l'autre.

— Et moi sans pain, ajoutait un troisième.

— C'est mon meilleur ami, disait Hayes.

Cependant Rattier racontait le fait du billet de cent francs ; les détails du voyage de Hubert perçaient peu à peu ; on se demandait pourquoi ce singulier itinéraire ; on apprenait qu'il avait partout circulé avec une facilité étrange ; un habitant de Jersey affirmait l'avoir vu à Saint-Malo se promenant sur le quai avec les douaniers et coudoyé par les gendarmes sans que gendarmes et douaniers parussent faire attention à lui ; les soupçons s'éveillaient ; Mélanie Simon criait sur les toits. Le vigneron poète Claude Durand, respecté de toute la proscription, hochait la tête en parlant de Hubert.

Mélanie Simon communiqua à Jarassé la lettre de Hubert donnant pour adresse à Paris le nº 38 de la rue de l'École-de-Médecine, « où un ami se chargeait de recevoir ses lettres ».

Or le fils du représentant Mathé étant allé à Paris quelques mois auparavant avait, par une coïncidence bizarre, précisément logé rue de l'École-de-Médecine, et nº 38.

Jarassé ayant montré à Mathé la lettre de Hubert à Mélanie Simon, l'adresse et l'*ami* frappèrent l'attention du fils de Mathé qui était présent et qui s'écria :

— Mais c'est justement la maison où j'ai demeuré. Il y avait parmi les locataires de cette maison un agent de police nommé Philippi.

Une sourde rumeur commença à circuler parmi les proscrits.

Hayes et Gigoux, les deux amis de Hubert, les premiers qu'il avait enrôlés pour Paris, lui dirent :

— Décidément, on jase.

— De quoi ? dit Hubert.

— De Mélanie Simon et de toi.

— Eh bien, on dit qu'elle est ma maîtresse ?

— Non, on dit que tu es un mouchard.

— Après ? Que faire à cela ?

— Provoquer une enquête, dit Hayes.

— Et un jugement, dit Gigoux.

Hubert ne répondit pas.

Ses deux amis froncèrent le sourcil.

Le lendemain, ils le pressèrent de nouveau, il se tut ; ils revinrent à la charge, il refusa presque ; plus il hésitait, plus ils insistaient. Ils finirent par lui déclarer qu'il fallait « tirer la chose au clair ».

Hubert, acculé à l'enquête et voyant les soupçons grandir, consentit.

C'est chez Beauvais, Don street, n° 20, que se tient ce qu'on appelle « le cercle des proscrits ». Les proscrits désœuvrés et les proscrits sans travail se tiennent là dans une salle commune.

Hubert afficha dans cette salle une déclaration adressée à tous « ses frères d'exil » dans laquelle, allant au-devant des « infâmes calomnies » répandues sur son compte, il se mettait à la disposition de tous, réclamait une enquête et demandait pour juges tous les proscrits.

Il voulait l'enquête *immédiate*, rappelant qu'il comptait quitter Jersey le vendredi 21 octobre, et terminait en disant : « La justice du peuple doit être prompte. »

Le dernier mot de cette affiche était : « Le jour se fera.

— Signé : *Hubert.* »

Sur cette affiche la société « Fraternité » dont était Hubert se réunit. Elle évoqua l'enquête, et nomma pour instruire ce procès domestique de la proscription cinq de ses membres : Mathé, Rattier, Rondeau, Henry et Hayes.

— Mathé, sur le cri de surprise échappé à son fils, était convaincu de la culpabilité de Hubert.

Cette commission fit une véritable instruction juridique, appela les témoins, entendit Gigoux et Jego, enrôlés par Hubert pour Paris, Jarassé, Famot, auquel Hubert avait dit : — Il faut un massacre de six mois pour en finir ; — recueillit les dires de Rattier et de Hayes, appela Mélanie Simon confronta Mélanie Simon avec Hubert ; se fit représenter la lettre de Hubert datée d'Angers, laquelle avait été déchirée, et en rapprocha les morceaux ; dressa procès-verbal du tout.

Dans la confrontation, Mélanie Simon confirma toutes ses paroles, et dit nettement à Hubert :

— Vous êtes un mouchard de Bonaparte.

Les présomptions abondaient, mais les preuves manquaient.

Mathé dit à Hubert :

— Vous partez vendredi ?

— Oui.

— Vous avez une malle ?

— Oui.

— Qu'emportez-vous dans cette malle ?

— Mes quelques hardes, et des exemplaires des publications socialistes et républicaines.

— Voulez-vous qu'on visite votre malle ?

— Oui.

Rondeau accompagna Hubert chez Beauvais, où Hubert logeait et où était sa malle.

La malle fut ouverte ; Rondeau y trouva deux chemises, quelques mouchoirs, un vieux pantalon et un vieux paletot ; rien de plus.

Cependant l'absence de preuves palpables affaiblissait les soupçons, et l'opinion des proscrits revenait à Hubert. Hayes, Gigoux et Beauvais le défendaient vivement.

Rondeau rendit compte de ce qu'il avait trouvé dans la malle.

— Et les écrits socialistes ? demanda Mathé.

— Je n'en ai pas vu, dit Rondeau.

Hubert garda le silence.

Cependant le bruit de la visite de cette malle s'étant

répandu, un menuisier de Queen street dit à un proscrit, Jarassé, je crois :

— Mais a-t-on ouvert le double fond ?

— Quel double fond ?

— Le double fond de la malle.

— La malle a un double fond ?

— Mais oui.

— Comment le savez-vous ?

— C'est moi qui l'ai fait.

Le propos fut répété à la commission. Mathé dit à Hubert :

— Votre malle a un double fond ?

— Sans doute.

— Pourquoi ce double fond ?

— Parbleu ! pour cacher les écrits démocratiques que j'emporte.

— Pourquoi n'avez-vous pas parlé de ce double fond à Rondeau ?

— Je n'y ai pas songé.

— Consentez-vous à ce qu'on le visite ?

— Oui.

Hubert donna ce consentement le plus tranquillement du monde, répondant le plus souvent par monosyllabes et presque sans quitter sa pipe. Ses amis concluaient de son laconisme à son innocence.

La commission décida qu'elle assisterait tout entière à la visite du double fond.

On se mit en marche. C'était le jeudi, hier, veille du jour fixé par Hubert pour son départ.

En route :

— Où allons-nous ? demanda Hubert.

— Chez Beauvais, dit Rondeau, puisque votre malle est là.

Hubert reprit :

— Nous sommes nombreux ; il faudra déclouer le

double fond à coups de marteau ; cela fera émotion chez
Beauvais, où il y a toujours beaucoup de proscrits ; que
deux d'entre vous viennent avec moi, et portons la
malle chez le menuisier. Les autres iront nous y attendre.
Le menuisier a fermé le double fond, il saura mieux
l'ouvrir que personne. Tout se passera toujours devant
la commission, et il n'y aura pas de scandale.

On y consentit. Hubert, aidé de Hayes et de Henry,
apporta la malle chez le menuisier.

Le double fond fut ouvert. Il était rempli de papiers.
Il y avait en effet des écrits républicains, mes discours,
les *Bagnes d'Afrique* de Ribeyrolles, la *Couronne Impériale* de Cahaigne. On y trouva les trois ou quatre passeports successifs de Hubert, le dernier délivré en France,
sur sa demande. On y trouva une collection complète de
documents relatifs à l'organisation intérieure de la société
la Révolution, organisée à Londres par Ledru-Rollin ; tout
cela mêlé à force lettres et à une foule de paperasses.

Parmi ces paperasses, on trouva deux lettres qui parurent singulières, la première, datée du 24 septembre,
adressée au préfet de l'Eure et repoussant l'offre d'amnistie avec une indignation prodigue d'épithètes du
reste les plus méritées du monde ; c'était cette lettre
que Hubert avait montrée aux proscrits de Londres et
affichée dans leurs salles de réunion. La seconde lettre,
datée du 30 et séparée de la première par six jours seulement, était adressée au même préfet, et contenait, sous forme de réclamation d'argent, des offres fort claires de
service au gouvernement bonapartiste.

Ces deux lettres se contredisant, il était évident que
l'une des deux seulement avait dû être envoyée, et il
semblait probable que ce n'était pas la première. Selon
toute apparence, la seconde était la lettre réelle ; la
première était « pour la montre ». On présenta à Hubert
les deux lettres.

Hubert continuait de fumer sa pipe imperturbablement.

On mit de côté les deux lettres, et l'on poursuivit l'examen des papiers. Une lettre de l'écriture de Hubert, commençant par ces mots : « Ma chère mère », tomba dans les mains de Rattier. Il lut les premières lignes. C'était une lettre de famille, et il allait la rejeter, lorsqu'il s'aperçut que la feuille était double.

Il ouvrit presque machinalement cette feuille, et il eut comme l'impression d'un éclair dans les yeux. Son regard venait de tomber, en tête du second feuillet, sur ces mots écrits de la main de Hubert :

A Monsieur de Maupas, Ministre de la Police.
— Monsieur le Ministre.

Suivait la lettre qu'on va lire ; une lettre signée *Hubert.*

« Monsieur le Ministre,

« J'ai reçu sous la date du 14 septembre dernier, dans le but de me faire rentrer en France, une lettre de M. le Préfet de l'Eure.

« J'ai écrit, les 24 et 30 du même mois, deux lettres à M. le Préfet ; elles sont toutes deux restées sans réponse.

« Depuis, j'ai vu mon nom figurer au *Moniteur* dans la liste faisant l'objet du décret du 5 février présent mois, mais je n'étais pas prêt à partir à cette époque, voulant finir, à Londres, une petite brochure, intitulée : *les Proscrits républicains, et la République impossible par ces mêmes prétendus républicains.* Cette brochure, pleine de vérités et de faits que personne ne peut nier, produira, je crois, un certain effet en France où je désire la faire imprimer. J'ai fait viser hier mon passeport pour la France ; rien d'intéressant ne me retient donc plus en Angleterre, si ce n'est qu'avant de partir je désirerais savoir si l'on me donnera ce qui m'est dû, et que je *réclame par ma lettre* précitée du 30.

« M. le Préfet de l'Eure, qui était prié de communiquer cette lettre à qui de droit, a dû la faire parvenir au gouvernement ; j'en attends toujours la solution ; mais, voyant que, depuis tant de temps, je n'ai encore rien reçu, je me suis décidé à vous adresser cette lettre dans l'espoir d'obtenir un résultat immédiat.

« Voici mon adresse à Londres : (Angleterre, n° 17, *Church street*, *Soho square*) ;

« Et mon nom : Hubert, Julien-Damascène, géomètre-arpenteur, à Heuqueville, près les Andelys (Eure).

« Signé : Hubert. »
« Le 25 février 1853. »

Rattier leva les yeux et regarda Hubert.

Il avait quitté sa pipe ; la sueur perlait sur son front à grosses gouttes.

— Vous êtes un mouchard, dit Rattier.

Hubert, livide, tomba sur une chaise sans répondre un mot.

Les membres de la commission firent une liasse de papiers, et allèrent immédiatement rendre compte du résultat à la société *la Fraternité* qui tenait séance en ce moment.

C'est dans ce trajet que je les rencontrai.

A la révélation de ces faits, une sorte de commotion électrique agita la proscription dans toute la ville. On courait dans les rues, on s'abordait ; les plus exaltés étaient les plus stupéfaits. — Cet Hubert auquel on avait cru !

Un fait ajoutait à l'émotion. Le jeudi est jour de poste à Jersey, les journaux de France venaient d'arriver. Or les nouvelles qu'ils apportaient éclairaient Hubert d'une sorte de lueur sinistre. Trois cents arrestations avaient eu lieu à Paris et une foule en France. Hubert avait vu Rocher (de Nantes) à Saint-Malo, Rocher était arrêté ; il avait vu Guépin et les Mangin à Nantes, les

Mangin et Guépin était arrêtés ; il avait vu Rioteau à Angers et lui avait emprunté de l'argent, Rioteau était arrêté ; il avait vu Goudchaux et Boisson à Paris, Goudchaux et Boisson étaient arrêtés.

Les faits et les souvenirs arrivaient en foule. Gaffney, un de ceux qui avaient jusqu'au dernier moment soutenu Hubert, racontait qu'en 1852 il avait expédié en contrebande de Londres pour le Havre un ballot contenant quatre-vingts exemplaires de *Napoléon le Petit*. Hubert et un avoué de Rouen, proscrit, nommé Bachelet, étaient dans sa chambre quand il avait fermé le ballot. Il avait fait devant eux un calcul duquel il résultait que le ballot serait chez sa mère, à lui Gaffney, tel jour où un ami, prévenu, pourrait venir chercher l'envoi. Hubert et Bachelet sortirent. Après leur départ, Gaffney rectifia son calcul et reconnut que le ballot arriverait chez sa mère, au Havre, un jour plus tôt. Il écrivit à sa mère et à son ami en conséquence. Le ballot arriva en effet, et fut enlevé par l'ami.

Le lendemain, qui était le jour fixé précédemment par Gaffney en présence de Hubert et de Bachelet, une descente de police eut lieu chez Mme Gaffney, et on retourna toute la maison pour trouver des livres qui, dirent les agents, devaient *lui avoir été envoyés de Londres*.

Vers dix heures du soir, douze ou quinze proscrits étaient réunis chez Beauvais. Pierre Leroux, et un Jersiais, M. Philippe Asplet, officier du connétable, étaient assis dans un coin ; Pierre Leroux entretenait M. Asplet des tables tournantes. Tout à coup Henry entre et raconte le fait, le double fond de la malle, la lettre à Maupas, les arrestations en France ; Hayes, Gigoux et Rondeau surviennent et confirment les dires de Henry.

En ce moment la porte s'ouvre et Hubert paraît. Il rentrait se coucher et venait, comme d'habitude, prendre sa clef pendue à un clou dans la salle commune.

— Le voilà! crie Hayes.

Tous se précipitent sur Hubert ; Gigoux le soufflette, Hayes le saisit aux cheveux, Heurtebise l'empoigne à la cravate et lui serre le cou. Beauvais lève un couteau.

Asplet arrête le bras de Beauvais.

Beauvais m'a dit, une heure après, en me contant la chose : — Sans Asplet, Hubert était mort.

M. Asplet, en qualité d'officier de police, intervint et leur arracha Hubert.

Beauvais jeta son couteau ; ils laissèrent là l'espion ; deux ou trois allèrent dans des coins, cachèrent leur tête dans leurs mains et se mirent à pleurer.

Cependant j'étais rentré chez moi.

Il était près de minuit, j'allais me coucher ; j'entendis une voiture s'arrêter à la porte, puis un coup de sonnette.

Un moment après, Charles entra dans ma chambre et me dit :

— C'est Beauvais.

Je descendis.

Toute la proscription se réunissait en séance générale pour juger immédiatement Hubert. On le gardait à vue, et l'on avait envoyé Beauvais me chercher. J'hésitais. Juger cet homme, cette séance de nuit, cette sainte Vehme des proscrits, tout cela me semblait étrange et répugnait à mes habitudes.

Beauvais insista. — Venez, me dit-il. Si vous ne venez pas, je ne réponds pas de Hubert.

Il ajouta : — Je ne réponds pas de moi-même. Sans Asplet, je lui ouvrais le ventre d'un coup de couteau.

Je suivis Beauvais, et j'emmenai mes deux fils. Chemin faisant, nous fûmes rejoints par Cahaigne, Ribeyrolles, Frond, Lefèvre le boiteux, Cauvet et plusieurs autres proscrits qui habitent le Havre-des-Pas.

Minuit sonnait quand nous arrivâmes.

La salle où l'on allait juger Hubert, dite Cercle des

Proscrits, est une de ces grandes salles en équerre comme il y en a dans presque toutes les maisons anglaises. Ces salles, peu appréciées de nous autres Français, prennent vue sur les deux façades de devant et de derrière.

Celle-ci, située au premier étage de la maison Beauvais, Don street, nº 80, a deux fenêtres sur une cour intérieure et trois fenêtres sur la rue, vis-à-vis la grande devanture rouge de la bâtisse destinée aux bals publics, qu'on appelle ici Hôtel de ville.

Quelques groupes d'habitants de la ville, émus des rumeurs qui circulaient, causaient à voix basse sous les fenêtres. Les proscrits arrivaient de tous les côtés.

Quand j'entrai, presque tous étaient déjà réunis. Ils étaient disséminés dans les deux compartiments de la salle et chuchotaient entre eux d'un air grave.

Hubert était venu me voir à Bruxelles et à Jersey; mais je n'avais gardé de cet homme aucun souvenir.

Quand j'entrai, je dis à Heurtebise :

— Où est Hubert ?

— Derrière vous, me dit Heurtebise.

Je me retournai, et je vis, assis à une table, adossé au mur, du côté de la rue, sous la fenêtre du milieu, une pipe devant lui, le chapeau sur la tête, un homme d'environ cinquante ans, coloré, marqué de petite vérole, aux cheveux très blancs et aux moustaches très noires. Ses yeux étaient fixes et tranquilles. De temps en temps, il soulevait son chapeau et s'essuyait le front avec un gros mouchoir bleu. Son paletot, de couleur brune, était boutonné jusqu'au menton.

Maintenant qu'on savait qui il était, on lui trouvait la mine d'un sergent de ville.

On allait et venait devant lui, auprès de lui, à côté de lui, en parlant de lui.

— C'est là ce lâche, disait l'un.

— Voilà ce bandit, disait l'autre.

Il entendait ces paroles échangées à voix haute, et regardait ceux qui parlaient, absolument comme s'ils eussent parlé d'un autre.

Quoique la salle, où survenaient sans cesse de nouveaux arrivants, fût encombrée, il y avait un vide autour de lui. Il était seul à sa table et sur son banc. Quatre ou cinq proscrits, debout dans les deux angles de la fenêtre, le gardaient. L'un d'eux était Bony, qui nous montre à monter à cheval.

La proscription était à peu près au complet, quoique la convocation eût été faite à la hâte au milieu de la nuit, la plupart étant couchés et endormis. Pourtant on remarquait quelques absences. Pierre Leroux, après avoir assisté au premier choc de Hubert et des proscrits, s'en était allé et n'était pas revenu, et, de toute la famille très nombreuse — qu'on appelle ici « la tribu Leroux » — il n'y avait là qu'un seul membre, Charles Leroux. Étaient également absents la plupart de ceux qu'on appelle parmi nous « les exaltés », et entre autres l'auteur du manifeste dit *du comité révolutionnaire*, Seigneuret.

On était allé chercher la commission qui avait fait l'enquête. Elle arriva ; Mathé, qui sortait du lit, avait l'air tout endormi.

Parmi les réfugiés présents, un ancien, vieilli dans les conspirations, avait l'habitude de ces sortes de procès sommaires entre proscrits dans les catacombes ; espèces de séances de francs-juges où le mystère n'exclut pas la solennité et où il s'est plus d'une fois prononcé d'effrayants arrêts, que tous sanctionnent et que quelques-uns exécutent. Cet ancien était Cahaigne. Vieux de visage, jeune de cœur, nez camard encadré dans une barbe grise et dans des cheveux blancs, républicain à face de cosaque, démocrate à manières de gentilhomme, poète, homme du monde, homme d'action, combattant des barricades, vétéran des complots, Cahaigne est une figure. On lui cria : Présidez. Et on lui donna pour secrétaires Jarassé, qui est de la société dite *Fraternité*, et Heurtebise, qui est de la société dite *Fraternelle*.

Cette *Fraternité* et cette *Fraternelle* ne vivent pas fraternellement.

Le séance s'ouvrit.

Un grand silence se fit.

La salle en ce moment présentait un aspect étrange. Au-dessous des plafonds des deux compartiments éclairés chacun, et très faiblement, par deux becs de gaz, s'étageaient et se groupaient, assis, debout, accroupis, accoudés, sur les bancs, sur les chaises, sur les tabourets, sur les tables, sur les appuis des fenêtres, quelques-uns bras croisés, adossés au mur, tous pâles, graves, sévères, presque sinistres, les soixante-dix proscrits républicains de Jersey.

Ils remplissaient les deux compartiments de la salle, laissant seulement dans le compartiment aux trois fenêtres donnant sur la rue un petit espace libre occupé par trois tables, la table près du mur où Hubert était seul, une table tout auprès où étaient Cahaigne, Jarassé et Heurtebise, et en face une plus petite, entourée des membres de la commission et sur laquelle Rattier, le rapporteur, avait posé le dossier. Derrière cette table flambait une cheminée pleine de charbon de terre où chantait je ne sais quelle chaudière, qu'un garçon de taverne venait surveiller de temps en temps. Sur le manteau de la cheminée, au-dessous d'un râtelier chargé de pipes, parmi une foule d'affiches énormes émanant des proscrits, entre l'annonce de Charles Leroux recommandant son établissement de brochage et la pancarte de Ribot inaugurant sa chapellerie du *Chapeau rouge*, s'étalait, collé avec quatre pains à cacheter, le placard réclamant une enquête et une « justice prompte », signé Hubert.

On voyait çà et là sur les tables des verres d'eau-de-vie

et des pots de bière. Tout autour de la salle pendaient à des rangées de clous des casquettes vernies, des chapeaux de paille et des feutres mous. Un vieux damier, dont les carreaux blancs n'étaient guère plus blancs que les carreaux noirs, était accroché au mur au-dessus de la tête de Hubert.

J'étais assis, avec Ribeyrolles et mes fils, dans l'angle près de la cheminée.

Quelques-uns des proscrits fumaient, l'un une pipe, l'autre un cigare. Cela faisait dans la salle peu de lumière et beaucoup de fumée. Le haut des fenêtres, en guillotine, selon la mode anglaise, était ouvert pour laisser passer toute cette vapeur.

La séance commença par l'interrogatoire de Hubert. Dès les premiers mots, Hubert ôta son chapeau. Cahaigne l'interrogea avec une gravité un peu théâtrale ; mais, quel que fût l'accent, on sentait un fond lugubre et sérieux.

Hubert dit ses deux prénoms : Julien-Damascène.

Hubert avait eu le temps de reprendre sa présence d'esprit. Il répondait avec précision et sans trouble. A un certain moment, comme on lui parlait de son retour par le département de l'Eure, il rectifia ainsi je ne sais quelle erreur de Cahaigne :

— Pardon, Louviers est sur la rive droite et les Andelys sont sur la rive gauche.

Du reste, il n'avoua rien.

L'interrogatoire fini, on passa à la lecture des procès-verbaux de la commission, des témoignages et des pièces. Cette lecture, commencée dans le calme le plus profond, souleva une rumeur qui allait grossissant à mesure que les faits apparaissaient plus noirs et plus odieux. On entendait ces murmures étouffés :

— Ah! le gueux! Ah! le scélérat! Est-ce qu'on ne va pas l'étrangler sur place, ce chenapan?

Au milieu de cette basse continue d'imprécations, le

lecteur était forcé d'élever la voix. C'était Rattier qui lisait. Mathé lui passait les pièces. Beauvais l'éclairait avec une chandelle de suif dans un chandelier de fer. Le suif coulait goutte à goutte sur la table.

Après les dépositions des témoins lues, Rattier annonça qu'il arrivait à la pièce décisive. Le silence revint, un silence fébrile, inquiet, absolu. Charles me dit tout bas :

— On entendrait voler un mouchard.

Rattier lut la lettre de Hubert à Maupas.

Tant que la lettre dura, on se contint ; les poings se crispaient ; quelques-uns mordaient leur mouchoir.

Quand le dernier mot fut lu :

— La signature! cria le vieux Fombertaux.

Rattier dit :

— Signé Hubert.

Alors ce fut effrayant.

L'explosion éclata.

Le silence n'avait été que de l'attente mêlée de je ne sais quelle hésitation à croire une telle chose ; quelques-uns avaient douté jusque-là, et dit : Pas possible! Quand cette lettre apparut, écrite par Hubert, datée par Hubert, signée par Hubert, évidente, réelle, incontestable, sous les yeux de tous, dans les mains de tous, le nom de Maupas écrit par Hubert, la conviction tomba au milieu de l'assemblée comme la foudre.

Les faces furieuses se tournèrent vers Hubert ; plusieurs bondirent sur leurs bancs ; des poignets menaçants se levèrent sur lui. Ce fut comme une frénésie de rage et de douleur ; une lueur terrible emplit tous les yeux.

On n'entendait que ces cris :

— Ah! l'infâme! — Ah! ce misérable Hubert! — Ah! brigand de la rue de Jérusalem!

Fombertaux, dont le fils est à Belle-Isle, cria : — Voilà les scélérats qui nous vendent depuis vingt ans!

— Oui, reprit un autre, et c'est grâce à ces êtres-là que

les jeunes sont dans les cachots et que les vieux sont dans l'exil !

Un proscrit, dont j'ignore le nom, grand jeune homme blond, monta sur une table, montra Hubert, et cria :

— Citoyens, à mort !

— A mort ! à mort ! répétèrent une foule de voix.

Hubert commençait à regarder autour de lui d'un air égaré.

Le même jeune homme reprit :

— Nous en tenons un ; qu'il ne nous échappe pas.

Un cria :

— Jetons-le à la Seine.

Il y eut un éclat de rire sinistre.

— Tu te crois donc encore sur le Pont-Neuf !

Et l'on reprit :

— A la mer le mouchard, avec une pierre au cou !

— Passons-le au bleu, dit Fombertaux.

Pendant le tumulte, Mathé m'avait remis la lettre de Hubert, et je l'examinais avec Ribeyrolles. Elle était écrite, en effet, sur le second feuillet d'une lettre de famille, d'une écriture un peu allongée, nette, lisible, avec quelques ratures, tout entière de la main de Hubert. Au bas de ce brouillon, par une sorte d'habitude d'homme illettré, il avait signé son nom en toutes lettres.

Cahaigne réclama le silence ; mais le moment était indescriptible. Tous parlaient à la fois ; c'était comme une seule âme qui jetait par soixante bouches la même malédiction au misérable.

— Citoyens, cria Cahaigne, vous êtes juges !

Ce mot suffit. Tous se turent. Les mains levées s'abaissèrent, et chacun, croisant les bras ou appuyant le coude sur son genou, reprit sa place avec une sorte de dignité sinistre.

— Hubert, dit Cahaigne, reconnaissez-vous cette lettre ?

Jarassé présenta la lettre à Hubert, qui répondit :

— Oui.

Cahaigne continua :

— Quelles explications avez-vous à donner ?

Hubert garda le silence.

— Ainsi, poursuivit Cahaigne, vous avouez mouchard ?

Hubert leva la tête, regarda Cahaigne, frappa du poing sur la table, et dit :

— Cela, non !

Un murmure courut comme un frisson de colère. L'explosion, qui n'était que suspendue, faillit recommencer ; mais, comme on vit que Hubert continuait de parler, le silence revint.

Hubert déclara, d'une voix sourde et saccadée, mais qui avait un certain accent ferme et, chose triste à dire, sincère : — Qu'il n'avait jamais fait de mal à personne ; — qu'il était républicain ; — qu'il mourrait « de dix mille morts » avant de faire tomber par sa faute « un cheveu de la tête d'un républicain » ; — que, s'il y avait eu des arrestations à Paris, il en était innocent ; — qu'on n'avait pas assez fait attention à la première lettre au préfet de l'Eure ; — que, quant à la lettre à Maupas, c'était un brouillon, un projet, qu'il l'avait écrite, mais qu'il ne l'avait pas envoyée ; — qu'on reconnaîtrait la vérité plus tard ; — et qu'on aurait regret ; — que, quant à la brochure : *la République impossible à cause des républicains*, il l'avait écrite également, mais ne l'avait pas publiée.

On lui cria de toutes parts :

— Où est-elle ?

Il répondit avec calme :

— Je l'ai brûlée.

— Est-ce là, reprit Cahaigne, tout ce que vous avez à dire ? Hubert fit signe de la tête que non, puis continua :

— Il ne devait rien à Mélanie Simon ; — ceux qui lui avaient vu de l'argent s'étaient trompés ; — le citoyen

Rattier se trompait ; — il n'était jamais, lui Hubert, entré chez le marchand de tabac Hurel ; — ses passeports étaient la chose la plus simple du monde ; — étant «gracié» il y avait droit ; — il avait rendu les cinquante francs à Rioteau d'Angers ; — il était un honnête homme ; — il n'avait jamais eu de billet de banque ; — l'argent qu'il avait dépensé, il l'avait reçu de sa femme, en tout cent soixante francs environ ; — il avait rencontré le citoyen Boisson à Paris dans un restaurant à vingt-deux sous ; c'est comme cela qu'il avait su son adresse ; — s'il voulait emmener des proscrits à Paris, c'était pour renverser « Badinguet », non pour livrer « ses amis » ; — si les gendarmes l'avaient laissé circuler en France, ce n'était pas sa faute ; — « en définitif », il y avait une entente pour le perdre entre quelques-uns, et tous en étaient « victimes ».

Il répéta deux ou trois fois, sans qu'on pût saisir à quoi cette phrase se rapportait :

— Le menuisier qui a fait le double fond est là pour le dire.

— Est-ce là tout ? reprit Cahaigne.

— Oui, dit-il.

Un frémissement accueillit ce mot ; on avait écouté les explications ; elles n'avaient rien expliqué.

— Prenez garde, continua Cahaigne. C'est vous-même qui nous avez dit de vous juger ; nous vous jugerons. Nous pouvons vous condamner.

— Et vous exécuter ! cria une voix.

— Hubert, reprit Cahaigne, vous courez tous les dangers du châtiment. Qui sait ce qui adviendra de vous ? Prenez garde. Désarmez vos juges par un aveu. Nos amis sont dans les mains de Bonaparte, mais vous êtes dans les nôtres. Faites des révélations, éclairez-nous. Aidez-nous à sauver nos amis, ou vous êtes perdu. Parlez.

— C'est vous, dit Hubert en levant la tête, c'est vous qui perdez « nos amis » de Paris en disant leurs noms tout haut comme vous faites, dans une assemblée (et il promena ses yeux sur l'assemblée), « où il y a évidemment des mouchards ». Je n'ai rien de plus à dire.

Cette fois l'explosion recommença, et avec une telle furie, qu'on put craindre un moment qu'elle ne passât des paroles à l'action.

Les cris : A mort! sortirent de nouveau d'une foule de bouches irritées.

Il y a dans la proscription un cordonnier de Niort, ancien sous-officier d'artillerie, appelé Guay, communiste fanatique, excellent et honnête ouvrier d'ailleurs, homme à la longue barbe noire, au teint pâle, aux yeux enfoncés, à la parole lente, au maintien grave et résolu. Il se leva et dit :

— Citoyens, il paraît qu'on voudrait juger Hubert à mort. Cela m'étonne. Vous oubliez que nous sommes dans un pays qui a des lois. Ces lois, nous ne devons pas les violer, nous ne devons rien tenter qui leur soit contraire. Cependant il faut punir Hubert, d'une part, pour le passé, et, d'autre part, pour l'avenir, lui imprimer un stigmate ineffaçable. Donc, afin de ne rien faire en dehors de ce qui est permis par les lois, voici ce que je propose : — Nous allons saisir Hubert et lui raser les cheveux et les moustaches, et, comme les cheveux et les moustaches repoussent, lui couper un centimètre de l'oreille droite. Les oreilles ne repoussent pas.

Cette proposition, énoncée du ton le plus grave et de l'accent le plus convaincu, s'acheva dans ce lugubre éclat de rire qui revenait par instants et qui se mêlait, comme une horreur de plus, à la terreur de la scène.

Près de Guay, à l'entrée du deuxième compartiment, à côté du docteur Barbier, était assis un proscrit nommé Avias.

Avias, sous-officier dans l'armée d'Oudinot, avait déserté devant Rome, ne voulant pas, lui républicain, égorger une république. Il avait été pris, jugé par un conseil de guerre, et condamné à mort. La veille de l'exécution, il avait réussi à s'échapper. Il s'était réfugié en Piémont. Au 2 décembre, il avait franchi la frontière et s'était bravement joint aux républicains du Var, armés contre le coup d'état. Dans un engagement, une balle lui avait brisé la cheville, ses amis l'avaient emporté à grand'peine ; et on lui avait coupé le pied. Expulsé du Piémont, il était allé en Angleterre, puis à Jersey. A son arrivée, il était venu me voir ; quelques amis et moi lui avions donné des secours, et il avait fini par s'établir teinturier, et par vivre.

Avias paraissait avoir beaucoup connu Hubert. Tout le temps qu'avait duré la lecture des pièces, il s'était démené et écrié : — Ah ! coquin ! Ah ! j... f...! Dire qu'il me disait : Louis Blanc est un traître ! Victor Hugo est un traître ! Ledru-Rollin est un traître !

Quand Guay se fut assis, Avias se leva et monta sur son banc, puis sur une table. Avias est un homme de trente ans, de haute taille, à la face rouge et large, aux tempes saillantes, aux yeux à fleur de tête, à la bouche grande, à l'accent provençal. Avec son œil furieux, ses poings noirs de teinture, son pied de moins qui le faisait chanceler sur la table, rien n'était plus sauvage que cette espèce de géant aux cris rauques, dont la tête touchait au plafond.

Il cria : — Citoyens, pas de tout ça ! finissons. Comptons-nous, et tirons au sort à qui donnera le coup de pouce au gredin. Si personne ne veut, je m'offre.

Une clameur d'adhésion s'éleva : — Tous ! tous !

Un petit homme jeune à barbe blonde, qui était assis devant moi, dit : — Je m'en charge. L'affaire du mouchard sera faite demain matin.

— Non pas, reprit un autre dans le coin opposé. Nous sommes quatre ici qui nous en chargeons.

— Oui, ajouta Fombertaux, en étendant le poing

jusque sur la tête de Hubert. Justice de ce gueux-là!
A mort!

Pas une contestation ne s'élevait. Hubert lui-même,
terrifié, baissait la tête et semblait dire : — C'est juste.

Je me levai.

— Citoyens, leur dis-je, dans un homme que vous nour-
rissiez, que vous souteniez, que vous aimiez, vous venez
de trouver un traître. Dans un homme que vous preniez
pour un frère, vous venez de trouver un espion. Cet homme
a encore sur le dos le vêtement que vous lui avez acheté,
et aux pieds les souliers que vous lui avez donnés.
Vous êtes dans le frémissement de l'indignation et de la
douleur. Cette indignation, je la comprends ; cette douleur, je la comprends. Mais prenez garde. Qu'est-ce que
c'est que ces cris de mort que j'entends? Il y a deux
êtres dans Hubert : un mouchard et un homme. Le mouchard est infâme, l'homme est sacré.

Ici une voix m'interrompit, la voix d'un brave garçon
nommé Cauvet, qui est riche et quelquefois gris, et qui
abuse de ce qu'il est partisan de Ledru-Rollin, pour se
montrer fanatique de la guillotine. Un grand silence
s'était fait. Cauvet dit à demi-voix :

— Ah oui! c'est ça. Toujours la douceur!

— Oui, dis-je, la douceur. L'énergie d'un côté, la douceur de l'autre ; voilà les deux armes que je veux mettre
dans les mains de la république.

Je repris :

— Citoyens, savez-vous ce qui vous appartient dans
Hubert ? Le mouchard oui, l'homme non. Le mouchard
est à vous, l'honneur du traître, le nom du traître, sa
personne morale, vous avez le droit d'en faire ce qu'il vous
plaira ; vous avez le droit de broyer cela, de déchirer
cela, de fouler cela aux pieds ; oui, vous avez le droit de
pétrir sous vos talons le nom de Hubert, et d'en ramasser
les lambeaux hideux dans la boue et de les jeter à la face de

Bonaparte. Mais savez-vous à quoi vous n'avez pas le droit de toucher? C'est à un cheveu de sa tête.

Je sentis la main de Ribeyrolles qui serrait la mienne. Je continuai :

— Ce que MM. Hubert et Bonaparte viennent de faire ici est monstrueux : faire nourrir un espion par notre pauvre caisse indigente, mêler dans la même poche le billet de banque de Maupas et le denier fraternel des proscrits, nous jeter aux yeux notre aumône pour nous aveugler, faire arrêter les hommes qui nous servent en France par l'homme que nous nourrissons à Jersey, enrôler dix exilés ici-même pour les pontons, recruter à Jersey pour Cayenne, singer, parodier et compromettre l'exaltation par la moucharderie, aigrir nos amertumes avec le venin de la police, poursuivre la proscription par le guet-apens, ne pas même laisser l'exil tranquille, attacher les fils d'une trame infâme aux plus saintes fibres de notre cœur, nous trahir et nous voler en même temps, nous filouter et nous vendre, combiner ce qu'il y a de plus bas avec ce qu'il y a de plus lâche, la perfidie mielleuse, la férocité sournoise, voilà le sac dans lequel nous venons de prendre la main de M. Bonaparte.

Il y a dans ce sac l'espion; il y a aussi l'empereur. Je voudrais bien savoir ce que cet empereur pense de cet espion, et ce que cet espion pense de cet empereur.

Citoyens, j'y insiste, la main de M. Bonaparte, elle est dans ce sac plein de ténèbres. Nous la tenons. Ne la lâchons pas.

Qu'avons-nous à faire? Publier les faits, prendre la France, l'Europe, la conscience publique, la probité universelle à témoin. Faire dire au monde entier : C'est infâme! Infliger au fait honteux que nous tenons une heure d'exposition publique. Mettre le sieur Bonaparte au pilori dans la personne du sieur Hubert.

La Providence ici prend clairement fait et cause pour

nous. Elle saisit M. Bonaparte en flagrant délit d'espionnage et nous le livre. Si triste que soit la découverte, l'occasion est bonne. Dans cette affaire, tout l'avantage moral revient à la proscription, à la démocratie, à la république. La situation est excellente. Ne la gâtons pas.

Et savez-vous comment nous la gâterions. En nous méprenant sur notre droit. En nous comportant comme des Vénitiens du seizième siècle au lieu de nous conduire comme des Français du dix-neuvième. En agissant comme le conseil des Dix. En tuant l'homme.

En principe, pas de peine de mort, je vous le rappelle. Pas plus contre un espion que contre un parricide. En fait, c'est absurde.

Touchez cet homme, blessez-le, frappez-le seulement, et demain l'opinion qui est pour vous se tourne contre vous. La loi anglaise vous cite à sa barre. De juges, c'est vous qui devenez accusés. M. Hubert disparaît, M. Bonaparte disparaît ; l'espion et l'empereur s'en vont dans le brouhaha l'un portant l'autre, et que reste-t-il ? Vous proscrits français, devant un jury anglais.

Et au lieu de dire : Voyez l'indignité de ce Bonaparte ! on dira : Voyez la brutalité de ces démagogues !

Citoyens, ajoutai-je en étendant le bras du côté de Hubert, je prends cet homme sous ma garantie, non pour l'homme, mais pour la république. Je m'oppose à ce qu'il lui soit fait aucun mal, ni aujourd'hui, ni demain, ni ici, ni ailleurs. Je résume votre droit en un mot ; publier, ne pas tuer. L'honneur de l'homme, et non sa peau. Le châtiment par la lumière, non par la violence. Un acte de grand jour, non un acte de nuit. La peau de Hubert ! grand Dieu ! qui est-ce donc qui en veut ? qu'est-ce que vous feriez de la peau d'un mouchard ? Quant à moi, je ne veux pas même de celle de Bonaparte. Je le déclare, personne ne touchera à Hubert, personne ne le maltraitera. Poignarder M. Bonaparte, ce serait

dégrader le poignard ; souffleter M. Hubert, ce serait
salir le soufflet.

Ces paroles, que je récris aujourd'hui de mémoire,
furent écoutées avec une attention profonde et une adhésion
croissante à chaque mot. Quand je me rassis, la question
était décidée. A vrai dire, je ne pense pas que Hubert,
quelles qu'eussent été les violences du début, courût,
séance tenante, un danger immédiat ; mais le lendemain
pouvait être fatal. Comme je me rasseyais, j'entendis
derrière moi un proscrit nommé Fillion, échappé d'Afrique,
dire distinctement :

— Voilà ce que c'est. Le mouchard est sauvé. Il fallait
faire, et ne pas dire. Cela nous apprendra à bavarder.

Ces paroles furent couvertes par un cri général :

— Non! pas de violences. Publier les faits, parler à
l'opinion, flétrir Hubert et Bonaparte, voilà ce qu'il
faut.

Claude Durand, Barbier, Rattier, Ribeyrolles, Cahaigne
me félicitèrent vivement. Hubert me regardait d'un air
morne.

La séance avait été comme suspendue après mes paroles.
Les proscrits de la nuance dite terroriste fixaient sur moi
des yeux irrités. Fillion m'aborda et me dit :

— Vous avez raison. Du moment qu'on avait parlé,
rien n'était plus possible. Est-ce que, quand on veut
exécuter un traître, on s'en va le crier sur les toits ?
Nous sommes soixante ici, c'est cinquante-six de trop.
Quatre suffisaient. En Afrique, nous avons eu une affaire
comme celle-là. On a découvert qu'un nommé Auguste
Thomas était agent de police, un ancien républicain
pourtant, et de la veille, et de toutes les conspirations
depuis vingt ans. On a eu la preuve du fait un jour à
neuf heures du soir. Le lendemain, l'homme avait disparu
sans qu'on ait pu jamais savoir ce qu'il était devenu. C'est
comme cela que ces choses-là se font.

Comme j'allais répondre à Fillion, la séance se rouvrait. Cahaigne éleva la voix :

— Rasseyez-vous, citoyens. Vous avez entendu les paroles du citoyen Victor Hugo. Ce qu'il propose, c'est une peine morale.

— Oui, oui! bien! crièrent une multitude de voix.

Cauvet, l'homme de bonne humeur, qui m'avait interrompu, s'agita sur la table où il était assis.

— Parbleu! voilà qui est beau! dit-il ; une peine morale! et vous allez lâcher l'homme! et demain il s'en ira en France dénoncer et vendre nos amis! Il faut le tuer, ce coquin-là.

Il y avait là une objection sérieuse. Hubert en liberté était dangereux.

Beauvais prit la parole :

— Il n'y a pas besoin de le tuer, et on ne le lâchera pas. Depuis le mois d'avril je nourris Hubert et je le loge, à peu près pour rien. Je voulais bien avoir nourri un proscrit ; je ne veux pas avoir nourri un mouchard. Maintenant il faut que M. Bonaparte me paie la dépense de M. Hubert. C'est 83 francs. Demain matin, M. Asplet empoignera M. Hubert et nous le coffrera à la prison pour dettes, à moins que Hubert ne tire de sa poche un des billets de banque de M. Maupas. Cela me fera plaisir à voir.

— Oui, cria Vincent, mais il s'en ira d'ici à demain matin.

On se mit à rire. Beauvais en effet avait résolu la question.

— Nous le gardons à vue, dit Bony.

— Fouillons-le, cria Fombertaux.

— Oui, oui, fouillons le mouchard.

Et une foule se précipita du côté de Hubert.

— Vous n'avez le droit, m'écriai-je, ni de le garder à vue, ni de le fouiller. Le garder à vue, c'est attenter à sa liberté ; le fouiller, c'est toucher à sa personne.

Le fouiller était, de plus, une naïveté. Il était évident

453

que Hubert, depuis que l'enquête était commencée, ne devait rien avoir sur lui qui pût le compromettre.

Hubert cria : — Ah! qu'on me fouille, j'y consens. La chose était peu surprenante.

— Il consent, dirent-ils, il consent. Fouillons-le. Je les arrêtai. Je demandai à Hubert :

— Vous consentez?

— Oui.

— Il faut donner votre consentement par écrit.

— Je veux bien.

Jarassé écrivit le consentement et Hubert le signa. Pendant ce temps-là on le fouillait, car ils n'avaient pas eu la patience d'attendre la signature.

Ses poches vidées et retournées, on ne trouva rien, que quelques sous, son gros mouchoir bleu et un morceau déchiré de la *Chronique de Jersey*.

— Les souliers! fouillez les souliers, cria une voix. Hubert ôta ses souliers et les mit sur la table.

— Il n'y avait rien dedans, dit-il, que les pieds d'un républicain.

Cahaigne reprit la parole. Il rappela ma proposition et la fit adopter. Aucune main ne se leva contre.

Puis il dit : — Citoyens, vous êtes des juges ; l'accusé est devant vous. Une peine morale seule est possible. Je vous propose de la prononcer en ces termes :

Et il lut le projet de résolution suivant :

« Les soussignés, tous proscrits, déclarent, dans leur âme et conscience, que le sieur HUBERT (Julien Damascène) est convaincu d'appartenir à la police de M. Bonaparte. »

(Suivent les signatures.)

Cette proposition fut adoptée à l'unanimité, puis signée.

Pendant qu'on signait la proposition, Hubert avait remis ses souliers à ses pieds et son chapeau sur sa tête ;

il avait repris sa pipe sur la table et il semblait chercher du regard quelqu'un qui lui offrît du feu pour l'allumer.

A ce moment-là, Cauvet s'approcha de lui et lui dit d'une voix basse :

— Veux-tu un pistolet ?

Hubert ne répondit pas.

— Veux-tu un pistolet ? reprit Cauvet.

Hubert garda le silence. Cauvet recommença :

— J'ai un pistolet chez moi. Un bon. Le veux-tu ?

Hubert haussa l'épaule et poussa la table du coude.

— Le veux-tu ? reprit Cauvet.

— Laissez-moi tranquille, dit Hubert.

— Tu ne veux pas de mon pistolet ?

— Non.

— Alors donne-moi la main.

Et Cauvet, complètement gris, tendit la main à Hubert. Hubert ne la lui donna pas.

Cependant je causais avec Cahaigne qui me disait :

— Vous avez bien fait de les avertir, mais je crains que demain la colère ne revienne à deux ou trois comme Avias, et qu'ils ne le tuent dans quelque coin.

Je n'avais pas signé la déclaration. Tous avaient signé, excepté moi.

Heurtebise me présenta la plume.

— Je signerai dans trois jours, dis-je.

— Pourquoi ? demandèrent plusieurs.

— Parce que je crains les coups de tête. Je signerai dans trois jours, quand je serai sûr qu'aucune menace ne s'est réalisée et qu'on n'a fait aucun mal à Hubert.

On me cria de toutes parts :

— Signez! signez! On ne lui fera aucun mal.

— Vous me le garantissez ?

— Nous vous le promettons.

Je signai.

Une demi-heure après, je rentrai chez moi. Il était

six heures du matin. La bise de mer sifflait dans le Rocher des proscrits ; les premières blancheurs de l'aube égayaient le ciel. Quelques petits nuages d'argent jouaient au milieu des étoiles.

A cette même heure, M. Asplet, requis par Beauvais, saisissait Hubert et l'écrouait à la prison pour dettes.

Ce matin 21 octobre, vers dix heures, un sieur Laurent, qui prend ici, en vertu d'une nomination de M. Bonaparte, la qualité de vice-consul de France, se présentait chez M. Asplet.

Il venait, disait-il, réclamer un Français arrêté illégalement.

— Pour dettes, a dit Asplet.

Et il a montré l'ordre d'écrou signé du député-vicomte, M. Horman.

— Voulez-vous payer ? a demandé Asplet.

Le consul a baissé la tête et s'en est allé.

Il est dans la destinée d'Hubert d'être nourri par les proscrits. En ce moment on le nourrit à la prison, moyennant six pence (treize sous) par jour.

En remuant mes papiers, j'y ai trouvé une lettre de Hubert. Il y a dans cette lettre une phrase triste : « La faim est mauvaise conseillère. »

Hubert a eu faim.

25 août 1868. — Aujourd'hui, vers trois heures de l'après-midi ma femme a été atteinte d'une attaque d'apoplexie. Respiration sifflante. Spasmes. Le docteur Crocq et le docteur Jettrand ont été appelés. A minuit les spasmes diminuaient, mais un état hémiplégique se déclarait. Il y avait paralysie du côté droit. Le docteur Jettrand a mandé par dépêche télégraphique le docteur Émile Allix.

A trois heures du matin les spasmes ont cessé, la fièvre est venue.

26 août. — Ce matin, consultation des trois principaux médecins de Bruxelles. Hélas! peu d'espoir.

A midi j'ai envoyé chercher une religieuse pour garde-malade. A deux heures, le docteur Émile Allix est arrivé de Paris. — Ma femme ouvre les yeux quand je lui parle et me presse la main. De même à ses fils. — Elle a cet après-midi remué le bras droit. Il me semble qu'elle est mieux.

Ma femme a moins de spasmes. Le docteur Allix a envoyé au docteur Axenfeld cette dépêche : *État grave, mais espoir.*

27 août. — Morte ce matin, à six heures et demie. Je lui ai fermé les yeux. Hélas!

Dieu recevra cette douce et grande âme. Je la lui rends. Qu'elle soit bénie!

Suivant son vœu, nous transporterons son cercueil à Villequier, près de notre douce fille morte.

Je l'accompagnerai jusqu'à la frontière.

Pour entrer le cercueil en France, il faut l'autorisation du gouvernement français. Télégramme à Paul Foucher (1) pour qu'il fasse les démarches.

Vacquerie est arrivé. Laussedat est venu. Paul Meurice est arrivé à dix heures du soir.

On a photographié notre chère morte.

28 août. — Toute la journée formalités accablantes. Échange de dépêches électriques pour obtenir que le cercueil passe la frontière.

Quatre heures après-midi. — Le cercueil est double. On l'y a mise enveloppée d'un suaire blanc doublé de mousse-line. Le docteur Allix l'a couverte d'aromates, laissant le visage à nu. J'ai pris des fleurs qui étaient là. J'en ai

(1) Frère de Mme Victor Hugo.

entouré la tête. J'ai mis autour de la tête un cercle de marguerites blanches, sans cacher le visage, j'ai ensuite semé des fleurs sur tout le corps et j'en ai rempli le cercueil. Puis je l'ai baisée au front, et je lui ai dit tout bas : sois bénie! — Et je suis resté à genoux près d'elle. Charles s'est approché, puis Victor. Ils l'ont embrassée en pleurant et sont restés debout derrière moi. Paul Meurice, Vacquerie et Allix pleuraient. Je priais. Ils se sont penchés l'un après l'autre, et l'ont embrassée.

A cinq heures on a soudé le cercueil de plomb et vissé le cercueil de chêne. Avant qu'on posât le couvercle du cercueil de chêne, j'ai, avec une petite clef que j'avais dans ma poche, gravé sur le plomb, au-dessus de sa tête : V. H. Le cercueil fermé, je l'ai baisé.

J'ai mis, avant de partir, le vêtement noir que je ne quitterai plus.

A six heures, nous sommes partis de la maison, n° 4, place des Barricades, pour la gare du Midi. Derrière le corbillard, il y avait trois voitures de deuil où nous étions. Plus MM. Laussedat, Gustave Frédérix, Gaston Bérardi, Cœnaès, Albert Lacroix et plusieurs autres. A sept heures, le cercueil a été placé dans un wagon spécial et nous sommes partis. Nous étions, Charles, Victor et moi dans le même wagon avec Auguste Vacquerie, Paul Meurice, Henri Rochefort, Émile Allix et Camille Berru. A neuf heures, nous arrivions à Quiévrain. Il y avait foule autour de notre wagon. Cette foule m'a salué avec émotion quand je suis descendu. Le chef de gare m'a conduit au wagon mortuaire. On l'a ouvert. J'y suis monté. Le cercueil était dans une sorte d'alcôve tendue de noir sur une estrade, sous un drap de deuil, entre deux rideaux semés de larmes, sous un monceau de branches vertes, lierre et laurier. J'ai cueilli quelques feuilles et j'ai baisé le cercueil. Je lui ai un peu parlé bas.

Puis je suis redescendu. Quand nous avons mis pied à terre on a fermé le wagon. Vacquerie, Meurice et Allix, qui vont la conduire à Villequier, sont remontés dans le convoi. Je suis resté là, regardant le convoi s'en aller dans la nuit.

Après quelque temps, Charles m'a touché l'épaule. Un honorable habitant de Quiévrain, M. Pitot, nous offrait l'hospitalité. Nous nous sommes dirigés vers la sortie de la gare. Rochefort m'a offert son bras. Je lui ai dit : Vous venez de voir la voiture dans laquelle je rentrerai en France.

29 août. — La maison Pitot est tout près de la gare. L'hospitalité a été cordiale et attendrie. Nous y avons passé la nuit. Dans ma chambre, il y avait le volume illustré *les Misérables.* J'ai écrit dessus mon nom et la date, laissant ce souvenir à mon hôte.

Ce matin, à neuf heures et demie, nous sommes repartis pour Bruxelles où nous sommes arrivés à midi.

30 août. — Propositions de M. Lacroix pour mes ouvrages inédits. Allons! il faut se remettre au travail et rentrer dans la vie. Devoir.

1er septembre. — Nouvelles de Villequier. Paul Meurice a parlé admirablement. L'enterrement est fait. J'ai dit de graver sur la tombe :

ADÈLE

FEMME DE VICTOR HUGO

5 septembre. — Auguste Vacquerie m'a envoyé trois fleurs prises le 4 septembre sur les trois tombeaux.

7 octobre 1868.

Ostende. — En partance pour Douvres, à bord sur la *Topaze.* A neuf heures, départ. Vers dix heures, le temps s'améliore un peu et le soleil paraît ; comme je me chauffais

459

les pieds à la grille de la machine, un passager de haute taille, au visage noble et à la barbe grisonnant un peu, s'approche de moi et me dit :

— Je craignais le mauvais temps.

Je réponds : — Nous avons mal commencé. Nous finirons bien.

Et le dialogue suivant s'ébauche entre lui et moi, lui parlant le premier :

— Tout à l'heure nous serons en vue de Dunkerque.

— J'en ai passé si près l'an dernier qu'il semblait qu'on eût pu y mettre la main.

— Non le pied ?

— Moi pas, du moins.

— Ni moi.

— Est-ce que vous êtes proscrit, vous aussi, Monsieur ?

— Monsieur, vous ne me reconnaissez pas ?

— Non.

— Moi je vous reconnais, vous êtes Victor Hugo et je m'appelle Joinville.

C'était le prince de Joinville. Nous avons causé ensemble pendant les quelques heures de la traversée. J'écrirai cette conversation.

Je lui ai dit : — La seule solution, c'est la République.

Il a répondu : — Oui.

Et il a ajouté : — Mais la République exige bien des vertus.

— En revanche, ai-je dit, la monarchie exige bien des vices.

— Vous avez raison, a-t-il repris en souriant.

Et nous nous sommes serré la main. C'est un noble et généreux cœur. Je lui ai dit : — Quel dommage que vous soyez prince !

A deux heures et demie, nous sommes arrivés à Douvres. Mme la princesse de Joinville, qui était dans la cabine du capitaine, en est sortie, et je lui ai présenté mes respects.

Elle m'a rappelé que je lui avais donné le bras pour l'introduire à l'Académie le jour de la réception de Sainte-Beuve. Elle a un sourire charmant.

J'ai dit au prince de Joinville :

— Il y a des abîmes entre nous. Nous sommes séparés et nous resterons séparés ; mais je vous serre la main avec bonheur.

Et nous nous sommes pressé les mains avec effusion.

Ce sont de vaillantes âmes et qui portent noblement l'exil.

Choses vues.

Le sens de l'Histoire

Dans la solitude de Hauteville-House, Hugo interroge l'Océan, qui lui inspirera des dizaines de poèmes et les Travailleurs de la Mer, la nuit et la mort, par le truchement des rêves, des tables tournantes, des visions de l'ombre et de la poésie, et l'histoire. C'est dans William Shakespeare, et dans les textes posthumes d'Océan que prendra forme cette longue méditation sur le destin de l'humanité et le sens de l'aventure terrestre.

Jusqu'à l'époque où nous sommes, l'histoire a fait sa cour.

La double identification du roi avec la nation et du roi avec Dieu, c'est là le travail de l'histoire courtisane. La grâce de Dieu procrée le droit divin.

Dans cette histoire il y a tout, excepté l'histoire. Étalage de princes, de « monarques », et de capitaines ; du peuple, des lois, des mœurs, peu de chose ; des lettres, des arts, des sciences, de la philosophie, du mouvement de la pensée universelle, en un mot, de l'homme, rien. La civilisation date par règnes et non par progrès. Un roi quelconque est une étape. Les vrais relais, les relais des grands hommes, ne sont nulle part indiqués. On explique comment François II succède à Henri II, Charles IX à François II et Henri III à Charles IX ; mais personne n'enseigne comment Watt succède à Papin et Fulton à Watt ; derrière le lourd décor des hérédités royales, la mystérieuse dynastie des génies est à peine entrevue.

Il est temps que cela change.

Il est temps que les hommes de l'action prennent leur place derrière et les hommes de l'idée devant. Le sommet, c'est la tête. Où est la pensée, là est la puissance. Il est temps que les génies passent devant les héros. Il est temps de rendre à César ce qui est à César et au livre ce qui est au livre. Tel poème, tel drame, tel roman, fait plus de besogne que toutes les cours d'Europe réunies. Il est temps que l'histoire se proportionne à la réalité, qu'elle donne à chaque influence sa mesure constatée, et qu'elle cesse de mettre aux époques faites à l'image des poètes et des philosophes des masques de rois. A qui est le dix-huitième siècle ? A Louis XV, ou à Voltaire ? Confrontez Versailles à Ferney, et voyez duquel de ces deux points la civilisation découle.

L'histoire véridique, l'histoire vraie, l'histoire définitive, désormais chargée de l'éducation du royal enfant qui est le peuple, rejettera toute fiction, manquera de complaisance, classera logiquement les phénomènes, démêlera les causes profondes, étudiera philosophiquement et scientifiquement les commotions successives de l'humanité, et tiendra moins compte des grands coups de sabre que des grands coups d'idée. Les faits de lumière passeront les premiers. Pythagore sera un plus grand événement que Sésostris.

Qu'est l'invasion des royaumes comparée à l'ouverture des intelligences ? Les gagneurs d'esprit effacent les gagneurs de provinces. Celui par qui l'on pense, voilà le vrai conquérant. Dans l'histoire future, l'esclave

Ésope et l'esclave Plaute auront le pas sur les rois, et tel vagabond pèsera plus que tel victorieux, et tel comédien pèsera plus que tel empereur.

Ces renversements de rôle mettront dans leur jour vrai les personnages ; l'optique historique, renouvelée, rajustera l'ensemble de la civilisation, chaos encore aujourd'hui ; la perspective, cette justice faite par la géométrie, s'emparera du passé, faisant avancer tel plan, reculer tel autre ; chacun reprendra sa stature réelle ; les coiffures de tiares et de couronnes n'ajouteront aux nains qu'un ridicule ; les agenouillements stupides s'évanouiront.

William Shakespeare

Regards sur une vie

Le destin du poète lui apparaît comme un maillon de la chaîne sans fin des destins humains, depuis la nuit des temps jusqu'à l'espérance de l'aube future. Il a voulu que ce maillon fut nécessaire, et exemplaire ce destin. Au crépuscule de sa vie, il peut faire son bilan, se juger avec sérénité, et confiance.

J'ai vu successivement passer chez moi, et, selon les hasards de la vie et les oscillations de la destinée, j'ai reçu dans ma maison, quelquefois dans mon intimité, des chanceliers, des pairs, des ducs, Pasquier, Pontécoulant, Montalembert, Bellune, et des grands hommes, La Mennais, Lamartine, Chateaubriand ; des présidents de république, Manin ; des gouvernants de révolution, Montanelli, Arago, Héliade ; des généraux de peuples, Louis Blanc, Mierolawski, et des artistes, Rossini, David d'Angers, Pradier, Liszt, Meyerbeer, Delacroix ; des maréchaux, Soult, Mackau, et des sergents, Bony, Heurtebise ; des évêques, le cardinal de Besançon, M. de Rohan, le cardinal de Bordeaux, M. Donnet, et des comédiens, Frédérick Lemaître, Mlle Rachel, Mlle Mars, Mme Dorval, Macready ; des ministres et des ambassadeurs, Molé, Guizot, Thiers, lord Palmerston, lord Normanby, M. de Ligne, et des paysans, Claude Durand ; des princes, altesses impériales et royales, altesses tout court, le duc d'Orléans, Ernest de Saxe-Cobourg, la princesse de Canino, Louis, Charles, Pierre et Napoléon Bonaparte, et des cordonniers, Guay ; des rois, Jérôme de Westphalie, Max de Bavière, et des faiseurs de tours en plein vent, Bourillon ; j'ai eu quelquefois en même temps dans mes deux mains la main gantée et blanche qui est en haut, et la grosse main noire qui est en bas, et j'ai reconnu qu'il n'y a qu'un homme.

Après que tout cela a passé devant moi, je suis dans l'exil, heureux d'y être, et je dis que l'Humanité a un synonyme : Égalité, et qu'il n'y a sous le ciel qu'une chose devant laquelle on doive s'incliner : le génie, et qu'une chose devant laquelle on doive s'agenouiller : la bonté.

Choses vues

Je trouve de plus en plus l'exil bon.

Il faut croire qu'à leur insu les exilés sont près de quelque soleil, car ils mûrissent vite.

Depuis trois ans — en dehors de ce qui est l'art — je me sens sur le vrai sommet de la vie et je vois les linéaments réels de tout ce que les hommes appellent faits, histoire, événements, succès, catastrophes, machinisme énorme de la Providence.

Ne fût-ce qu'à ce point de vue, j'aurais à remercier M. Bonaparte qui m'a proscrit, et Dieu qui m'a élu.

Je mourrai peut-être dans l'exil, mais je mourrai accru. Tout est bien.

Tas de Pierres

VII

1870-1871 LES ANNÉES TERRIBLES

Du 14 au 18 septembre 1869, Victor Hugo, à Lausanne, préside le Congrès de la Paix. « Non, nous ne voulons pas de la paix sous le despotisme, s'écrie-t-il. La première condition de la paix, c'est la délivrance ». La guerre de 1870, qui éclate le 14 juillet 1870, ne le surprend pas, si les revers français l'accablent. Il quitte Guernesey le 15 août, et arrive à Paris le 5 septembre, vingt-quatre heures après la proclamation de la République. Une foule énorme l'attend à la gare : « Vous me payez en une heure dix-neuf ans d'exil » répond-il aux acclamations.

La guerre est déclarée

Le 3 septembre 1870 il lance un Appel aux Allemands, le 17 septembre un Appel aux Français.

« Je voudrais n'être pas Français, pour pouvoir dire
Que je te choisis, France, et que, dans ton martyre,
Je te proclame, toi que ronge le vautour,
Ma patrie et ma gloire, et mon unique amour. »

La guerre est déclarée. Cela commence par la Prusse et la France.

Le concile vient de déclarer le pape infaillible.

Il y a trois jours, le 18 juillet, pendant que je plantais dans mon jardin de Hauteville-House le chêne des États-

Unis d'Europe, au même moment la guerre éclatait en Europe et l'infaillibilité du pape éclatait à Rome.

Dans cent ans, il n'y aura plus de guerre, il n'y aura plus de pape, et le chêne sera grand.

7 août. La nouvelle arrive d'un grave échec subi par l'armée française à Wissembourg.

Les journaux arrivent. La guerre tourne à la catastrophe. Nouvelles foudroyantes. Trois batailles perdues coup sur coup, dont une grande, par Mac-Mahon ; 8 000 français prisonniers, 30 canons, 6 mitrailleuses, 2 drapeaux pris. Paris en état de siège.

Je vais serrer tous mes manuscrits dans les trois malles et me mettre en mesure pour être à la disposition de mon devoir et des événements.

Charles et tous mes hôtes partent aujourd'hui pour Jersey. A Jersey, il y a le télégraphe, et Charles sera toujours immédiatement renseigné. Il m'écrira d'heure en heure, s'il le faut.

Cette nuit, j'ai vu en rêve Louis Bonaparte. Il était dans l'arrière-boutique de Madame Levert, l'amie de Blanqui, à Bruxelles. Il était en noir, avec le ruban de la Légion d'Honneur. Il sortait ; je rentrais ; nous avons causé.

15 août. Fort vent de terre (S.-E.).

A 9 heures, arrive le packet *Brittany*, par lequel nous allons partir. Charles, Alice et Georges sont à bord avec Duverdier, plus Philomène. Nous serrons la main aux personnes qui nous entourent, Mme Engelson, Isca, M. Talbot, M. le Bar, etc. Nous montons dans le *packet*, avec M. Louis Koch et Jeanne avec la nourrice, et Suzanne et Mariette. Nous partons à 9 h. 1/2.

Nous arrivons à Southampton à 7 h. 1/2. Douane. Je retrouve le jeune douanier de l'an dernier qui m'a adressé des vers et n'a pas voulu ouvrir mes malles. Je lui serre la main et j'invite à dîner ce douanier qui est poète.

Nous descendons à l'*Hôtel de la Providence* où je suis allé l'an dernier.

Le bruit court que les Prussiens ont pris Metz, et le bruit court qu'ils ne l'ont pas pris. Deux télégrammes contradictoires.

Bruxelles, 3 *septembre.*

Hier, après la bataille décisive perdue, Louis Bonaparte, fait prisonnier dans Sedan, a rendu son épée au roi de Prusse. Il y a un mois juste, le 2 août, à Sarrebrück, il jouait à la guerre.

Maintenant, sauver la France, ce sera sauver l'Europe.

Des crieurs de journaux passent, portant d'énormes affiches où on lit : *Napoléon III prisonnier.*

Neuf heures. Réunion des proscrits, 15, Grand'Place, à laquelle j'assiste ainsi que Charles (revenu à 5 h. 1/2). Question : drapeau tricolore ou drapeau rouge ?

Carnets intimes 1870-1871

Retour à Paris : Le siège

Beaucoup d'esprits, tel Goncourt, acceptent ou se résignent : la partie est perdue, les Allemands ont gagné la guerre. Mais dans Paris assiégé, Hugo veut espérer encore, galvaniser l'espoir. « Paris se défendra, Prussiens, soyez tranquilles! Paris se défendra victorieusement. » Il ne cesse de recevoir, de parler aux foules, d'écrire, d'aller et venir dans Paris assiégé. A soixante-huit ans, sa vitalité prodigieuse, son indomptable entrain stupéfient ses visiteurs.

5 *septembre.*

Nous sommes entrés en France à 4 heures. Profonds respects du commissaire de police, à la frontière. Dans les gares où s'arrêtait le train, on m'a reconnu presque partout, et l'on criait : « *Vive Victor Hugo!* »

A Tergnier, à six heures et demie, nous avons dîné

d'un morceau de pain, d'un peu de fromage, d'une poire et d'un verre de vin. Claretie a voulu payer, et m'a dit : « *Je tiens à vous donner à dîner le jour de votre rentrée en France.* »

Chemin faisant, j'ai vu dans un bois un campement de soldats français, hommes et chevaux mêlés. Je leur ai crié « *Vive l'armée!* » et j'ai pleuré. Nous rencontrions à chaque instant des trains de soldats allant à Paris. Vingt-cinq convois de troupe ont passé dans la journée. Au passage d'un de ces convois, nous avons donné aux soldats toutes les provisions que nous avions, du pain, des fruits et du vin. Il faisait un beau soleil, puis, le soir venu, un beau clair de lune.

Nous sommes arrivés à Paris à neuf heures trente-cinq. Une foule immense m'attendait. Accueil indescriptible. J'ai parlé quatre fois. Une fois du balcon d'un café, trois fois de ma calèche. En me séparant de cette foule, toujours grossie, qui m'a conduit jusque chez Paul Meurice, 26, rue de Laval, avenue Frochot, j'ai dit au peuple : « *Vous me payez en une heure vingt ans d'exil.* »

On chantait la *Marseillaise* et le *Chant du Départ.* On criait : « *Vive Victor Hugo!* » A chaque instant, on entendait dans la foule des vers des *Châtiments.* J'ai donné plus de dix mille poignées de mains. Le trajet de la gare du Nord à la rue de Laval a duré deux heures. On voulait me mener à l'Hôtel de Ville. J'ai crié : « *— Non, citoyens! Je ne suis pas venu ébranler le gouvernement provisoire de la République, mais l'appuyer.* » On voulait dételer ma voiture. Je m'y suis opposé. Une femme a tenu tout le temps la bride d'un des chevaux. Un homme en blouse m'a dit les vers qui sont dans mon jardin :

> *Venez tous faire vos orges,*
> *Messieurs les petits oiseaux,*
> *Chez Monsieur le Petit Georges.*

Il a crié : « *Vive le Petit Georges !* » Et la foule a crié :
« *Vive le Petit Georges !* »

Un bataillon de soldats passait sur le boulevard.
Les soldats se sont arrêtés et m'ont présenté les armes.
Je leur ai dit : « *Vous êtes toujours les premiers soldats
du monde. Jamais l'armée française n'a été plus héroïque ;
l'Europe, émue, vous admire. (Dans cette effroyable guerre,
la victoire est pour la Prusse, mais la gloire est pour la
France.)* »

Nous sommes arrivés chez Meurice à minuit. J'y
ai soupé avec mes compagnons de route, plus Victor.
Mme Meurice m'a loué et meublé un appartement analogue
au sien. Je me suis couché à deux heures du matin.

6 septembre.

Au point du jour, j'ai été réveillé par un immense orage.
Éclairs et tonnerre.

— Innombrables visites. Innombrables lettres.

Rey est venu me demander si j'accepterais d'être
d'un triumvirat ainsi composé : Victor Hugo, Ledru-
Rollin, Schœlcher. J'ai refusé. Je lui ai dit : « *Je
suis presque impossible à amalgamer.* »

Je lui ai rappelé nos souvenirs. Il m'a dit : « *Vous
rappelez-vous que c'est moi qui vous ai reçu quand vous
arrivâtes à la barricade Baudin ?* » Je lui ai dit : « *Je me
rappelle si bien que voici...* » Et je lui ai dit les vers qui
commencent la pièce (inédite) sur la barricade Baudin
(*Châtiments*, t. II) :

La barricade était livide dans l'aurore,
Et comme j'arrivais elle fumait encore.

Rey me serra la main et dit : Baudin est mort...

Il a pleuré.

— Nous avons pris nos arrangements à l'*Hôtel Navarin*. Charles s'y est installé avec sa femme et ses en-

fants. Nous y dînerons tous les jours ensemble. Meurice m'invite à déjeuner chez lui.

7 septembre.

Au petit jour, je ne dormais pas, frappements mystérieux à mon chevet. Cinq ou six coups répétés tout près de mon oreille.

— Sont venus Louis Blanc, d'Alton-Shée, Banville, etc. Les dames de la Halle m'ont apporté un bouquet (donné 20 frs.).

8 septembre.

Je suis averti qu'on prétend vouloir m'assassiner. Haussement d'épaules.

— J'ai écrit ce matin ma *Lettre aux Allemands*. Elle paraîtra demain.

— Ont dîné avec moi MM. Claretie et Proust; ce soir, MM. Ed. Lockroy et Louis Koch.

— Visite du général Cluseret.

— A dix heures, j'ai été au *Rappel* corriger l'épreuve de ma *Lettre aux Allemands*.

9 septembre.

Visite du général Montfort. Les généraux me demandent des commandements ; on me demande des audiences ; on me demande des places. Je réponds : « *Je ne suis rien.* »

— Visite de Pierre Véron. Secours à Luthereau (20 frs.). Au citoyen Castagnier, proscrit, 20 frs.

— Vu le capitaine Féval, mari de Fanny, la sœur d'Alice. Il arrive de Sedan. Il était prisonnier de guerre. Renvoyé sur parole.

— M. et Mᵐᵉ Laferrière ont dîné avec nous.

Tous les journaux publient mon *Appel auxAllemands*.

10 septembre.

D'Alton-Shée et Louis Ulbach ont déjeuné avec

nous. Après le déjeuner, nous sommes allés place de la Concorde. Un registre est aux pieds de la statue de Strasbourg couronnée de fleurs. Chacun y vient signer le remerciement public. J'y ai écrit mon nom. La foule m'a tout de suite entouré. L'ovation de l'autre soir allait recommencer. Je suis vite remonté en voiture, entouré des cris : « *Vive Victor Hugo!* »

— Toujours foule. Parmi les personnes venues chez moi, Cernuschi.

11 septembre.

Visite d'un sénateur des États-Unis, M. Wichow. M. Washburn, le ministre américain, le charge de me demander si je croirais utile une intervention *officieuse* de sa part auprès du roi de Prusse. Je le renvoie à Jules Favre.

— J'ai invité Émile Allix à dîner.

12 septembre.

Toujours foule chez moi. Entre autres visites, Frédérick Lemaître.

— J'ai invité Louis Koch à dîner tous les jours.

13 septembre.

Aujourd'hui, revue de l'armée de Paris. Je suis seul dans ma chambre. Les bataillons passent dans les rues en chantant la *Marseillaise* et le *Chant du Départ*. J'entends ce cri immense :

Un Français doit vivre pour elle,
Pour elle un Français doit mourir.

J'écoute, et je pleure. Allez, vaillants! J'irai où vous irez.

— Paul Foucher est venu déjeuner.

Visite du consul général des États-Unis et du sénateur Wichow.

— Julie m'écrit de Guernesey que le gland planté pour le 14 juillet a germé. Le chêne des États-Unis d'Europe est sorti de terre le 5 septembre, jour de ma rentrée à Paris.

14 septembre.

J'ai reçu la visite du Comité de la Société des Gens de lettres me priant de la présider ; — de M. Jules Simon, ministre de l'Instruction publique ; — du colonel Piré, qui commande un corps franc, etc.

J'ai invité à dîner M. Ed. Lockroy.

16 septembre.

Il y a aujourd'hui un an, j'ouvrais le Congrès de la Paix à Lausanne. Ce matin, j'écris l'*Appel aux Français* pour la guerre à outrance contre l'invasion.

— En sortant, j'ai aperçu au-dessus de Montmartre le ballon captif destiné à surveiller les assiégeants.

17 septembre.

Mon *Appel aux Français*, daté du 17 septembre, est dans les journaux.

Toutes les forêts brûlent autour de Paris.

Charles a visité les fortifications et revient content.

— J'ai déposé au bureau du *Rappel* 2 088 frs. 30, produit d'une souscription pour les blessés faite à Guernesey, envoyé par M. H. Tupper, consul de France.

— J'ai déposé au bureau du *Rappel* un bracelet et des boucles d'oreilles en or, envoi anonyme d'une femme pour les blessés. A l'envoi était jointe une petite médaille de cou en or pour Jeanne.

20 septembre.

Charles et sa petite famille ont quitté hier l'*Hôtel Navarin* et sont allés s'installer 174, rue de Rivoli. Charles et sa femme continueront, ainsi que Victor, de dîner tous les jours avec moi.

Depuis hier, Paris est attaqué.

Louis Blanc, Gambetta, ministre de l'Intérieur, Jules Ferry, membre du Gouvernement, sont venus me voir ce matin.

Je suis allé à pied, avec J. J., à l'Institut pour signer la déclaration de l'Institut pour les monuments de Paris. Le secrétariat étant fermé, j'ai pris chez le portier une feuille de papier où j'ai écrit :

J'adhère à la déclaration de l'Institut de France.

VICTOR HUGO.

Paris, le 20 septembre 1870.

— J'ai acheté sur le Pont-Neuf une charge en plâtre représentant Guillaume porté par Bismarck (30 c.).

21 septembre.

Ce soir la foule, mêlée de soldats et de gardes mobiles, observait au coin de la rue des Martyrs, au cinquième étage d'une haute maison, des allées et venues de lumières qui semblaient des signaux. Il y avait des cris de colère. On a été au moment de fouiller la maison.

L'entrevue de Jules Favre avec Bismarck a avorté.

— Observation. Le ministre de Belgique, auquel Charles s'était adressé, a répondu que, depuis cinq jours, il était sans communication avec Bruxelles et qu'il lui était impossible de transmettre en Belgique les bons de la Banque, signés par moi. En conséquence, j'ai brûlé ces bons et j'ai rendu à Charles les 500 frs. qu'il m'avait remis.

23 septembre.

Depuis cinq heures du matin, forte canonnade du côté de Saint-Denis.

— Non ; c'est au fort de Bicêtre.

— Louis Blanc et le général*** sont venus m'annoncer une victoire.

24 septembre.

— Rencontré Félix Pyat, rue Vivienne. Un homme à barbe grise, que je ne reconnaissais pas du tout, s'est arrêté devant moi et m'a dit : « *Monsieur Victor Hugo...* », et il a repris : « *Citoyen Victor Hugo...* »; puis, après une pause : *Pardon ; je vous manque de respect ; Victor Hugo.* » Puis il s'est nommé ; c'était Félix Pyat. Nous avons causé longtemps et, je crois, utilement.

25 septembre.

J'ai déjeuné chez Paul Foucher avec Paul Meurice et M. Odilon Barrot.

— Ce soir, Jules Claretie, accompagné d'Emmanuel des Essarts, est venu m'apporter une abeille d'or qu'il a détachée aux Tuileries, du manteau impérial. Il a écrit sur l'enveloppe ce vers des *Châtiments* :

Envolez-vous de ce manteau !

— Cette nuit, aurore boréale.

26 septembre.

La pièce *Saint-Arnaud* a paru dans le *Rappel*. Elle fera partie de l'édition complète des *Châtiments* que va publier Hetzel.

— J'ai eu à dîner Gustave Flourens, qui est colonel des mobiles et commande 10 000 hommes, et son aide-de-camp, qui est capitaine. Le dîner a été mauvais. J'ai grondé l'aubergiste.

29 septembre.

A partir d'aujourd'hui, je renonce aux deux œufs crus que j'avalais le matin. Il n'y a plus d'œufs dans Paris. Le lait aussi manque.

— On a enterré hier l'excellent Victor Bois.

— Petite Jeanne a aujourd'hui un an.

30 septembre.

J'ai écrit ce matin ma *Lettre aux Parisiens*. Elle sera datée : *2 octobre* et paraîtra dimanche.

— Toujours foule chez moi.

2 octobre.

Mon allocution *aux Parisiens* est dans les journaux.

Visite de M. D. de B. qui m'a rappelé que je lui avais sauvé la vie en juin 1848.

Nous avons fait le tour de Paris par le chemin de fer de ceinture. Étaient avec nous Victor, M. et Mme Paul Meurice, M., Mme et Mlle Duverdier ; Charles et Alice dînaient chez Jules Simon. Notre circuit autour de Paris a duré trois heures, de 2 h 3/4 à 5 h 3/4. Rien de plus intéressant. Paris se démolissant lui-même pour se défendre est magnifique. Il fait de sa ruine sa barricade.

Toul et Strasbourg sont pris.

3 octobre.

Visite de Mlle Eugénie Quinault.

— Deux délégués du XIe arrondissement sont venus m'offrir la candidature. J'ai refusé.

Je n'accepte pas la candidature de clocher. J'accepterais avec dévouement la candidature de la ville de Paris. Je veux le vote, non par arrondissement, mais par scrutin de liste.

J'ai été au ministère de l'instruction publique voir Mme Jules Simon en grand deuil de son vieil ami Victor Bois. Georges et Jeanne étaient dans le jardin. J'ai été jouer avec eux.

Nadar est venu ce soir me demander mes lettres pour un ballon qu'il va faire partir après-demain. Il emportera mes publications.

Mon adresse *Aux Allemands* est réaffichée partout dans Paris. On ignore par qui.

Tous les journaux, y compris le *Journal Officiel*, publient mon adresse *Aux Français* et mon adresse *Aux Parisiens*.

— Une grande affiche annonce des cours populaires pour les femmes, faits par Mme Enjolras.

4 octobre.

J'écris à Julie par le ballon de Nadar.

— Ma photographie populaire se crie dans les rues. Je l'achète (25 c.).

5 octobre.

· Le ballon de Nadar appelé *le Barbès*, qui emporte mes lettres, etc., est parti ce matin ; mais, faute de vent, a dû redescendre. Il partira demain. On dit qu'il emportera Jules Favre et Gambetta.

Hier soir, le consul général des États-Unis, général Meredith, est venu me voir. Il a vu le général américain Burnside qui est au camp prussien. Les Prussiens auraient respecté Versailles. Ils craignent d'attaquer Paris. Cela, du reste, est visible.

7 octobre.

Acheté un képi.

— Ce matin, en errant sur le boulevard de Clichy, j'ai aperçu, au bout d'une rue entrant à Montmartre, un ballon. J'y suis allé. Une certaine foule entourait un grand espace carré, muré par les falaises à pic de Montmartre. Dans cet espace se gonflaient trois ballons, un grand, un moyen et un petit. Le grand, jaune ; le moyen, blanc ; le petit, à côtes, jaune et rouge.

On chuchotait dans la foule : « *Gambetta va partir !* » J'ai aperçu, en effet, dans un gros paletot, sous une casquette de loutre, près du ballon jaune, dans un groupe, Gambetta. Il s'est assis sur un pavé et a mis des bottes fourrées. Il avait un sac de cuir en bandoulière. Il l'a ôté, est entré dans le ballon, et un jeune homme, l'aéronaute, a attaché le sac aux cordages, au-dessus de la tête de Gambetta.

Il était dix heures et demie. Il faisait beau. Un vent du sud faible. Un doux soleil d'automne. Tout à coup le ballon jaune s'est enlevé avec trois hommes dont Gambetta. Puis le ballon blanc, avec trois hommes aussi, dont un agitait un drapeau tricolore. Au-dessous du ballon de Gambetta pendait une flamme tricolore. On a crié : « *Vive la République !* »

Les deux ballons ont monté, le blanc plus haut que le jaune, puis on les a vus baisser. Ils ont jeté du lest, mais ils ont continué de baisser. Ils ont disparu derrière la butte Montmartre. Ils ont dû descendre plaine Saint-Denis. Ils étaient trop chargés, ou le vent manquait.

Le départ a eu lieu, les ballons sont remontés.

— Nous sommes allés, elle et moi, visiter Notre-Dame, qui est supérieurement restaurée. On entre dans le chœur en donnant 50 centimes par personne pour les blessés. Nous avons vu les reliquaires, les chapes, les chasubles, plus le manteau de couronnement de Napoléon Ier et la chasuble du pape. Elle est blanche. Le manteau de Napoléon est en velours rouge avec larges écussons d'or.

Nous avons été voir la tour Saint-Jacques. Comme notre calèche y était arrêtée, un des délégués de l'autre jour (XIe arrondissement) a accosté la voiture et m'a dit que le XIe arrondissement se rendait à mon avis, trouvait que j'avais raison de vouloir le scrutin de liste, me priait d'accepter la candidature dans les conditions posées par moi, et me demandait ce qu'il fallait faire si le gouvernement se refusait aux élections. Fallait-il l'attaquer de vive force ? On suivrait mes conseils. J'ai répondu que la guerre civile ferait les affaires de la guerre étrangère, et livrerait Paris aux Prussiens. Je lui ai dit de venir dimanche à midi, chez moi, me parler.

8 octobre.

— J'ai reçu une lettre de M. L. Colet, de Vienne (Autriche), par la voie de Normandie. C'est la première lettre du dehors que je reçois depuis que Paris est cerné.

Il n'y a plus de sucre à Paris que pour dix jours. Le rationnement pour la viande a commencé aujourd'hui. On aura un tiers de livre par tête et par jour.

Incidents de la Commune ajournée. Mouvement fiévreux de Paris. Rien d'inquiétant, d'ailleurs. Le canon prussien gronde en basse continue. Il nous recommande l'union.

Le ministre des finances, M. Ernest Picard, me fait *demander une audience,* tels sont les termes, par son secrétaire, M. G. Pallain. J'ai indiqué lundi matin 10 octobre.

9 octobre.

Cinq délégués du XIᵉ arrondissement sont venus, au nom de l'arrondissement, me « *faire défense de me faire tuer, vu que tout le monde peut se faire tuer et que Victor Hugo tout seul peut faire ce qu'il fait* ».

10 octobre.

M. Ernest Picard, ministre des finances, est venu me voir. Je lui ai demandé un décret immédiat pour libérer tous les prêts du Mont-de-Piété au-dessous de 15 francs (le décret actuel faisant des exceptions absurdes, le linge par exemple). Je lui ai dit que les pauvres ne pouvaient pas attendre. Il m'a promis le décret pour demain.

On n'a pas de nouvelles de Gambetta. On commence à être inquiet. Le vent le poussait au Nord-Est, occupé par les Prussiens.

11 octobre.

Bonnes nouvelles de Gambetta. Il est descendu à Épineuse, près Amiens.

Hier soir, après les agitations de Paris, en passant près d'un groupe amassé sous un réverbère, j'ai entendu ces mots : « *Il paraît que Victor Hugo et les autres ...* » J'ai continué ma route et n'ai pas écouté le reste, ne voulant pas être reconnu.

— Il commence à faire froid.

12 octobre.

— Barbieux, qui commande un bataillon, nous a apporté le casque d'un soldat prussien tué par ses hommes. Ce casque a beaucoup étonné Petite Jeanne. Ces anges ne savent rien encore de la terre.

13 octobre.

— Le décret que j'ai demandé pour les indigents est ce matin, 13 octobre, au *Journal Officiel*.

M. Pallain, secrétaire du ministre, que j'ai rencontré aujourd'hui en sortant du Carrousel, m'a dit que ce décret coûterait 800 000 francs.

Je lui ai répondu : « 800 000 *francs ? Soit ! Otés aux riches. Donnés aux pauvres.* »

J'ai revu aujourd'hui, après tant d'années, Théophile Gautier. Je l'ai embrassé. Il avait un peu peur. Je lui ai dit de venir dîner avec moi.

14 octobre.

— Le château de Saint-Cloud a été brûlé hier par nos bombes du Mont-Valérien.

J'ai été chez Claye corriger les dernières épreuves de l'édition française des *Châtiments* qui paraît mardi. Émile Allix m'a apporté un boulet prussien ramassé par lui derrière une barricade, près de Montrouge, où ce boulet venait de tuer deux chevaux. Ce boulet pèse vingt-cinq livres. Georges, en jouant avec, s'est pincé le doigt dessous, ce qui l'a fait beaucoup crier.

Aujourd'hui, anniversaire d'Iéna !

15 octobre.

Il n'y a plus de beurre. Il n'y a plus de fromage. Il n'y a presque plus de lait ni d'œufs.

— J'écris à M. Barbieux que j'accepte, pour les *Quatre Vents de l'Esprit*, le remplacement de M. Lacroix par la société du *Rappel*.

— Il se confirme qu'on donne mon nom au boulevard Haussmann. Je n'ai pas été voir.

17 octobre.

Demain, on lance, place de la Concorde, un ballon-poste qui s'appelle le *Victor Hugo*. J'envoie par ce ballon une lettre à Londres.

18 octobre.

On m'a distribué, en passant sur le boulevard, l'adresse, sur une carte, d'un magasin de machines à coudre, Bienaimé et Cie, boulevard Magenta, 46. Derrière la carte, il y a mon portrait.

La publication de l'édition française des *Châtiments* ne pourra avoir lieu que jeudi 28.

J. J. est venue me chercher. Nous sommes allés voir les Feuillantines. La maison et le jardin de mon enfance ont disparu. Une rue passe dessus.

19 octobre.

M. Goudchaux est venu m'apporter à signer les exemplaires des *Châtiments* que je donne.

Louis Blanc est venu dîner avec moi. Il m'a apporté à signer une déclaration des anciens représentants. J'ai dit que je ne la signerais qu'autrement rédigée.

20 octobre.

Visite du Comité des gens de lettres.

Aujourd'hui on a mis en circulation les premiers timbres-poste de la République de 1870.

Les *Châtiments* (édition française) ont paru ce matin à Paris.

Les journaux annoncent que le ballon *Victor Hugo* est allé tomber en Belgique. C'est le premier ballon-poste qui a franchi la frontière.

21 octobre.

On dit qu'Alexandre Dumas est mort le 13 octobre au Havre chez son fils. Il avait de grands côtés d'âme et de talent. Sa mort m'a serré le cœur.

Louis Blanc et Brives sont venus me reparler de la Déclaration des représentants. Je suis d'avis de l'ajourner.

Rien de charmant, le matin, comme la diane dans Paris. C'est le point du jour. On entend d'abord, tout près de soi, un roulement de tambours, puis une sonnerie de clairons, mélodie exquise, ailée et guerrière. Puis le silence se fait. Au bout de vingt secondes, le tambour recommence, puis le clairon, chacun répétant sa phrase, mais plus loin. Puis cela se tait. Un instant d'après, plus loin, même chant du tambour et du clairon, déjà vague, mais toujours net. Puis, après une pause, la batterie et la sonnerie reprennent, très loin. Puis encore une reprise, à l'extrémité de l'horizon, mais indistincte et pareille à un écho. Le jour paraît et l'on entend ce cri : « *Aux armes !* » C'est le soleil qui se lève et Paris qui s'éveille.

L'édition des *Châtiments* tirée à 3 000 est épuisée en deux jours. J'ai signé ce soir un second tirage de 3 000.

22 octobre.

Petite Jeanne a imaginé une façon de bouffir sa bouche en levant les bras en l'air qui est adorable.

Les cinq mille premiers exemplaires de l'édition parisienne des *Châtiments* m'ont rapporté 500 francs que j'envoie au *Siècle* et que j'offre à la souscription nationale pour les canons dont Paris a besoin.

Les anciens représentants Mathé et Gambon sont venus me demander de faire partie d'une réunion dont les anciens représentants seraient le noyau. La réunion est impossible sans moi, m'ont-ils dit. Mais je vois à cette réunion plus d'inconvénients que d'avantages. Je crois devoir refuser.

— J'ai mis dans la main de Georges et dans celle de Jeanne cinq francs pour la nourrice (10 frs.).

— Nous mangeons du cheval sous toutes les formes. J'ai vu à la devanture d'un charcutier cette annonce : « *Saucisson chevaleresque* ».

23 octobre.

Le 17e bataillon me demande d'être le premier souscripteur *à un sou* pour un canon. On recueillera 300 000 sous. Cela fera 15 000 francs et l'on aura une pièce de 24 centimètres portant 8 500 mètres, égale aux canons Krupp.

Le lieutenant Maréchal apporte, pour recueillir mon sou, une coupe d'onyx égyptienne datant des Pharaons, portant gravés la lune et le soleil, la grande Ourse et la *Croix du Sud* (?) et ayant pour anses deux démons cynocéphales. Il a fallu pour graver cette coupe le travail de la vie d'un homme. J'ai donné mon sou. D'Alton-Shée, qui était là, a donné le sien, ainsi que M. et Mme Meurice, et Mariette et Clémence. Le 17e bataillon voulait appeler ce canon le *Victor Hugo*. Je leur ai dit de l'appeler *Strasbourg*. De cette façon, les Prussiens recevront encore des boulets de Strasbourg.

Nous avons causé et ri avec ces officiers du 17e bataillon. Les deux génies cynocéphales de la coupe avaient

pour fonctions de mener les âmes aux enfers. J'ai dit :
« *Eh bien, je leur confie Guillaume et Bismarck !* »

Visite de M. Édouard Thierry. Il vient me demander *Stella* pour une lecture pour les blessés au Théâtre-Français. Je lui propose tous les *Châtiments* au choix. Cela l'effare. Et puis je demande que la lecture soit pour un canon.

Visite de M. Charles Floquet. Il a une fonction à l'Hôtel de Ville. Je lui donne la mission de dire au gouvernement d'appeler le Mont-Valérien le *Mont-Strasbourg*.

25 octobre.

M. Pasdeloup. Le Comité des gens de lettres.

Lecture publique des *Châtiments* pour avoir un canon qui s'appellera le *Châtiment*. Nous la préparons.

Le brave Rostan, que j'avais rudoyé un jour et qui m'aime parce que j'avais raison, vient d'être arrêté pour indiscipline dans la garde nationale. Il a un petit garçon de six ans, sans mère, et qui n'a que lui. Que faire ? Le père étant en prison, je lui ai dit de m'envoyer son petit au pavillon de Rohan. Il me l'a envoyé aujourd'hui. L'enfant me coûtera (prix fait par l'hôtel) cinq frs. par jour.

— Hier soir et ce soir, aurores boréales.

26 octobre.

— Sur la demande d'Hetzel, j'ai autorisé un nouveau tirage (3e) des *Châtiments*, à 2 000 exemplaires. Cela fait, en tout, 8 000 ex. jusqu'à présent.

28 octobre.

Edgar Quinet est venu me voir.

J'ai eu à dîner Schœlcher et le commandant Farcy, qui a donné son nom à sa canonnière. Après le dîner, nous sommes allés, Schœlcher et moi, à huit heures et demie, chez Schœlcher, 16, rue de la Chaise. Nous avons trouvé là Edgar Quinet, Ledru-Rollin, Mathé, Gambon, Lamarque, Brives. Je voyais pour la première fois Ledru-Rollin. Nous avons lutté de parole fort courtoisement sur la question d'un club à fonder, lui pour, moi contre. Nous nous sommes serré la main. Je suis rentré à minuit.

29 octobre.

— M. Hetzel m'a apporté, à valoir sur mon compte des *Châtiments*, 1 500 frs.

— J'ai autorisé un nouveau tirage (quatrième) de trois mille exemplaires des *Châtiments*, ce qui fera en tout onze mille exemplaires (pour Paris seulement).

30 octobre.

J'ai reçu la lettre de la Société des gens de lettres me demandant d'autoriser une lecture publique des *Châtiments* dont le produit donnera à Paris un canon qu'on appellera le *Victor Hugo*. J'ai autorisé. Dans ma réponse, écrite ce matin, je demande qu'au lieu de *Victor Hugo* on appelle le canon *Châteaudun*. La lecture se fera à la Porte-Saint-Martin.

M. Berton est venu. Je lui ai lu l'*Expiation* qu'il lira. M. et Mme Meurice et d'Alton-Shée assistaient à la lecture.

La nouvelle arrive que Metz a capitulé et que l'armée de Bazaine s'est rendue.

La lecture des *Châtiments* est affichée. M. Raphaël Félix est venu m'informer de l'heure de la répétition demain. Je loue pour cette lecture une baignoire de cinq places, que j'offre à ces dames (35 frs.).

Ce soir en rentrant, rue Drouot, j'ai rencontré devant la mairie M. Chaudey, qui était du Congrès de la Paix à Lausanne et qui est maire du VIe arrondissement. Il était avec M. Philibert Audebrand. Nous avons causé de la prise de Metz.

31 octobre.

Échauffourée à l'Hôtel de Ville. Blanqui, Flourens et Delescluze veulent renverser le pouvoir provisoire Trochu-Jules Favre. Je refuse de m'associer à eux. Prise d'armes. Foule immense. On mêle mon nom à des listes de gouvernement. Je persiste dans mon refus.

— Ont dîné avec moi Schœlcher, Louis Blanc, Charles Blanc, Jules Claretie et Louis Koch.

Flourens et Blanqui ont tenu une partie des membres du gouvernement prisonniers à l'Hôtel de Ville toute la journée.

— A minuit, des gardes nationaux sont venus me chercher pour aller à l'Hôtel de Ville *présider*, disaient-ils, *le nouveau gouvernement*. J'ai répondu que je blâmais cette tentative, et j'ai refusé d'aller à l'Hôtel de Ville. A trois heures du matin, Flourens et Blanqui ont quitté l'Hôtel de Ville et Trochu y est rentré.

On va élire la Commune de Paris.

1er novembre.

Nous ajournons à quelques jours la lecture des *Châtiments* qui devait se faire aujourd'hui mardi à la Porte-Saint-Martin.

Louis Blanc vient ce matin me consulter sur la conduite à tenir pour la Commune.

Unanimité des journaux pour me féliciter de m'être abstenu hier.

2 novembre.

Le gouvernement demande un *Oui* ou un *Non*. Louis Blanc et mes fils sont venus en causer.

3 novembre.

Les frappements recommencent. Cette nuit, triple coup fort à mon chevet. (Ma chambre est tout à fait isolée à un rez-de-chaussée sur un petit jardin clos de toutes parts.)

On dément le bruit de la mort d'Alexandre Dumas.

— Visite de Mlle Séphar, actrice ; voudrait jouer *Marion Delorme.*

4 novembre.

On est venu me demander d'être maire du IIIe, puis du XIe arrondissement. J'ai refusé.

J'ai été à la répétition des *Châtiments*, à la Porte-Saint-Martin. Étaient présents Frédérick Lemaître, Mme Marie Laurent, Lia Félix, Duguerret.

5 novembre.

Aujourd'hui a lieu la lecture publique des *Châtiments* pour donner un canon à la défense de Paris,

J. J. a déjeuné avec nous.

Les IIIe, XIe et XVe arrondissements me demandent de me porter pour être leur maire. Je refuse.

6 novembre

— Mérimée est mort à Cannes. Dumas n'est pas mort, mais est paralytique.

7 novembre.

Le 24e bataillon m'a fait une visite, et me demande un canon.

9 novembre.

La recette nette produite par la lecture des *Châtiments* à la Porte-Saint-Martin pour le canon que j'ai nommé *Châteaudun* a été de 7 000 francs ; l'excédent a payé les ouvreuses, les pompiers et l'éclairage, seuls frais qu'on ait prélevés.

On fabrique en ce moment à l'usine Cail des mitrailleuses d'un nouveau modèle dit modèle Gattlir.

Petite Jeanne commence à jaboter.

La deuxième lecture des *Châtiments* pour un autre canon se fera au Théâtre-Français.

10 novembre.

Il tombe de la neige.

12 novembre.

Mlle Périga est venue répéter chez moi *Pauline Roland*, qu'elle lira à la deuxième lecture des *Châtiments* affichée pour demain à la Porte-Saint-Martin. J'ai pris une voiture, j'ai reconduit Mlle Périga chez elle, et je suis allé à la répétition de la lecture de demain au théâtre. Il y avait Frédérick Lemaître, Berton, Maubant, Taillade, Lacressonnière, Charly, Mme Marie Laurent, Lia Félix, Rousseil, M. Raphaël Félix et les membres du Comité de la Société des gens de lettres.

Après la répétition, les blessés de l'ambulance de la Porte-Saint-Martin m'ont fait prier par Mme Laurent de les venir voir. J'ai dit : « *De grand cœur !* » et j'y suis allé.

Ils sont couchés dans plusieurs salles, dont la principale est l'ancien foyer du théâtre à grandes glaces rondes, où j'ai lu, en 1831, *Marion Delorme* aux acteurs, M. Crosnier étant directeur (Mme Dorval et Bocage assistaient à cette lecture).

En entrant, j'ai dit aux blessés : « *Vous voyez un envieux. Je ne désire plus rien sur la terre qu'une de vos blessures. Je vous salue, enfants de la France, fils préférés de la République, élus qui souffrez pour la patrie !* »

Ils semblaient très émus. J'ai pris la main à tous. Un m'a tendu son poignet mutilé. Un n'avait plus de nez. Un avait subi le matin même deux opérations douloureuses. Un tout jeune avait reçu, le matin même, la médaille militaire. Un convalescent m'a dit : « *Je suis franc-comtois. — Comme moi* », ai-je dit. Et je l'ai embrassé.

Les infirmières, en tabliers blancs, qui sont les actrices du théâtre, pleuraient.

En m'en allant, j'ai laissé, pour l'ambulance, 100 francs.

14 novembre.

La recette des *Châtiments*, hier soir, a été (sans la quête) de 8 000 francs. J'ai nommé le premier canon *Châteaudun* ; le deuxième s'appelle *Les Châtiments*.

Bonnes nouvelles. Le général d'Aurelle de Paladines a repris Orléans et battu les Prussiens. Schœlcher est venu me l'annoncer.

— Une veuve, vieille ; je la recommande au maire du VIIIe arrondissement qui est M. Carnot.

— Visite de M. Arsène Houssaye avec Henri Houssaye, son fils. Il va faire dire *Stella* chez lui au profit des blessés.

M. Valois est venu m'annoncer que le produit des deux lectures des *Châtiments* était de 14 500 francs. En ajoutant 500 francs, on aurait trois canons. Je donne, pour commencer ces 500 francs, 100 francs.

Parce qu'il y a trois canons produits par les deux lectures des *Châtiments* à la Porte-Saint-Martin, la Société des gens de lettres désire que le premier étant nommé par moi *Châteaudun*, le second s'appelle *Châtiments* et le troisième *Victor Hugo*. J'y ai consenti.

— Le soir, foule chez moi.

16 novembre.

Secours à un ancien représentant, 50 frs.

J'autorise le 92e bataillon à faire dire, à la Porte-Saint-Martin, une pièce des *Châtiments*, plus la chanson *Patrie*, pour la fonte d'un canon.

— J'autorise Mlle Thurel à faire dire les mêmes pièces à l'Odéon pour les malades.

Baroche, dit-on, est mort à Caen.

M. Édouard Thierry refuse de laisser jouer le cinquième acte d'*Hernani* à la Porte-Saint-Martin pour les victimes de Châteaudun et pour le canon du 24ᵉ bataillon. — Curieux obstacle que M. Thierry.

18 novembre.

Visite de M. Éd. Thierry au sujet de la lettre de M. Got et des deux représentations pour *Châteaudun* et le canon du 24ᵉ bataillon.

Je mentionne ici une fois pour toutes que j'autorise qui le veut à dire ou à représenter tout ce qu'on veut de moi, sur n'importe quelle scène, pour les canons, les blessés, les ambulances, les ateliers, les orphelinats, les victimes de la guerre, les pauvres, et que j'abandonne tous mes droits d'auteur sur ces lectures ou ces représentations.

Je décide que la troisième lecture des *Châtiments* sera donnée gratis pour le peuple à l'Opéra.

— Le soir, sont venus Th. Gautier et Ch. Asselineau.

20 novembre.

— Hier soir, aurore boréale.

La *Grosse Joséphine* n'est plus ma voisine. On vient de la transporter au bastion 41. Il a fallu vingt-six chevaux pour la traîner. Je la regrette. La nuit, j'entendais sa grosse voix, et il me semblait qu'elle causait avec moi. Je partageais mes amours entre *Grosse Joséphine* et Petite Jeanne.

Petite Jeanne dit maintenant très bien *papa* et *maman*. Aujourd'hui, revue de la garde nationale.

23 novembre.

Jules Simon m'écrit que l'Opéra me sera donné pour le peuple (lecture gratis des *Châtiments*) le jour que je fixerai. Je désirais dimanche, mais, par égard pour le

491

concert que les acteurs et employés de l'Opéra donnent dimanche soir à leur bénéfice, je désigne lundi.

— Sont venus, Mlle du Chèzeau, Mlle Lia Félix, Mlle Favart, le Comité des gens de lettres et Frédérick Lemaître qui m'a baisé les mains en pleurant.

— Mes enfants étant absents, nous avons dîné seuls. Après le dîner sont venus Mme et Mlle Duverdier, Guérin, Paul Foucher, Paul Verlaine, Léon Valade.

— Il a plu, ces jours-ci. La pluie effondre les plaines, embourberait les canons, et retarde la sortie. Depuis deux jours, Paris est à la viande salée. Un rat coûte huit sous.

24 novembre.

Je donne l'autorisation au Théâtre-Français de jouer demain vendredi 25, au bénéfice des victimes de la guerre, le cinquième acte d'*Hernani* par les acteurs du Théâtre-Français et le dernier acte de *Lucrèce Borgia* par les acteurs de la Porte-Saint-Martin ; plus, de faire dire, en intermède, des extraits des *Châtiments*, des *Contemplations* et de *La Légende des Siècles*.

Mlle Favart est venue ce matin répéter avec moi *Booz endormi*. Puis nous sommes allés ensemble au Français pour la répétition de la représentation de demain. Elle a très bien répété doña Sol. Mme Laurent (*Lucrèce Borgia*) aussi. Pendant la répétition est venu M. de Flavigny. Je lui ai dit : « *Bonjour, mon cher ancien collègue* ». Il m'a regardé, puis, un peu ému, s'est écrié : « *Tiens ! c'est vous !* » Et il a ajouté : « *Que vous êtes bien conservé !* » Je lui ai répondu : « *L'exil est conservateur.* »

J'ai renvoyé la loge que le Théâtre-Français m'offrait pour la représentation de demain et j'en ai loué une que j'offre à Mme Paul Meurice.

Après le dîner, est venu le nouveau préfet de police, M. Cresson. M. Cresson était un jeune avocat il y a vingt ans. Il défendit les cinq meurtriers du général Bréa. Ces hommes furent condamnés à mort. M. Cresson vint me trouver. Je demandai la grâce de ces malheureux à Louis Bonaparte, alors président de la République. Sur les cinq, j'en sauvai trois. M. Cresson, aujourd'hui préfet de police, m'a rappelé tous ces faits.

Puis il m'a parlé de la lecture gratuite des *Châtiments* que j'offre lundi 28 au peuple à l'Opéra. On craint une foule immense, tous les faubourgs, plus de quatre-vingt mille hommes et femmes. Trois mille entreront. Que faire du reste ? Le gouvernement est inquiet. Il craint l'encombrement, beaucoup d'appelés, peu d'élus, une collision, un désordre. Le gouvernement ne veut rien me refuser. Il me demande si j'accepte cette responsabilité. Il fera ce que je voudrai. Le préfet de police est chargé de s'entendre avec moi.

J'ai dit à M. Cresson : « *Consultons Vacquerie et Meurice et mes deux fils qui sont là.* » Il a dit : « *Volontiers.* » Nous avons tenu conseil à nous six. Nous avons décidé que les trois mille places seraient distribuées dimanche, veille de la lecture, dans les mairies des vingt arrondissements, à quiconque se présenterait, à partir de midi. Chaque arrondissement aura un nombre de places proportionné au prorata de sa population. Le lendemain, les trois mille porteurs d'entrées (à toutes places) feront queue à l'Opéra, sans encombrement et sans inconvénient. Le *Journal Officiel* et des affiches spéciales avertiront le peuple de toutes ces dispositions, prises dans l'intérêt de la paix publique.

25 novembre.

Mlle Lia Félix est venue me répéter *Sacer esto* qu'elle dira lundi au peuple.

M. Tony Révillon, qui parlera, est venu me voir avec le Comité des gens de lettres.

Le 134ᵉ bataillon, officiers en tête, est venu me demander d'autoriser lundi soir, à la Porte-Saint-Martin, la lecture de *Sacer esto* par Mˡˡᵉ Héricourt, au bénéfice des pauvres de l'arrondissement.

Le XVIIIᵉ arrondissement me demande *Les Châtiments* pour sa bibliothèque populaire ; je les envoie.

Une députation d'Américains des États-Unis vient m'exprimer son indignation contre le gouvernement de la République américaine et contre le président Grant, qui abandonne la France. « ... *à laquelle la République américaine doit tant* », ai-je dit. « *Doit tout* », a repris un des Américains présents.

On entend beaucoup de canonnades depuis quelques jours. Elle redouble aujourd'hui.

Napoléon le Petit va paraître, édition parisienne, conforme à celle des *Châtiments*. Hetzel m'a envoyé ce matin des exemplaires.

26 novembre.

Mᵐᵉ Meurice veut avoir des poules et des lapins pour la famine future. Elle leur fait bâtir une cahute dans mon petit jardin. Le menuisier qui la construit vient d'entrer dans ma chambre et m'a dit : « *Je voudrais bien toucher votre main.* » J'ai pressé ces deux mains dans les miennes.

27 novembre.

— On fait des pâtés de rats. On dit que c'est bon.

Un oignon coûte un sou. Une pomme de terre coûte un sou.

— Jules Simon nous a dit hier soir que le préfet de police Kératry avait communiqué au gouvernement le dossier de Jules Vallès où il y avait les reçus de l'argent que la police de Bonaparte avait payé au président et au secrétaire du comité électoral qui portait Jules Vallès contre Jules Simon. C'est par générosité que Jules Simon, adversaire électoral de Jules Vallès, n'a pas exigé la publication de ces reçus.

— Le soir, sont venus M. et Mme E. Lefèvre, M. et Mme Paul Verlaine, M. Valade, M. Mme et Mlle Duverdier.

— On dit des pièces des *Châtiments* à tous les spectacles. C'est affiché partout. Le mot *Châtiments* couvre les murs. Ce soir, on crie dans les rues *Napoléon le Petit*.

On a renoncé à me demander l'autorisation de dire mes œuvres sur les théâtres. On les dit partout sans me demander la permission. On a raison. Ce que j'écris n'est pas à moi. Je suis une chose publique.

28 novembre.

Noël Parfait vient me demander de venir au secours de Châteaudun. De tout mon cœur, certes.

Les Châtiments ont été dits gratis au peuple, à l'Opéra. Foule immense. On a jeté une couronne dorée sur la scène. Je la donne à Georges et à Jeanne. La quête faite par les actrices, dans des casques prussiens, pour les canons a produit, en gros sous, 1 521 frs. 35.

Émile Allix nous a apporté un cuissot d'antilope du Jardin des Plantes. C'est excellent.

— Hetzel est venu le soir et m'a remis, à valoir sur mes comptes pour *Les Châtiments* et *Napoléon le Petit*, 3 900 frs.

Cette nuit aura lieu la trouée.

29 novembre.

Toute la nuit, j'ai entendu le canon.

— Les poules ont été installées aujourd'hui dans mon jardin.

Le soir, foule chez moi.

La sortie a un temps d'arrêt. Le pont jeté par Ducrot sur la Marne a été emporté, les Prussiens ayant rompu les écluses.

30 novembre.

Toute la nuit, le canon. La bataille continue.

Ce matin, comme je sortais pour mon *passus mille*, un colporteur vendait *Napoléon le Petit* sur le boulevard Rochechouart et la foule criait autour de lui : « *Vive Victor Hugo!* » ce qui a fait que j'ai rebroussé chemin.

Hier, à minuit, en m'en revenant du pavillon de Rohan par la rue de Richelieu, j'ai vu, un peu au-delà de la Bibliothèque, la rue étant partout déserte, fermée, noire et comme endormie, une fenêtre s'ouvrir au sixième étage d'une très haute maison et une très vive lumière, qui m'a semblé être une lampe à pétrole, apparaître, disparaître, rentrer et sortir à plusieurs reprises ; puis, la fenêtre s'est refermée, et la rue est redevenue ténébreuse. Était-ce un signal?

— On entend le canon sur trois points autour de Paris, à l'est, à l'ouest et au sud. Il y a, en effet, une triple attaque contre le cercle que font les Prussiens autour de nous. La Roncière à Saint-Denis, Vinoy à Courbevoie, Ducrot sur la Marne. La Roncière aurait fait mettre bas les armes à un régiment saxon et balayé la presqu'île de Gennevilliers ; Vinoy aurait détruit les ouvrages prussiens au delà de Bougival. Quant à Ducrot, il a passé la Marne, pris et repris Montmesly, et il tient presque Villiers-sur-Marne. Ce qu'on éprouve, en entendant le canon, c'est un immense besoin d'y être.

Ce soir, Pelletan me fait dire, par son fils, Camille Pelletan, de la part du gouvernement, que la journée de demain sera décisive.

1er décembre.

Il paraîtrait que Mlle Louise Michel serait arrêtée. Je vais faire ce qu'il faudra pour la faire mettre immédiatement en liberté. Mme Meurice s'en occupe. Elle est sortie pour cela ce matin.

D'Alton-Shée est venu me voir.

— On fonde, boulevard Victor-Hugo, un orphelinat *Victor Hugo*. Le Comité m'en offre la présidence d'honneur. Donné à l'orphelinat 100 frs.

— Nous avons mangé de l'ours.

— J'écris au préfet de police pour faire mettre en liberté Mlle Louise Michel.

On ne s'est pas battu aujourd'hui. On s'est fortifié dans les positions prises.

2 décembre.

Mlle Louise Michel est en liberté. Elle est venue me remercier.

Hier soir, M. Coquelin est venu chez moi dire plusieurs pièces des *Châtiments*.

Il gèle. Le bassin de la fontaine Pigalle est glacé.

— La canonnade a recommencé ce matin au point du jour.

— Onze heures et demie. La canonnade augmente.

— Flourens m'a écrit hier et Rochefort aujourd'hui. Ils reviennent à moi.

Excellentes nouvelles ce soir. L'armée de la Loire est à Montargis. L'armée de Paris a repoussé les Prussiens du plateau d'Avron. On lit les dépêches à haute voix aux portes des mairies.

La foule a crié : « *Bravo ! Vive la République ! Victoire !* »

Voici le 2 décembre lavé.

3 décembre.

Le général Renault, blessé au pied d'un éclat d'obus, est mort.

J'ai dit à Schœlcher que je voulais sortir avec mes fils si les batteries de la garde nationale dont ils font partie sortaient au-devant de l'ennemi. Les dix batteries ont tiré au sort. Quatre sont désignées. Une d'elles est la dixième batterie. Nous serons ensemble au combat. Je vais me faire faire un capuchon de zouave. Ce que je crains, c'est le froid de la nuit.

— J'ai fait les ombres chinoises à Georges et à Jeanne. Jeanne a beaucoup ri de l'ombre et des grimaces du profil ; mais, quand elle a vu que c'était moi, elle a pleuré et crié. Elle avait l'air de me dire : « *Je ne veux pas que tu sois un fantôme !* » Pauvre doux ange ! Elle pressent peut-être la bataille prochaine.

Hier nous avons mangé du cerf ; avant-hier de l'ours ; les deux jours précédents, de l'antilope. Ce sont des cadeaux du Jardin des Plantes.

Ce soir, à onze heures, canonnade. Violente et courte.

4 décembre.

On vient de coller à ma porte une affiche indiquant les précautions à prendre *en cas de bombardement.* C'est le titre de l'affiche.

Temps d'arrêt dans le combat. Notre armée a repassé la Marne.

Petite Jeanne va très bien à quatre pattes et dit très bien *papa.*

— J'ai fait prévenir Schœlcher que je sortirais avec celui de mes deux fils qui serait désigné au sort pour aller à l'ennemi.

6 décembre.

Mauvaises nouvelles. Orléans nous est repris. N'importe. Persistons.

Il neige.

9 décembre.

Cette nuit, je me suis réveillé et j'ai fait des vers. En même temps, j'entendais le canon.

Mariette, en arrivant ce matin, m'a dit que Petite Jeanne avait jeté un grand cri, vers minuit. Mariette s'est levée, et est allée, pieds nus, écouter à la porte de la nursery. L'enfant s'est rendormie.

M. Bowles vient me voir. Le correspondant du *Times* qui est à Versailles lui écrit que les canons pour le bombardement de Paris sont arrivés. Ce sont des canons Krupp. Ils attendent des affûts. Ils sont rangés dans l'arsenal prussien de Versailles. écrit cet Anglais, l'un à côté de l'autre, *comme des bouteilles dans une cave.*

11 décembre.

Rostan est venu me voir. Il a le bras en écharpe. Il a été blessé à Créteil. C'était le soir. Un soldat allemand se jette sur lui et lui perce le bras d'un coup de baïonnette. Rostan réplique par un coup de baïonnette dans l'épaule de l'Allemand. Tous deux tombent et roulent dans un fossé. Les voilà bons amis. Rostan baragouine un peu l'allemand. « — *Qui es-tu ? — Je suis Wurtembergeois. J'ai vingt-deux ans. Mon père est horloger à Leipsick.* » Ils restent trois heures dans ce fossé, sanglants, glacés, s'entr'aidant. Rostan blessé a ramené son blesseur, qui est son prisonnier. Il va le voir à l'hôpital. Ces deux hommes s'adorent. Ils ont voulu s'entre-tuer, ils se feraient tuer l'un pour l'autre. — Otez donc les rois de la question.

Visite de M. Rey. Le groupe de Ledru-Rollin est en pleine désorganisation. Plus de parti ; la République. C'est bien.

Verglas.

12 décembre.

Il y a aujourd'hui dix-neuf ans que j'arrivais à Bruxelles.

13 décembre.

Paris est depuis hier soir éclairé au pétrole.

— Canonnade violente ce soir.

14 décembre.

— Dégel. Canonnade.

Le soir, nous avons feuilleté *Les Désastres de la guerre* de Goya, apportés par Burty ; c'est beau et hideux.

15 décembre.

Emmanuel Arago, ministre de la justice, est venu me voir et m'annoncer qu'on avait de la viande fraîche jusqu'au 15 février, et que désormais on ne ferait plus à Paris que du pain bis. On en a pour cinq mois.

Émile Allix m'a apporté une médaille frappée à l'occasion de mon retour en France. Elle porte, d'un côté, un génie ailé avec *Liberté, Égalité, Fraternité*. De l'autre, cet exergue : *Appel à la démocratie universelle*, et au centre : *A Victor Hugo la Patrie reconnaissante, Septembre 1870.*

Cette médaille se vend populairement et coûte cinq centimes. Elle a un petit anneau de suspension.

17 décembre.

— *L'Électeur libre* nous somme, Louis Blanc et moi, d'entrer dans le gouvernement, et affirme que c'est notre devoir. Je sens mon devoir au fond de ma conscience.

J'ai vu passer sous le pont des Arts la canonnière l'*Estoc*, remontant la Seine. Elle est belle et le gros canon a un grand air terrible.

19 décembre.

M. Hetzel m'écrit : « *Faute de charbon pour faire mouvoir les presses à vapeur, la fermeture des imprimeries est imminente.* » J'autorise pour *Les Châtiments* un nouveau tirage de trois mille, ce qui fera en tout jusqu'ici, pour Paris, vingt-deux mille, et pour *Napoléon le Petit* un nouveau tirage de deux mille, ce qui fait en tout pour *Napoléon le Petit* dix mille (pour Paris).

20 décembre.

Le capitaine de garde mobile, Breton, destitué *comme lâche* pour la dénonciation de son lieutenant-colonel, demande un conseil de guerre et d'abord à aller au feu. Sa compagnie part demain matin. Il me prie d'obtenir pour lui du ministre de la guerre la permission d'aller se faire tuer. J'écris pour lui au général Le Flô. Je pense que le capitaine Breton sera demain à la bataille.

21 décembre.

Cette nuit, j'ai entendu, à trois heures du matin, le clairon des troupes allant à la bataille. Quand sera-ce mon tour ?

22 décembre.

La journée d'hier a été bonne. L'action continue. On entend le canon de l'est à l'ouest.

Petite Jeanne commence à parler très longtemps et très expressivement. Mais il est impossible de comprendre un mot de ce qu'elle dit. Elle rit.

Léopold m'a envoyé treize œufs frais, que je ferai manger à Petit Georges et à Petite Jeanne.

Louis Blanc est venu dîner avec moi. Il venait de la part d'Edmond Adam, de Louis Jourdan, de Cernuschi et d'autres me dire qu'il fallait que lui et moi allassions trouver Trochu et le mettre en demeure ou de sauver Paris ou de quitter le pouvoir. J'ai refusé. Ce serait me poser maître de la situation, et, en même temps, entraver un combat commencé qui peut-être réussira. Louis Blanc a été de mon avis, ainsi que Meurice, Vacquerie et mes fils qui dînaient avec nous.

23 décembre.

Henri Rochefort est venu dîner avec moi. Je ne l'avais pas vu depuis Bruxelles l'an dernier (août 1869). Georges ne reconnaissait plus son parrain. J'ai été très cordial. Je l'aime beaucoup. C'est un grand talent et un grand courage. Nous avons dîné gaiement, quoique tous très menacés d'aller dans les forteresses prussiennes si Paris est pris. Après Guernesey, Spandau. Soit.

J'ai acheté aux magasins du Louvre une capote grise de soldat pour aller au rempart. 19 francs.

Toujours beaucoup de monde le soir chez moi. Il m'est venu aujourd'hui un peintre nommé Le Genissel, qui m'a rappelé que je l'avais sauvé du bagne en 1848. Il était insurgé de juin.

Forte canonnade cette nuit. Tout se prépare pour une bataille.

24 décembre.

Il gèle. La Seine charrie.

— Paris ne mange plus que du pain bis.

25 décembre.

Forte canonnade toute la nuit.

J'ai fait plusieurs dons à la vente pour les victimes de la guerre, qui a lieu aujourd'hui : un exemplaire des *Châtiments*, papier de Hollande (il n'y en a que cinquante), le livre *Les Enfants*, illustré, *Napoléon le Petit*, douze exemplaires de mes *Lettres aux Allemands, aux Français, aux Parisiens* et divers autographes.

— L'Irlandais O'Flynn a crié aux mobiles : « *Y en a-t-il cent qui veulent me suivre ? Cinquante ? Vingt-cinq ? Un seul ?* » Ils ne bougeaient pas. Il a chargé seul sur les Prussiens en criant : « *— A bas la Prusse ! Vive la France!* » Les Prussiens en voyant un homme seul, ne l'ont pas tué. O'Flynn est revenu épargné et furieux.

— Une nouvelle du Paris d'à présent : il vient d'arriver une bourriche d'huîtres ; elle a été vendue 750 francs.

A la vente des pauvres, où Alice et Mme Meurice sont marchandes, un dindon vivant a été vendu 250 francs.

La Seine charrie.

27 décembre.

Violente canonnade ce matin.

— J'ai eu à dîner Mme Ugalde, M. Bochet, M. Busnach. J. J. a chanté, *Adieu, patrie, S'il est un charmant garçon, Mai dans les bois*, et Mme Ugalde, *Patria*. La canonnade de ce matin, c'étaient les Prussiens qui attaquaient. Bon signe. L'attente les ennuie. Et nous aussi. Ils ont jeté dans le fort de Montrouge dix-neuf obus qui n'ont tué personne.

J'ai reconduit Mme Ugalde chez elle, rue Chabanais, puis, je suis rentré me coucher. Le portier m'a dit : « *Monsieur, on dit que cette nuit il tombera des bombes par ici.* » Je lui ai dit : « — *C'est tout simple, j'en attends une.* »

29 décembre.

Canonnade toute la nuit. L'attaque prussienne semble vaincue.

— Th. Gautier a un cheval. Ce cheval est arrêté. On veut le manger. Gautier m'écrit et me prie d'obtenir sa grâce. Je l'ai demandée au ministre.

— Il est malheureusement vrai que Dumas est mort. On le sait par les journaux allemands. Il est mort le 5 décembre, au Puys, près Dieppe, chez son fils.

— On me presse de plus en plus d'entrer dans le gouvernement. Le ministre de la justice, Em. Arago, est venu me demander à dîner. Nous avons causé. Louis Blanc est venu après le dîner. Je persiste à refuser.

Outre Emmanuel Arago, et mes habitués du jeudi, H. Rochefort est venu dîner, avec Blum. Je les invite à dîner tous les jeudis, si nous avons encore quelques jeudis à vivre. Au dessert, j'ai bu à la santé de Rochefort.

La canonnade augmente. Il a fallu évacuer le plateau d'Avron.

30 décembre.

D'Alton-Shée est venu ce matin. Le général Ducrot demanderait à me voir.

Les Prussiens nous ont envoyé depuis trois jours plus de douze mille obus.

Hier, j'ai mangé du rat, et j'ai eu pour hoquet ce quatrain :

> *O mesdames les hétaïres,*
> *Dans vos greniers je me nourris ;*
> *Moi qui mourais de vos sourires,*
> *Je vais vivre de vos souris.*

A partir de la semaine prochaine, on ne blanchira plus le linge dans Paris, faute de charbon.

J'ai eu à dîner le lieutenant Farcy, commandant de de la canonnière.

Froid rigoureux. Depuis trois jours, je sors avec mon caban et mon capuchon.

Poupée pour Petite Jeanne (8 frs.). Hottée de joujoux pour Georges (30 frs.).

Les bombes ont commencé à démolir le fort de Rosny. Le premier obus est tombé dans Paris. Les Prussiens nous ont lancé aujourd'hui six mille bombes.

Dans le fort de Rosny, un marin travaillant aux gabionnages portait sur l'épaule un sac de terre. Un obus vient et lui enlève le sac. « *Merci*, dit le marin, *mais je n'étais pas fatigué.* »

— On me dit que le roi de Prusse a déclaré que, s'il me faisait prisonnier, il me ferait mourir dans la forteresse de Spandau.

— Boîte de soldats de plomb pour Petit Georges, 2 frs. 50.

— J'espère sauver le pauvre cheval de Th. Gautier.

— Alexandre Dumas est mort le 5 décembre. En feuilletant ce carnet, j'y vois que c'est le 5 décembre qu'un grand corbillard, portant un H, a passé devant moi rue Frochot.

Ce n'est même plus du cheval que nous mangeons. C'est *peut-être* du chien ? C'est *peut-être* du rat ? Je commence à avoir des maux d'estomac. Nous mangeons de l'inconnu.

M. Valois est venu de la part de la Société des gens de lettres me demander ce que je veux qu'on fasse des 3 000 francs de reliquat que laissent les trois lectures des *Châtiments*, les canons fournis et livrés. J'ai dit de verser ces 3 000 francs intégralement à la caisse de secours pour les victimes de la guerre, entre les mains de Mme Jules Simon.

1er janvier.

Louis Blanc m'adresse dans les journaux une lettre sur la situation.

Stupeur et ébahissement de Petit Georges et de Petite Jeanne devant la hotte de joujoux. La hotte déballée, une grande table en a été couverte. Ils touchaient à tous et ne savaient lequel prendre. Georges était presque furieux de bonheur. Charles a dit : « *C'est le désespoir de la joie* ».

J'ai faim. J'ai froid. Tant mieux. Je souffre ce que souffre le peuple.

Décidément, je digère mal le cheval. J'en mange pourtant. Il me donne des tranchées. Je m'en suis vengé, au dessert, par ce distique :

> *Mon dîner m'inquiète et même me harcèle,*
> *J'ai mangé du cheval et je songe à la selle.*

Les Prussiens bombardent Saint-Denis.

2 janvier.

Daumier et Louis Blanc ont déjeuné avec nous. J'ai invité à dîner pour ce soir d'Alton-Shée et son fils, Louis Blanc, Daumier, M. et Mme Paul Foucher.

Louis Koch a donné à sa tante pour ses étrennes deux choux et deux perdrix vivantes.

Ce matin nous avons déjeuné avec de la soupe au vin.

On a abattu l'éléphant du Jardin des Plantes. Il a pleuré. On va le manger.

Les Prussiens continuent de nous envoyer six mille bombes par jour.

3 janvier.

Le chauffage de deux pièces au Pavillon de Rohan coûte aujourd'hui 10 frs. par jour.

Le club montagnard demande de nouveau que Louis Blanc et moi soyons adjoints au gouvernement pour le diriger. Je refuse.

4 janvier.

Reçu d'Hetzel, à valoir sur *Napoléon le Petit* et *Les Châtiments* : 1 500 frs.

Il y a en ce moment douze membres de l'Académie française à Paris, dont Ségur, Mignet, Dufaure, d'Haussonville, Legouvé, Cuvillier-Fleury, Barbier, Vitet.

Lune. Froid vif. Les Prussiens ont bombardé Saint-Denis toute la nuit.

De mardi à dimanche, les Prussiens nous ont envoyé vingt-cinq mille projectiles. Il a fallu pour les transporter deux cent vingt wagons. Chaque coup coûte 60 francs ; total : 1 500 000 francs. Il y a eu une dizaine de tués. Chacun de nos morts coûte aux Prussiens 150 000 francs.

— Nous avons dîné seuls tous les deux, avec Petit Georges.

5 janvier.

Le bombardement s'accentue de plus en plus. On bombarde Issy et Vanves.

Le charbon manque. On ne peut plus blanchir le linge, ne pouvant le sécher. Ma blanchisseuse m'a fait dire ceci par Mariette : « *Si M. Victor Hugo, qui est si puissant, voulait demander pour moi au gouvernement un peu de poussier, je pourrais blanchir ses chemises.* »

— J'étais aux Feuillantines, un obus est tombé près de moi.

— Outre mes convives ordinaires du jeudi, j'ai eu à dîner Louis Blanc, Rochefort, Paul de Saint-Victor et Louis Koch. Mme Jules Simon m'a envoyé du fromage de gruyère. Luxe énorme. Nous étions treize à table.

— Premières personnes tuées dans Paris par le bombardement : quatre rue Gay-Lussac, deux près du Val-de-Grâce.

6 janvier.

Au dessert, hier, j'ai offert des bonbons aux femmes et j'ai dit :

> Grâce à Boissier, chères colombes,
> Heureux, à vos pieds nous tombons ;
> Car on prend les forts par les bombes,
> Et les faibles par les bonbons.

— Les Parisiens vont, par curiosité, voir les quartiers bombardés. On va aux bombes comme on irait au feu d'artifice. Il faut des gardes nationaux pour maintenir la foule. Les Prussiens tirent sur les hôpitaux. Ils bombardent le Val-de-Grâce. Leurs obus ont mis le feu cette nuit aux baraquements du Luxembourg pleins de soldats blessés et malades, qu'il a fallu transporter, nus et enveloppés comme on a pu, à la Charité. Barbieux les y a vus arriver vers une heure du matin.

Seize rues ont déjà été atteintes par les obus.

7 janvier.

La rue des Feuillantines, percée là où fut le jardin de mon enfance, est fort bombardée.

Ma blanchisseuse, n'ayant plus de quoi faire du feu et obligée de refuser le linge à blanchir, a fait à M. Clemenceau, maire du IXe arrondissement, une demande de charbon, en payant, que j'ai apostillée ainsi : « *Je me résigne à tout pour la défense de Paris, à mourir de faim et de froid, et même à ne pas changer de chemise. Pourtant je recommande ma blanchisseuse à M. le maire du IXe arrondissement.* » — Et j'ai signé. Le maire a accordé le charbon.

8 janvier.

Camille Pelletan nous a apporté du gouvernement d'excellentes nouvelles : Rouen et Dijon repris, Garibaldi vainqueur à Nuits et Faidherbe à Bapaume. Tout va bien.

On mangeait du pain bis, on mange du pain noir. Le même pour tous. C'est bien.

Les nouvelles d'hier ont été apportées par deux pigeons.

Une bombe a tué cinq enfants dans une école rue de Vaugirard.

Le bombardement a été furieux aujourd'hui. Un obus a troué la chapelle de la Vierge à Saint-Sulpice où ma mère a été enterrée et où j'ai été marié.

10 janvier.

Bombes sur l'Odéon.

Envoi d'un éclat d'obus par Chifflard. Cet obus, tombé à Auteuil, est marqué H. Je m'en ferai un encrier.

11 janvier.

Envoyé une couverture à Mme Lanvin. Petit Georges a envoyé un joujou au petit Lanvin.

12 janvier.

Nous avons mangé ce matin un beefsteak d'éléphant.
Ont dîné avec nous Shœlcher, Rochefort, E. Blum, et
tous nos convives ordinaires du jeudi. Nous étions encore
treize. Après le dîner, Louis Blanc, Paul Foucher, Pelletan.

13 janvier.

Un œuf coûte 2 frs. 75. La viande d'éléphant coûte
40 frs. la livre. Un sac d'oignons, 800 francs.

Ed. Lockroy, qui part cette nuit pour les avant-postes
avec le bataillon qu'il commande, est venu dîner chez moi.

— J. J. a passé la journée à chercher un autre hôtel.
Rien n'est possible. Tout est fermé.

— Dumas n'est pas mort. Sa fille, Mme Marie Dumas,
écrit qu'il se porte bien.

18 janvier.

M. Krupp fait des canons contre les ballons.

— Il y a un coq dans mon petit jardin. Hier Louis
Blanc déjeunait avec nous. Le coq chanta. Louis Blanc
s'arrête et me dit : « *Écoutez.* — *Qu'est-ce ?* — *Le coq
chante.* — *Eh bien ?* — *Entendez-vous ce qu'il dit ?* — *Non*
— *Il dit : Victor Hugo!* » Nous écoutons, nous rions. Louis
Blanc avait raison. Le chant du coq ressemblait beaucoup à mon nom.

J'émiette aux poules notre pain noir. Elles n'en veulent
pas.

Ce matin, on a commencé une sortie sur Montretout.
On a pris Montretout. Ce soir les Prussiens nous l'ont repris.

20 janvier.

— L'attaque sur Montretout a interrompu le bombardement.

Un enfant de quatorze ans a été étouffé dans une foule
à la porte d'un boulanger.

21 janvier.

Louis Blanc vient me voir. Nous tenons conseil. La situation devient extrême et suprême. La mairie de Paris demande mon avis.

22 janvier.

Les Prussiens bombardent Saint-Denis.

Dumas fils écrit que son père est mort.

Manifestation tumultueuse à l'Hôtel de Ville. Trochu se retire. Rostan vient me dire que la mobile bretonne tire sur le peuple. J'en doute. J'irai moi-même s'il le faut.

Je reviens. Il y a eu attaque simultanée des deux côtés. J'ai dit à des combattants qui me consultaient : « *Je ne reconnais pour français que les fusils qui sont tournés du côté des Prussiens.* »

Rostan m'a dit : « — *Je viens mettre mon bataillon à votre disposition. Nous sommes cinq cents hommes. Où voulez-vous que nous allions ?* » Je lui ai demandé : « — *Où êtes-vous en ce moment ?* » Il m'a répondu : « — *On nous a massés du côté de Saint-Denis qu'on bombarde. Nous sommes à la Villette.* » Je lui ai dit : « *Restez-y. C'est là que je vous eusse envoyés. Ne marchez pas contre l'Hôtel de Ville ; marchez contre la Prusse.* »

23 janvier.

Hier soir, conférence chez moi. Outre les convives du dimanche, Rochefort et son secrétaire Mourot avaient dîné avec moi.

Sont venus le soir Rey et Gambon. Ils m'ont apporté, avec prière d'y adhérer, l'un le programme affiche de Ledru-Rollin (assemblée de 200 membres), l'autre, le programme de l'Union républicaine (50 membres). J'ai déclaré n'approuver ni l'une ni l'autre des deux solutions.

Chanzy est battu. Bourbaki réussit. Mais ni l'un ni l'autre

ne marchent sur Paris. Énigme dont je crois entrevoir le secret. Bêtise ou trahison.

Un inventeur vient de m'apporter un projet de bouclier-barricade en fer pour les troupes en ligne de bataille.

Le bombardement semble interrompu.

24 janvier.

Ce matin, Flourens est venu. Il m'a demandé conseil. Je lui ai dit : « *Nulle pression violente sur la situation.* »

25 janvier.

J'ai fait manger deux œufs frais à Georges et à Jeanne.

M. Dorian est venu ce matin voir mes fils au pavillon de Rohan. Il leur a annoncé la capitulation imminente. Affreuses nouvelles du dehors. Chanzy battu, Faidherbe battu, Bourbaki refoulé.

27 janvier.

Schœlcher est venu m'annoncer qu'il donnait sa démission de colonel de la légion d'artillerie.

On est encore venu me demander de me mettre à la tête d'une manifestation contre l'Hôtel de Ville. J'ai refusé. Toutes sortes de bruits courent. J'invite tout le monde au calme et à l'union.

28 janvier.

Bismarck, dans les pourparlers de Versailles, a dit à Jules Favre : « *Comprenez-vous cette grue d'impératrice qui me propose la paix ?* »

29 janvier.

L'armistice a été signé hier. Il est publié ce matin. Assemblée nationale. Sera nommée du 5 au 18 février. S'assemblera à Bordeaux.

— Plus de ballon. La poste. Mais les lettres non cachetées. Il neige. Il gèle.

2 février.

Le nouveau journal de Rochefort, le *Mot d'Ordre*, a paru aujourd'hui. Les élections de Paris remises au 8 février.

Je continue à mal digérer le cheval. Maux d'estomac. Hier je disais à Mme Ernest Lefèvre, dînant à côté de moi :

De ces bons animaux la viande me fait mal,
J'aime tant les chevaux que je hais le cheval.

4 février.

Le soir, foule chez moi. Proclamation de Gambetta.

5 février.

La *Tribune des Progressistes* m'a nommé son président honoraire et me prie d'accepter.

La liste des candidats des journaux républicains a paru ce matin. Je suis en tête.

J'ai eu mes convives habituels du dimanche. Nous avons eu du poisson, du beurre et du pain blanc.

6 février.

Bourbaki, battu, s'est tué. Grande mort.

Ledru-Rollin recule devant l'Assemblée. Louis Blanc est venu ce soir me lire ce désistement.

7 février.

Nous avions trois ou quatre boîtes de conserves que nous avons mangées aujourd'hui.

8 février.

Aujourd'hui scrutin pour l'Assemblée nationale. Paul Meurice et moi avons été voter ensemble, rue Clauzel. Je pense que Louis Blanc sera nommé le premier, en tête de la liste des représentants de Paris.

Après la capitulation signée, en quittant Jules Favre,

Bismarck est rentré dans le cabinet où ses deux secrétaires l'attendaient, et a dit : « *La bête est morte.* »

Victor Hugo a utilisé ces souvenirs dans plusieurs poèmes de L'année terrible.

AU CANON LE V. H.

Écoute-moi, ton tour viendra d'être écouté.
O canon, ô tonnerre, ô guerrier redouté,
Dragon plein de colère et d'ombre, dont la bouche
Mêle aux rugissements une flamme farouche,
Pesant colosse auquel s'amalgame l'éclair,
Toi qui disperseras l'aveugle Mort dans l'air,
Je te bénis. Tu vas défendre cette ville.
O canon, sois muet dans la guerre civile,
Mais veille du côté de l'étranger. Hier
Tu sortis de la forge épouvantable et fier ;
Les femmes te suivaient. Qu'il est beau! disaient-elles.
Car les Cimbres sont là. Leurs victoires sont telles
Qu'il en sort de la honte, et Paris fait de loin
Signe aux princes qu'il prend les peuples à témoin.
La lutte nous attend ; viens, ô mon fils étrange,
Doublons-nous l'un par l'autre, et faisons un échange,
Et mets, ô noir vengeur, combattant souverain,
Ton bronze dans mon cœur, mon âme en ton airain.

O canon, tu seras bientôt sur la muraille.
Avec ton caisson plein de boîtes à mitraille,
Sautant sur le pavé, traîné par huit chevaux,
Au milieu d'une foule éclatant en bravos,
Tu t'en iras, parmi les croulantes masures,
Prendre ta place altière aux grandes embrasures
Où Paris indigné se dresse, sabre au poing.
Là ne t'endors jamais et ne t'apaise point.

Et, puisque je suis l'homme essayant sur la terre
Toutes les guérisons par l'indulgence austère,
Puisque je suis, parmi les vivants en rumeur,
Au forum ou du haut de l'exil, le semeur
De la paix à travers l'immense guerre humaine,
Puisque vers le grand but où Dieu clément nous mène,
J'ai, triste ou souriant, toujours le doigt levé,
Puisque j'ai, moi, songeur par les deuils éprouvé,
L'amour pour évangile et l'union pour bible,
Toi qui portes mon nom, ô monstre, sois terrible!
Car l'amour devient haine en présence du mal ;
Car l'homme esprit ne peut subir l'homme animal,
Et la France ne peut subir la barbarie ;
Car l'idéal sublime est la grande patrie ;
Et jamais le devoir ne fut plus évident
De faire obstacle au flot sauvage débordant,
Et de mettre Paris, l'Europe qu'il transforme,
Les peuples, sous l'abri d'une défense énorme ;
Car si ce roi teuton n'était pas châtié,
Tout ce que l'homme appelle espoir, progrès, pitié,
Fraternité, fuirait de la terre sans joie ;
Car César est le tigre et le peuple est la proie,
Et qui combat la France attaque l'avenir ;
Car il faut élever, lorsqu'on entend hennir
Le cheval d'Attila dans l'ombre formidable,
Autour de l'âme humaine un mur inabordable,
Et Rome, pour sauver l'univers du néant,
Doit être une déesse, et Paris un géant!

C'est pourquoi des canons que la lyre a fait naître,
Que la strophe azurée enfanta, doivent être
Braqués, gueule béante, au-dessus du fossé ;
C'est pourquoi le penseur frémissant est forcé
D'employer la lumière à des choses sinistres ;
Devant les rois, devant le mal et ses ministres,

Devant ce grand besoin du monde, être sauvé,
Il sait qu'il doit combattre après avoir rêvé ;
Il sait qu'il faut lutter, frapper, vaincre, dissoudre,
Et d'un rayon d'aurore il fait un coup de foudre.

LES FORTS

Ils sont les chiens de garde énormes de Paris.
Comme nous pouvons être à chaque instant surpris,
Comme une horde est là, comme l'embûche vile
Parfois rampe jusqu'à l'enceinte de la ville,
Ils sont dix-neuf épars sur les monts, qui, le soir,
Inquiets, menaçants, guettent l'espace noir,
Et, s'entr'avertissant dès que la nuit commence,
Tendent leur cou de bronze autour du mur immense.
Ils restent éveillés quand nous nous endormons,
Et font tousser la foudre en leurs rauques poumons.
Les collines parfois, brusquement étoilées,
Jettent dans la nuit sombre un éclair aux vallées ;
Le crépuscule lourd s'abat sur nous, masquant
Dans son silence un piège et dans sa paix un camp ;
Mais en vain l'ennemi serpente et nous enlace,
Ils tiennent en respect toute une populace
De canons monstrueux, rôdant à l'horizon.
Paris bivouac, Paris tombeau, Paris prison,
Debout dans l'univers devenu solitude,
Fait sentinelle, et, pris enfin de lassitude,
S'assoupit ; tout se tait, hommes, femmes, enfants,
Les sanglots, les éclats de rire triomphants,
Les pas, les chars, le quai, le carrefour, la grève,
Les mille toits d'où sort le murmure du rêve,
L'espoir qui dit je crois, la faim qui dit je meurs ;
Tout fait silence ; ô foule! indistinctes rumeurs!
Sommeil de tout un monde! ô songes insondables!

On dort, on oublie... — Eux, ils sont là, formidables.
Tout à coup on se dresse en sursautant ; haletant,
Morne, on prête l'oreille, on se penche... — on entend
Comme le hurlement profond d'une montagne.
Toute la ville écoute, et toute la campagne
Se réveille ; et voilà qu'au premier grondement
Répond un second cri, sourd, farouche, inclément,
Et dans l'obscurité d'autres fracas s'écroulent
Et d'échos en échos cent voix terribles roulent,
Ce sont eux. C'est qu'au fond des espaces confus,
Ils ont vu se grouper de sinistres affûts ;
C'est qu'ils ont des canons surpris la silhouette ;
C'est que, dans quelque bois d'où s'enfuit la chouette,
Ils viennent d'entrevoir, là-bas, au bord d'un champ,
Le fourmillement noir des bataillons marchant ;
C'est que dans les halliers des yeux traîtres flamboient.
Comme c'est beau ces forts qui dans cette ombre aboient !

LETTRE A UNE FEMME

(Par ballon monté, 10 janvier.)

Paris terrible et gai combat. Bonjour, madame.
On est un peuple, on est un monde, on est une âme.
Chacun se donne à tous et nul ne songe à soi.
Nous sommes sans soleil, sans appui, sans effroi.
Tout ira bien pourvu que jamais on ne dorme.
Schmitz fait des bulletins plats sur la guerre énorme :
C'est Eschyle traduit par le père Brumoy.
J'ai payé quinze francs quatre œufs frais, non pour moi,
Mais pour mon petit George et ma petite Jeanne.
Nous mangeons du cheval, du rat, de l'ours, de l'âne.
Paris est si bien pris, cerné, muré, noué,
Gardé, que notre ventre est l'arche de Noé ;
Dans nos flancs toute bête, honnête ou mal famée,

Pénètre, et chien et chat, le mammon, le pygmée,
Tout entre, et la souris rencontre l'éléphant.
Plus d'arbres ; on les coupe, on les scie, on les fend ;
Paris sur ses chenets met les Champs-Élysées.
On a l'onglée aux doigts et le givre aux croisées.
Plus de feu pour sécher le linge des lavoirs,
Et l'on ne change plus de chemise. Les soirs
Un grand murmure sombre abonde au coin des rues,
C'est la foule ; tantôt ce sont des voix bourrues,
Tantôt des chants, parfois de belliqueux appels.
La Seine lentement traîne des archipels
De glaçons hésitants, lourds, où la canonnière
Court, laissant derrière elle une écumante ornière.
On vit de rien, on vit de tout, on est content.
Sur nos tables sans nappe, où la faim nous attend,
Une pomme de terre arrachée à sa crypte
Est reine, et les oignons sont dieux comme en Égypte.
Nous manquons de charbon, mais notre pain est noir.
Plus de gaz ; Paris dort sous un large éteignoir ;
A six heures du soir, ténèbres. Des tempêtes
De bombes font un bruit monstrueux sur nos têtes.
D'un bel éclat d'obus j'ai fait mon encrier.
Paris assassiné ne daigne pas crier.
Les bourgeois sont de garde autour de la muraille ;
Ces pères, ces maris, ces frères qu'on mitraille,
Coiffés de leurs képis, roulés dans leurs cabans,
Guettent, ayant pour lit la planche de leurs bancs.
Soit. Moltke nous canonne et Bismarck nous affame.
Paris est un héros, Paris est une femme,
Il sait être vaillant et charmant ; ses yeux vont,
Souriants et pensifs, dans le grand ciel profond,
Du pigeon qui revient au ballon qui s'envole.
C'est beau : le formidable est sorti du frivole.
Moi, je suis là, joyeux de ne voir rien plier.
Je dis à tous d'aimer, de lutter, d'oublier,

De n'avoir d'ennemi que l'ennemi ; je crie :
Je ne sais plus mon nom, je m'appelle Patrie!
Quant aux femmes, soyez très fière, en ce moment
Où tout penche, elles sont sublimes simplement.
Ce qui fit la beauté des Romaines antiques (1),
C'étaient leurs humbles toits, leurs vertus domestiques,
Leurs doigts que l'âpre laine avait faits noirs et durs,
Leurs courts sommeils, leur calme, Annibal près des murs
Et leurs maris debout sur la porte Colline.
Ces temps sont revenus. La géante féline,
La Prusse tient Paris, et, tigresse, elle mord
Ce grand cœur palpitant du monde à moitié mort.
Eh bien, dans ce Paris, sous l'étreinte inhumaine,
L'homme n'est que français, et la femme est romaine.
Elles acceptent tout, les femmes de Paris,
Leur âtre éteint, leurs pieds par le verglas meurtris,
Au seuil noir des bouchers les attentes nocturnes,
La neige et l'ouragan vidant leurs froides urnes,
La famine, l'horreur, le combat, sans rien voir
Que la grande patrie et que le grand devoir ;
Et Juvénal au fond de l'ombre est content d'elles.
Le bombardement fait gronder nos citadelles,
Dès l'aube le tambour parle au clairon lointain ;
La diane réveille, au vent frais du matin,
La grande ville pâle et dans l'ombre apparue ;
Une vague fanfare erre de rue en rue.
On fraternise, on rêve un succès ; nous offrons
Nos cœurs à l'espérance, à la foudre nos fronts.
La ville par la gloire et le malheur élue
Voit arriver les jours terribles, et salue.

1   Præstabat castas humilis fortuna Latinas,
         Casulæ, somnique breves, et vellere tusco
         Vexatæ duræque manus, et proximus urbis
         Annibal, et stantes Collina in turre mariti.

                                         JUVÉNAL.

Eh bien, on aura froid! eh bien, on aura faim!
Qu'est cela? C'est la nuit. Et que sera la fin?
L'aurore. Nous souffrons, mais avec certitude.
La Prusse est le cachot et Paris est Latude.
Courage! on refera l'effort des jours anciens.
Paris avant un mois chassera les Prussiens.
Ensuite nous comptons, mes deux fils et moi, vivre
Aux champs auprès de vous, qui voulez bien nous suivre,
Madame, et nous irons en mars vous en prier
Si nous ne sommes pas tués en février.

L'année terrible.

La Commune

« *Paris se résigne à sa mort, mais non à notre déshonneur* », dira Hugo
à Bordeaux. A l'Assemblée, un député ultra, le vicomte de Lorgeril, ose
déclarer : « *L'Assemblée refuse la parole à M. Hugo parce qu'il ne parle
pas français.* » Hugo démissionne et rentre à Paris. Il y trouve l'insurrection. « *Révolutionnaires et patriotes, écrit André Maurois, étaient unis,
par la colère, contre le traité et l'Assemblée.* » Son fils Charles est mort.
Autour du cercueil de son enfant, communards et écrivains se retrouvent,
dans l'admiration et le respect au père douloureux et au patriote intran-
sigeant. Puis Hugo est contraint pour des raisons de famille impérieu ses
de gagner Bruxelles. Il y stigmatisera l'affreuse répression de la Commune par les Versaillais, — cette Commune qu'il n'avait pourtant pas
approuvée. Il proclame qu'il donnera asile chez lui aux nouveaux proscrits. Des énergumènes brisent ses vitres en représailles, et Hugo est
expulsé de Belgique. Il s'installe quelque temps en Luxembourg avant
de regagner la France.
        A Paris, le célèbre auteur de la Porteuse de Pain, Xavier de Montépin,
a demandé que Victor Hugo soit exclu de la Société des Gens de Lettres,
en déclarant : « *La liberté de conscience est un mot vide de sens.* » Le
retour dans la capitale est sinistre. Hugo voit Thiers, et lui demande de

proclamer une amnistie. Parce qu'il a défendu les Communards, les électeurs l'abandonnent. Il est battu aux élections de juillet 1871 et de janvier 1872.

Le peuple est conduit par la misère aux révolutions et ramené par les révolutions à la misère.

On n'est pas quitte avec un problème parce qu'on a sabré la solution.

J'écrivais en avril 1869 les deux mots qui résoudraient les complications d'avril 1871, et j'ajoute toutes les complications. Ces deux mots, vous vous en souvenez, sont : Conciliation et Réconciliation. Le premier pour les idées, le second pour les hommes.

Le salut serait là.

Comme vous je suis pour la Commune en principe, et contre la Commune dans l'application.

Certes le droit de Paris est patent. Paris est une commune, la plus nécessaire de toutes, comme la plus illustre, Paris, commune, est la résultante de la France république. Comment! Londres est une commune, et Paris n'en serait pas une! Londres, sous l'oligarchie, existe, et Paris, sous la démocratie, n'existerait pas!

Le droit de Paris de se déclarer Commune est incontestable.

Mais à côté du droit, il y a l'opportunité.

Ici apparaît la vraie question.

Faire éclater un conflit à une pareille heure! la guerre civile après la guerre étrangère!

... Qui a fait cela?

Le gouvernement, sans le vouloir et sans le savoir.

Cet innocent est bien coupable.

Si l'Assemblée eût laissé Montmartre tranquille, Montmartre n'eût pas soulevé Paris. Il n'y aurait pas eu le 18 mars.

Ajoutons ceci : les généraux Clément Thomas et Lecomte vivraient.

J'énonce les faits simplement, avec la froideur historique.

Quant à la Commune, comme elle contient un principe, elle se fût produite plus tard, à son heure, les Prussiens partis. Au lieu de mal venir, elle fût bien venue.

Au lieu d'être une catastrophe, elle eût été un bienfait.

Dans tout ceci, à qui la faute ? au gouvernement de la majorité.

Être coupable, cela devrait rendre indulgent.

Eh bien, non.

Pierres.

PARIS INCENDIÉ

*

Mais où donc ira-t-on dans l'horreur ? et jusqu'où ?

Une voix basse dit : Pourquoi pas ? et Moscou ?

Ah! ce meurtre effrayant est un meurtre imbécile!
Supprimer l'Agora, le Forum, le Pœcile,
La cité qui résume Athènes, Rome et Tyr,
Faire de tout un peuple un immense martyr,
Changer le jour en nuit, changer l'Europe en Chine,
Parce qu'il fut un ours appelé Rostopschine!
Il faut brûler Paris, puisqu'on brûla Moscou!
Parce que la Russie adora son licou,
Parce qu'elle voulut, broyant sa ville en cendre,
Chasser Napoléon pour garder Alexandre,
Parce que, cela plut au czar en son divan,
Parce que, l'œil fixé sur la croix d'or d'Yvan,
Un barbare a sauvé son pays par un crime,
Il faut jeter la France étoilée à l'abîme!

Mais vous par qui les droits du peuple sont trahis,
Vous commettez le crime et perdez le pays!
Ce Rostopschine est grand de la grandeur sauvage,
La stature qui peut rester à l'esclavage,
Il l'a toute, et cet homme, une torche à la main,
Rentre dans sa patrie et sort du genre humain;
C'est le vieux scythe noir, c'est l'antique gépide;
Il est féroce, il est sublime, il est stupide;
On sait ce qu'il a fait, on ne sait s'il comprit;
Il serait un héros s'il était un esprit.
Les siècles sur leur cime ont quatre sombres flammes;
L'une où brille altier, vil, roi des gloires infâmes,
Le meurtrier d'Éphèse embouchant son clairon,
L'autre où se dresse Omar, l'autre où chante Néron;
Rostopschine est comme eux flamboyant dans l'histoire;
De ces quatre lueurs la sienne est la moins noire.
Mais vous, qui venez-vous copier?

                                        Vous pencher
Sur Paris! allumer un cinquième bûcher!
Quoi! l'on verrait Paris comme la neige fondre!
Quoi! vous vous méprenez à ce point de confondre
La ville qui nuisait et la ville qui sert!
Moscou fut la Babel sinistre du désert,
L'antre où la raison boite, où la vérité louche,
Citadelle du moine et du boyard, farouche
Au point que nul progrès ne put habiter là,
Nid d'éperviers d'où Pierre, un vautour, s'envola.
Moscou c'était l'Asie et Paris c'est l'Europe,
Quoi! du même linceul inepte on enveloppe
Et dans la même tombe on veut faire tenir
Moscou, le passé triste, et Paris, l'avenir!
Moscou de moins, qu'importe? ôtez Paris, quelle ombre!
La boussole est perdue et le navire sombre;
Le progrès stupéfait ne sait plus son chemin.

Si vous crevez cet œil énorme au genre humain,
Ce cyclope est aveugle, et, hors des faits possibles,
Il marche en tâtonnant avec des cris terribles ;
Du côté de la pente il va dans l'inconnu.

*

Sans Paris, l'avenir naîtra reptile et nu.
Paris donne un manteau de lumière aux idées.
Les erreurs, s'il les a seulement regardées,
Tremblent subitement et s'écroulent, ayant
En elles le rayon de cet œil foudroyant.
Comme au-dessous du temple on retrouve la crypte,
Et comme sous la Grèce on retrouve l'Égypte,
Et sous l'Égypte l'Inde, et sous l'Inde la nuit,
Sous Paris, par les temps et les races construit,
On retrouve, en creusant, toute la vieille histoire.
L'homme a gagné Paris ainsi qu'une victoire.
Le lui prendre à présent, c'est lui rendre son bât,
C'est frustrer son labeur, c'est voler son combat.
A quoi bon avoir tant lutté si tout s'effondre !
Thèbe, Ellorah, Memphis, Carthage, aujourd'hui Londre,
Tous les peuples, qu'unit un véritable hymen,
De la raison humaine et du devoir humain
Ont créé l'alphabet, et Paris fait le livre.
Paris règne. Paris, en existant, délivre.
Par cela seul qu'il est, le monde est rassuré.

Un vaisseau comme un sceptre étendant son beaupré
Est son emblème ; il fait la grande traversée,
Il part de l'ignorance et monte à la pensée.
Il sait l'itinéraire ; il voit le but ; il va
Plus loin qu'on ne voulut, plus haut qu'on ne rêva,
Mais toujours il arrive ; il cherche, il crée, il fonde,
Et ce que Paris trouve est trouvé pour le monde.

Une évolution du globe tout entier
Veut Paris pour pivot et le prend pour chantier,
Et n'est universelle enfin qu'étant française ;
Londre a Charles premier, Paris a Louis seize,
Londre a tué le roi, Paris la royauté,
Ici le coup de hache à l'homme est limité,
Là c'est la monarchie énorme et décrépite,
C'est le passé, la nuit, l'enfer, qu'il décapite.
Un mot que dit Paris est un ambassadeur ;
Paris sème des lois dans toute profondeur,
Sans cesse, à travers l'ombre et la brume malsaine,
Il sort de cette forge, il sort de cette cène
Une flamme qui parle ; il remplit le ciel bleu
De l'éternel départ de ses langues de feu.
On voit à chaque instant une troupe de rêves
Sublimes, qui, portant des flambeaux ou des glaives,
S'échappe de Paris et va dans l'univers ;
Dante vient à Paris faire son premier vers ;
Là Montesquieu construit les lois, Pascal les règles ;
C'est de Paris que prend son vol l'essaim des aigles.

Paris veut que tout monte au suprême degré ;
Il dresse l'idéal sur le démesuré ;
A l'appui du progrès, à l'appui des idées,
Il donne des raisons hautes de cent coudées ;
Pour cime et pour refuge il a la majesté
Des principes remplis d'une altière clarté ;
Le fier sommet du vrai, voilà son acropole ;
Il extrait Mirabeau du siècle de Walpole ;
Ce Paris qui pour tous fit toujours ce qu'il put
Est parfois Sybaris et jamais Lilliput,
Car la méchanceté naît où la hauteur cesse ;
Avec la petitesse on fait de la bassesse,
Et Paris n'est jamais petit ; il est géant
Jusque dans sa poussière et jusqu'en son néant ;

Le fond de ses fureurs est bon ; jamais la haine
Ne trouble sa colère auguste et ne la gêne ;
Le cœur s'attendrit mieux lorsque l'esprit comprend,
Et l'on n'est le meilleur qu'en étant le plus grand.
De là la dignité de Paris, sa logique
Souffrant pour l'homme avec une douceur tragique,
Et la fraternité qui gronde en son courroux.
Les tyrans dans leurs camps, les hiboux dans leurs trous,
Le craignent, car voulant la paix, il veut l'aurore.
A la tendance humaine, obscure et vague encore,
Il creuse un lit, il fixe un but, il donne un sens ;
Du juste et de l'injuste il connaît les versants ;
Et du côté de l'aube il l'aide à se répandre.
Certains problèmes sont des fruits d'or pleins de cendres,
Le fond de l'un est Tout, le fond de l'autre est Rien ;
On peut trouver le mal en cherchant trop le bien ;
Paris le sait ; Paris choisit ce qui doit vivre.
Le droit parfois devient un vin dont on s'enivre ;
Ayant tout éveillé, Paris peut tout calmer ;
Sa grande loi Combattre a pour principe Aimer ;
Paris admet l'agape et non la saturnale,
Et c'est lui qui, soudain, de l'énigme infernale
Souffle le mot céleste au sphinx déconcerté.

Où le sphinx dit : Chaos, Paris dit : Liberté!

Lieu d'éclosion! centre éclatant et sonore
Où tous les avenirs trouvent toute l'aurore!
O rendez-vous sacré de tous les lendemains!
Point d'intersection des vastes pas humains!
Paris, ville, esprit, voix! tu parles, tu rédiges,
Tu décrètes, tu veux! chez toi tous les prodiges
Viennent se rencontrer comme en leur carrefour.
Du paria de l'Inde au nègre du Darfour,
Tout sent un tremblement si ton pavé remue.

Paris, l'esprit humain dans ton nid fait sa mue ;
Langue nouvelle, droits nouveaux, nouvelles lois,
Être Français après avoir été Gaulois,
Il te doit tous ces grands changements de plumages.
Non, qui que vous soyez, non, quels que soient vos mages,
Vos docteurs, vos guerriers, vos chefs, quelle que soit
Votre splendeur qu'au fond de l'ombre on aperçoit,
O cités, fussiez-vous de phares constellées,
Quels que soient vos palais, vos tours, vos propylées,
Vos clartés, vos rumeurs, votre fourmillement,
Le genre humain gravite autour de cet aimant,
Paris, l'abolisseur des vieilles mœurs serviles,
Et vous ne pourrez pas le remplacer, ô villes,
Et lui mort, consoler l'univers orphelin,
Non, non, pas même toi, Londres, ni toi, Berlin,
Ni toi, Vienne, ni toi, Madrid, ni toi, Byzance,
Si vous n'avez ainsi que lui cette puissance,
La joie, et cette force étrange, la bonté ;
Si, comme ce Paris charmant et redouté,
Vous n'avez cet éclair, l'amour, et si vous n'êtes
Océan aux ruisseaux et soleil aux planètes.

Car le genre humain veut que sa ville ait au front
L'auréole et dans l'œil le rire vif et prompt,
Qu'elle soit grande, gaie, héroïque et jalouse,
Et reste sa maîtresse, en étant son épouse.

Et dire que cette œuvre auguste, que mille ans
Et mille ans ont bâtie, industrieux et lents,
Que la cité héros, que la ville prophète,
Dire, ô cieux éternels ! que la merveille faite
Par vingt siècles pensifs, patients et profonds,
Qui créèrent la flamme où nous nous réchauffons
Et mirent cette ville au centre de la sphère,
Une heure folle aurait suffi pour la défaire !

*

Sombre année. Épopée en trois livres hideux.
Les hommes n'ont rien vu de tel au-dessus d'eux.
Attila. Puis Caïn. Maintenant Érostrate.

O torche misérable, abjecte, aveugle, ingrate !
Quoi ! disperser la ville unique à tous les vents !
Ce Paris qui remplit de son cœur les vivants,
Et fait planer qui rampe et penser qui végète !
Jeter au feu Paris comme le pâtre y jette,
En le poussant du pied, un rameau de sapin !
Quoi ! tout sacrifier ! quoi ! le grenier du pain !
Quoi ! la Bibliothèque, arche où l'aube se lève,
Insondable A B C de l'idéal, où rêve,
Accoudé, le progrès, ce lecteur éternel,
Porte éclatante ouverte au bout du noir tunnel,
Grange où l'esprit de l'homme a mis sa gerbe immense !
Pour qui travaillez-vous ? où va votre démence ?
Deux faces ici-bas se regardent, le jour
Et la nuit, l'âpre Haine et le puissant Amour,
Deux principes, le bien et le mal, se soufflettent,
Et deux villes, qui sont deux mystères, reflètent
Ce choc de deux éclairs devant nos yeux émus,
Et Rome est Arimane et Paris est Ormus.
Rome est le maître-autel où les vieux dogmes fument ;
Au sommet de Paris à flots de pourpre écument
En pleine éruption toutes les vérités,
La justice, jetant des rayons irrités,
La liberté, le droit, ces grandes clartés vierges.
En face de la Rome où vacillent les cierges,
Des révolutions Paris est le volcan.
Ici l'Hôtel de Ville et là le Vatican.
C'est au profit de l'un qu'on supprimerait l'autre.
Rome hait la raison dont Paris est l'apôtre.

O malheureux! voyez où l'on vous entraîna.
Devant le lampion vous éteignez l'Etna!
Il ne resterait plus que cette lueur vile.
Le Vatican prospère où meurt l'Hôtel de Ville.
Deuil! folie! immoler l'âme au suaire noir,
La parole au bâillon, l'étoile à l'éteignoir,
La vérité qui sauve au mensonge qui frappe,
Et le Paris du peuple à la Rome du pape!

*

Le genre humain peut-il être décapité?

Vous imaginez-vous cette haute cité
Qui fut des nations la parole, l'ouïe,
La vision, la vie et l'âme, évanouie!
Vous représentez-vous les peuples la cherchant?
On ne voit plus sa lampe, on n'entend plus son chant,
C'était notre théâtre et notre sanctuaire ;
Elle était sur le globe ainsi qu'un statuaire
Sculptant l'homme futur à grands coups de maillet ;
L'univers espérait quand elle travaillait ;
Elle était l'éternelle, elle était l'immortelle ;
Qu'est-il donc arrivé d'horrible? où donc est-elle?
Vous les figurez-vous s'arrêtant tout à coup?
Quel est ce pan de mur dans les ronces debout?
Le Panthéon!; ce bronze épars, c'est la Colonne ;
Ce marais où l'essaim des corbeaux tourbillonne,
C'est la Bastille ; un coin farouche où tout se tait,
Où rien ne luit, c'est là que Notre-Dame était ;
La limace et le ver souillent de leurs morsures
Les pierres, ossements augustes des masures ;
Pas un toit n'est resté de toutes ces maisons
Qui du progrès humain reflétaient les saisons ;
Pas une des ces tours, silhouettes superbes ;

Plus de ponts, plus de quais ; des étangs sous des herbes,
Un fleuve extravasé dans l'ombre, devenu
Informe et s'en allant dans un bois inconnu ;
Le vague bruit de l'eau que le vent triste emporte.
Et voyez-vous l'effet que ferait cette morte !

*

Mais qui donc a jeté ce tison ? Quelle main,
Osant avec le jour tuer le lendemain,
A tenté ce forfait, ce rêve, ce mystère
D'abolir la ville astre, âme de notre terre,
Centre en qui respirait tout ce qu'on étouffait ?
Non, ce n'est pas toi, peuple, et tu ne l'as pas fait.
Non, vous les égarés, vous n'êtes pas coupables !
Le vénéneux essaim des causes impalpables,
Les vieux faits devenus invisibles vous ont
Troublé l'âme et leur aile a battu votre front ;
Vous vous êtes sentis enivrés d'ombre obscure,
Le taon vous poursuivait de son âcre piqûre,
Une rouge lueur flottait devant vos yeux,
Et vous avez été le taureau furieux.

J'accuse la Misère, et je traîne à la barre
Cet aveugle, ce sourd, ce bandit, ce barbare,
Le Passé ; je dénonce, ô royauté, chaos,
Tes vieilles lois d'où sont sortis les vieux fléaux !
Elles pèsent sur nous, dans le siècle où nous sommes,
Du poids de l'ignorance effrayante des hommes ;
Elles nous changent tous en frères ennemis ;
Elles seules ont fait le mal ; elles ont mis
La torche inepte aux mains des souffrants implacables.
Elles forgent les nœuds d'airain, les affreux câbles,
Les dogmes, les erreurs, dont on veut tout lier,
Rapetissent l'école et ferment l'atelier ;

Leur palais a ce qui misérable, l'échoppe ;
Elles font le jour louche et le regard myope ;
Courbent les volontés sous le joug étouffant,
Vendent à la chaumière un peu d'air, à l'enfant
L'alphabet du mensonge, à tous la clarté fausse ;
Creusent mal le sillon et creusent bien la fosse ;
Ne savent ce que c'est qu'enseigner, qu'apaiser ;
Ont de l'or pour payer à Judas son baiser,
N'en ont point pour payer à Colomb son voyage ;
N'ont point, depuis les temps de Cyrus, d'Astyage,
De Cécrops, de Moïse et de Deucalion,
Fait un pas hors du lâche et sanglant talion ;
Livrent le faible aux forts, refusent l'âme aux femmes,
Sont imbéciles, sont féroces, sont infâmes!
Je dénonce les faux pontifes, les faux dieux,
Ceux qui n'ont pas d'amours et ceux qui n'ont pas d'yeux!
Non, je n'accuse rien du présent, ni personne ;
Non, le cri que je pousse et le glas que je sonne,
C'est contre le passé, fantôme encor debout
Dans les lois, dans les mœurs, dans les haines, dans tout.
J'accuse, ô nos aïeux, car l'heure est solennelle,
Votre société, la vieille criminelle!
La scélérate a fait tout ce que nous voyons ;
C'est elle qui sur l'âme et sur tous les rayons
Et sur tous les essors posa ses mains immondes,
Elle qui l'un par l'autre éclipsa les deux mondes,
La raison par la foi, la foi par la raison ;
Elle qui mit au haut des lois une prison ;
Elle qui, fourvoyant les hommes, même en France,
Créa la cécité qu'on appelle ignorance,
Leur ferma la science, et, marâtre pour eux,
Laissant noirs les esprits, fit les cœurs ténébreux!
Je l'accuse, et je veux qu'elle soit condamnée.
Elle vient d'enfanter cette effroyable année.
Elle égare parfois jusqu'à d'affreux souhaits

Toi-même, ô peuple immense et puissant qui la hais !
Le bœuf meurtri se dresse et frappe à coups de corne.
Elle a créé la foule inconsciente et morne,
Elle a tout opprimé, tout froissé, tout plié,
Tout blessé ; la rancune est un glaive oublié,
Mais qu'on retrouve ; hélas ! la haine est une dette.
Cette société que les vieux temps ont faite,
Depuis deux mille ans règne, usurpe notre bien,
Notre droit, et prend tout même à ceux qui n'ont rien ;
Elle fait dévorer le peuple aux parasites ;
La guerre et l'échafaud, voilà ses réussites ;
Elle n'a rien laissé que l'instinct animal
Au sauvage embusqué dans la forêt du mal ;
Elle répond de tout ce que peut faire l'homme ;
La bête fauve sort de la bête de somme,
L'esclave, sous le fouet se révolte, et, battu,
Fuit dans l'ombre, et demande à l'enfer : Me veux-tu ?
Étonnez-vous après, ô semeurs de tempêtes,
Que ce souffre-douleur soit votre trouble-fêtes,
Et qu'il vous donne tort à tous sur tous les points,
Qu'il soit hagard, fatal, sombre, et que ses deux poings
Reviennent, tout à coup, sur notre tragédie
Secouer, l'un le meurtre, et l'autre l'incendie !
J'accuse le passé, vous dis-je ! il a tout fait.
Quand il abrutissait le peuple, il triomphait.
Il a Dieu pour fantôme et Satan pour ministre.
Hélas ! il a créé l'indigence sinistre
Qui saigne et qui se venge au hasard, sans savoir,
Et qui devient la haine, étant le désespoir !

Qui que vous soyez, vous que je sers et que j'aime,
Souffrants que dans le mal la main du crime sème,
Et que j'ai toujours plaints, avertis, défendus,
O vous les accablés, ô vous les éperdus,
Nos frères, repoussez celui qui vous exploite !

Suivez l'esprit qui plane et non l'esprit qui boite,
Montez vers l'avenir, montez vers les clartés ;
Mais ne vous laissez plus entraîner! résistez!
Résistez, quel que soit le nom dont il se nomme,
A quiconque vous donne un conseil contre l'homme ;
Résistez aux douleurs, résistez à la faim.
Si vous saviez combien on fut près de la fin!

*

Oh! l'applaudissement des spectres est terrible!
Peuple, sur ta cité, comme aux temps de la Bible,
Quand l'incendie aux crins de flamme se leva,
Quand, ainsi que Ninive en proie à Jéhova,
Lutèce agonisa, maison de la lumière ;
Quand le Louvre prit feu comme un toit de chaumière
Avec mil huit cent trente, avec quatre-vingt-neuf!
Quand la Seine coula rouge sous le pont Neuf ;
Quand le Palais, école où la justice épelle,
Soudain se détachant de la Sainte-Chapelle,
Tomba comme un haillon qu'une femme découd ;
Quand la destruction empourpra tout à coup
Le haut temple où Voltaire et Jean-Jacques dormirent,
Et tout ce vaste amas que les peuples admirent,
Dômes, arcs triomphaux, cirques, frontons, pavois,
D'où partent des clartés et d'où sortent des voix ;
Quand on crut un moment voir la cité de gloire,
D'espérance et d'azur changée en ville noire,
Et Paris en fumée affreuse dissipé ;
Ce flamboiement lugubre, ainsi que dans Tempé
Avril vient doucement agiter les colombes,
Réveilla dans l'horreur sépulcrale les tombes ;
Et l'horizon s'emplit de fantômes criant :
O trépassés, venez voir mourir l'Orient!
Les méduses riaient avec leurs dents funèbres,

Le ciel eut peur, la joie infâme des ténèbres
Eclata, l'ombre vint insulter le flambeau ;
Torquemada sortit du gouffre et dit : C'est beau.
Cisneros dit : Voilà le grand bûcher de l'Homme!
Sanchez grinça : L'abîme est fait. Regarde, ô Rome!
Tout ce qu'on nomme droit, principes absolus,
République, raison et liberté n'est plus.
Tous les bourreaux, depuis Néron jusqu'à Zoïle,
Contents, vinrent jeter un tison dans la ville,
Et Borgia donna sa bénédiction.
Czars, sultans, Escobar, Rufin, Trimalcion,
Tous les conservateurs de l'antique souffrance,
Admirèrent, disant : C'est fini. Plus de France!
Ce qui s'achève ainsi ne recommence point.
A Danton interdit Brunswick montra le poing ;
On entendit mugir le veau d'or dans l'étable ;
Dans cette heure où le ciel devient épouvantable,
Le groupe monstrueux de tous les hommes noirs,
Sombre, et pour espérance ayant nos désespoirs,
Voyant sur toi, Paris, la mort ouvrir son aile,
Eut l'éblouissement de la nuit éternelle.

L'année terrible.

L'Assemblée de Bordeaux

Le 31 octobre 1870, on vient chercher Hugo dans la nuit en lui de-
mandant de présider le « nouveau gouvernement » de Paris : la Commune.
Il refuse. Le soulèvement devant l'ennemi lui semble une erreur. Il se
présentera aux élections de février 1871, et sera élu député de Paris avec
214 169 voix. Il ira siéger à l'Assemblée Nationale de Bordeaux. Il
appartient à la minorité de gauche de l'Assemblée, cette nouvelle « Cham-
bre introuvable ». Deux jours après l'anniversaire des soixante-neuf ans du
poète, Thiers soumet à l'Assemblée le traité de Paix. Hugo se refuse à le
ratifier. « Prendre n'est pas posséder. La conquête est la rapine, rien de
plus. »

533

Partis à midi dix minutes. Arrivés à Étampes à trois heures et quart. Station d'une heure trois quarts et luncheon.

Après le lunch, nous sommes rentrés dans le wagon-salon pour attendre le départ. La foule l'entourait, contenue par un groupe de soldats prussiens. La foule m'a reconnu et a crié : « *Vive Victor Hugo!* » J'ai agité le bras hors du wagon en élevant mon képi, et j'ai crié : « *Vive la France!* » Alors un homme à moustaches blanches, qui est, dit-on, le commandant prussien d'Étampes s'est avancé vers moi d'un air menaçant et m'a dit en allemand je ne sais quoi qui voulait être terrible. J'ai repris d'une voix plus haute, en regardant tour à tour fixement ce Prussien et la foule : « *Vive la France!* » Sur quoi, tout le peuple a crié avec enthousiasme : « *Vive la France!* » Le bonhomme en colère se l'est tenu pour dit. Les soldats prussiens n'ont pas bougé.

Voyage rude, lent, pénible. Le salon-wagon est mal éclairé et point chauffé. On sent le délabrement de la France dans cette misère des chemins de fer. Nous avons acheté à Vierzon un faisan et un poulet et deux bouteilles de vin pour souper. Puis on s'est roulé dans des couvertures et des cabans et l'on a dormi sur les banquettes.

14 février.

Le matin passage à Limoges ; à 10 h., arrivée à Périgueux. Luncheon, 5 frs. Louis Mie nous y attendait. Il nous pilote jusqu'à Coutras et nous renseigne. Les élections du département sont toutes réactionnaires.

Nous arrivons à Bordeaux à une heure et demie après-midi. Nous nous mettons en quête d'un logement. Nous montons en voiture et nous allons d'hôtel en hôtel. Pas une place. Je vais à l'Hôtel de Ville et je demande des renseignements. On m'indique un appartement meublé à louer chez M. A. Porte, 13, rue Saint-Maur, près le jardin public. Nous y allons. Charles loue l'appartement pour 600 francs par mois et paye un demi-mois d'avance. Nous nous remettons en quête d'un logis pour nous et nous ne trouvons rien. A sept heures, nous revenons à la gare chercher nos malles, ne sachant où passer la nuit. Nous retournons rue Saint-Maur où est Charles. Pourparlers avec le propriétaire et son frère qui a deux chambres, 37, rue de la Course, tout près. Nous finissons par nous arranger. J. J. et Suzanne auront une chambre 13, rue Saint-Maur à raison de 300 francs par mois, et moi les deux chambres (une pour Mariette) de la rue de la Course, à raison de 350 frs. par mois. Je paye le premier mois pour J. J. (à partir du 14 février) et mon premier mois.

15 février.

Nous déjeunons, avec J. J. au *Restaurant de Bayonne* (13 frs. 15).

A deux heures, je suis allé à l'Assemblée. A ma sortie, une foule immense m'attendait sur la grande place. Les gardes nationaux qui faisaient la haie ont ôté leurs képis, et tout le peuple a crié : « *Vive Victor Hugo!* » J'ai répondu : « *Vive la République! Vive la France!* » Ils ont répété ce double cri. Puis cela a été un délire. Ils m'ont recommencé l'ovation de mon arrivée à Paris. J'étais ému jusqu'aux larmes. Je me suis réfugié dans un café du coin de la place. J'ai expliqué dans un speech pourquoi je ne parlais pas au peuple, puis je me suis évadé, c'est le mot, en voiture. Ils ont suivi la voiture en criant : « *Vive Victor Hugo!* »

Pendant que ce peuple enthousiaste criait : « *Vive la République* », les membres de l'Assemblée sortaient et défilaient impassibles, presque furieux, le chapeau

535

sur la tête, au milieu des têtes nues et des képis agités en
l'air autour de moi par la foule.

Visite des représentants Le Flô, Rochefort, Lockroy, Alfred Naquet, Emmanuel Arago, Rességuier,
Floquet, Eugène Pelletan, Noël Parfait.

J'ai été coucher dans mon nouveau logement, rue
de la Course. A partir de demain, Suzanne fera la cuisine
et nous dînerons chez nous, en famille.

— J'ai écrit à Julie pour le ravitaillement de Hauteville-House depuis le 15 février jusqu'au 31 mars.

— Je n'ai plus que 2 100 frs. (en or) que j'ai serrés
dans le bureau qui est dans ma chambre.

16 février.

Aujourd'hui a eu lieu, à l'Assemblée, la proclamation
des représentants de Paris : Louis Blanc a 216 000 voix ;
il est le premier. Puis vient mon nom avec 214 000. Puis
Garibaldi, 200 000.

L'ovation que le peuple m'a faite hier est regardée
par la majorité comme une insulte pour elle. De là,
un grand déploiement de troupes sur la place (armée,
garde nationale, cavalerie). Avant mon arrivée, il y
a eu un incident à ce sujet. Des hommes de la droite
ont demandé qu'on protégeât l'Assemblée (contre
qui ? contre moi, à ce qu'il paraît !) La gauche a répliqué
par le cri de : « *Vive la République!* »

A ma sortie, on m'a averti que la foule m'attendait
sur la grande place. Je suis sorti pour échapper à l'ovation, par le côté du palais et non par la façade ; mais
la foule m'a aperçu, et un immense flot de peuple m'a
tout de suite entouré en criant : « *Vive Victor Hugo!* »
J'ai crié : « *Vive la République!* » Tous, y compris la
garde nationale, et les soldats de la ligne, ont crié : « *Vive
la République !* » J'ai pris une voiture que le peuple a suivie.

L'Assemblée a constitué aujourd'hui son bureau.

Dufaure propose Thiers pour chef du pouvoir exécutif.

Nous dînerons pour la première fois chez nous, 13, rue Saint-Maur. J'ai invité Louis Blanc, Schœlcher, Rochefort et Lockroy. Rochefort n'a pu venir.

Après le dîner, nous sommes allés chez Gent, quai des Chartrons, 35, à la réunion de la gauche. Mes fils m'accompagnaient. On a discuté la question du chef exécutif. J'ai fait ajouter à la définition : « *nommé par l'Assemblée et révocable par elle* ».

Le général Cremer est venu nous rendre compte des dispositions de l'armée.

17 février.

Ce matin, pénible incident Philomène-Alice. Je dois prendre une résolution qui me sera douloureuse.

Gambetta, à l'Assemblée, m'a abordé et m'a dit : « *Mon maître, quand pourrais-je vous voir? J'aurais bien des choses à vous expliquer.* »

Thiers est nommé chef du pouvoir exécutif. Il doit partir cette nuit pour Versailles, où est la Prusse.

— Nous avons dîné tous les trois, J. J., Victor et moi au restaurant Lanta (24 frs.).

Ce soir, réunion de la gauche, rue Lafaurie-Monbadon. La réunion m'a choisi pour président. Ont parlé Louis Blanc, Schœlcher, le colonel Langlois, Brisson, Lockroy, Millière (pourquoi parmi nous?), Clemenceau, Martin Bernard, Joigneaux. J'ai parlé le dernier et résumé le débat. On a agité des questions graves, le traité Bismarck-Thiers, la paix, la guerre, l'intolérance de l'Assemblée, le cas d'une démission à donner en masse.

18 février.

Le président du Cercle national de Bordeaux est venu mettre ses salons à ma disposition.

Mon hôtesse, Mme Porte, fort jolie femme, m'a envoyé un bouquet.

Thiers a nommé ses ministres. Il prend le titre équivoque et suspect de *président chef du pouvoir exécutif.*

L'Assemblée s'ajourne. On sera convoqué à domicile.

Nous avons dîné à la maison avec Victor. Puis nous sommes allés, Victor et moi, à la réunion de la gauche que j'ai présidée.

20 février.

Mme Olga Kovalsky, dame russe, m'envoie un bouquet. Elle demeure à Pessac, près de Bordeaux.

Aujourd'hui encore le peuple m'a acclamé comme je sortais de l'Assemblée. La foule en un instant est devenue énorme. J'ai été forcé de me réfugier chez Martin Bernard qui demeure dans une rue voisine de l'Assemblée.

J'ai parlé dans le onzième bureau. La question de la magistrature (qui nous fait des pétitions pour que nous ne la brisions pas) est venue à l'improviste. J'ai bien parlé. J'ai un peu terrifié le bureau.

Petite Jeanne est de plus en plus adorable. Elle commence à ne vouloir plus me quitter.

J'ai présidé ce soir la réunion de la gauche.

26 février.

J'ai aujourd'hui soixante-neuf ans.

28 février.

Thiers a apporté à la tribune le traité. Il est hideux. Je parlerai demain. Je suis inscrit le septième ; mais Grévy, le président de l'Assemblée, m'a dit : « *Levez-vous et demandez la parole quand vous voudrez. L'Assemblée voudra vous entendre.* »

Ce soir, nous nous sommes réunis dans les bureaux. Je suis du onzième. J'y ai parlé.

— J'ai eu à dîner Louis Blanc et Lockroy.

1er mars.

Aujourd'hui séance tragique. On a exécuté l'empire, — puis la France, hélas! On a voté le traité Shylock-Bismarck. J'ai parlé.

Louis Blanc a parlé après moi et supérieurement parlé. J'ai eu à dîner Louis Blanc et Charles Blanc.

Le soir, je suis allé à la réunion rue Lafaurie-Monbadon, que j'ai cessé de présider. Schœlcher présidait. J'y ai parlé. Je suis content de moi.

Carnets intimes 1870-1871.

A la tribune de l'Assemblée de Bordeaux.

Messieurs, voulez-vous être sages, soyez confiants. Voulez-vous être des hommes politiques, soyez des hommes fraternels.

Rentrez dans Paris, et rentrez-y immédiatement.

Paris vous en saura gré et s'apaisera. Et quand Paris s'apaise, tout s'apaise.

Votre absence de Paris inquiétera tous les intérêts et sera pour le pays une cause de fièvre lente.

Vous avez cinq milliards à payer ; pour cela il vous faut le crédit ; pour le crédit, il vous faut la tranquilité, il vous faut Paris. Il vous faut Paris rendu à la France, et la France rendue à Paris.

C'est-à-dire l'Assemblée nationale siégeant dans la ville nationale.

L'intérêt public est ici étroitement d'accord avec le devoir public.

Si le séjour de l'Assemblée en province, qui n'est qu'un accident, devenait un système, c'est-à-dire la négation du droit suprême de Paris, je le déclare, je ne siégerai point hors de Paris. Mais ma résolution particulière n'est qu'un détail sans importance. Je ferais ce que je crois être mon devoir. Cela me regarde et je n'y insiste pas.

Vous, c'est autre chose. Votre résolution est grave. Pesez-la.

On vous dit : « N'entrez pas dans Paris ; les Prussiens sont là. » Qu'importent les Prussiens ! moi je les dédaigne. Avant peu, ils subiront la domination de ce Paris qu'ils menacent de leurs canons et qui les éclaire de ses idées.

Le seule vue de Paris est une propagande. Désormais le séjour des Prussiens en France est dangereux surtout pour le roi de Prusse.

... Pour les législateurs souverains qui ont le devoir de compléter la Révolution française, être hors de Paris, c'est être hors de France. (*Interruption.*)

On m'interrompt. Alors j'insiste.

Isoler Paris, refaire après l'ennemi le blocus de Paris, tenir Paris à l'écart, succéder dans Versailles, vous, Assemblée républicaine, au roi de Prusse, créer à côté de Paris on ne sait quelle fausse capitale politique, croyez-vous en avoir le droit ? Est-ce comme représentants de la France que vous feriez cela ? Entendons-nous. Qui est-ce qui représente la France ? c'est ce qui contient le plus de lumière. Au-dessus de vous, au-dessus de moi, au-dessus de nous tous, qui avons un mandat aujourd'hui et qui n'en aurons pas demain, la France a un immense représentant, un représentant de sa grandeur, de sa puissance, de sa volonté, de son histoire, de son avenir, un représentant permanent, un mandataire irrévocable ; et ce représentant est un héros, et ce mandataire est un géant ; et savez-vous son nom ? Il s'appelle Paris.

Et c'est vous, représentants éphémères, qui voudriez destituer ce représentant éternel !

Ne faites pas ce rêve et ne faites pas cette faute.

Depuis l'Exil

2 mars.

Charles est revenu. Grand bonheur.

Pas de séance aujourd'hui. Le vote de la paix a entrouvert le filet prussien. J'ai reçu un paquet de lettres et de journaux de Paris. Deux numéros du *Rappel*, 28 février et 1er mars.

Nous avons dîné en famille tous les cinq. Puis je suis allé à la réunion.

Puisque la France est mutilée, l'Assemblée doit se retirer. Elle a fait la plaie et est impuissante à la guérir. Qu'une autre Assemblée la remplace. Je voudrais donner ma démission. Louis Blanc ne veut pas. Gambetta et Rochefort sont de mon avis. Débat.

3 mars.

Ce matin, enterrement du maire de Strasbourg, mort de chagrin. Louis Blanc est venu me trouver avec trois représentants, Brisson, Floquet et Cournet. Il vient me consulter sur le parti à prendre quant aux démissions. Rochefort et Pyat, avec trois autres, donnent la leur. Mon avis serait de nous démettre. Louis Blanc résiste. Le reste de la gauche semble ne pas vouloir de la démission en masse.

Séance.

En montant l'escalier, j'ai entendu un bonhomme de la droite, duquel je voyais le dos, dire à un autre : « *Louis Blanc est exécrable, mais Victor Hugo est pire.* »

Nous avons tous dîné chez Charles qui avait invité Louis Blanc et MM. Lavertujon et Alexis Bouvier.

Le soir nous sommes allés à la réunion rue Lafaurie-Monbadon. Le président de l'Assemblée ayant fait aujourd'hui les adieux de l'Assemblée aux membres démissionnaires pour l'Alsace et la Lorraine, ma motion acceptée par la réunion (leur maintenir indéfiniment leur siège) est sans objet, puisque la question est décidée. La réunion semble pourtant y tenir. Nous aviserons.

Louis Blanc et Schœlcher m'ont reconduit jusque chez moi.

4 mars.

Réunion de la gauche. M. Millière propose, ainsi que M. Delescluze, un acte d'accusation contre le gouvernement de la Défense nationale. Il termine en disant que quiconque ne s'associera pas à lui en cette occasion est *dupe ou complice.* Schœlcher se lève et lui dit : « *Ni dupe ni complice. Vous en avez menti.* »

Séance à l'Assemblée. J'y suis allé.

— J'ai invité à dîner Louis Blanc et Schœlcher.

Le soir, réunion. Louis Blanc, au lieu d'un acte d'accusation en forme de l'ex-gouvernement de Paris, demande une enquête. Je m'y rallie. Nous signons.

5 mars.

Louis Blanc est venu prendre le café avec nous. Nous sommes allés ensemble à la réunion de la gauche.

On parle d'une grande fermentation dans Paris. Le gouvernement qui reçoit ordinairement de Paris un minimum de quinze dépêches télégraphiques par jour, n'en avait pas reçu aujourd'hui une seule à six heures du soir. Six dépêches adressées à Jules Favre sont restées sans réponse. Nous décidons que Louis Blanc ou moi interpellerons le gouvernement demain sur la situation de Paris, si l'anxiété continue et si la situation n'est pas éclairée. Nous nous verrons avant l'ouverture de la séance.

Une députation de Lorrains et d'Alsaciens est venue nous remercier.

Carnets intimes 1870-1871.

Le second exil

Le 7 août 1872, Hugo quitte de nouveau la France.
Puisque je suis étrange au milieu de la ville,
Puisque je déraisonne à ce point de penser
Que la victoire aimante est la seule victoire.
Il choisit de nouveau l'exil. Il s'installe d'abord à Bruxelles, et lorsqu'il
en est chassé, à Guernesey. Il terminera là, en juin 1873, Quatre-Vingt
treize.

A Bruxelles, en 1871, un homme, un aïeul, avec une jeune mère et deux petits enfants, habitaient la maison numéro 3 de cette place, dite place des Barricades ; c'était le même qui avait habité le numéro 6 de la place Royale à Paris ; seulement, il n'était plus qualifié « ancien pair de France », mais « ancien proscrit » ; promotion due au devoir accompli.

Cet homme était en deuil. Il venait de perdre son fils. Bruxelles le connaissait pour le voir passer dans les rues, toujours seul, la tête penchée, fantôme noir aux cheveux blancs.

Cet homme était de ceux qui ont l'âme habituellement sereine. Ce jour-là, le 27 mai, cette sérénité était encore augmentée en lui par la pensée d'une chose fraternelle qu'il avait faite le matin même. L'année 1871, on s'en souvient, a été une des plus fatales de l'histoire ; on était dans un moment lugubre. Paris venait d'être violé deux fois ; d'abord par le parricide, la guerre de l'étranger contre la France, ensuite par le fratricide, la guerre des Français contre les Français. Pour l'instant la lutte avait cessé ; l'un des deux partis avait écrasé l'autre ; on ne se donnait plus de coups de couteau, mais les plaies restaient ouvertes ; et à la bataille avait succédé cette paix affreuse et gisante que font les cadavres à terre et les flaques de sang figé.

Il y avait des vainqueurs et des vaincus ; c'est-à-dire d'un côté nulle clémence, de l'autre nul espoir.

Un unanime *vae victis* retentissait dans toute l'Europe. Tout ce qui se passait pouvait se résumer d'un mot, une immense absence de pitié. Les furieux tuaient, les violents applaudissaient, les morts et les lâches se taisaient. Les gouvernements étrangers étaient complices de deux façons : les gouvernements traîtres souriaient, les gouvernements abjects fermaient aux vaincus leur frontière. Le gouvernement catholique belge était de ces derniers. Il avait, dès le 26 mai, pris des précautions contre toute bonne action ; et il avait honteusement et majestueusement annoncé dans les deux Chambres que les fugitifs de Paris étaient au ban des nations, et que lui, gouvernement belge, il leur refusait asile.

Ce que voyant, l'habitant solitaire de la place des Barricades avait décidé que cet asile, refusé par les gouvernements à des vaincus, leur serait offert par un exilé.

Et, par une lettre rendue publique le 27 mai, il avait déclaré que, puisque toutes les portes étaient fermées aux fugitifs, sa maison à lui leur était ouverte, qu'ils pouvaient s'y présenter, et qu'ils y seraient les bienvenus, qu'il leur offrait toute la quantité d'inviolabilité qu'il pouvait avoir lui-même, qu'une fois entrés chez lui personne ne les toucherait sans commencer par lui, qu'il associait son sort au leur, et qu'il entendait ou être en danger avec eux, ou qu'ils fussent en sûreté avec lui.

Cela fait, le soir venu, après sa journée ordinaire de promenade solitaire, de rêverie et de travail, il rentra dans sa maison. Tout le monde était déjà couché dans le logis. Il monta au deuxième étage, et écouta à travers une porte la respiration égale des petits-enfants. Puis il redescendit au premier dans sa chambre ; il s'accouda quelques instants à sa croisée, songeant aux vaincus, aux accablés, aux désespérés, aux suppliants, aux choses violentes que font les hommes, et contemplant la céleste douceur de la nuit.

Puis il ferma sa fenêtre, écrivit quelques mots, quelques vers, se déshabilla rêveur, envoya encore une pensée de pitié aux vainqueurs aussi bien qu'aux vaincus, et, en paix avec Dieu, il s'endormit.

Il fut brusquement réveillé. A travers les profonds rêves du premier sommeil, il entendit un coup de sonnette ; il se dressa. Après quelques secondes d'attente, il pensa que c'était quelqu'un qui se trompait de porte ; peut-être même ce coup de sonnette était-il imaginaire ; il y a de ces bruits dans les rêves ; il remit sa tête sur l'oreiller.

Une veilleuse éclairait la chambre.

Au moment où il se rendormait, il y eut un second coup de sonnette, très opiniâtre et très prolongé. Cette fois il ne pouvait douter ; il se leva, mit un pantalon à pied, des pantoufles et une robe de chambre, alla à la fenêtre et l'ouvrit.

La place était obscure, il avait encore dans les yeux le trouble du sommeil, il ne vit rien que de l'ombre, il se pencha sur cette ombre et demanda : « Qui est là » ?

Une voix très basse, mais très distincte, répondit : « Dombrowski ».

Dombrowski était le nom d'un des vaincus de Paris. Les journaux annonçaient, les uns qu'il avait été fusillé, les autres qu'il était en fuite.

L'homme que la sonnette avait réveillé pensa que ce fugitif était là, qu'il avait lu sa lettre publiée le matin, et qu'il venait lui demander asile. Il se pencha un peu, et aperçut en effet, dans la brume nocturne, au-dessous de lui, près de la porte de la maison, un homme de petite taille, aux larges épaules, qui ôtait son chapeau et le saluait. Il n'hésita pas, et se dit : « Je vais descendre et lui ouvrir ».

Comme il se redressait pour fermer la fenêtre, une

grosse pierre, violemment lancée, frappa le mur à côté de sa tête. Surpris, il regarda. Un fourmillement de vagues formes humaines, qu'il n'avait pas remarqué d'abord, emplissait le fond de la place. Alors il comprit. Il se souvint que la veille, on lui avait dit : « Ne publiez pas cette lettre, sinon vous serez assassiné. » Une seconde pierre, mieux ajustée, brisa la vitre au-dessus de son front, et le couvrit d'éclats de verre, dont aucun ne le blessa. C'était un deuxième renseignement sur ce qui allait être fait ou essayé. Il se pencha sur la place, le fourmillement d'ombres s'était rapproché et était massé sous sa fenêtre ; il dit d'une voix haute à cette foule : *Vous êtes des misérables!*

Et il referma la croisée.

Alors des cris frénétiques s'élevèrent : *A mort! A la potence! A la lanterne! A mort le brigand!*

Il comprit que « le brigand » c'était lui.

Pensant que cette heure pouvait être pour lui la dernière, il regarda sa montre. Il était minuit et demie.

Abrégeons. Il y eut un assaut furieux. Qu'on se figure cette douce maison endormie, et ce réveil épouvanté. Les femmes se levèrent en sursaut, les enfants eurent peur, les pierres pleuvaient, le fracas des vitres et des glaces brisées était inexprimable. On entendait ce cri : *A mort! A mort!* Cet assaut eut trois reprises et dura sept quarts d'heure, de minuit et demie à deux heures un quart. Plus de cinq cents pierres furent lancées dans la chambre ; une grêle de cailloux s'abattit sur le lit, point de mire de cette lapidation. La grande fenêtre fut défoncée ; les barreaux du soupirail du couloir d'entrée furent tordus ; quant à la chambre, murs, plafonds, parquet, meubles, cristaux, porcelaines, rideaux arrachés par les pierres, qu'on se représente un lieu mitraillé. L'escalade fut tentée trois fois, et l'on entendit des voix crier : « Une échelle! » L'effraction fut essayée, mais ne put disloquer la doublure de fer des volets du rez-de-chaussée. On s'efforça de crocheter la porte ; il y eut un gros verrou qui résista. L'un des enfants, la petite fille, était malade ; elle pleurait, l'aïeul l'avait prise dans ses bras ; une pierre lancée à l'aïeul passa près de la tête de l'enfant. Les femmes étaient en prières ; la jeune mère, vaillante, montée sur le vitrage d'une serre, appelait au secours ; mais autour de la maison en danger la surdité était profonde, surdité de terreur, de complicité peut-être. Les femmes avaient fini par remettre dans leurs berceaux les enfants effrayés, et l'aïeul, assis près d'eux, tenait leurs mains dans ses deux mains ; l'aîné, le petit garçon, qui se souvenait du siège de Paris, disait à mi-voix, en écoutant le tumulte sauvage de l'attaque : *C'est des Prussiens.* Pendant deux heures les cris de mort allèrent grossissant, une foule effrénée s'amassait dans la place. Enfin, il n'y eut plus qu'une seule clameur : *Enfonçons la porte!*

Peu après que ce cri fut poussé, dans une rue voisine, deux hommes portant une longue poutre, propre à battre les portes des maisons assiégées, se dirigeaient vers la place des Barricades, vaguement entrevus comme dans un crépuscule de la Forêt-Noire.

Mais, en même temps que la poutre, le soleil arrivait ; le jour se leva. Le jour est un trop grand regard pour de certaines actions ; la bande se dispersa. Ces fuites d'oiseaux de nuit font partie de l'aurore.

Depuis l'Exil.

UNE NUIT A BRUXELLES

Aux petits incidents il faut s'habituer.
Hier on est venu chez moi pour me tuer.
Mon tort dans ce pays c'est de croire aux asiles.

On ne sait quel ramas de pauvres imbéciles
S'est rué tout à coup la nuit sur ma maison.
Les arbres de la place en eurent le frisson,
Mais pas un habitant ne bougea. L'escalade
Fut longue, ardente, horrible, et Jeanne était malade.
Je conviens que j'avais pour elle un peu d'effroi.
Mes deux petits-enfants, quatre femmes et moi,
C'était la garnison de cette forteresse.
Rien ne vint secourir la maison en détresse.
La police fut sourde ayant affaire ailleurs.
Un dur caillou tranchant effleura Jeanne en pleurs.
Attaque de chauffeurs en pleine Forêt-Noire.
Ils criaient : Une échelle! une poutre! victoire!
Fracas où se perdaient nos appels sans écho.
Deux hommes apportaient du quartier Pachéco
Une poutre enlevée à quelque échafaudage.
Le jour naissant gênait la bande. L'abordage
Cessait, puis reprenait. Ils hurlaient haletants.
La poutre par bonheur n'arriva pas à temps.
— Assassin! — C'était moi. — Nous voulons que tu meures!
Brigand! bandit! — Ceci dura deux bonnes heures.
George avait calmé Jeanne en lui prenant la main.
Noir tumulte. Les voix n'avaient plus rien d'humain.
Pensif, je rassurais les femmes en prières,
Et ma fenêtre était trouée à coups de pierres.
Il manquait là des cris de vive l'empereur!
La porte résista battue avec fureur.
Cinquante hommes armés montrèrent ce courage.
Et mon nom revenait dans des clameurs de rage :
A la lanterne! à mort! qu'il meure! il nous le faut!
Par moments, méditant quelque nouvel assaut,
Tout ce tas furieux semblait reprendre haleine;
Court répit; un silence obscur et plein de haine
Se faisait au milieu de ce sombre viol;
Et j'entendais au loin chanter un rossignol.

EXPULSÉ DE BELGIQUE

« — Il est enjoint au sieur Hugo de par le roi
De quitter le royaume. » — Et je m'en vais. Pourquoi ?
Pourquoi ? mais c'est tout simple, amis. Je suis un homme
Qui, lorsque l'on dit : Tue! hésite à dire : Assomme!
Quand la foule entraînée, hélas! suit le torrent,
Je me permets d'avoir un avis différent ;
Le talion me fâche, et mon humeur bizarre
Préfère l'ange au tigre et John Brown à Pizarre ;
Je blâme sans pudeur les massacres en grand ;
Je ne bois pas de sang ; l'ordre à l'état flagrant,
Exterminant, hurlant, bavant, tâchant de mordre,
Me semble, à moi songeur, fort semblable au désordre ;
J'assiste sans plaisir à ce hideux tournoi :
Cissey contre Duval, Rigault contre Vinoy.
Je hais qu'on joute à qui sera le plus féroce ;
Qu'un gueux aille pieds nus ou qu'il roule carrosse,
Qu'il soit prince ou goujat, j'ai le très méchant goût
De tout jeter, goujat et prince, au même égout ;
Mon mépris est égal pour la scélératesse
Qu'on tutoie et pour celle à qui l'on dit altesse ;
Je crois, s'il faut choisir, que je préfère encor
Le crime teint de boue au crime brodé d'or ;
J'excuse l'ignorant ; je ne crains pas de dire
Que la misère explique un accès de délire,
Qu'il ne faut pas pousser les gens au désespoir,
Que, si les dictateurs font un forfait bien noir,
L'homme du peuple en est juste aussi responsable
Que peut l'être d'un coup de vent le grain de sable ;
Le sable, arraché, pris et poussé par le vent,
Entre dans le simoun affreux, semble vivant,
Brûle et tue, et devient l'atome de l'abîme ;
Il fait la catastrophe et le vent fait le crime ;
Le vent c'est le despote. En ces obscurs combats,

S'il faut frapper, frappez en haut, et non en bas.
Si Rigault fut chacal, on a tort d'être hyène.
Quoi! jeter un faubourg de Paris à Cayenne!
Quoi! tous ces égarés, en faire des forçats!
Non, je hais l'Ile-aux-Pins et j'exècre Mazas.
Johannard est cruel et Serisier infâme.
Soit. Mais comprenez-vous quelle nuit a dans l'âme
Le travailleur sans pain l'été, sans feu l'hiver,
Qui voit son nouveau-né pâlir, nu comme un ver,
Qui lutte et souffre avec la faim pour récompense,
Qui ne sait rien, sinon qu'on l'opprime, et qui pense
Que détruire un palais, c'est détruire un tyran?
Que de douleurs! combien de chômages par an!
Songez-y, ne peut-il perdre enfin patience?

Le croirait-on? j'écoute en moi la conscience!
Quand j'entends crier : Mort! frappez! sabrez! je vais
Jusqu'à trouver qu'un meurtre au hasard est mauvais ;
Je m'étonne qu'on puisse, à l'époque où nous sommes,
Dans Paris, aller prendre une dizaine d'hommes,
Dire : Ils sont à peu près du quartier qui brûla,
Mitrailler à la hâte en masse tout cela,
Et les jeter vivants ou morts dans la chaux vive ;
Je recule devant une fosse plaintive ;
Ils sont là, je le sais, l'un sur l'autre engloutis,
Le mâle et la femelle, hélas, et les petits!
Coupables, ignorants, innocents, pêle-mêle ;
Autour du noir charnier mon âme bat de l'aile.
Si des râles d'enfants m'appellent dans ce trou,
Je voudrais de la mort tirer le froid verrou ;
J'ai par des voix sortant de terre l'âme émue ;
Je n'aime pas sentir sous mes pieds qu'on remue,
Et je ne me suis pas encore habitué
A marcher sur les cris d'un homme mal tué.
C'est pourquoi, moi vaincu, moi proscrit imbécile,

J'offre aux vaincus l'abri, j'offre aux proscrits l'asile,
Je l'offre à tous. A tous! Je suis étrange au point
De voir tomber les gens sans leur montrer le poing ;
Je suis de ce parti dangereux qui fait grâce ;
Et demain j'ouvrirai ma porte, car tout passe,
A ceux qui sont vainqueurs, quand ils seront vaincus ;
Je suis pour Cicéron et je suis pour Gracchus !
Il suffit, pour me faire indulgent, doux et sombre,
Que je voie une main suppliante dans l'ombre ;
Faible, à ceux qui sont forts j'ose jeter le gant.
Je crie : ayez pitié! Donc je suis un brigand.

— Dehors ce monstre! Il est chez nous! il a l'audace
De se croire chez lui! d'habiter cette place,
Ce quartier, ce logis, de payer les impôts,
Et de penser qu'il peut y dormir en repos!
Mais il reste, l'État court des périls, en somme.
Il faut bien vite mettre à la porte cet homme!

Je suis un scélérat. C'est une trahison,
Quand tout le monde est fou, d'invoquer la raison.
Je suis un malfaiteur. Faut-il qu'on vous le prouve?
Comment! si je voyais dans les dents de la louve
Un agneau, je voudrais l'en arracher! Comment!
Je crois au droit d'asile, au peuple, au Dieu clément!
Le clergé s'épouvante et le sénat frissonne.
Horreur! quoi! j'ai pour loi de n'égorger personne!
Quoi! cet homme n'est pas aux vengeances fougueux,
Il n'a point de colère et de haine, ce gueux!
Oui, l'accusation, je le confesse, est vraie ;
Je voudrais dans le blé ne sarcler que l'ivraie ;
Je préfère à la foudre un rayon dans le ciel ;
Pour moi la plaie est mal guérie avec du fiel,
Et la fraternité, c'est la grande justice.
C'est à qui détruira ; j'aime mieux qu'on bâtisse.

Pour moi, la charité vaut toutes les vertus ;
Ceux que puissants on blesse, on les panse abattus ;
La pitié dans l'abîme où l'on souffre m'entraîne,
Et j'ai cette servante adorable pour reine ;
Je tâche de comprendre afin de pardonner ;
Je veux qu'on examine avant d'exterminer ;
Un feu de peloton pour résoudre un problème
Me déplaît. Fusiller un petit garçon blême,
A quoi bon ? Je voudrais qu'à l'école on l'admît,
Hélas ! et qu'il vécût ! — Là-dessus on frémit.
Ces opinions-là jamais ne se tolèrent !
« Et pour comble d'effroi, les animaux parlèrent (1). »
Un monsieur Ribeaucourt m'appelle individu.

Autre preuve. Une nuit, vers mon toit éperdu,
Une horde, poussant des hurlements infâmes,
Accourt, et deux enfants tout petits, quatre femmes
Sous les pierres, les cris de mort, l'horreur, l'effroi,
Se réveillent... — Qui donc est le bandit ? C'est moi.
Certes !

Le jour d'après, devant mon seuil éparse,
Une foule en gants blancs vient rire de la farce,
En criant : — C'est trop peu ! Qu'on rase la maison !
Qu'on y mette le feu ! — Cette foule a raison.
Il faut tuer celui qui ne veut pas qu'on tue ;
C'est juste. Le bon ordre exige une battue
Contre cet assassin plus noir qu'il n'en a l'air ;
Et puisqu'on veut brûler ma maison, il est clair
Que j'ai brûlé le Louvre ; et je suis l'étincelle
Qui dévore Paris en restant à Bruxelle.
Honneur à Mouravief et gloire à Galliffet !
On me lapide et l'on m'exile. C'est bien fait.

1. DELILLE, *Géorgiques.* Pecudesque locutæ.

O beauté de l'aurore! ô majesté de l'astre!
Gibelin contre guelfe, York contre Lancastre,
Capulet, Montaigu, qu'importe! que me font
Leurs cris, puisque voilà le firmament profond!
Ame, on a de la place aux voûtes éternelles.
Le sol manque à nos pieds, non l'azur à nos ailes.
Le despote est partout sur terre, atroce et laid,
Maître par un profil et par l'autre valet ;
Mais l'aube est pure, l'air est bon, l'abîme est libre ;
L'immense équité sort de l'immense équilibre ;
Évadons-nous là-haut! et vivons! Le songeur
Se plonge, ô ciel sublime, en ta chaste rougeur ;
Dans ta pudeur sacrée, Ombre, il se réfugie.
Dieu créa le banquet dont l'homme a fait l'orgie.
Le penseur hait la fête affreuse des tyrans.
Il voit Dieu calme au fond des gouffres transparents,
Et, saignant, pâle, après les épreuves sans nombre,
Se sent le bienvenu dans la profondeur sombre.
Il va. Sa conscience est là, rien ne dément
Cette boussole ayant l'idéal pour aimant ;
Plus de frontière, plus d'obstacle, plus de borne ;
Il plane. En vain sur lui la Fatalité morne
Tend son filet sinistre où dans les hideux fils
Se croisent les douleurs, les haines, les exils,
Il ne se plaint pas. Fier devant la tourbe immonde,
Il rit puisque le ciel s'offre à qui perd le monde,
Puisqu'il a pour abri cette hospitalité,
Et puisqu'il peut, ô joie, ô gouffre! ô liberté!
Domptant le sort, bravant le mal, perçant les voiles,
Par les hommes chassé, s'enfuir dans les étoiles!

L'année terrible.

Paris retrouvé

Le 31 juillet 1873, Hugo revient définitivement à Paris : la répression se poursuit, les victimes ont besoin de sa présence, et de son aide. Il publie Quatre-Vingt-treize, Actes et Paroles, *la nouvelle série de la* Légende des Siècles. *En janvier 1876 il est élu sénateur de Paris, et en mai prend la parole au Sénat en faveur de l'amnistie des Communards. En 1877, il publie* l'Histoire d'un Crime.

Le continent fraternel, tel est l'avenir. Qu'on en prenne son parti, cet immense bonheur est inévitable.

Avant d'avoir son peuple, l'Europe a sa ville. De ce peuple qui n'existe pas encore, la capitale existe déjà.

C'est là Paris, et l'on médite. Comment s'est formé ce chef-lieu suprême ?

Cette ville a un inconvénient. A qui la possède, elle donne le monde.

Vouloir toujours, c'est le fait de Paris. Vous croyez qu'il dort, non, il veut. La volonté de Paris en permanence, c'est là ce dont ne se doutent pas assez les gouvernements de transition. Paris est toujours à l'état de préméditation. Il a une patience d'astre mûrissant lentement un fruit. Les nuages passent sur sa fixité. Un beau jour, c'est fait. Paris décrète un événement. La France, brusquement mise en demeure, obéit.

Ne reculons pas devant les mots, la Convention incarne un fait définitif, le Peuple, et la Commune incarne un fait transitoire, la Populace. Mais ici la populace, personnage immense, a droit. Elle est la Misère, et elle a quinze siècles d'âge. Euménide vénérable. Furie auguste. Cette tête de Méduse a des vipères, mais des cheveux blancs.

La Commune a droit ; la Convention a raison. C'est là ce qui est superbe. D'un côté, la Populace, mais sublimée ;

de l'autre, le Peuple, mais transfiguré. Et ces deux animosités ont un amour, le genre humain, et ces deux chocs ont une résultante, la Fraternité. Telle est la magnificence de notre révolution.

Les révolutions ont un besoin de liberté, c'est leur but, et un besoin d'autorité, c'est leur moyen. La convulsion étant donnée, l'autorité peut aller jusqu'à la dictature et la liberté jusqu'à l'anarchie. De là un double accès despotique qui a le sombre caractère de la nécessité, un accès dictatorial et un accès anarchique. Oscillation prodigieuse.

Blâmez si vous voulez, mais vous blâmez l'élément. Ce sont des faits de statique, sur lesquels vous dépensez de la colère. La force des choses se gouverne par A+B, et les déplacements du pendule tiennent peu de compte de votre mécontentement.

Ce double accès despotique, despotisme d'assemblée, despotisme de foule, cette bataille inouïe entre le procédé à l'état d'empirisme et le résultat à l'état d'ébauche, cet antagonisme inexplicable du but et du moyen, la Convention et la Commune le représentent avec une grandeur extraordinaire. Elles font visible la philosophie de l'histoire.

La Convention de France et la Commune de Paris sont deux quantités de révolution. Ce sont deux valeurs, ce sont deux chiffres. C'est l'A plus B dont nous parlions tout à l'heure. Des chiffres ne se combattent pas, ils se multiplient. Chimiquement, ce qui lutte se combine. Révolutionnairement aussi.

Ici l'avenir se bifurque et montre ses deux têtes : il y a plus de civilisation dans la Convention et plus de révolution dans la Commune. Les violences que fait la Commune à la Convention ressemblent aux douleurs utiles de l'enfantement.

Un nouveau genre humain, c'est quelque chose. Ne

marchandons pas trop qui nous donne ce résultat.

Devant l'histoire, la révolution étant un lever de lumière venu à son heure, la Convention est une forme de la nécessité, la Commune est l'autre ; noires et sublimes formes vivantes debout sur l'horizon, et, dans ce vertigineux crépuscule où il y a tant de clarté derrière tant de ténèbres, l'œil hésite entre les silhouettes énormes de deux colosses.

L'un est Léviathan, l'autre est Béhemoth.

J'ai eu deux affaires dans ma vie : Paris et l'Océan.

Océan-Tas de Pierres.

VIII

LE COUCHER D'UN SOLEIL

Lorsque le 27 février 1881, le peuple de Paris, pour les quatre-vingts ans du poète, défile sous ses fenêtres, Paris ne salue pas seulement un siècle moins vingt ans de poésie et de génie, mais aussi un siècle d'histoire de France. Quatre ans plus tard, aux funérailles du grand vieillard, le 1er juin 1885, Maurice Barrès pourra écrire : « Notre fleuve français coula ainsi, de midi à six heures, entre les berges immenses faites d'un peuple entassé depuis le trottoir, sur des tables, des échelles, des échafaudages, jusqu'aux toits. Qu'un tel phénomène d'union dans l'enthousiasme, puissant comme les plus grandes scènes de la nature, ait été déterminé pour remercier un poète-prophète, un vieil homme qui par ses utopies exaltait les cœurs, voilà qui doit susciter les plus ardentes espérances des amis de la France. »

Testament à l'histoire

Nous sommes dans le siècle des accomplissements. La science, ce grand fait révolutionnaire, dégage successivement toutes les inconnues que la philosophie avait devinées et que la poésie avait idéalisées. D'une solution on passe à la suivante.

L'homme progresse. Une partie de la marche étant

latente et profonde, même quand on croit qu'il s'arrête, même quand on croit qu'il recule, il progresse. Rétrograder à la surface n'empêche pas d'avancer souterrainement. Le mouvement superficiel n'est quelquefois qu'un contre-courant.

Le va-et-vient des locomotives troue et disloque les limites de peuple à peuple, le rail mêle l'homme à l'homme ; la vie en commun de l'humanité commence ; les poètes, les écrivains et les philosophes ont prêché la croisade sublime de la paix ; la guerre est déconsidérée ; il y a trente ans, elle n'était qu'affreuse ; aujourd'hui elle est bête. Un panache est un anachronisme ; la passementerie fait sourire. Un « guerrier » aujourd'hui est grotesque comme jadis « un pékin ». Le ridicule a retourné sa lorgnette. La bataille pour la bataille, cela n'est déjà plus admis ; le drapeau ne suffit plus ; il faut une idée.

Plus de parasitisme, donc plus d'exploitation. Pas plus l'exploitation d'en bas que l'exploitation d'en haut ; car nous ne voulons pas plus le pauvre, vermine, mangeant le riche, que le riche, polype, mangeant le pauvre.

La souveraineté du peuple remplacée par la souveraineté de l'homme ; c'est-à-dire l'homme souverain de lui-même ; la science commençant par élever l'enfant pour en venir à gouverner le citoyen ; plus de superstition payée ; toute fonction élective ; l'autorité réduite à l'auteur ; la guerre n'ayant plus de raison d'être, la pénalité n'ayant plus de raison d'être, la politique n'ayant plus de raison d'être ; la géométrie sociale pratiquée ; l'institut assemblée unique ; le luxe légitimé par la misère anéantie ; chacun en pleine possession de son droit, droit de l'homme sur lui-même, la liberté ; droit de l'homme sur la chose, la propriété ; chacun en plein exercice de son devoir, devoir du fort envers le faible, la fraternité ; le plain-pied de l'éducation fondant l'égalité ; l'équité entre les hommes résultant de l'équilibre entre les droits ; en

un mot, le gouvernement de tous pour tous par tous ;
tout cela est dans le suffrage universel, œuf qui finira par
être bien couvé.

Qui dit force, dit énergie. La révolution est une volonté.
Ceux qui ne voient en elle qu'un élément se trompent ;
elle est une intelligence ; elle est un être. Elle est debout,
immense, ailée, armée. Elle a des ordres, qu'elle exécute.
Elle n'entend pas qu'on s'arrête, elle pousse le siècle
devant elle ; car, nous venons de le dire, les haltes ne sont
qu'apparentes ; le fatal travail providentiel ne s'interrompt pas ; nulle solution de continuité ; l'enjambée
amène l'enjambée ; une fois réalisé, l'effet devient cause,
et entre en parturition d'un résultat nouveau qui à son
tour engendre, et ceux-là même qui croient rester immobiles se déplacent et avancent. Pas moyen de se soustraire
au progrès, qui est le jour levant ; la conviction du soleil
gagne secrètement les hiboux, et les ennuie. Ceux-là même
qui trouvent l'avenir impossible n'ont qu'à se retourner,
et le passé leur semblera plus impossible encore. C'est
fini, il faut progresser, il faut apprendre, il faut s'amé-
liorer, il faut penser, il faut aimer, il faut vivre,
tirez-vous de là comme vous pourrez, aucun recul
n'est possible, les portes du retour sont fermées, et chassés de nouveau du paradis imbécile et chimérique de
l'inconscience, la vieille Ève, l'antique Erreur qui, d'usurpation en usurpation était devenue tyrannie, le vieil
Adam, l'antique Ignorance qui, de dégradation en dégradation était devenue Esclavage, talonnés par la Révolution française, s'en vont vers le travail, vers la fécondité,
vers le salubre emploi des forces terrestres, vers l'activité,
vers la responsabilité, vers la liberté, inexorablement
envoyés en avant, marchant, marchant toujours, avec
ce grand flamboiement d'épée derrière eux.